中华人民共和国法律释义丛书

中华人民共和国
立法法释义

全国人大常委会法制工作委员会国家法室　编著

法律出版社

图书在版编目(CIP)数据

中华人民共和国立法法释义/全国人大常委会法制工作委员会编. --北京:法律出版社,2015.7(2018.11 重印)
(中华人民共和国法律释义)
ISBN 978-7-5118-8145-8

Ⅰ.①中… Ⅱ.①全… Ⅲ.①立法法-法律解释-中国 Ⅳ.①D921.115

中国版本图书馆 CIP 数据核字(2015)第 134869 号

中华人民共和国立法法释义
ZHONGHUA RENMIN GONGHEGUO LIFAFA SHIYI

全国人大常委会法制工作委员会 编

责任编辑 麦 锐
装帧设计 李 瞻

出版 法律出版社
总发行 中国法律图书有限公司
经销 新华书店
印刷 北京玺诚印务有限公司
责任印制 吕亚莉

编辑统筹 法规出版分社
开本 850 毫米×1168 毫米 1/32
印张 14.125
字数 323 千
版本 2015 年 7 月第 1 版
印次 2018 年 11 月第 5 次印刷

法律出版社/北京市丰台区莲花池西里 7 号(100073)
网址/www. lawpress. com. cn
投稿邮箱/info@ lawpress. com. cn
举报维权邮箱/jbwq@ lawpress. com. cn
销售热线/010-83938336
咨询电话/010-63939796

中国法律图书有限公司/北京市丰台区莲花池西里 7 号(100073)
全国各地中法图分、子公司销售电话:
统一销售客服/400-660-6393
第一法律书店/010-83938334/8335 西安分公司/029-85330678 重庆分公司/023-67453036
上海分公司/021-62071639/1636 深圳分公司/0755-83072995

书号:ISBN 978-7-5118-8145-8 **定价**:58.00 元

总　　序

人类文明的历史上，还没有哪一个时代像中国的改革开放40年一样，在历史长河中掀起如此巨大的浪花——它不仅深刻改变了一个国家的面貌与精神气质、使数亿人摆脱贫困，还极大地改变了世界格局。

1978，在那一年的年底，中共中央一次全体会议——十一届三中全会扭转了中国的前进方向，开辟了一个时代。回首过去，我们发现，一些观念从那时开始在中国出现，一些声音从那时开始逐渐响起，一些人物开始登上历史舞台。从这一年开始，随着"加强社会主义民主，健全社会主义法制"历史性任务的提出，"法制"两个字进入了人们的视野；政法机关开始恢复重建；法律院系开始蓬勃发展。一部部法律从庙堂走进了人们的生活，一次次裁决推动着国家前进的脚步。从"有法可依、有法必依、执法必严、违法必究"到"科学立法、严格执法、公正司法、全民守法"；从"法制"到"法治"；从法治观念的形成到"依法治国，建设社会主义法治国家"写进宪法，再到"法治国家、法治政府、法治社会一体建设"，人们对法治的认识步步深入，中国的改革不断向前推进，结出丰硕的果实。在中国共产党的带领下，这个励精图治的古老国度，再一次创造了改革的奇迹。

40年发生了无数故事,40年产生了许多事物。为了纪念这难忘的40年,本社组织编辑出版了一批"纪念改革开放40周年"主题图书。这些图书,将40年来颁布的重要法律及其释义甄选汇集,将法学领域有代表性的学术论文萃取精编,把有关政法机关的重建、法律院系的重生与发展进行展现,将一批被时代改变命运的人物再次唤起。我们希望从法律与法律人的视角,重新审视过去的40年,认真体会这不平凡的40年。

如江河东下,逝者如斯。岁月总会过去,人事总有代谢,但一个不平凡的时代留下的深刻痕迹,永远不会磨灭。"不忘初心,牢记使命",习近平总书记在党的十九大报告中向全党发出的号召,使我们有理由期待,下一个40年,中国将更加惊艳!

法律出版社编辑委员会

2018年10月

出 版 前 言

《中华人民共和国法律释义丛书》是由全国人大常委会法制工作委员会组织编辑的一套系列丛书。

该套丛书由一系列法律释义组成。邀请有关专家、学者和部分参与立法的同志编著。该丛书坚持以准确地反映立法宗旨和法律条款内容为最基本要求,在每部法律释义中努力做到观点的权威性和内容解释的准确性。

我们相信,该套丛书的陆续出版,将会给广大读者进一步学好法律提供有益的帮助。

重印说明

本次重印，是为改革开放40周年制作的特别纪念版，为了保持内容原貌，未对正文和附录作实质修改。个别法条内容有修订或修正的，以脚注形式作了标注。特此说明。

2018年10月

前　言

2000年3月15日,九届全国人大三次会议通过了《中华人民共和国立法法》,自2000年7月1日起施行。立法法是关于国家立法制度和规范立法行为的重要法律,对立法权限划分、立法程序、法律解释、适用与备案审查等重要制度作了规定,对规范立法活动,推动形成和完善中国特色社会主义法律体系,发挥了重要作用。

随着我国经济社会的发展,近些年来,立法工作遇到一些新情况、新问题。党的十八大和十八届三中、四中全会对完善以宪法为核心的中国特色社会主义法律体系,推进国家治理体系和治理能力现代化,推进依法治国,建设社会主义法治国家,提出了一系列要求。为此,有必要对立法法进行修改完善。2015年3月15日,十二届全国人大三次会议通过了《关于修改〈中华人民共和国立法法〉的决定》,对立法法进行了15年来的首次修改。这次立法法修改,重点围绕完善立法体制,从实现改革与立法决策相衔接、赋予设区的市地方立法权、落实税收法定原则、规范规章权限等方面进行了补充修改完善。与此同时,还对发挥人大及其常委会在立法工作中的主导作用、完善科学立法、民主立法机制、加强规范性文件备案审查、对司法解释进行规范和监督等方面进行了修改补充和完善。修改立法法,是推进“四个全面”战略布局的客观要求;是全面深化改革、确保重大改革于法有据的现实要求；是全面推进依法治国、不断完善中国特色社会主义法律体系的必然要求；是提高立法质量、回应人民群众殷切期盼的客观需要。

为深入宣传、学习和正确贯彻新修改的立法法，全国人大常委会法制工作委员会国家法室组织编写了这本《中华人民共和国立法法释义》。参加本书编写工作的有：武增、郭林茂、袁玲、李菊、王曙光、陈国刚、汪洋、刘玫、严冬峰、谭喻、陈希文、王正斌、张晶、侯晓光、胡健、黄宇菲、梁菲、陈亦超等同志。全书完稿后，由武增同志统一审改；最后由郑淑娜同志审改定稿。由于水平有限，书中难免有不足之处，恳请读者批评指正。

在本书即将付梓之际，我们要向为本书打下良好基础和留下宝贵财富的国家法室历任领导和同志们表示衷心的感谢！在本书编写过程中，我们无不充满对他们的感念！

编　者
2015 年 6 月

目　　录

第一部分　释　　义

第二部分 附 录

第一部分　释　　义

第一章　总　　则

总则是一部法律的总括性规定，其功能是概括地表述贯穿于一部法律始终的立法思想、价值取向、基本原则等一般性、原则性、抽象性的内容。《中华人民共和国立法法》于2000年3月15日由九届全国人大三次会议通过，自2000年7月1日起施行。2015年3月15日，十二届全国人大三次会议通过了《关于修改〈中华人民共和国立法法〉的决定》，这是立法法颁布施行以来的首次修改。立法法是关于国家立法制度和规范立法行为的重要法律，对立法权限划分、立法程序、法律解释、适用与备案审查等重要制度作了规定，对规范立法活动，推动形成和完善中国特色社会主义法律体系，发挥引领和推动作用，保障和发展社会主义民主，推进依法治国，建设社会主义法治国家，具有重要意义。

本章共六条，主要规定的是本法的立法宗旨、立法依据、调整范围和立法应遵循的基本原则等重要内容。

第一条　为了规范立法活动，健全国家立法制度，提高立法质量，完善中国特色社会主义法律体系，发挥立法的引领和推动

作用，保障和发展社会主义民主，全面推进依法治国，建设社会主义法治国家，根据宪法，制定本法。

【释义】 本条是关于制定立法法的宗旨和依据的规定。

一、立法法制定和修改的背景

（一）2000 年制定立法法的背景

立法是国家的重要政治活动，立法法是关于国家立法制度的重要法律。1978 年党的十一届三中全会，使我国的社会主义民主和法制建设进入了一个新的发展时期。十一届三中全会指出："为了保障人民民主，必须加强社会主义法制，使民主制度化、法律化，使这种制度和法律具有稳定性、连续性和极大的权威，做到有法可依，有法必依，执法必严，违法必究。从现在起，应当把立法工作摆到全国人民代表大会及其常务委员会的重要议程上来。"经过改革开放以来的努力，到 20 世纪 90 年代中期，我国的立法工作取得了很大的进展，国家政治生活、经济生活和社会生活的主要的、基本方面已经做到有法可依，中国特色社会主义法律体系的框架已经形成。但是，在当时的立法工作中，还存在着一些不容忽视的问题，如有些法规、规章的规定同法律相抵触、超出权限范围，法规之间、规章之间、法规与规章之间存在着相互冲突或不衔接；有的立法质量不高，存在着为部门、地方争利益的倾向等。这些问题在一定程度上损害了国家法制的统一和尊严，也给执法工作造成了某些困难。1997 年党的十五大提出"依法治国，建设社会主义法治国家"的治国方略，并指出："加强立法工作，提高立法质量，到 2010 年形成有中国特色社会主义法律体系。"为了解决立法工作中存在的问题，规范立法活动，2000 年 3 月 15 日，第九届全国人民代表大会第三次会议审议通过了立法法。总结改革开放以来立法工作的经验，制定立法法，是我国法制建设中的一件大事。

（二）2015 年修改立法法的背景

立法法自 2000 年颁布施行以来，对规范立法活动，推动形成和完善中国特色社会主义法律体系，推进社会主义法治建设，发挥了重要作用。实践证明，立法法确立的立法制度总体是符合国情、行之有效的。但是，随着我国经济社会的发展和改革的不断深化，人民群众对加强和改进立法工作有许多新期盼，以习近平同志为总书记的党中央提出了新要求。立法工作也面临不少需要研究解决的新情况、新问题，如有的法律法规全面反映客观规律和人民意愿不够，解决实际问题有效性不足，针对性、可操作性不强；立法效率需要进一步提高；立法工作中部门化倾向、争权诿责现象较为突出，有的立法实际上成了一种博弈，不是久拖不决，就是制定的法律法规不大管用，一些地方利用法律法规实行地方保护主义，损害国家法治统一。立法工作关系党和国家事业发展全局，在全面建成小康社会、全面深化改革、全面依法治国、全面从严治党的战略布局中，将发挥越来越重要的作用。为了适应立法工作新形势新任务的需要，贯彻落实党的十八大和十八届三中、四中全会精神，总结立法法施行以来推进科学立法、民主立法的实践经验，适时修改立法法，十分必要。这对于完善立法体制，提高立法质量和立法效率，维护国家法制统一，形成完备的法律规范体系，推进国家治理体系和治理能力现代化，建设社会主义法治国家，具有重要的现实意义和长远意义。立法法修改经过了 2014 年 8 月、12 月的两次全国人大常委会会议和 2015 年 3 月全国人民代表大会会议审议，并由代表大会予以通过。

二、立法法的立法宗旨

2000 年制定立法法时对立法宗旨作了简明的概括，2015 年修改立法法，对立法宗旨的主要修改是：

（一）将“提高立法质量”明确为立法的一项基本要求

在中国特色社会主义法律体系已经形成的新起点上，党的十八大和十八届三中、四中全会都对完善法律体系、提高立法质量提出了明确要求。同时，广大人民群众对通过法治实现社会公平正义，通过立法解决发展中的实际问题期望值越来越高，对立法的要求，已经不是有没有，而是好不好、管不管用、能不能解决问题。衡量立法质量的高低要看法律是否反映客观规律，符合人民意愿，解决实际问题，重在管用、重在实施。因此，着力提高立法质量，是当前和今后一个时期立法工作的重中之重。十二届全国人大以来，全国人大常委会把提高立法质量作为新形势下加强和改进立法工作的重中之重，强调努力使制定和修改的法律能够准确体现党的主张和人民意愿，立得住、行得通、真管用，切实增强法律的针对性、及时性、系统性、可执行性。因此，在立法宗旨中对提高立法质量作出了规定。

（二）增加规定“发挥立法的引领和推动作用”

一般来说，法律的功能包括引导、规范、教育、保障、制裁等。在不同历史时期和发展阶段，立法发挥作用的重心和方式会相应调整。新中国成立之初，立法的重要使命是巩固新生的国家政权，建立和维护新的国家及社会秩序。改革开放之初，立法的重要任务是恢复和重建国家及社会秩序，构建良好的对外开放法制环境，保障各方面改革顺利推进。市场经济发展初期，立法工作的重心是尽快构建适应社会主义市场经济需要的法律制度框架，促进社会主义市场经济体制的建立健全。当前，我国已进入改革攻坚阶段和发展关键时期，在问题复杂、矛盾凸显、挑战深刻的新形势下，更加需要通过立法凝聚改革共识、推动制度创新、引领改革发展，从制度上进行顶层设计。党的十八届四中全会提出发挥立法的引领和推动作用，就是强调要注重运用法律手段调整利益关系、推动改革发展，努力做到政治决策和立法决策协调同步。当然，发挥立法的引领和推动作用，并不否认法律来源于实践，而是更加注重法律对实践发展的能动性；并不否认法律的规范、教育、保障等功能，而是更加注重通过立法引领实践、推动改革、促进发展。

发挥立法的引领和推动作用，是在新的历史条件下，立法工作的与时俱进，具有很强的现实性、必要性和紧迫性：第一，发挥立法的引领和推动作用，是全面建成小康社会的迫切要求。党的十八大报告突出强调全面建成小康社会的目标，涵盖经济、政治、社会、文化、生态文明各个领域，任务十分艰巨，必须坚决破除一切妨碍科学发展的思想观念和体制机制弊端，构建系统完备、科学规范、运行有效的制度体系，使各方面制度更加成熟更加定型。这在根本上要依靠立法来保障，通过立法来推动，为全面建成小康社会提供制度动力和根本保障。第二，发挥立法的引领和推动作用，是改进党的领导方式和执政方式的重大举措。以法治思维和法治方式治国理政，客观上要求我们党更加重视立法工作，实现国家各项工作法治化，使党的主张通过法定程序成为国家意志。这对于改进党的领导方式和执政方式，提高党的依法执政能力，保证党以法治的理念、法治的方式、法治的程序领导人民有效治理国家，意义重大。第三，发挥立法的引领和推动作用，是深入推进各领域改革的重要保障。当前我国已经进入深化改革的"深水区"，教育、医疗、住房、养老、就业、环境、资源、收入分配、城乡统筹等不少领域牵涉的利益格局十分复杂，越来越需要从体制机制上寻找问题的根源和解决的办法，越来越需要从制度上进行系统谋划、顶层设计和综合配套。法治是治国理政的基本方式，立法作为法治建设的重要环节，既是调节社会利益关系的重要方式，也是凝聚改革共识、分担改革风险、推动改革深化的最佳途径。改革越是深入,越要强调法治,通过立法来引领改革方向、推动改革进程、保障改革成果,让政府和人民共享改革红利、法治红利。第四,发挥立法的引领和推动作用,是全面推进依法治国的有效途径。法律是治国之重器。在改革发展的关键阶段,社会矛盾复杂凸显,需要解决的问题千头万绪,更要强调运用立法手段,在充分发扬民主的基础上,以法律作为社会认同的最大公约数,形成全社会一体遵行的规则。综上,发挥立法的引领和推动作用具有重大意义,因此,修改立法法时在立法宗旨中增加了这一内容。发挥立法的引领和推动作用,对加强和改进立法工作提出了新的更高的要求,在当前和今后一个时期,关键是处理好改革决策与立法决策的关系,重点是坚持在法治框架内推进改革,核心是着力提高立法质量。要充分发挥立法的引领和推动作用,为完善中国特色社会主义法律体系、全面落实依法治国基本方略作出应有的贡献。

(三)增加规定"全面"推进依法治国

党的十八届四中全会对全面推进依法治国作出战略部署,提出了全面推进依法治国的指导思想、总目标、基本原则、总体部署、重要举措和任务要求。全面推进依法治国是一个系统工程,是国家治理领域一场广泛而深刻的革命,总目标是建设中国特色社会主义法治体系。这个体系包含了五个子体系,即形成完备的法律规范体系、高效的法治实施体系、严密的法治监督体系、有力的法治保障体系,形成完善的党内法规体系。其中,完备的法律规范体系是整个体系中的一个重要组成部分,是建设中国特色社会主义法治体系的前提。在全面推进依法治国总目标中,加强和改进立法工作,完善以宪法为核心的中国特色社会主义法律体系,可以说是居于重要地位,起着重要作用。修改立法法对此作了强调规定。

三、立法法的立法依据

宪法是国家的根本法,规定国家的根本制度和根本任务,具有最高的法律效力。所有的法律都必须以宪法为依据,并不得同宪法相抵触。立法法同样是以宪法为依据制定的。宪法规定,中华人民共和国实行依法治国,建设社会主义法治国家;国家维护社会主义法制的统一和尊严。宪法对我国的立法体制作了明确规定;此外,宪法就立法问题还作了一系列其他规定,如有四十五处对哪些事项应制定法律作出了明确规定。比如,宪法第七十八条规定:“全国人民代表大会和全国人民代表大会常务委员会的组织和工作程序由法律规定。”第八十六条第三款规定:“国务院的组织由法律规定。”第九十五条第二款规定:“地方各级人民代表大会和地方各级人民政府的组织由法律规定。”第十条第四款规定:“土地的使用权可以依照法律的规定转让。”第十三条第二款规定:“国家依照法律规定保护公民的私有财产权和继承权。”第五十六条规定:“中华人民共和国公民有依照法律纳税的义务。”宪法的一系列有关规定,是制定立法法的依据和基础。立法法以宪法为依据,对立法工作应遵循的基本原则,法律、行政法规、地方性法规、自治条例和单行条例、规章各自的权限范围、制定程序以及授权立法、法律解释和适用与备案等问题,作了全面、具体的规定。需要强调的是,宪法是立法法制定的依据,修改立法法也必须根据宪法,遵循宪法,并注意处理好与全国人民代表大会组织法、全国人民代表大会议事规则、全国人大常委会议事规则、国务院组织法、地方各级人民代表大会和地方各级人民政府组织法、各级人民代表大会常务委员会监督法等有关法律的关系。

第二条　法律、行政法规、地方性法规、自治条例和单行条例的制定、修改和废止，适用本法。

国务院部门规章和地方政府规章的制定、修改和废止，依照本法的有关规定执行。

【释义】　本条是关于本法调整范围的规定。

一、我国的立法体制

我国的立法体制经历了一个不断发展和完善的过程。1954年宪法规定："全国人民代表大会是行使国家立法权的唯一机关"，负责"修改宪法"和"制定法律"；全国人大常委会负责"解释法律"和"制定法令"。可见当时我国立法权相对来说是比较集中的，主要由全国人大来行使。由于全国人大每年只开一次会，会期又很短，显然无法适应繁重的立法任务。为此，1955年7月，一届全国人大二次会议专门"授权常务委员会依照宪法的精神、根据实际的需要，适时地制定部分性质的法律，即单行法规"。1959年二届全国人大一次会议又进一步确定："为了适应社会主义改造和社会主义建设事业发展的需要，大会授权常务委员会，在全国人民代表大会闭会期间，根据情况的发展和工作需要，对现行法律中一些已经不适用的条文，适时地加以修改，作出新的规定。"1979年五届全国人大二次会议通过的地方各级人民代表大会和地方各级人民政府组织法（以下简称地方组织法），赋予省、自治区、直辖市人大及其常委会地方性法规制定权。1982年宪法明确赋予全国人大常委会立法权，并赋予国务院行政法规制定权。宪法第五十八条规定，全国人民代表大会和全国人民代表大会常务委员会行使国家立法权。第六十二条规定，全国人民代表大会修改宪法，制定和修改刑事、民事、国家机构的和其他的基本法律。第六十七条规定，全国人大常委会制定和修改除应当由全国人民代表大会制定的法律以外的其他法律；在全国人民代表大会闭会期间，对全国人民代表大会制定的法律进行部分补充和修改，但是不得同该法律的基本原则相抵触。除规定全国人大及其常委会行使国家立法权外，宪法还规定：国务院根据宪法和法律，制定行政法规；省级人大及其常委会在不同宪法、法律、行政法规相抵触的前提下，可以制定地方性法规；民族自治地方包括自治区、自治州、自治县的人民代表大会有权依照当地民族的政治、经济和文化的特点，制定自治条例和单行条例，分别报有关上级人大常委会批准；国务院各部、各委员会根据法律和国务院的行政法规、决定、命令，在本部门的权限内，发布规章。1982 年通过的现行宪法确立了我国的立法体制。1982 年五届全国人大五次会议修改地方组织法，考虑到一些较大的市政治、经济、文化地位比较重要，也需要因地制宜地制定一些地方性法规，规定省、自治区的人民政府所在地的市和经国务院批准的较大的市的人大常委会，可以拟订本市需要的地方性法规草案，提请省、自治区的人大常委会审议制定，并报全国人大常委会和国务院备案。同时，根据宪法，规定省、自治区、直辖市以及省、自治区的人民政府所在地的市和经国务院批准的较大的市的人民政府，还可以根据法律和国务院的行政法规，制定规章。1986 年修改地方组织法，将较大的市“拟订地方性法规草案”修改为“制定地方性法规”，报省、自治区的人大常委会批准后施行。1995 年八届全国人大常委会第十二次会议第三次修改地方组织法，更加明确省、自治区、直辖市的人民政府可以根据法律、行政法规和本省、自治区、直辖市的地方性法规，制定规章，报国务院和本级人大常委会备案。省、自治区的人民政府所在地的市和经国务院批准的较大的市的人民政府，可以根据法律、行政法规和本省、自治区的地方性法规，制定规章，报国务院和省、自治区的人大常委会、人民政府以及本级人大常委会备案。2000 年九届全国人大三次会议通过的立法法，又赋予经济特区所在地的市以较大的市地方立法权。到 2010 年年底，一个立足中国国情和实际、适应改革开放和社会主义现代化建设需要、集中体现中国共产党和中国人民意志，以宪法为统帅，以宪法相关法、民法商法等多个法律部门的法律为主干，由法律、行政法规、地方性法规等多个层次法律规范构成的中国特色社会主义法律体系已经形成，国家经济建设、文化建设、社会建设以及生态文明建设的各个方面实现有法可依。党的十八届三中全会提出，逐步增加有地方立法权的较大的市数量；十八届四中全会提出，依法赋予设区的市地方立法权。为落实好中央精神，2015 年修改立法法，又将原来享有地方立法权的四十九个较大的市，扩大到所有设区的市，并将立法法中“较大的市”修改为“设区的市”，规定：“设区的市的人民代表大会及其常务委员会根据本市的具体情况和实际需要，在不同宪法、法律、行政法规和本省、自治区的地方性法规相抵触的前提下，可以对城乡建设与管理、环境保护、历史文化保护等方面的事项制定地方性法规，法律对设区的市制定地方性法规的事项另有规定的，从其规定。”当然，设区的市的地方性法规仍须报省、自治区的人大常委会批准后施行；根据民族区域自治法关于“自治州的自治机关行使下设区、县的市的地方国家机关的职权，同时行使自治权”的规定，相应赋予自治州人大及其常委会设区的市地方立法权，规定自治州的人民代表大会及其常务委员会可以依照立法法的有关规定行使设区的市制定地方性法规的职权。相应的，除省、自治区的人民政府所在地的市，经济特区所在地的市和国务院已经批准的较大的市以外的其他设区的市，以及自治州的人民政府，根据立法法的规定，可以对城乡建设与管理、环境保护、历史文化保护等方面的事项，制定地方政府规章；按照赋予设区的市地方立法权的精神，在依法赋予设区的市地方立法权的同时，赋予广东省东莞市和中山市、甘肃省嘉峪关市、海南省三沙市四个不设区的地级市以设区的市地方立法权。我国的立法体制得到进一步完善。

综上，按照宪法和立法法、地方组织法等有关法律的规定，我国统一而又分层次的立法体制包括：(1)全国人大及其常委会行使国家立法权。(2)国务院根据宪法和法律，行使行政法规制定权。(3)地方人大及其常委会行使地方立法权。这里又包括：省、自治区、直辖市的人大及其常委会制定地方性法规；自治区、自治州、自治县的人大制定自治条例和单行条例；设区的市、自治州的人大及其常委会制定地方性法规；经济特区所在地的省、市的人大及其常委会制定特区法规。(4)此外，还有规章制定权，包括部委制定规章，省、自治区、直辖市和设区的市、自治州的人民政府制定规章。

我国实行统一而又分层次的立法体制，这是由我国的实际情况决定的。我国是统一的、单一制的国家，实行人民代表大会制度。我国地域广大，各地情况很不相同，经济、文化和社会发展不平衡。我国又是一个多民族的国家，在少数民族聚居的地方实行区域自治。与这一国情相适应，在最高国家权力机关集中行使立法权的前提下，为了使我们的法律既能通行全国，又能适应各地方千差万别不同情况的需要，需要在中央的统一领导下，充分发挥地方的主动性、积极性，维护国家法制的统一。

二、关于本法的调整范围

本条以宪法关于我国立法体制的规定为依据，对本法的调整范围作了规定。第一款明确规定："法律、行政法规、地方性法规、自治条例和单行条例的制定、修改和废止，适用本法。"根据这一规定，全国人大及其常委会制定、修改和废止法律的活动,国务院制定、修改和废止行政法规的活动,以及地方性法规的制定、修改和废止,民族自治地方制定、修改和废止自治条例和单行条例的活动,均由本法调整。关于全国人大及其常委会的国家立法权,除法律制定权外,还包括全国人民代表大会的宪法修改权;但是,宪法的修改采用特殊的程序,与一般立法程序不同,不属于本法的调整范围,应当按照宪法规定的程序进行。

本条第二款规定:“国务院部门规章和地方政府规章的制定、修改和废止,依照本法的有关规定执行。”这一规定表明,一方面,立法法把规章纳入了规范范围;另一方面,又把规章同法律、行政法规、地方性法规、自治条例和单行条例分别作出规定。行政诉讼法明确规定,人民法院审理行政案件,参照规章。这一规定,说明规章的效力同法律、行政法规、地方性法规、自治条例和单行条例有着明显的区别。规章包括国务院部门规章和地方政府规章。规章的制定,对于法律、行政法规、地方性法规的实施,有着重要的作用。因为大量的法律、法规是由行政机关执行的,行政机关需要依据有关的法律、法规,相应作出具体的、细化的规定,以利于更好地贯彻实施法律、法规。但是,实践中规章的制定也存在一些问题,如果规章处于缺乏规范的状态,不利于维护国家法制的统一,不利于提高规章的质量,所以,必须对规章进行规范。

本法对我国参加和缔结条约和协定问题,没有作出规定。主要是考虑到,我国宪法对国家的外交职权与立法职权作出了明确的划分,它们是两个不同的职权,我国的外交职权由国务院、全国人大常委会和国家主席共同行使,而国家的立法职权则主要由全国人大和全国人大常委会行使;国际条约是国际法规则的重要表现形式,属于国际法范畴,而国际法与国内法是两个不同的法律体系,各有自己的调整对象和法律部门,法律主体、产生过程和强制实施方式各不相同;各国对条约义务的履行方式各不相同,有的为“纳入式”,即条约在国内直接适用,有的为“转化式”,即需要通过国内立法把条约的内容转化为国内法才能在国内适用等,但各个国家实际上都是根据国情选择合适的履行条约义务的方式。因此,对这一问题还需要进一步研究。

第三条　立法应当遵循宪法的基本原则,以经济建设为中心,坚持社会主义道路、坚持人民民主专政、坚持中国共产党的领导、坚持马克思列宁主义毛泽东思想邓小平理论,坚持改革开放。

【释义】　本条是关于立法应当遵循宪法的基本原则的规定。

宪法是国家的根本法,是治国安邦的总章程,具有最高的法律地位、法律权威、法律效力,具有根本性、全局性、稳定性、长期性。全国各族人民、一切国家机关和武装力量、各政党和各社会团体、各企业事业组织,都必须以宪法为根本的活动准则,并且负有维护宪法尊严、保证宪法实施的职责。坚持依法治国首先要坚持依宪治国。维护宪法权威,就是维护党和人民共同意志的权威。捍卫宪法尊严,就是捍卫党和人民共同意志的尊严。保证宪法实施,就是保证人民根本利益的实现。遵循宪法的基本原则是立法的一条最重要的原则。

我国宪法以国家根本法的形式,确立了中国特色社会主义道路、中国特色社会主义理论体系、中国特色社会主义制度的发展成果,反映了我国各族人民的共同意志,成为历史新时期党和国家的中心工作、基本原则、重大方针、重要政策在国家法制上的最高体现。宪法确立的基本原则,是一切法的规范必须遵循的。宪法以国家根本法的形式,对党和国家在社会主义初级阶段的基本路线作了完整、准确的规定。这条基本路线可以概括为“一个中心，两个基本点”，即以经济建设为中心，坚持四项基本原则，坚持改革开放。其中，发展社会生产力是根本任务，坚持四项基本原则是立国之本，改革开放是解放和发展生产力的必由之路。四项基本原则是指坚持社会主义道路，坚持人民民主专政，坚持中国共产党的领导，坚持马列主义、毛泽东思想和包括邓小平理论、“三个代表”重要思想和科学发展观的中国特色社会主义理论体系。宪法序言明确规定：“我国将长期处于社会主义初级阶段。国家的根本任务是，沿着中国特色社会主义道路，集中力量进行社会主义现代化建设。中国各族人民将继续在中国共产党领导下，在马克思列宁主义、毛泽东思想、邓小平理论和‘三个代表’重要思想指引下，坚持人民民主专政，坚持社会主义道路，坚持改革开放，不断完善社会主义的各项制度，发展社会主义市场经济，发展社会主义民主，健全社会主义法制，自力更生，艰苦奋斗，逐步实现工业、农业、国防和科学技术的现代化，推动物质文明、政治文明和精神文明协调发展，把我国建设成为富强、民主、文明的社会主义国家。”宪法的上述规定，集中表述了宪法的基本原则，也就是党和国家在社会主义初级阶段的基本路线，这是党和国家的生命线。社会主义初级阶段的基本路线符合我国实际情况，代表和反映了全国人民的共同意志和根本利益。党和国家的一切工作都要坚持基本路线，立法工作也必须坚持这条基本路线，这是立法工作坚持正确的政治方向，维护人民利益的根本保证。立法工作要遵循宪法的基本原则，为经济建设这个中心服务，坚持四项基本原则，坚持改革开放，为社会主义现代化建设事业的顺利进行，夺取中国特色社会主义新胜利提供有效的保障。

宪法序言明确规定了中国共产党的领导地位，这是中国人民总结历史经验得出的最基本的结论，是亿万人民在长期斗争中作出的决定性选择。中国共产党是中国特色社会主义事业的领导核心,处在总揽全局、协调各方的地位,党的领导是做好国家各项工作的根本保证,是我国政治稳定、经济发展、民族团结、社会稳定的根本点。党对国家事务的领导,主要是政治领导,是路线、方针、政策的领导。党把自己的主张,通过国家权力机关制定成法律而成为国家意志。党领导人民制定宪法和法律,又领导人民遵守和执行宪法和法律。立法遵循宪法的基本原则,就是要坚持党的领导的原则,绝对不能有丝毫动摇。在立法工作中坚持党的领导的原则,必须认真贯彻党和国家在社会主义初级阶段的基本路线,紧紧围绕党和国家的工作大局,把立法工作同国家改革、发展、稳定的重大决策紧密地结合起来。党的十八大以来,党中央从坚持和发展中国特色社会主义全局出发,提出并形成了全面建成小康社会、全面深化改革、全面依法治国、全面从严治党的战略布局。这"四个全面"的战略布局立足于坚持和发展中国特色社会主义全局,立足于实现"两个一百年"奋斗目标和中华民族伟大复兴的中国梦,集中体现了以习近平同志为总书记的党中央治国理政的战略思想。立法作为国家重要政治活动,关系党和国家事业发展全局,在全面建成小康社会、全面深化改革、全面依法治国、全面从严治党的战略布局中,将发挥越来越重要的作用。立法工作要遵循宪法的基本原则,要为"四个全面"战略布局顺利推进提供有力的法律保障。在立法活动中坚持党的领导,在事关政治方向、政治原则的重大问题上,要及时向党中央请示报告,经党中央讨论决定,以确保重大立法决策体现党的主张和人民的共同意愿。比如,每届全国人大的立法规划都经中央批准;重要法律的制定或者修改,涉及的重大问题,都由全国人大常委会党组向中央请示报告;有些问题虽然不涉及重大体制和重大政策调整,但社会高度关注,各方面意见分歧较大，难以协调达成共识的，也向党中央报告，由中央决策。党的十八届四中全会提出，加强党对立法工作的领导，完善党对立法工作中重大问题决策的程序。要按照这一要求，进一步完善党对立法工作中重大问题的决策程序，使之制度化、规范化。

我们党在领导中国建设、改革的长期实践中，不断推进马克思主义中国化，形成了并被实践证明了关于在中国建设、巩固、发展社会主义的正确的理论原则和经验总结，这就是包括邓小平理论、“三个代表”重要思想、科学发展观在内的中国特色社会主义理论体系。这一理论体系是深深扎根于中国大地、符合中国实际的当代中国马克思主义，它同马克思列宁主义、毛泽东思想是坚持、发展和继承、创新的关系。在当代中国，坚持中国特色社会主义理论体系，就是坚持马克思主义。中国特色社会主义理论体系是与时俱进的，必须随着中国特色社会主义实践的发展而发展。中国特色社会主义理论体系，是全国各族人民团结奋斗的共同思想基础。面向未来，全面建成小康社会，实现社会主义现代化，实现中华民族伟大复兴，必须进一步坚定理论自信，始终坚持用这一理论体系武装头脑、指导实践、推动工作。本条对立法应当遵循的指导思想作了规定，在立法工作中，就是要坚持马克思列宁主义、毛泽东思想和包括邓小平理论、“三个代表”重要思想、科学发展观在内的中国特色社会主义理论体系，不断推进科学立法、民主立法，完善以宪法为核心的中国特色社会主义法律体系。

第四条　立法应当依照法定的权限和程序，从国家整体利益出发，维护社会主义法制的统一和尊严。

【释义】　本条是关于依照法定权限和程序立法，即“依法立法”的规定。

国家机关应当在宪法和法律规定的范围内行使职权，国家机关的立法活动也不例外，应当在法定的范围内行使，这是社会主义法治的一项重要原则。依法进行立法活动，主要表现为两个方面：一方面，立法应当遵循法定的权限；另一方面，立法应当遵循法定的程序。依法立法，对于维护社会主义法制的统一和尊严，是非常重要的。

一、立法应当依照法定的权限

职权法定，是社会主义法治的一项重要内容。中国特色社会主义法律体系，是以宪法为统帅，以法律为主干，由法律、行政法规、地方性法规等多个层次法律规范构成的。为了维护社会主义法制的统一和尊严，保障各个层次的立法活动和谐、有序地进行，必须合理地划分中央与地方、权力机关与行政机关的立法权限。

宪法和有关法律对立法权限的划分，已经作了原则规定。立法法以宪法为依据，对立法权限的划分进一步作了规定。根据宪法、地方各级人民代表大会和地方各级人民政府组织法、立法法等有关法律的规定，这些立法权限的划分具体是：(1)对立法法第八条规定的涉及国家主权、基本政治制度和经济制度、公民的基本权利义务等十个方面的事项，只能制定法律，全国人大及其常委会具有专属立法权。(2)行政法规可以就为执行法律的规定需要制定行政法规的事项、宪法第八十九条规定的国务院行政管理职权的事项，作出规定。(3)地方性法规可以就为执行法律、行政法规的规定，需要根据本行政区域的实际情况作具体规定的事项，属于地方性事务需要制定地方性法规的事项，作出规定。除立法法第八条规定的事项外，其他事项国家尚未制定法律或者行政法规的，省、自治区、直辖市和设区的市、自治州根据本地方的具体情况和实际需要,可以先制定地方性法规。但根据2015年修改的立法法,设区的市、自治州的地方立法权限限于城乡建设与管理、环境保护、历史文化保护等方面的事项。(4)民族自治地方的人民代表大会有权依照当地民族的政治、经济和文化的特点,制定自治条例和单行条例。自治条例和单行条例可以依照当地民族的特点,对法律和行政法规的规定作出变通规定,但不得违背法律或者行政法规的基本原则,不得对宪法和民族区域自治法的规定以及其他有关法律、行政法规专门就民族自治地方所作的规定作出变通规定。(5)部门规章规定的事项应当属于执行法律或者国务院的行政法规、决定、命令的事项。地方政府规章可以就为执行法律、行政法规、地方性法规的规定需要制定规章的事项,属于本行政区域的具体行政管理事项,作出规定。2015年修改立法法,按照党的十八届四中全会提出的明确立法权力边界的要求,进一步明确规章的制定权限范围,以推进依法行政。增加规定:制定部门规章,没有法律或者国务院的行政法规、决定、命令的依据,不得设定减损公民、法人和其他组织权利或者增加其义务的规范,不得增加本部门的权力或者减少本部门的法定职责;制定地方政府规章,没有法律、行政法规、地方性法规的依据,不得设定减损公民、法人和其他组织权利或者增加其义务的规范。与设区的市人大及其常委会的立法权限范围相适应,增加规定:设区的市、自治州的人民政府制定地方政府规章,限于城乡建设与管理、环境保护、历史文化保护等方面的事项。

制定法律、行政法规、地方性法规、自治条例和单行条例的活动,以及国务院部门和地方政府制定规章的活动,都必须依照宪法、立法法和有关法律关于立法权限划分的规定。各有关机关都必须在宪法、法律规定的范围内行使职权,不能超越法定的权限范围。国家机关超越法定权限的越权行为，是违法的、无效的。

为了保障各有关机关在法定权限内进行活动，宪法、各级人民代表大会常务委员会监督法和有关法律对监督机制作了规定：立法法根据我国立法的实际情况，规定了立法监督机制，主要是备案审查制度、改变和撤销制度，这是维护国家法制统一的重要制度。对立法监督机制的规定，主要表现是：第一，行政法规、地方性法规、自治条例和单行条例、规章，应当依法向有关机关备案。备案是为了进行审查，是进行监督的需要。第二，上级机关对下级机关进行监督，国家权力机关对本级国家行政机关进行监督，即对下位法违反上位法的改变或者撤销的制度。立法法规定，全国人民代表大会有权改变或撤销它的常务委员会制定的不适当的法律。全国人大常委会有权撤销同宪法、法律相抵触的行政法规，有权撤销同宪法、法律、行政法规相抵触的地方性法规，有权撤销省级人大常委会批准的同宪法、法律相抵触的自治条例和单行条例。国务院有权改变或撤销不适当的部门规章和地方政府规章。省级人民代表大会有权改变或撤销它的常务委员会制定和批准的不适当的地方性法规。地方人大常委会有权撤销本级人民政府制定的不适当的规章。省级人民政府有权改变或者撤销下一级人民政府制定的不适当的规章。加强对立法工作的监督，是立法活动能够依法进行的保障。根据近年来的做法，2015 年修改立法法又增加了主动审查机制、法律清理的规定等，这些都将有力地加强规范性文件的备案审查，维护国家法制的统一。

二、立法应当依照法定的程序

立法程序是立法活动中必须遵循的重要内容，它可以保障立法权的行使。国家机关的立法活动，不仅须依照法定的权限，还必须严格遵守法定的程序。遵守法定程序，是实施法治的一个重要问题。人民代表大会及其常务委员会的立法活动，政府的行政立法活动，都必须严格遵循法定的程序。全国人民代表大会组织法、全国人民代表大会议事规则、全国人民代表大会常务委员会议事规则等法律，对全国人大及其常委会的立法程序作了一些规定。国务院组织法对国务院行使职权包括制定行政法规的程序作了规定。地方各级人民代表大会和地方各级人民政府组织法对地方人大及其常委会、地方政府行使职权包括制定地方性法规和规章的程序作了规定。立法法在上述法律规定的基础上，对全国人大及其常委会的立法程序，国务院制定行政法规的程序以及地方人大及其常委会制定地方性法规的程序、行政机关制定规章的程序，作了进一步的规定。2015 年修改立法法，按照党的十八届三中、四中全会提出的健全立法起草、论证、协调、审议机制、扩大公民有序参与立法途径等要求，总结实践经验，对立法程序又作了进一步补充和完善。严格依照法定程序进行立法活动，对于规范立法行为，保证立法质量，是非常重要的。

遵守法定程序之所以重要，主要是因为程序性规定反映了民主原则，民主的实质虽然是根本的，但民主的形式反过来可以保障民主的实质，民主的实质必须通过相应的程序表现出来，违反程序也就背离了民主原则。严格遵循有关的程序性规定，是立法工作中坚持社会主义民主原则，保障立法体现人民意志，保障人民群众以多种途径参与立法活动所必需的。严格遵守法定程序，也是国家机关的行为具有合法性的不可缺少的条件。对于违反法定程序的法律、法规或规章，有关机关可以决定予以撤销。

法定程序是提高立法质量的重要保证。根据立法法的规定，全国人大及其常委会的立法程序主要包括法律案的准备程序、法律案的提出程序、法律案的审议程序、法律案的表决程序、法律案的公布程序;行政法规的制定程序包括立项、起草、审查、决定,依照国务院组织法的有关规定办理;地方性法规的制定程序,参照法律的制定程序,由地方人大规定;规章的制定程序参照行政法规的制定程序,由国务院规定。

三、立法应当从国家的整体利益出发

为了维护社会主义法制的统一,在起草、制定法律、行政法规、地方性法规、规章时,要从国家的整体利益出发,从人民长远的、根本的利益出发,防止不从国家整体利益出发,防止立法工作中部门化倾向、争权诿责现象,以及一些地方利用法规实行地方保护主义的倾向。

在立法实践中,由国务院有关部门牵头起草有关法律草案占有不小的比例。这是因为,许多法律的执法主体是国务院及其有关主管部门,这些主管部门负责某一方面的行政管理工作,熟悉与其主管业务相关联的社会事务,对相关领域有着丰富的管理经验,由政府主管部门起草有关行政管理方面的法律草案,有一定的有利条件。但是,由某一部门起草法律草案,又要注意防止出现部门利益倾向。所谓部门利益倾向,就是不适当地扩大部门的权力,争权诿责,损害公民、法人和其他组织的权利和利益。为此,一方面,国务院在向全国人大或其常委会提出法律案之前,应对各有关部门的不同意见进行协调;另一方面,在全国人大及其常委会审议法律案的过程中,要把握从国家整体利益出发的原则,防止通过立法将部门权力和利益法律化。行政法规、地方性法规和规章的制定,同样要防止片面扩大部门权力、追求部门利益的倾向,严格把握从国家整体利益出发的原则。

地方性法规是地方人大及其常委会根据本地的实际需要,

在不同宪法、法律、行政法规相抵触的前提下制定的。地方性法规需要有地方特色,需要因地制宜地对法律、行政法规的实施作出具体规定。这对于我国这样一个地域辽阔,人口众多,各地政治、经济、文化发展不平衡的国家来说,是非常必要的。同时,地方性法规的制定又要注意防止出现地方保护主义。所谓地方保护主义,就是不适当地强调某一地方的特殊利益,损害其他地方的利益和国家的整体利益,对全国形成统一开放、竞争有序的市场秩序造成障碍,损害国家法治统一。要坚决防止地方保护主义法律化,一方面,地方人大及其常委会在地方立法活动中要牢牢把握从国家整体利益出发的原则;另一方面,通过上级人大常委会的监督,保障及时纠正地方保护主义的问题。

党的十八届四中全会提出,明确立法权力边界,从体制机制和工作程序上有效防止部门利益和地方保护主义法律化。2015年修改立法法,贯彻落实四中全会的这一要求,增加了一些相关规定:(1)注重发挥人大在立法中的主导作用。比如增加规定,全国人大及其常委会通过立法规划、年度立法计划等形式,加强对立法工作的统筹安排;全国人大有关的专门委员会、常委会工作机构可以提前参与有关方面的法律草案起草工作;涉及综合性、全局性、基础性等事项的法律草案,可以由有关的专门委员会或者常委会工作机构组织起草;更多发挥人大代表在立法中的作用等。(2)完善行政法规的制定程序。增加规定,国务院年度立法计划中的法律项目应当与全国人大常委会的立法规划和年度立法计划相衔接;重要行政管理的法律、行政法规草案由国务院法制机构组织起草;行政法规在起草过程中,应当采取多种形式广泛听取有关机关、组织、人大代表和社会公众的意见。(3)对地方性法规的权限范围作了限定。在依法赋予所有设区的市地方立法权的同时,又相应明确其地方立法权限范围,以避免重复立法，维护国家法制统一。（4）对部门规章和地方政府规章权限进行规范。

第五条 立法应当体现人民的意志，发扬社会主义民主，坚持立法公开，保障人民通过多种途径参与立法活动。

【释义】 本条是关于立法应当发扬社会主义民主，保障人民通过多种途径参与立法活动，即“民主立法”的规定。

中华人民共和国的一切权力属于人民。人民依照法律规定，通过各种途径和形式，管理国家事务，管理经济和文化事业，管理社会事务。人民通过各种途径参与国家立法活动，使法律真正体现人民的意志，反映最广大人民群众的根本利益和长远利益，是人民当家做主的一个重要方面。人民群众参与国家立法活动，主要通过以下两个方面体现出来：一方面，通过民主选举各级人大代表，由人大代表在参与国家权力机关的工作中，反映人民的意见和要求；另一方面，有关国家机关在其立法活动中，拓宽公民有序参与立法途径，广泛听取人民群众的意见。

民主立法，就是要求法律真正反映最广大人民的共同意愿、充分实现最广大人民的民主权利、切实维护最广大人民的根本利益。民主立法的核心，在于立法要为了人民、依靠人民。实现民主立法，必须坚持人民主体地位，贯彻群众路线，充分发扬民主，保证人民通过多种途径有序参与立法，使立法更好地体现民情、汇聚民意、集中民智。

全国人民代表大会及其常务委员会代表全国人民的意志和利益行使国家立法权，其立法活动应当充分发扬民主，体现广大人民群众的意志和利益，采取多种措施，广泛听取人民群众的意见。人民群众通过多种途径参与立法活动，有利于加强立法的民主性、科学性。在多年的立法实践中，全国人大及其常委会已经形成了一些行之有效的民主立法的方式方法,2000 年制定立法法时,总结实践经验,对此作了规定。主要包括:书面征求意见,召开立法座谈会、论证会、听证会,向社会公布法律草案公开征求意见等。这些行之有效的做法,对于保障公民参与国家的立法活动,起到了积极的作用。比如,法律草案公开征求意见,1982 年宪法至 2000 年立法法施行前,有九部法律草案公开征求意见;但从 2000 年立法法施行后至 2015 年 2 月立法法修改前,已经有七十二部法律草案公开征求意见。2013 年 3 月以来,十二届全国人大常委会进一步改进法律草案公开征求意见工作,在初次审议稿公开征求意见的基础上,又将二次审议稿向社会公开征求意见,两次公开征求意见已常态化,并逐步建立健全公众意见表达和采纳情况反馈机制。各地也进行有益探索,在民主立法方面形成了一些好做法好经验。例如,有的地方注重开门立法,邀请公民旁听人大常委会会议审议法规,建立记者旁听法规案统一审议制度;有的地方将法规草案在互联网上公布征求意见,举行网上立法听证,简化立法听证形式等。这些方式方法,对于扩大公民有序参与,深入推进科学立法、民主立法,切实提高立法质量,发挥了重要作用。

党的十八届三中、四中全会提出健全立法机关主导、社会各方面有序参与立法的途径和方式,拓宽公民有序参与立法途径,健全法律法规规章草案公开征求意见和公众意见采纳情况反馈机制,要把公开原则贯穿立法全过程等要求。2015 年修改立法法,贯彻落实党的十八届三中、四中全会精神,对立法发扬民主,保障人民通过多种途径参与立法,作了几个方面的补充和修改。主要是:(1)增强立法的公开性。在十二届全国人大三次会议代表审议立法法修正案草案中,有的代表建议在立法法中增加立法公开的原则;有的代表提出对法律草案向社会公布征求意见的时间作适当延长；有的代表提出，统一刊载法律法规和规章，以便于社会各方面了解查询。根据代表们的意见，修改中在本条中增加了“坚持立法公开”的内容；增加了统一刊载法律、行政法规、地方性法规、自治条例和单行条例、部门规章和地方政府规章的文本的内容。（2）完善立法论证、听证、法律草案公开征求意见、书面征求意见的制度，健全向下级人大征询意见机制。对召开论证会、听证会的情形，参加的人员等作了规定；总结2008年以来法律草案一般都通过网络向社会公布征求意见和十二届全国人大以来对二审以后的法律草案也公开征求意见的做法，规定列入常委会会议议程的法律案，应当将法律草案及其说明等向社会公布；法律草案发送地方人大常委会征求意见。（3）增加吸收专家起草法律草案的规定。专业性较强的法律草案，可以吸收相关领域的专家参与起草工作，或者委托有关专家、教学科研单位、社会组织起草。（4）发挥代表参与起草和修改法律的作用。增加规定，全国人大常委会审议法律案应当通过多种形式征求全国人大代表的意见；全国人大专门委员会和常委会工作机构进行立法调研可以邀请有关的代表参加；全国人大常委会会议审议法律案，应当邀请有关的全国人大代表列席等。（5）健全法律草案公开征求意见和公众意见采纳情况反馈机制。增加规定，论证、听证情况向常委会报告；公开征求意见的情况应当向社会通报；征求代表对法律案的意见的有关情况应予以反馈等。

以上这些规定，都是推进科学立法、民主立法，提高立法质量的行之有效的做法。国务院制定行政法规的活动，地方人大及其常委会制定地方性法规的活动，民族自治地方制定自治条例和单行条例的活动，行政机关制定规章的活动，同样要采取各种行之有效的措施，广泛听取人民群众的意见。人民群众对国家立法活动的积极参与，充分体现了国家的一切权力属于人民，体现了人民当家做主的社会主义民主原则。

第六条　立法应当从实际出发，适应经济社会发展和全面深化改革的要求，科学合理地规定公民、法人和其他组织的权利与义务、国家机关的权力与责任。

法律规范应当明确、具体，具有针对性和可执行性。

【释义】　本条是关于立法应当从实际出发，科学合理地规范社会关系，即“科学立法”的规定。

法属于社会上层建筑，法的产生和发展是由调整社会关系的客观需要决定的。法是调整社会关系的行为规则，它以国家强制力为保障，体现统治阶级的意志，维护社会生活的正常秩序。

科学立法，就是要求法律准确反映和体现所调整社会关系的客观规律，同时遵循法律体系的内在规律。科学立法的核心，在于立法要尊重和体现规律。实现科学立法，必须坚持以科学的理论为指导，从国情和实际出发，科学合理地规范公民、法人和其他组织的权利与义务，科学合理地规范国家机关的权力与责任，使法律符合经济社会发展要求，真正经得起实践和历史的检验。坚持科学立法，从实际出发，科学合理地规范社会关系，特别要注意以下几个问题。

一、立法应当适应经济社会发展和全面深化改革的要求

实践是法律的基础，法律是实践经验的总结和升华。脱离国情和实际的立法，只能是空中楼阁、纸上谈兵，不仅没有意义，而且往往会偏离立法的正确方向。我国是一个人民民主专政的社会主义国家，又是一个地域辽阔、人口众多的国家，各地政治、经济、文化发展不平衡。改革开放以来，我国的经济社会发展取

得了举世瞩目的历史性成就。但是,我国仍然是一个发展中国家,仍处于并将长期处于社会主义初级阶段,人民日益增长的物质文化需要同落后的社会生产之间的矛盾没有变,发展仍然是解决我国所有问题的关键,这是中国最大的国情、最大的实际。当前,我国已进入全面建成小康社会的决定性阶段,面临的发展机遇和风险挑战前所未有。发展中不平衡、不协调、不可持续的问题仍然突出。正确地认识中国的国情,是做好立法工作的基本出发点,立法从实际出发,最根本的是从中国的国情出发,深入实际调查研究,全面把握客观规律,而不能从愿望和想当然出发,不能从本本和概念出发,更不能照搬外国的法律制度。要始终把我国改革开放和社会主义现代化建设的宏伟实践作为立法的基础,紧紧围绕奋斗目标和任务要求,深入分析立法需求,区分轻重缓急,突出立法重点,注重各方面法律制度的协调发展。要根据内外环境、条件和情况的发展变化,开展立法工作,正确处理法律的稳定性与变动性、现实性与前瞻性、原则性与可操作性的关系。对于确立一项制度,必须统筹兼顾,与我国经济社会发展阶段相适应,使其能够行得通、管得住、可操作。改革开放是坚持和发展中国特色社会主义的必由之路,也是解决我国发展面临的突出问题、实现经济社会持续健康发展的必然要求。党的十八大提出了全面深化改革开放的目标任务,十八届三中全会对全面深化改革作出了部署。改革是一场深刻的革命,涉及各领域重大利益关系调整,涉及各方面重要体制机制完善。我国改革已进入攻坚期和深水区,任务异常艰巨。深化各领域各方面改革,必须推进体制机制创新,加强相关制度建设,这些都与完善法律体系有密切关联。必须加强和改进立法工作,充分发挥立法在引领、推动和保障改革方面的重要作用,把改革决策与立法决策结合起来,做到重大改革于法有据、立法主动适应改革,改革和法治同步推进。适时制定新法律;实践条件还不成熟、需要先行先试的,要按照法定程序作出授权;对不适应改革要求的法律法规,要及时修改和废止,努力使党的主张通过法定程序转化为国家意志,在法治轨道上不断推进改革开放伟大事业。正是基于以上考虑,2015 年修改立法法时增加了立法应当"适应经济社会发展和全面深化改革的要求"的规定。

二、科学合理地规定公民、法人和其他组织的权利与义务

法律上的权利与义务是构成法律关系的基本要素之一。法律作为调整社会关系的行为规则,对公民、法人和其他组织的权利和义务进行设定,并以国家强制力保障权利的实现和义务的履行。公民的权利和义务涉及政治、经济、文化等各个领域。公民享有法律规定的权利,同时也承担法律规定的义务。公民的权利和义务是统一的。公民在行使自由和权利的时候,同时也承担不得损害国家的、社会的、集体的利益和其他公民合法权利的义务。立法在设定公民的权利和义务时,一定要把握公民权利与义务相统一的原则。在起草、制定法律、法规、规章的过程中,要注重全面地考虑公民、法人和其他组织的权利与义务,防止偏重于从设定公民、法人和其他组织的义务考虑,对公民、法人和其他组织权利的保护重视不够的倾向。

宪法对公民的基本权利和义务作了明确规定。法律、法规、规章在设定公民的权利与义务时,一定要符合宪法,不得同宪法相抵触。同样,下位法在设定公民的权利与义务时,一定要符合上位法,不得同上位法相抵触。对于宪法规定的公民的基本权利,法律、法规、规章不得任意加以限制和剥夺,如果不适当地限制或剥夺宪法规定的公民基本权利,就是同宪法相抵触。同时,也不能任意给公民设定义务。比如,依照宪法的规定,公民的纳税义务应由法律规定。行政法规、地方性法规和规章都无权设

定公民的纳税义务。考虑到国家的税收制度需要在经济体制改革的过程中逐步总结经验予以确立和完善，1984 年 9 月，全国人大常委会作出《关于授权国务院改革工商税制发布有关税收条例草案试行的决定》，授权国务院在实施国营企业利改税和改革工商税制的过程中，拟定有关税收条例，以草案形式发布试行，再根据试行的经验加以修订，提请全国人大常委会审议。1985 年 4 月，全国人民代表大会作出《关于授权国务院在经济体制改革和对外开放方面可以制定暂行的规定或者条例的决定》，根据这一授权，国务院可以继续制定有关税收方面的条例。这两个授权决定，都是在改革开放初期作出的，有其特殊的历史背景。随着条件的成熟，应由全国人大或其常委会制定法律。2009 年 6 月，十一届全国人大常委会第九次会议废止了 1984 年《关于授权国务院改革工商税制发布有关税收条例草案试行的决定》。党的十八届三中全会提出了“落实税收法定原则”的明确要求，这次修改立法法，明确规定了“税种的设立、税率的确定和税收征收管理等税收基本制度”只能制定法律。全国人大及其常委会将加快推进税收立法的进程，力争到 2020 年将国务院制定的税收条例全部上升为法律，相应废止 1985 年全国人大的授权决定。

三、科学合理地规定国家机关的权力与责任

国家机关的权力是由法律规定的。国家机关作为社会的管理者，享有管理社会的权力。同时，国家机关权力的行使，应当受到监督。如果国家机关未能履行自己的职责，应当承担相应的责任。国家机关必须在法律规定的范围内活动，依法履行职责，行使权力，并承担相应的责任。立法在设定国家机关的权力时，要同时考虑国家机关应承担的责任，坚持国家机关权力与责任相统一的原则。要正确处理好权、责、利的关系，既不能由部门左右甚至主导立法，通过立法来扩权、确权、固权，谋取部门利益；又不能无视政府管理需要，只是一味着眼于削权、限权、控权。简言之，就是既要确权又要立责；既要赋予行政机关必要的权力和手段，又要加大监督力度、明晰法定责任，避免逐利避险、争权推责、揽功诿过。同时，要最大限度维护人民的根本利益，要让人民充分享受到立法带来的制度红利、法治红利。

宪法第二十七条规定："一切国家机关实行精简的原则，实行工作责任制，实行工作人员的培训和考核制度，不断提高工作质量和工作效率，反对官僚主义。一切国家机关和国家工作人员必须依靠人民的支持，经常保持同人民的密切联系，倾听人民的意见和建议，接受人民的监督，努力为人民服务。"立法在设定国家机关的权力和责任时，一定要遵循宪法的上述规定，处理好国家机关与人民的关系，反对官僚主义，注重提高国家机关的工作质量和工作效率。在立法实践中经常遇到的是行政机关如何行使社会管理职权的问题。例如，行政机关可以采取哪些措施行使管理职权，哪些事项可以设定行政许可，哪些事项需要由行政机关进行登记，等等。为了使行政机关的行政管理活动更加规范，这些都是需要有关法律予以规范的内容。

四、法律规范应当明确、具体，具有针对性和可执行性

在本法总则第一条将"提高立法质量"明确为立法的一项基本要求的基础上，针对有的法律法规解决实际问题有效性不足，针对性、可操作性不强的问题，2015 年修改立法法时在本条增加一款规定："法律规范应当明确、具体，具有针对性和可执行性"，将此作为立法的原则予以确定，这也是提高立法质量的内在要求。

关于增强针对性，就是要紧紧围绕经济社会发展中迫切需要解决的现实问题开展立法工作，尤其是要抓住改革的重点领

域和关键环节，深入调查研究，做到“针对问题立法、立法解决问题”，把握客观规律，做好制度设计，突出“关键的那么几条”，使法律规定的内容科学合理，协调利益关系，真正解决现实问题。在立法模式和体例上，不求大而全，需要几条就制定几条，重在管用，重在实施。全国人大常委会在制定旅游法时，针对社会上反映强烈的旅游市场秩序混乱问题，从多个方面作了规范。例如，针对“零负团费”问题，规定旅行社不得以低于成本的价格招徕、组织、接待旅游者；针对强迫购物和另行付费问题，规定旅行社组织、接待团队旅游不得指定购物场所，不得强迫或者变相强迫购物，不得安排任何形式的另行付费旅游项目，导游服务费用应在包价旅游合同中明示。同时明确，包价旅游合同内容必须包括旅游行程安排、游览娱乐项目的具体内容和时间、自由活动时间安排、旅游费用及其交纳等，旅行社不得在包价旅游合同约定之外安排收费项目或者另行收取费用等。因为法律规范针对性强、制度设计严密、措施得力，这部法律实施后收到了初步的效果，各方面反映良好。

法律的生命力在于实施，法律必须具有可执行性、可操作性，才能得到有效实施。十二届全国人大以来，全国人大常委会领导提出，增强法律的可执行性和可操作性，法律规范“能具体尽量具体、能明确尽量明确”。这就要求在立法中，要研究清楚法律所调整的社会关系，科学严密地设计法律规范，对于能够在法律中规定清楚的，要尽可能详尽规定，就不一定另搞配套法规，以确保法律规范严谨周密、可靠管用，情况发生变化时再及时补充、修改和解释。2013 年在特种设备安全法制定过程中，坚持以人为本原则，从切实维护广大人民群众的生命财产安全出发，一方面，认真梳理国务院《特种设备安全监察条例》中一些可操作性较强的规定，将其吸收到法律中；另一方面，对国务院条例在实施中存在的问题做深入研究,认真总结我国特种设备安全工作中的实践经验,将实践证明可行的、成熟的做法上升为法律规定。从而对法律草案作了较大幅度的补充和细化,法律条文由原来的七十二条增加到通过后的一百零一条,不仅是条文数量大幅度增加,更重要的是法律规定的内容进一步具体化,增加了大量有执行性、可操作性的具体规定。对责任主体的行为规范有明确的指引,便于法律的贯彻执行,法律规定的可执行性、可操作性大大增强。

要做到法律规范明确、具体,具有针对性和可执行性,就要求在立法工作中,强化立法前论证、立法中调研、立法后评估等各个环节的工作,特别是要在加强立法调研、充分听取各方面意见上做好文章。在立法的精细化上下工夫,必须坚持从实际出发,坚持辩证思维,做到合理可行,确保立得住、行得通、真管用,回应人民群众对立法的关切与期盼。立法法提出的这一原则,制定法律、法规等都是要遵循的。

第二章　法　　律

立法是国家通过法定程序将国家意志制度化、法律化，创制法律规则的重要政治活动。根据宪法，全国人大及其常委会行使国家立法权，负责宪法和法律的制定、修改、废止和解释工作。改革开放以来，全国人大及其常委会始终坚持党的领导，紧紧围绕党和国家工作大局行使立法职权，我国立法工作取得了举世瞩目的成就。截至2015年4月，我国包括宪法在内的现行有效法律共二百四十三件。一个立足中国国情和实际、适应改革开放和社会主义现代化建设需要、集中体现党和人民意志，以宪法为统帅，以宪法相关法、民法商法等多个法律部门的法律为主干，由法律、行政法规、地方性法规等多个层次的法律规范构成的中国特色社会主义法律体系已经形成并不断完善。

本章共五节，第一节立法权限主要规定了全国人大及其常委会的立法权限、专属立法权以及授权立法等内容；第二节规定了全国人大立法程序；第三节规定了全国人大常委会立法程序，第四节规定了法律解释；第五节其他规定主要规定了发挥全国人大及其常委会在立法中的主导作用、立法规划、计划、法律草案的起草、签署、公布以及有关立法技术规范等内容。

第一节　立法权限

第七条　全国人民代表大会和全国人民代表大会常务委员

会行使国家立法权。

全国人民代表大会制定和修改刑事、民事、国家机构的和其他的基本法律。

全国人民代表大会常务委员会制定和修改除应当由全国人民代表大会制定的法律以外的其他法律；在全国人民代表大会闭会期间，对全国人民代表大会制定的法律进行部分补充和修改，但是不得同该法律的基本原则相抵触。

【释义】 本条是关于全国人大及其常委会立法权限的规定。

本条内容源于宪法第五十八条、第六十二条和第六十七条的规定。宪法规定，刑事、民事、国家机构的和其他方面的基本法律，由全国人民代表大会制定。在全国人民代表大会闭会期间，全国人民代表大会常务委员会可以对全国人民代表大会制定的法律进行部分修改，但是不得同该法的基本原则相抵触。本条规定包括以下几方面的内容。

一、全国人大及其常委会行使国家立法权

国家立法权是立法机关以国家名义制定法律的权力，它集中体现了全体人民的共同意志和整体利益，是维护国家法制统一的关键所在。在单一制国家，国家立法权只有一个。宪法第五十八条规定："全国人民代表大会和全国人民代表大会常务委员会行使国家立法权。"为适应执行法律和行使行政管理职权的需要，国务院可以依据宪法和法律，规定行政措施，制定行政法规，发布决定和命令。为充分调动地方的积极性和主动性，各地根据本地的具体情况和实际需要，可以拥有一定的立法权限。国务院的行政法规制定权，虽然带有一定的立法性质，但从权力归属上讲，仍属于行政权，而不是国家立法权。各地权力机关制定地方性法规的权力属于地方立法权，也不是国家立法权。

因此,立法法根据宪法的规定,规定国家立法权由全国人大及其常委会行使。

1954 年宪法规定,“全国人民代表大会是行使国家立法权的唯一机关”,全国人民代表大会常务委员会只有“解释法律”和“制定法令”的权力。实践证明,仅由全国人民代表大会立法,不能适应现实的需要。1955 年第一届全国人民代表大会第二次会议通过了《关于授权常务委员会制定单行法规的决议》,授权全国人大常委会在全国人民代表大会闭会期间,“依照宪法的精神,根据实际的需要,适时地制定部分的法律,即单行法规”。这一规定使全国人大常委会实际上获得了立法权。为了适应实际情况发展变化的需要,及时对全国人民代表大会制定的法律进行修改,1959 年第二届全国人民代表大会第一次会议通过决议,“授权常务委员会,在全国人民代表大会闭会期间,根据情况的发展和工作的需要,对现行法律中一些已经不适用的条文,适时地加以修改,作出新的规定”。这一规定赋予了全国人大常委会在大会闭会期间,对大会制定的法律进行修改的权力。

适应改革开放和现代化建设,特别是加强社会主义民主法制建设的需要,1982 年宪法规定,全国人民代表大会和它的常务委员会共同行使国家立法权。彭真同志在宪法修改草案报告中对为什么要赋予全国人大常委会以国家立法权是这样解释的:“我国国大人多,全国人大代表的人数不宜太少,但是人数多了,又不便于进行经常的工作。全国人大常委会是人大的常设机关,它的组成人员是人大的常务代表,人数少可以经常开会,进行繁重的立法工作和其他经常工作。所以适当扩大常委会的职权是加强人民代表大会制度的有效方法。”三十多年来,全国人大及其常委会充分履行这一宪法权力,制定了一大批法律和有关法律问题的决定，为改革开放和现代化建设提供了重要的法律保障。

二、全国人大的立法权限

制定和修改刑事、民事、国家机构的和其他的基本法律，是全国人民代表大会的一项重要职权。刑事、民事、国家机构的和其他的基本法律通常是对某一类社会关系进行调整和规范，涉及的事项有的是公民的基本权利和义务关系，有的是国家政治生活的基本制度，有的事关国家主权等，有的是国家经济和社会生活中某一方面的基本关系，这些法律在国家和社会生活中具有全局的、长远的、普遍的和根本的规范意义。

从 1978 年五届全国人大一次会议到 2015 年十二届全国人大三次会议，全国人民代表大会共审议通过五十八件法律案（包括宪法和宪法修正案，不包括有关法律问题的决定和法律解释）。其中，制定四十四件，修改十五件，现行有效的法律三十八部，占全部现行有效二百四十三部法律的 15.6%。全国人民代表大会通过的五十八件法律案主要是刑事、民事、国家机构的和其他方面的基本法律。如刑事方面的法律有刑法、刑事诉讼法；民事方面的法律有民法通则、婚姻法、继承法、合同法、物权法、民事诉讼法等；国家机构方面的法律有国务院组织法、地方组织法、人民法院组织法、人民检察院组织法、选举法、代表法、全国人民代表大会组织法、立法法等；还有其他的基本法律，如教育法、国防法、企业所得税法等。由大会通过的现行有效的三十八部法律中，有二十五部经过了修改。其中，有的由代表大会修改，有的由常委会修改，有的法律既由代表大会修改过，也由常委会修改过，如选举法由常委会作了四次修改，由代表大会作了一次修改。有的法律修改次数较多，如个人所得税法已经常委会修改了六次；刑法除 1997 年由大会修订、2009 年由常委会修改外，还有八个修正案由常委会会议通过。

三、全国人大常委会的立法权限

全国人大常委会是全国人民代表大会的常设机关，是最高国家权力机关的组成部分，在全国人民代表大会闭会期间行使部分最高国家权力。根据宪法和立法法对全国人大常委会立法权限的规定，全国人大常委会的立法权限，主要有以下两个方面：

（一）制定和修改除应当由全国人大制定的法律以外的其他法律

除应当由全国人大制定的法律外，凡应当由法律规定的事项，全国人大常委会都有权立法。目前，全国人大代表人数多、会期短，立法任务实际上主要由全国人大常委会承担。改革开放以来，为适应改革发展的需要，全国人大常委会加快立法步伐，制定和修改了一大批法律，内容涉及国家的政治、经济、教育、科学、文化、卫生、土地管理、环境保护等各个方面，中国特色社会主义法律体系已经形成，对保障改革开放和现代化建设的顺利进行发挥了重要作用。

（二）对全国人大制定的法律进行补充和修改

根据本条的规定，全国人大常委会在全国人大闭会期间，对全国人大制定的法律进行部分补充和修改，但是不得同该法律的基本原则相抵触。为什么要赋予全国人大常委会对全国人大制定的法律进行补充和修改的权力？主要有以下原因：（1）全国人大常委会作为全国人民代表大会的常设机关，是最高立法机关的组成部分，在全国人民代表大会闭会期间行使国家立法权。（2）全国人民代表大会人数多，每年只开一次会，会期很短，议程较多，不可能对各项法律进行补充和修改。（3）由于社会生活的发展变化很快,新情况和新问题不断出现,赋予全国人大常委会行使该项权力,可以使一些急需补充和修改的法律及时得到补充和修改。(4)全国人大常委会对全国人大制定的法律进行补充和修改,不会影响全国人大行使立法权,全国人大认为必须由它进行补充和修改的法律,它有权决定自行补充和修改。宪法第六十二条规定,全国人大有权"改变或者撤销全国人民代表大会常务委员会不适当的决定"。全国人大认为常委会的补充和修改不适当时,有权予以改变或者撤销。

同时,全国人大常委会对全国人大制定法律的补充和修改受到一定的限制,这种补充和修改不得同该法律的基本原则相抵触。所谓"法律的基本原则",是指贯穿于该法律始终的核心和精神,也即该法律的基本原则、指导思想和基本任务。一般说来,法律的"基本原则"规定在该法的总则中,也有些"基本原则"明确规定在具体条文中。

第八条　下列事项只能制定法律:

(一)国家主权的事项;

(二)各级人民代表大会、人民政府、人民法院和人民检察院的产生、组织和职权;

(三)民族区域自治制度、特别行政区制度、基层群众自治制度;

(四)犯罪和刑罚;

(五)对公民政治权利的剥夺、限制人身自由的强制措施和处罚;

(六)税种的设立、税率的确定和税收征收管理等税收基本制度;

(七)对非国有财产的征收、征用;

（八）民事基本制度；

（九）基本经济制度以及财政、海关、金融和外贸的基本制度；

（十）诉讼和仲裁制度；

（十一）必须由全国人民代表大会及其常务委员会制定法律的其他事项。

【释义】 本条是关于全国人大及其常委会专属立法权的规定。

在立法权限的划分方面，最主要的是要明确哪些事项必须由全国人民代表大会及其常务委员会制定法律，也就是全国人民代表大会及其常务委员会的专属立法权。明确这个问题，有利于解决法律与国务院行政法规、与地方性法规权限的划分问题。立法法颁布施行十五年以来的实践表明，规定全国人大及其常委会专属立法权，对于形成中国特色社会主义法律体系，维护法制统一，发挥了重要作用。

一、专属立法权的含义

专属立法权，是指一定范围内规范社会关系的事项，只能由特定的国家机关制定法律规范的权力。对属于特定国家机关专属立法权限的事项，其他任何机关非经授权，不得进行立法；如果其他机关未经授权又认为必须立法，也只能向专属立法权机关提出立法的动议，而不得自行立法。

二、划分全国人大及其常委会专属立法权限的必要性

全国人大及其常委会作为国家的最高权力机关，享有非常广泛的立法权限。因此，对全国人大及其常委会的立法权限作出一一列举没有必要，也是困难的。但从我国的立法体制考虑，对全国人大及其常委会的专属立法权限尽可能作出具体列举又是必要的，具体理由是：

第一，为使立法真正体现人民自己的意志和利益，维护国家的统一和国内市场的统一，一些重要的立法权必须由全国人大及其常委会直接行使，中央行政机关和地方国家机关非经专门授权不能行使。

第二，在中央层面，对全国人大及其常委会与国务院的立法权限作出划分，有利于国务院更好地通过制定行政法规行使行政管理职权。从我国的立法实践来看，在划分法律和行政法规调整的界限方面已确立了一些标准，取得了一些经验。例如，刑事、民事、国家机构方面的事项由法律规定，行政机关内部需全国统一的工作制度和工作程序可以由行政法规规定；基本的行政管理体制和制度方面的事项由法律规定，行政管理体制和制度中某一方面的具体事项以及操作运转方面的事项可以由行政法规规定；基本的经济制度和管理体制方面的事项由法律规定，经济体制中的操作运转事项以及经济、技术标准可以由行政法规规定。在立法法中，将这些标准和经验进一步明确化、具体化是必要和可行的。

第三，在地方层面，对全国人大及其常委会的专属立法权作出划分，有利于各地在维护国家法制统一的前提下，从本地的具体情况和实际需要出发，调动立法的主动性和积极性，加快地方法制建设的步伐，从而更好地依法管理好地方事务。

第四，明确划分中央立法机关的专属立法权限也是绝大多数国家的实际做法。例如，在中央与地方立法权限的划分上，美国、德国、法国、意大利、瑞士、巴基斯坦、奥地利、印度、马来西亚等国的宪法，都对中央的立法权限作了专门规定。美国宪法明确规定了由国会立法的近二十项专属权力，德国基本法则列举了十一项由联邦立法的专属权力。在立法机关与行政机关的立法权限划分上，有的国家的宪法明确规定了议会立法和行政立法的范围。如法国宪法划分法律事项和法令事项,规定法律事项的立法权属于议会,法令事项的立法权属于政府,并将十五项应当制定法律的事项列举出来。

三、划分专属立法权限的依据

宪法的规定是划分全国人大及其常委会专属立法权限的主要依据。我国宪法虽然没有明确、系统地规定全国人大及其常委会的专属立法权限,但宪法中各个方面相关的原则和分散的规定,仍然为确定专属立法权提供了依据。把握全国人大及其常委会专属立法权限的宪法依据需要从以下几个方面进行:

(一)宪法明确规定了应当由法律规定的事项

宪法共在四十五处明确规定了应当由法律规定的事项。具体有以下几种表述方式:(1)表述为"由法律规定"或者"以法律规定"的共十二处。如宪法第三十一条规定,"在特别行政区内实行的制度按照具体情况由全国人民代表大会以法律规定";第五十九条规定,"全国人民代表大会代表名额和代表产生办法由法律规定";第九十七条规定,"地方各级人民代表大会代表名额和代表产生办法由法律规定"。(2)表述为"依照法律规定"或者"依照法律"的共二十八处。如宪法第二条规定,"人民依照法律规定,通过各种途径和形式,管理国家事务,管理经济和文化事业,管理社会事务";第五十五条规定,"依照法律服兵役和参加民兵组织是中华人民共和国公民的光荣义务"。(3)表述为"在法律规定范围内"等其他形式的共七处。如宪法第八条规定:"参加农村集体经济组织的劳动者,有权在法律规定的范围内经营自留地、自留山、家庭副业和饲养自留畜。"

(二)宪法第六十七条关于全国人大常委会职权中明确规定由全国人大常委会规定的事项

宪法第六十七条第十五项规定,全国人大常委会"规定军人和外交人员的衔级制度和其他专门衔级制度”;第十六项规定,全国人大常委会“规定和决定授予国家的勋章和荣誉称号”。因此,关于衔级、国家勋章和荣誉称号的法律,应当是全国人大常委会的专属立法权限。

(三)宪法虽未规定由全国人大及其常委会制定法律或者予以规定,但属于全国人大及其常委会职权范围内应当用法律调整的事项

宪法没有明确规定全国人大及其常委会对其行使的任何职权都可以制定法律,但显然,在职权范围内需用法律调整的事项,全国人大及其常委会都可以制定法律,这样才能保证其有效地行使各项国家权力。这类事项包括以下几方面:

1. 宪法明确规定由全国人大及其常委会决定或批准的事项

宪法第六十二条规定,全国人大“审查和批准国民经济和社会发展计划和计划执行情况的报告”,“审查和批准国家的预算和预算执行情况的报告”,“批准省、自治区和直辖市的建置”,“决定战争和和平问题”;第六十七条规定,全国人大常委会“决定同外国缔结的条约和重要协定的批准和废除”,“决定全国总动员或者局部动员”,“决定全国或者个别省、自治区、直辖市的戒严”等。因此,预算法、缔结条约程序法、国防动员法、戒严法以及省、自治区、直辖市建置方面的事项等应当属于全国人大及其常委会的专属立法权限。

2. 宪法明确规定由全国人大及其常委会实施监督的事项

宪法第六十二条规定,全国人大“监督宪法的实施”,“改变或者撤销全国人民代表大会常务委员会不适当的决定”;第六十七条规定,全国人大常委会“监督宪法的实施”,“监督国务院、中央军事委员会、最高人民法院和最高人民检察院的工作”,“撤销国务院制定的同宪法、法律相抵触的行政法规、决定和命令”,“撤

销省、自治区、直辖市国家权力机关制定的同宪法、法律和行政法规相抵触的地方性法规和决议”等。因此,对上述事项的立法属于全国人大及其常委会的专属立法权限,如2006年全国人大常委会通过的各级人民代表大会常务委员会监督法。

3.其他由全国人大及其常委会行使职权的事项

宪法第六十二条、第六十七条在分别列举全国人大及其常委会行使的各项职权的同时,还在第六十二条第十五项规定,全国人大行使“应当由最高国家权力机关行使的其他职权”;在第六十七条第二十一项规定,全国人大常委会行使“全国人民代表大会授予的其他职权”。这说明,全国人大及其常委会除了有权就宪法第六十二条和第六十七条赋予的各项职权进行立法以外,必要时还有权为行使宪法所没有明确规定的其他职权而进行立法。

四、全国人大及其常委会专属立法权限的范围

根据宪法的规定,总结我国各方面的立法经验,2000年立法法第八条列举了十项只能制定法律的事项,2015年修改立法法,增加了一项,共十一项只能由全国人大及其常委会制定法律的事项,分别是:

(一)有关国家主权的事项

主权是指国家具有的独立自主地处理自己对内和对外事务的最高权力。它具有两方面的特性,即在国内是最高的,对国外是独立的。国家主权的内容十分广泛,大致包括以下几方面:(1)政治主权,是指国家有权自主选择政治制度和社会制度,有权制定法律和内政外交政策,而不受任何国家、政府间组织或国家集团的侵犯和干预。(2)经济主权,是指国家在经济上处于独立地位,有权制定经济和社会发展的政策,有权开发、利用和处置自己的资源和财富,而不受任何外来干预。(3)领土主权,

是指国家对其全部领土(包括领陆、领水、领空)拥有所有权、管辖权、支配权和自卫权,而不受任何外来侵犯。(4)对外主权,是指国家在国际上享有的独立权和平等权,享有独立的国际法律人格,具有平等的国际交往权和缔结条约权,独立自主地执行其对外政策。(5)属人主权,是指国家拥有对具有该国国籍的人所具有的管辖、支配和处置的权力。

从上述国家主权的内容看,全国人大及其常委会对下列有关国家主权的事项享有专属立法权限:(1)国家领土。如对国家领土的构成、与邻国边界的划分等。这方面,全国人大常委会已制定了领海及毗连区法、专属经济区和大陆架法等法律。(2)国防。国防是指国家为防备和抵抗侵略,保卫国家的主权、统一、领土完整和安全所进行的军事活动,以及与军事有关的各方面的活动,具体内容包括国防制度、防空制度、兵役制度、军官服役制度、军衔制度、国防教育制度以及军事设施的保护等。这方面,全国人大常委会已制定了国防法、国防动员法、人民防空法、兵役法、预备役军官法、解放军现役军官服役条例、解放军军官军衔条例、军事设施保护法等法律法规。(3)外交。如同外国缔结的重要条约和协定、外交特权与豁免等。全国人大常委会已制定了缔结条约程序法、领事特权与豁免条例。(4)国籍。全国人大常委会已制定了国籍法。(5)中国公民出入境和外国公民入出境制度。全国人大常委会已制定了出境入境管理法。(6)国旗、国徽、国歌。国旗是国家的标志和象征。一个国家的主权和民族尊严往往通过国旗表现出来。国徽是一个国家的象征,它体现一个国家的历史传统,也表现该国家的政体和信仰。国歌是代表一个国家的歌曲,反映一个国家的传统和民族精神。有关国旗、国徽和国歌的事项都应当由宪法和法律加以规定。目前,全国人大常委会已制定了国旗法、国徽法。

需要注意的是，由法律规定的有关国家主权事项，是指国防、外交等事务中涉及国家主权的事项，必须制定法律。其中有些外交事务虽然涉及主权问题，但属于政府职权范围的事项，可以由国务院以行政法规规定。

（二）各级人民代表大会、人民政府、人民法院和人民检察院的产生、组织和职权

根据宪法的规定，权力机关、行政机关、审判机关和检察机关是我国国家机构的重要组成部分，是行使国家权力，实现国家职能的核心力量。它们的产生方式、组织原则、职权范围和行使职权的具体程序直接反映我国国家机构的本质，反映各国家机构的力量是否能够掌握在人民手中，成为人民行使国家权力、实现国家职能的工具。因此，有关国家机构产生、组织和职权的事项必须由全国人大及其常委会制定法律予以规范。

目前，全国人大及其常委会已根据宪法，制定了选举法、代表法、全国人民代表大会组织法、国务院组织法、人民法院组织法、人民检察院组织法、地方各级人民代表大会和人民政府组织法、全国人民代表大会议事规则、全国人大常委会议事规则等法律，对各级权力机关、行政机关、审判机关和检察机关的产生、组织和职权作出了较全面的规定。

（三）民族区域自治制度、特别行政区制度、基层群众自治制度

1. 民族区域自治是指在中华人民共和国境内，在国家统一领导下，各少数民族聚居的地方实行区域自治，设立自治机关，行使自治权。在我国，各民族自治地方都是中华人民共和国不可分离的部分。实行民族区域自治，体现了国家充分尊重和保障各少数民族管理本民族内部事务的权利的精神，体现了国家坚持实行各民族平等、团结和共同繁荣的原则。民族区域自治

制度涉及保护少数民族的权利和国家的统一，必须由法律规定。1984 年 5 月 31 日，第六届全国人民代表大会第二次会议通过民族区域自治法，对民族自治地方的建立和自治机关的组成、民族自治地方的自治权、民族自治地方的人民法院和人民检察院、民族自治地方的民族关系以及上级国家机关对民族自治地方的领导和帮助等内容作出了较全面的规定。

2. 特别行政区制度是体现我国“一国两制”基本方针的重要政治制度。宪法第三十一条规定：“国家在必要时得设立特别行政区。在特别行政区内实行的制度按照具体情况由全国人民代表大会以法律规定。”根据宪法的规定，全国人大于 1990 年通过了香港特别行政区基本法，于 1993 年通过了澳门特别行政区基本法。

3. 基层群众自治制度是社会主义民主政治的一个重要方面。宪法第一百一十一条规定，“城市和农村按居民居住地区设立的居民委员会或者村民委员会是基层群众性自治组织”，“居民委员会、村民委员会同基层政权的相互关系由法律规定”，居民委员会、村民委员会“办理本居住地区的公共事务和公益事业，调解民间纠纷，协助维护社会治安，并且向人民政府反映群众的意见、要求和提出建议”。目前，全国人大常委会已制定了城市居民委员会组织法，制定和修订了村民委员会组织法，对城乡基层自治制度作了较详细的规定。

（四）犯罪和刑罚

犯罪是具有社会危害性和刑事违法性并且应受刑事惩罚的行为。刑罚是统治阶级以国家名义惩罚犯罪的强制方法。犯罪和刑罚以公民的基本权利为直接指向，涉及对公民或者法人财产权、自由权乃至生命权的限制和剥夺，是以国家强制力为后盾的最严厉的处罚措施。以何种刑罚去惩罚犯罪则是一项严肃的国家行为和国家权力，必须由国家法律予以规定。全国人大1979年制定并于1997年进行修订的刑法，就确立了罪刑法定原则，以刑法所保护的各类社会关系为标准，对各个罪名作出详尽规定。

（五）对公民政治权利的剥夺、限制人身自由的强制措施和处罚

1. 对公民政治权利的剥夺的强制措施和处罚

政治权利是公民依照宪法和法律享有的参加国家管理、进行政治活动和表达个人意见的权利。宪法第三十四条规定，“中华人民共和国年满十八周岁的公民，不分民族、种族、性别、职业、家庭出身、宗教信仰、教育程度、财产状况、居住期限，都有选举权和被选举权”；第二条规定，人民“通过各种途径和形式，管理国家事务，管理经济和文化事业，管理社会事务”；第三十五条规定，“中华人民共和国公民有言论、出版、集会、结社、游行、示威的自由”；第四十一条规定，公民对国家机关或者国家工作人员，以及他们的违法失职行为，有提出批评、建议、申诉、控告或者检举的权利。这些规定说明，我国公民享有的政治权利包括：选举权和被选举权；担任国家机关职务的权利；担任国有公司、企业、事业单位和人民团体领导职务的权利；言论、出版、集会、结社、游行、示威的权利。

上述公民的政治权利是十分广泛而重要的。充分保证公民享有各项政治权利是实现亿万人民当家做主、行使国家权力的保证，因而对公民政治权利的剥夺必须十分严肃和慎重。宪法第三十四条在规定公民选举权和被选举权的同时规定，“但是依照法律被剥夺政治权利的人除外。”全国人民代表大会和地方各级人民代表大会选举法第三条规定，“依照法律被剥夺政治权利的人没有选举权和被选举权。”这些规定表明，对公民政

治权利的剥夺只能由法律予以规定，即只能由全国人大及其常委会制定法律予以规定。目前，我国对公民政治权利的剥夺仅限于全国人大及其常委会刑事立法的范围。

2. 限制人身自由的强制措施和处罚

公民的人身自由是行使其他一切权利和自由的基础。对公民的人身自由予以保障不仅是各国法律的职责，而且各国宪法都首先对保护公民的人身自由作出详细规定。最早对公民人身自由给予确认的是英国1215年的《自由大宪章》，它规定任何自由民非经本国法律判决，不得被逮捕、监禁或者加以伤害。美国宪法第五条修正案规定，"不依正当法律程序，不得剥夺公民的生命、自由和财产。"其他一些国家的宪法都有类似的规定。

总结全国人大及其常委会的立法实践，我国法律对违法公民设定限制其人身自由的方式可以分为两类：一类是以强制措施方式限制公民人身自由，强制措施包括刑事诉讼、民事诉讼和行政诉讼的强制措施以及行政强制措施，刑事诉讼法、民事诉讼法、行政诉讼法和行政强制法对这些强制措施作出了规定；另一类是以处罚方式限制公民人身自由。限制公民人身自由处罚的种类，包括刑事处罚、司法处罚、行政处罚。

（六）税种的设立、税率的确定和税收征收管理等税收基本制度

税收是国家为提供社会公共服务需要，依照法律规定和法定程序向居民或非居民进行的金钱或实物课征。税收是财政收入的基本形式，既是国家治理体系的基础和物质保障，也是国家治理的重要手段。同时，税收应来之于民、用之于民，税种的设立、税款的征收、收入的使用，直接关系纳税人的切身利益，关系人民的福祉，应由代表人民行使国家权力的立法机关以法律的形式予以规范。在资本主义国家，决定税收是议会的一项专属

权力。早在英国资本主义发展初期，就有“不出代议不纳税”的说法。在英国，议会享有财政权，征税必须经议会同意，是一项基本的宪法原则。美国和法国的宪法都规定，议会是决定税收的唯一机关。

本项是为落实税收法定原则新修改增加的一项内容。税收法定是我国宪法所确立的一项基本原则。宪法第五十六条规定：“中华人民共和国公民有依照法律纳税的义务。”根据宪法规定，无法律规定，无纳税义务；无法律规定，无权征税。税收法定原则在税收征收管理法和修改前的立法法等法律中也有体现。税收征收管理法第三条中规定，税收的开征、停征以及减税、免税、退税、补税，依照法律的规定执行。修改前的立法法第八条第八项规定，“基本经济制度以及财政、税收、海关、金融和外贸的基本制度”事项只能制定法律。

按照宪法和修改前立法法的规定，税收立法权属于全国人大及其常委会。但改革开放初期，考虑到税收制度的建立、完善面临错综复杂的情况，同时缺少相关经验，全国人大及其常委会先后出台了两个授权决定，授权国务院对经济体制改革和对外开放，包括税收制度改革，根据宪法，在同有关法律和全国人民代表大会及其常务委员会的有关决定的基本原则不相抵触的前提下，制定暂行的规定或者条例。这两个授权决定是《全国人民代表大会常务委员会关于授权国务院改革工商税制发布有关税收条例草案试行的决定》（1984 年出台，已于 2009 年 6 月废止）和《全国人民代表大会关于授权国务院在经济体制改革和对外开放方面可以制定暂行的规定或者条例的决定》（1985 年）。由此，目前现行十八个税种中，除个人所得税、企业所得税、车船税由法律规定征收外，其余十五个税种由行政法规规定。从实际效果看，国务院根据授权制定税收条例，对我国基本形成多税种、多环节、多层次的税收体系发挥了重要作用;但与此同时,这一税收制度架构与税收法定原则有相当大的差距,也不符合法治精神,其缺陷和负面影响日益显现。近年来,一些全国人大代表和政协委员也提出议案、建议或提案,建议尽快落实税收法定原则,将现行有关税收条例上升为法律。党的十八届三中全会决定提出了落实税收法定原则的明确要求,贯彻落实这一要求,加快税收立法进程,将现行税收条例上升为法律的时机已经成熟。

在提交2014年12月全国人大常委会审议的立法法修正案草案二审稿中,将税收制度单列一项,规定“税种、纳税人、征税对象、计税依据、税率和税收征收管理等税收基本制度”只能由法律规定。但在常委会审议中,对此提出了不同的意见。关于税收制度在立法法第八条中的位置,一种意见认为,将税收基本制度与基本经济制度、财政制度等在一项中规定是适当的,不宜将其单独出来与上述事项并列规定;第二种意见认为,税收固然是财政收入的重要来源,但更重要的属性是对公民财产的无偿、强制征收,从保护公民权利的角度,应当将税收放在第八条第五项关于公民政治权利和人身权利事项之后。关于税收制度的表述,一种意见认为,将“税收基本制度”细化后缺乏弹性,建议慎重;第二种意见建议进一步完善,修改为“税种的设立和取消,纳税人、征税对象、计税依据、税率和税收优惠等税收基本要素,以及税收征收管理等税收基本制度”;第三种意见认为,税率调整是宏观调控的重要手段之一,需要根据情况适时调整;关税等涉及的货品种类很多,其税目、税率都由法律规定无法做到。

在提交十二届全国人大三次会议审议的立法法修正案草案中,将税收基本制度的内容移至该条第六项,规定“税种的开征、停征和税收征收管理的基本制度"。在十二届全国人大三次会议审议过程中,一些代表提出,将税收基本要素,特别是税率予以明确列举。经过认真研究,修改决定将"税收基本制度"的表述修改为"税种的设立、税率的确定和税收征收管理等税收基本制度"。全国人大法律委员会在审议结果报告中指出,税率是税种的基本要素,凡是单行税法都要对税率作出规定,比如企业所得税法,在设立这一税种的同时,规定税率为25%;明确税率由法律规定,并不排除税收单行法律同时明确由国务院对具体税率作出调整,比如车船税法,在规定税目税额的同时,相应也规定了幅度,并授权国务院或者地方可以在幅度内确定具体税额或者调整。立法法的上述修改,是落实"税收法定"原则的一大进步,对今后单行税收立法具有重要意义。

根据党的十八大和十八届三中、四中全会精神,为"落实税收法定原则",全国人大常委会法工委牵头起草了《贯彻落实税收法定原则的实施意见》。2015年3月该实施意见已经报经党中央审议通过。实施意见根据相关改革任务的进展情况,对2020年前完成相关立法工作作出了安排:

1. 不再出台新的税收条例;拟新开征的税种,将根据相关工作的进展情况,同步起草相关法律草案,并适时提请全国人大常委会审议。

2. 与税制改革相关的税种,将配合税制改革进程,适时将相关税收条例上升为法律,并相应废止有关税收条例。在具体工作中,有一些税种的改革涉及面广、情况复杂,需要进行试点,可以在总结试点经验的基础上先对相关税收条例进行修改,再将条例上升为法律。

3. 其他不涉及税制改革的税种,可根据相关工作进展情况和实际需要,按照积极、稳妥、有序、先易后难的原则,将相关税收条例逐步上升为法律。

4. 待全部税收条例上升为法律或废止后，提请全国人民代表大会废止《全国人民代表大会关于授权国务院在经济体制改革和对外开放方面可以制定暂行的规定或者条例的决定》。

5. 全国人大常委会将根据上述安排，在每年的立法工作计划中安排相应的税收立法项目。

按照实施意见的要求，落实税收法定原则的改革任务，将力争在 2020 年前完成，将税收暂行条例上升为法律或者废止，并相应废止《全国人民代表大会关于授权国务院在经济体制改革和对外开放方面可以制定暂行的规定或者条例的决定》。在此期间，全国人大的授权决定仍然有效；国务院可以根据客观情况变化和税制改革需要，依据授权决定和相关税收条例的规定，对相关税收政策进行必要的调整和完善。

（七）对非国有财产的征收、征用

征收和征用是两个不同的法律概念。征收是指为了公共利益需要，国家将私人所有的财产强制地征归国有；征用是指为了公共利益需要而强制性地使用公民的私有财产。征收和征用不同之处在于，征收主要是所有权的改变，征用只是使用权的改变，是紧急情况下对私有财产的强制性使用，一旦紧急情况结束，被征用的财产应返还原权利人。

2000 年立法法规定，对非国有财产的征收只能制定法律。当时作出这样的规定，主要是考虑对非国有财产的征收，涉及对公民、法人和其他组织财产所有权的转移。财产权是公民的一项基本权利，非依法律的规定不得被侵犯。这一权利早已被世界各国的宪法所肯定。例如，法国的《人权宣言》第十七条规定："财产是神圣不可侵犯的权利。除非由于合法认定的公共需要的明显要求，并且在事先公平补偿的条件下，否则任何人的财产不能被剥夺。”比利时王国宪法第十一条则规定:“任何人的财产不受剥夺。但出于公共利益的需要,经法律规定其范围及程序,并预先付给公平补偿者,不在此限。”我国宪法在保护国有财产的同时,也十分注重保护其他公共财产和公民个人的合法财产。宪法第十条第二款规定:“农村和城市郊区的土地,除由法律规定属于国家所有的以外,属于集体所有;宅基地和自留地、自留山,也属于集体所有。”第十三条第一款、第二款规定:“公民的合法的私有财产不受侵犯。国家依照法律规定保护公民的私有财产权和继承权。”这些规定表明,集体经济组织以及公民个人或者其他组织合法拥有非国有财产是一项宪法权利,受宪法保护。非国有财产与国有财产仍然是有严格区别的,任何组织或者个人,即使以国家的名义,也不得随意对非国有财产予以征收,使之国有化。国家为了公共利益的需要,对非国有财产实行征收,必须由法律规定。

2004年宪法修正案为了正确处理私有财产保护和公共利益需要、公民权利和国家权力之间的关系,确立了依法征收、征用制度。宪法第十条第三款规定:“国家为了公共利益的需要,可以依照法律规定对土地实行征收或者征用并给予补偿。”宪法第十三条第三款规定:“国家为了公共利益的需要,可以依照法律规定对公民的私有财产实行征收或者征用并给予补偿。”这次立法法修改,根据2004年宪法修正案的规定,在原立法法“对非国有财产的征收”之后,增加了“征用”,将对非国有财产的征收、征用的事项列为全国人大及其常委会的专属立法权。

目前,还没有一部统一的对非国有财产征收的法律,但有关法律已有所规定。例如,外资企业法第五条规定:“国家对外资企业不实行国有化和征收;在特殊情况下,根据社会公共利益的需要,对外资企业可以依照法律程序实行征收,并给予相应的补偿。”对于非国有财产的征用，虽然也没有一部统一的法律，但许多法律对征用作了明确的规定。例如，物权法第四十四条规定：“因抢险、救灾等紧急需要，依照法律规定的权限和程序可以征用单位、个人的不动产或者动产。被征用的不动产或者动产使用后，应当返还被征用人。单位、个人的不动产或者动产被征用或者征用后毁损、灭失的，应当给予补偿。”土地管理法第二条第四款规定：“国家为了公共利益的需要，可以依法对土地实行征收或者征用并给予补偿。”此外，突发事件应对法、国防法、国防动员法、传染病防治法、反间谍法、农村土地承包法、草原法、渔业法、归侨侨眷权益保护法、电力法、戒严法等多部法律都明确规定了对非国有财产的征用及补偿。

（八）民事基本制度

民事基本制度是指民事活动中最主要的民事行为准则。民事活动是经济和社会生活中最广泛、最活跃的方面，因而有关规范各类民事活动的规则也是丰富多样的。但为保证国家经济和社会生活的和谐、有序，维护和促进国内市场的统一，对事关全体社会成员利益和国内市场统一的重要民事制度，必须由最高国家权力机关统一立法。

民事基本制度包括以下几个方面：（1）有关民事主体资格的制度。如有关自然人、法人以及合伙的制度。这方面，全国人大及其常委会已制定了民法通则等法律，对各类民事主体资格予以规范。（2）有关物权方面的制度。如有关财产所有权、共有权、相邻权、担保权、抵押权、留置权、国有企业经营权、土地使用权、房地产权等方面的制度。目前，除民法通则对上述物权内容进行规范外，全国人大及其常委会还制定了物权法、担保法、土地管理法、城市房地产管理法等法律，对各类物权制度予以规范。（3）有关知识产权方面的制度。目前，全国人大常委会已制定了著作权法、专利法、商标法等法律，对各类知识产权内容进行规范。(4)有关债权方面的制度。全国人大已制定了合同法，对各类合同制度作出规定；全国人大常委会制定了侵权责任法，对侵权责任作出规定。(5)有关婚姻家庭、收养、继承等方面的制度。这方面，全国人大及其常委会已制定了婚姻法、收养法、继承法等法律，对相关内容予以规范。

(九)基本经济制度以及财政、海关、金融和外贸的基本制度

1. 基本经济制度

经济制度是指一定历史阶段占统治地位的生产关系的总和。基本经济制度是经济制度中占统治地位、对经济基础的性质起决定作用的那部分。其内涵包括两个方面：一是生产资料所有制的形式；二是由生产资料所有制形式所决定的分配形式。

我国宪法第六条规定了社会主义初级阶段我国的基本经济制度，即“坚持公有制为主体、多种所有制经济共同发展的基本经济制度”，“坚持按劳分配为主体、多种分配方式并存的分配制度”。宪法第七条规定，“国有经济，即社会主义全民所有制经济，是国民经济中的主导力量”；宪法第十一条规定，“在法律规定范围内的个体经济、私营经济等非公有制经济，是社会主义市场经济的重要组成部分”。基本经济制度是一项十分重要的国家制度，它直接影响和决定着国家的政治制度等上层建筑，影响和决定着国家和社会的性质。目前，除宪法的有关规定外，全国人大及其常委会还制定一些涉及基本经济制度的法律，例如，制定了全民所有制工业企业法、外资企业法、中外合资经营企业法、中外合作经营企业法、个人独资企业法、合伙企业法、公司法等法律。

2. 宏观调控的基本制度

为有效地组织、领导和管理经济活动，保证国民经济的持续

和健康发展,不断改善人民生活,国家必须使用各种杠杆对经济的运行进行宏观调控。宪法第十五条规定,"国家加强经济立法,完善宏观调控","国家依法禁止任何组织或者个人扰乱社会经济秩序"。这一规定表明,有关宏观调控方面的制度,必须由国家统一立法。具体来说,主要包括以下几个方面:

第一,有关财政的基本制度。财政是政府集中一部分国民收入用于满足公共需要的收支活动,以达到优化资源配置、公平分配及经济稳定和发展的目标。由于财政在国家和政府管理中发挥着重要作用,因此,有关财政制度的事项必须由国家法律予以统一规定。这方面,全国人大及其常委会已制定了预算法和加强中央预算审查监督的决定等法律,对国家的预算分配、预算管理和预算监督职权作出规定。

第二,有关海关的基本制度。海关是代表国家对进出关境活动实施监督管理的机关,加强海关监督管理,是维护国家主权和利益,促进对外经济贸易和科技文化交往,保障社会主义现代化建设的重要条件。因此,有关海关制度的事项必须由全国人大及其常委会统一立法。目前,全国人大常委会已制定了海关法,对国家海关制度作出规定。

第三,有关金融的基本制度。对金融活动的统一和有效管理,是巩固公有制为基础的社会主义经济制度,落实国家的经济政策,协调经济发展,保持社会稳定,改善人民生活和促进对外金融交往的重要保证。因此,有关金融基本制度的事项应当由国家统一立法。改革开放以来,全国人大及其常委会十分重视金融立法,已制定了中国人民银行法、商业银行法、票据法、保险法、证券法等法律。

第四,有关外贸的基本制度。发展对外贸易,促进货物进出口与技术进口,开展国际贸易服务,是保证社会主义市场经济健康发展的重要条件。发展对外贸易,必须由国家制定和实行统一的对外贸易制度,因此,有关外贸的基本制度应当由全国人大及其常委会统一立法。1994 年,全国人大常委会制定了对外贸易法,对有关外贸的基本制度作出规定。

此外,有关税收的基本制度也属于宏观调控的基本制度,修改后的立法法已将税收制度单列一项,作为本条第六项专门规定。

(十)诉讼和仲裁制度

1. 诉讼制度

诉讼是指司法机关在当事人和其他诉讼参与人参加下,依照法定程序,为解决当事人的权利和义务而进行的活动。诉讼制度则是国家关于诉讼程序和诉讼方式的统一规定。按照解决当事人权利和义务性质的不同,诉讼可以分为刑事诉讼、民事诉讼和行政诉讼三种类型。在我国,公民的政治权利、人身自由权利和财产权利等基本的权利和自由都是由宪法直接规定的。而诉讼要解决的就是公民的基本权利和义务,解决的程序和方式应由法律规定。

2. 仲裁制度

仲裁是指专门的仲裁机构对平等主体的公民、法人和其他组织之间发生的经济纠纷以及其他有关利益纠纷进行公正裁决的行为。仲裁制度是指对有关仲裁机构、仲裁协议、仲裁程序等仲裁事项的统一规定。仲裁行为与司法行为一样,应当体现国家与社会的公道和正义,因此,国家有关仲裁制度的事项也必须是统一的,应当由最高立法机关制定统一的规范。目前,全国人大常委会已制定了仲裁法,对国家的仲裁制度作出规定。

(十一)必须由全国人大及其常委会制定法律的其他事项

本项是对全国人大及其常委会立法权限的"兜底性"规定。

我国是单一制国家，保证中央对国家的统一领导，维护国家法制的统一，是国家的一项基本任务，也是制定立法法的宗旨；虽然中国特色社会法律体系虽然已经形成，但有些事项由全国人大及其常委会制定法律，条件还不成熟；又由于我们对如何清楚地进行权限划分，并且使这种权限划分既有利于维护国家的统一，又能充分调动地方的积极性，还没有足够的经验，因此，对全国人大及其常委会的专属立法权限完全作出清楚和排他性的列举还有困难。比较符合实际的做法是，根据宪法，将已被实践证明必须由全国人大及其常委会制定法律的重大事项，明确列举出来。同时，为保证中央对国家的统一领导和国家法制的统一，保证全国人大及其常委会能够始终有效地行使最高国家权力，对其立法权限保留一项“兜底性”的规定，又是十分必要的。此外，宪法第六十二条第十五项规定，全国人大有权行使“应当由最高国家权力机关行使的其他职权”。根据这一规定，全国人大认为应当由自己行使的，全国人大有权行使，其中凡需要制定法律的，全国人大都有权进行立法。

五、专属立法权以外的事项，全国人大及其常委会仍可以制定法律

全国人民代表大会及其常务委员会专属立法权的事项，是指只能由法律规定的事项，不是全国人民代表大会及其常务委员会只能对这些事项制定法律。对专属立法权之外的其他事项，比如有关教育、科学、文化、卫生、体育、环境保护等社会生活各个方面的事项，全国人大及其常委会仍然可以制定法律。实际上，全国人大及其常委会在这些方面也已经制定出相当多的法律。在专属立法权之外，法规先作了规定的，不妨碍制定法律；法律制定后，应当以法律为准，法规与法律相抵触的无效。

第九条　本法第八条规定的事项尚未制定法律的，全国人民代表大会及其常务委员会有权作出决定，授权国务院可以根据实际需要，对其中的部分事项先制定行政法规，但是有关犯罪和刑罚、对公民政治权利的剥夺和限制人身自由的强制措施和处罚、司法制度等事项除外。

【释义】　本条是关于全国人大及其常委会对专属立法权范围内的事项授权国务院制定行政法规的规定。

本条规定的授权立法，是指全国人大及其常委会对专属立法权范围内的事项作出决定，授权国务院制定行政法规的活动。

授权主体，就是有权作出授权决定，赋予其他国家机关行使某种立法权的国家机关。根据立法法，只有全国人大及其常委会才能成为授权主体。这是因为，根据宪法规定，全国人大及其常委会行使国家立法权。国家立法权具有最高性、主权性、独立性的特点。

一、被授权主体

被授权主体，是指被授予立法权的机关。在立法法的制定过程中，对哪些主体可以成为被授权主体，曾有不同意见。一种意见认为，全国人大及其常委会只能授权国务院。另一种意见认为，不应限于国务院，下一级国家权力机关和全国人大及其常委会认为有必要授予的机关，都可以授予。经过反复研究，立法法本条规定，全国人大及其常委会有权作出决定，授权国务院可以根据实际需要，就专属立法权范围内的部分事项，先制定行政法规。根据这一规定，对于全国人大及其常委会专属立法权范围内的部分事项，被授权主体只能是国务院。主要考虑是：第一，除全国人大及其常委会的专属立法权外的事项，如果没有制定法律、行政法规，可以先制定地方性法规。这个问题立法法中已有规定。第二，只能制定法律的事项，都是政治、经济等基本制度，如果制定法律的条件不成熟，可以授权国务院制定行政法规，有利于中央对改革的领导，也有利于法制的统一。第三，如果是因为个别地方特殊情况的需要，可以对该地方进行授权，但不宜作为一项基本制度确定下来。

二、授权事项的范围

国务院可以获得授权的范围，是全国人大及其常委会专属立法权范围内尚未制定法律而又可以授权的事项。在本法第八条所列举的专属立法权中，绝大多数已有法律的规定。除去已有法律规定的事项外，下列事项也不能授权国务院制定行政法规：一是有关犯罪和刑罚的事项；二是对公民政治权利的剥夺和限制公民人身自由的强制措施和处罚的事项；三是有关司法制度的事项等。为什么这些事项不能授权呢？

第一，在我国，人民是国家的主人，国家的一切权力属于人民，人民行使权力的机关是全国人大和地方各级人大。全国人民代表大会是最高国家权力机关，全国人大常委会是它的常设机关，全国人大及其常委会集中了全体人民的意志和利益，是全体人民的代表机关。因此，有关全体公民基本权利和人身自由的事项，应当由最高国家权力机关决定。而犯罪与刑罚，涉及公民的基本权利和自由，其立法权只能属于全国人大及其常委会，不应让渡和转授。

第二，对公民政治权利的剥夺、限制公民人身自由的强制措施和处罚，也是涉及公民基本权利和自由的事项，其立法权也只能专属于全国人大及其常委会。虽然刑法已将剥夺政治权利作为刑罚的一种予以规定，但是，由于言论、出版、集会、结社、游行示威等政治权利和自由，是公民的十分重要的权利，对公民违法行为剥夺政治权利的处罚只能由全国人大及其常委会设定，任何机关都不得擅自设定剥夺政治权利的处罚。在实践中，为了适应形势发展的需要,有可能除了刑法规定的现有犯罪种类以外,还需要对新的罪名设定剥夺政治权利的处罚;在特殊情形下,有可能还需对某一危害社会但又不足以构成犯罪的行为规定剥夺政治权利的处罚,但是,这种处罚的设定权只能专属于全国人大及其常委会,而不得授予其他任何机关。

第三,对有关司法制度事项的立法,全国人大及其常委会不得进行授权。司法制度包括两个方面的内容:一是有关司法机关的产生、组织和职权方面的制度。包括人民法院、人民检察院的产生、组织和职权制度,以及公安机关、国家安全机关在司法程序中的侦查制度。二是有关诉讼的制度。包括刑事诉讼程序、民事诉讼程序、行政诉讼程序中诉讼原则、诉讼法律关系、侦查制度、起诉制度、证据制度、辩护制度、审判制度、法律监督制度和执行制度等内容。由于人民法院、人民检察院都由人大产生,对人大负责,受人大监督,在行使职权方面,人民政府与人民法院和人民检察院之间没有领导和被领导、管理和被管理的关系;也由于国家的侦查、审判和检察工作直接体现了社会的正义和公道,与全体公民的基本权利和自由密切相关,因此,有关人民法院、人民检察院的产生、组织和职权制度,有关公安机关、国家安全机关与诉讼程序的职权制度,以及诉讼程序中各项制度的事项,只能由全国人大及其常委会制定法律予以规范,而不得授权。

三、全国人大及其常委会 1984 年和 1985 年对国务院的授权

1984 年和 1985 年,全国人大及其常委会曾两次作出决定,在立法问题上,对国务院进行授权,这两次授权对我国改革开放以来的立法工作产生了重大影响。

1984 年 9 月 18 日,六届全国人大常委会第七次会议决定:

“授权国务院在实施国营企业利改税和改革工商税制过程中，拟定有关税收条例，以草案形式发布试行，再根据试行的经验加以修订，提请全国人大常委会审议。”在国外，有关税收事项的立法权是专属于议会的。在我国，如何确定公民的纳税义务，也必须由全国人大及其常委会予以规定。上述授权基于的情况是，相关税制改革方面的事项由于法律规定的条件不成熟，但在实践中又需要对一些改革措施予以规范，并为制定法律积累经验，因此，人大常委会将这一专属立法权的事项授予国务院行使。但这项授权是十分慎重和严格的。全国人大常委会在授权决定中要求，国务院根据授权制定的税收条例，只能以草案形式发布，并需要根据试行的经验加以修订，提请全国人大常委会审议。1985 年 4 月 10 日，六届全国人大第三次会议作出决定，授权国务院对于有关经济体制改革和对外开放方面的有关问题，必要时可以根据宪法，在同有关法律和全国人大及其常委会的有关决定的基本原则不相抵触的前提下，制定暂行的规定或者条例，颁布实施，并报全国人大常委会备案。这是一项范围相当广泛的授权。根据授权决定，在经济体制改革和对外开放方面，国务院根据宪法，既可以对应当由全国人大及其常委会制定法律又尚未制定法律的事项先制定行政法规，也可以在根据有关法律和决定制定暂行的规定或者条例时，对有关法律和决定作出修改和补充性的规定。但国务院无论是对有关事项先制定行政法规，还是在制定规定或者条例时对有关法律和决定作出修改和补充，都不得同有关法律和全国人大及其常委会的有关决定的基本原则相抵触。由于这一授权范围相当广泛，为保证国务院正确使用这一授权，全国人大在这一授权决定中还规定，国务院对于根据该授权决定制定的行政法规，须报全国人大常委会备案；经过实践检验，条件成熟时由全国人大或者全国人大常委会制定法律。

2009 年 6 月 27 日，十一届全国人大常委会第九次会议通过了关于废止部分法律的决定，废止了 1984 年的授权决定。这主要考虑到，1984 年授权决定主要是解决经济体制改革初期国营企业利改税和改革工商税制的问题，决定通过当日国务院发布了产品税、增值税、盐税、营业税、资源税、国营企业所得税等六个税收条例草案试行。在全国人大作出 1985 年授权决定后，已将 1984 年授权决定覆盖。依据 1984 年授权，国务院已制定了一系列税收暂行条例，未再以草案形式发布此类税收条例草案试行。1993 年，国务院发布的有关增值税等几个税收暂行条例已明确将上述六个税收条例草案废止。

四、立法法规定授权立法的主要考虑

在 2000 年立法法的制定过程中，对是否规定授权立法曾有过两种不同意见。一种意见认为，随着民主与法制的发展，国家和社会生活的各个方面已基本有法可依；对应当由法律规定的事项，就应当由全国人大及其常委会立法，如果制定法律的条件不成熟，可以通过制定政策的形式予以规范，不宜作范围和期限都不明确的笼统的授权；建议收回全国人大及其常委会所作的授权。如果个别情况需要继续授权的，可以由全国人大及其常委会重新授权。另一种意见认为，当前情况下应当保留授权立法制度，但需要总结授权立法的实践经验，对授权范围、授权期限、授权立法权的行使等问题，作出进一步规范，以便今后更好地发挥授权立法的作用。经研究，多数意见认为，20 世纪 80 年代全国人大及其常委会先后两次作出决定，授权国务院对有关改革开放的事项制定行政法规。这两次授权，对加快立法步伐，促进经济建设和改革开放，起到了积极作用，各方面的反映也是好的。在当时的情况下，保留对国务院的授权立法是必要的。

同时,2000 年立法法也对授权立法作了一些限制:一是全国人大及其常委会可以作出决定,授权国务院根据实际需要,就应当由法律规定的部分事项先制定行政法规;二是除规范授权立法的对象、权限范围外,被授权机关应当严格按照授权的目的和范围行使这些权力;三是经过实践积累经验,制定法律条件成熟时,应当及时由全国人大及其常委会制定法律,法律制定后,相应立法事项的授权终止;四是根据授权制定的法规应当报授权机关备案。

2015 年立法法修改调研和审议过程中,各方面反映,我国授权立法制度比较原则,以往授权范围过于笼统,缺乏时限要求,建议对授权立法制度进一步完善。根据这些意见,修改后的立法法规定,授权决定不仅应当明确授权的目的、范围,还要明确授权的事项、期限以及被授权机关实施授权决定应当遵循的原则等;授权期限不得超过五年;被授权机关应当在授权期限届满的六个月以前,向授权机关报告授权决定实施的情况。

第十条　授权决定应当明确授权的目的、事项、范围、期限以及被授权机关实施授权决定应当遵循的原则等。

授权的期限不得超过五年,但是授权决定另有规定的除外。

被授权机关应当在授权期限届满的六个月以前,向授权机关报告授权决定实施的情况,并提出是否需要制定有关法律的意见;需要继续授权的,可以提出相关意见,由全国人民代表大会及其常务委员会决定。

【释义】　本条是关于授权规则的规定。

一、授权决定的内容

2000 年立法法针对授权立法的实际情况和问题作出规范,规定授权决定应当明确授权目的、范围。2015 年立法法修改,针对现行授权立法规定比较原则，以往有些授权范围过于笼统、缺乏时限要求等问题，增加规定，授权决定不仅应当明确授权的目的、范围，还要明确授权的事项、期限以及被授权机关实施授权决定应当遵循的原则等。根据修改后的立法法的规定，今后作出授权决定，上述授权基本要素都要在授权决定中予以明确。这样规定，将更有利于全国人大及其常委会在授权决定中对立法授权的基本要素进行统一规范，有利于促进被授权机关严格按照授权决定的要求进行立法，有利于加强授权机关对被授权机关立法活动的监督。

（一）授权目的

授权目的是指授权机关对其他机关作出立法授权的宗旨。授权机关根据授权目的作出授权决定，被授权机关根据授权目的进行立法。授权目的是授权立法的前提，授权目的明确，有利于被授权机关遵循授权目的制定具体规则。从全国人大常委会的授权来看，通常在授权决定中明确授权目的，比如，1985 年六届全国人大关于授权国务院在经济体制改革和对外开放方面可以制定暂行规定或者条例的决定中，就明确了这一授权的目的是“为了保障经济体制改革和对外开放的顺利进行”。

（二）授权事项和范围

授权事项和范围是指授权机关允许被授权机关进行立法的事项及其范围。授权事项和范围是由授权目的决定的。比如，1984 年全国人大常委会适应国家工商税制改革的需要，决定在实施国营企业利改税和改革工商税制两个方面授权国务院制定有关条例草案。但 1985 年授权决定的事项和范围比较笼统，不够明确。授权决定中规定，授权国务院对于有关经济体制改革和对外开放方面的问题，制定暂行的规定或者条例，颁布实施。哪些事项属于“有关经济体制改革和对外开放方面的问题”，并不明确。实践中,国务院根据该授权决定颁布实施了一系列的税收暂行条例。目前,现行的十八个税种中,除个人所得税、企业所得税、车船税由法律规定征收外,增值税、消费税、营业税、资源税、城镇土地使用税、土地增值税、房产税、城市维护建设税、车辆购置税、印花税、契税、耕地占用税、烟叶税、船舶吨税、关税(海关法只规定征收关税,但具体税收要素由条例规定)十五个税种由国务院制定的有关暂行条例规定征收。

(三)授权期限

修改前的立法法没有对授权立法的期限作出明确规定。立法法修改调研和审议过程中,不少地方、部门和专家建议在立法法中明确规定授权应当有明确的期限,例如三年或者五年。期限届满,授权即行终止,如果需要继续授权,可以重新作出决定。由于授权立法通常是试验性、先行性的事项,经过实践检验条件成熟时,应当及时制定法律,因此,授权立法应当有期限要求。修改立法法的决定明确将授权期限规定为授权确定的内容之一,同时,修改决定增加规定,授权的期限不得超过五年,但是授权决定另有规定的除外。根据这一规定,授权决定规定的期限一般不得超过五年,也就是说,授权期限应当在五年内予以规定。需要说明的是,根据法不溯及既往原则,关于授权期限的规定,不适用于立法法修改前已经作出的授权决定。

(四)被授权机关实施授权决定应当遵循的原则

被授权机关实施授权决定应当遵循的原则,是指被授权机关行使被授予的权力时必须依据的准则。授权决定通常都对被授权机关应当遵循的原则有明确规定。例如,1985 年全国人大关于授权国务院在经济体制改革和对外开放方面可以制定暂行的规定或者条例的决定中明确规定,授权国务院"必要时可以根据宪法,在同有关法律和全国人民代表大会及其常务委员会的有关决定的基本原则不相抵触的前提下”，制定暂行的规定或者条例。

二、被授权机关的报告义务和继续授权

考虑到授权期限届满时，需要对授权立法如何处理作出规定，修改决定增加规定了两个方面的内容：

一是被授权机关的报告义务。增加规定，被授权机关应当在授权期限届满的六个月以前，向授权机关报告授权决定实施的情况，并提出是否需要制定有关法律的意见。规定在授权期限届满的六个月以前报告，是为了给继续授权或者制定有关法律留出工作时间，避免授权期限届满出现法律适用真空的情形。

二是关于继续授权的规定。增加规定，需要继续授权的，被授权机关可以提出相关意见，由全国人大及其常委会决定。如果被授权机关认为授权立法事项制定法律的条件尚不成熟，需要继续实施授权立法的，应当在向授权机关报告授权决定实施情况的同时，提出继续授权的意见，由被授权机关，即全国人大及其常委会决定是否继续授权。

第十一条　授权立法事项，经过实践检验，制定法律的条件成熟时，由全国人民代表大会及其常务委员会及时制定法律。法律制定后，相应立法事项的授权终止。

【释义】　本条是关于授权终止的规定。

一、条件成熟即应制定法律

判断制定法律的条件是否成熟主要应当依据以下两个标准：第一，由授权立法调整的某一社会关系是否定型。在改革开放中，会出现许多急需制定规范予以调整的新的社会关系。全国人大及其常委会决定授权其他机关制定法规对某一社会关系进行调整时，还难以判断该社会关系是否能稳定下来，需要多长时间才能稳定下来。而当经过授权立法的规范和实践活动这一社会关系趋于定型后,即应当制定法律予以规范。第二,经过授权立法是否已经积累了一定经验。对某一社会关系,由全国人大及其常委会制定法律还不具备足够的经验和方法,可以授权其他机关制定法规予以规范。当法规积累了足够的经验和方法时,即应当制定法律予以规范。1984 年和 1985 年全国人大及其常委会两次对国务院作出授权决定,国务院根据两个授权决定,制定了一系列税收条例以及有关经济体制改革和对外开放方面的行政法规。其中,经过实践检验,有的条件成熟后,已经由全国人大及其常委会制定为法律。

条件成熟即应当制定法律,是对被授权机关与授权机关两方面提出的要求。一方面,被授权机关在制定法律的条件成熟时,应当主动就被授权的事项提请全国人大及其常委会制定法律。例如,根据 1985 年全国人大授权国务院对有关经济体制改革和对外开放方面问题制定暂行规定或者条例的决定,国务院在这两个方面享有广泛的制定行政法规的权力。但是,当这两方面的某一事项制定法律的条件成熟时,国务院就应当及时提请制定法律。多年来,许多法律案就是这样提出来的。另一方面,制定法律条件成熟时,全国人大及其常委会自身也应当及时和主动制定法律。作为国家立法机关,及时和主动制定法律,不仅是全国人大及其常委会的重要权力,也是它的重要职责。

二、授权的终止

授权立法的事项一经制定法律,就意味着该项授权终止。法律制定后,根据授权制定的行政法规自然就失去效力。因为法律的效力高于行政法规。对同一事项的调整,以法律的规定为准,行政法规不得同法律相抵触。今后,随着授权领域里法律的不断制定,原来授权的范围将逐步缩减直至终结。根据 1985

年授权制定的税收暂行条例适应了改革开放的需要，与几部税法一道构建了适应社会主义市场经济需要的税收制度，为保障改革开放和社会主义市场经济体制的建立发挥了重要作用。随着社会主义市场经济的发展和中国特色社会主义法律体系的形成和完善，我国已经基本形成了多税种、多环节、多层次的税收体系，税收制度基本建立并日趋完善。贯彻落实税收法定原则，将现行税收条例上升为法律，实现所有税种的设立、征收、管理等均由法律规范的时机已经成熟。2015 年 3 月，党中央审议通过的《贯彻落实税收法定原则的实施意见》中提出，2020 年前将相关税收条例上升为法律，并相应废止有关税收条例；待全部税收条例上升为法律或废止后，全国人大将按照法定程序废止 1985 年的授权决定。

第十二条　被授权机关应当严格按照授权决定行使被授予的权力。

被授权机关不得将被授予的权力转授给其他机关。

【释义】　本条是关于被授权主体行使被授予的权力的规则的规定。

本条的内容是 2000 年立法法第十条第二款和第三款的内容。2015 年立法法修改，将这两款内容单独作为第十二条，并作了一些文字修改。

一、被授权机关应当严格按照授权决定行使被授予的权力

全国人大及其常委会对国务院的两次授权，作用和效果是好的。但为严格规范授权立法，保证被授予的权力合法合理行使，有必要对被授权机关行使被授予权力作出规范。为此，本条明确规定，被授权机关应当严格按照授权决定行使被授予的权力。结合第十条第一款的规定，也就是说，被授权机关应当严格

按照授权决定中的授权目的、事项、范围、期限以及被授权机关实施授权决定应当遵循的原则等行使被授予的权力。

二、被授权机关不得进行转授权

全国人大及其常委会对国务院进行授权，授权的效力仅指向国务院而非其他机关。被授权机关对于被授予的权力，只能按照授权的决定去认真行使，而无权将授权事项再转授予其他机关。如果被授权机关不需要该项权力或者无力行使该项权力，可以向授权机关提出，由授权机关制定法律或者决定收回该项权力。根据这一规定，国务院不得将被授予的权力转授给国务院所属部门、地方政府等。

第十三条　全国人民代表大会及其常务委员会可以根据改革发展的需要，决定就行政管理等领域的特定事项授权在一定期限内在部分地方暂时调整或者暂时停止适用法律的部分规定。

【释义】　本条是关于暂时调整或者暂时停止法律部分适用的规定。

我国的法治建设与改革开放相伴而生、相伴而行，处理好立法与改革的关系、法律的稳定性与变动性的关系，是改革开放以来我国法治建设的重要课题。法律的特点是“定”，保持法律的稳定性、维护法律的权威、避免朝令夕改，是法治的要求。改革是发展的动力和实现稳定的保障，但改革的特点是“变”，需要突破原有规则。改革开放初期，法律法规比较少，往往是改革实践走在前面，通过立法巩固改革成果。在中国特色法律体系已经形成、国家和社会生活各方面总体实现有法可依的新的起点上，必须做到改革决策与立法决策紧密结合、协调同步，在法治轨道上推进各项改革。近年来，为进一步深化改革、扩大开放，加快政府职能转变，全国人大常委会近年来通过了一系列决定，确保改革在法治轨道上运行、在法治框架内推进，包括：(1)《全国人大常委会关于授权国务院在广东省暂时调整部分法律规定的行政审批的决定》(2012 年 12 月)；(2)《全国人大常委会关于授权国务院在中国(上海)自由贸易试验区暂时调整有关法律规定的行政审批的决定》(2013 年 8 月)；(3)《全国人大常委会关于授权最高人民法院、最高人民检察院在部分地区开展刑事案件速裁程序试点工作的决定》(2014 年 6 月)；(4)《全国人大常委会关于授权国务院在中国(广东)、中国(天津)、中国(福建)自由贸易试验区以及中国(上海)自由贸易试验区扩展区域暂时调整有关法律规定的行政审批的决定》(2014 年 12 月)；(5)《全国人大常委会关于授权国务院在北京市大兴区等三十三个试点县(市、区)行政区域暂时调整实施有关法律规定的决定》(2015 年 2 月)。

党的十八届四中全会决定提出："实现立法和改革决策相衔接，做到重大改革于法有据、立法主动适应改革和经济社会发展需要。实践证明行之有效的，要及时上升为法律。实践条件还不成熟、需要先行先试的，要按照法定程序作出授权。对不适应改革要求的法律法规，要及时修改和废止。"根据十八届四中全会的要求，总结近年来的实践，2015 年立法法修改增加本条规定。

一、关于授权的事项

暂时调整或者暂时停止法律部分规定的事项，应限于行政管理等领域的特定事项。行政管理是指国家行政机关对社会公共事务的管理，行政管理事项范围比较广泛，包括经济建设、文化教育、市政建设、社会秩序、公共卫生、环境保护等各个方面。授权决定的事项限于行政管理等领域，同时必须是改革发展中的特定事项,不能就不特定事项一揽子授权。近年来全国人大常委会作出的五个授权决定,其中四个属于行政管理领域的特定事项:《关于授权国务院在广东省暂时调整部分法律规定的行政审批的决定》《关于授权国务院在中国(上海)自由贸易试验区暂时调整有关法律规定的行政审批的决定》《关于授权国务院在中国(广东)、中国(天津)、中国(福建)自由贸易试验区以及中国(上海)自由贸易试验区扩展区域暂时调整有关法律规定的行政审批的决定》都涉及调整部分法律规定的行政审批事项;《关于授权国务院在北京市大兴区等三十三个试点县(市、区)行政区域暂时调整实施有关法律规定的决定》涉及暂时调整实施土地管理法、城市房地产管理法关于农村土地征收、集体经营性建设用地入市、宅基地管理制度的有关规定。

二、关于授权的期限

暂时调整或者暂时停止适用法律的部分规定,是根据改革发展的需要进行的先行先试,因此必须强调其暂时性,必须对授权作出期限的规定,也就是所谓的"日落条款"的规定,并且试点时间也不宜定得太长,要把握修改决定将其限于"暂时"的要求。从近年来全国人大常委会通过的五个授权决定看,都有授权期限的规定。《关于授权国务院在广东省暂时调整部分法律规定的行政审批的决定》《关于授权国务院在中国(上海)自由贸易试验区暂时调整有关法律规定的行政审批的决定》《关于授权国务院在中国(广东)、中国(天津)、中国(福建)自由贸易试验区以及中国(上海)自由贸易试验区扩展区域暂时调整有关法律规定的行政审批的决定》规定的期限都是三年;《关于授权最高人民法院、最高人民检察院在部分地区开展刑事案件速裁程序试点工作的决定》规定的试点期限是两年;《关于授权国务院在北京市大兴区等三十三个试点县（市、区）行政区域暂时调整实施有关法律规定的决定》规定在 2017 年 12 月 31 日前试行。

三、报告制度

暂时调整或者暂时停止适用法律的部分规定通常是试点性的改革措施，是为进一步全面改革积累实践经验，因此，在试点期限届满，应当及时对试点工作进行总结评估，并进行相应处理。对此，本条未作明确规定，但在全国人大常委会的授权决定中，都明确规定，被授权机关及时总结试点工作经验，并就暂时调整实施有关法律规定的情况向全国人民代表大会常务委员会作出报告。对实践证明可行的，修改完善有关法律；对实践证明不宜调整的，恢复施行有关法律规定。

需要注意的是，这一新制度涉及法制统一这一重大法制原则，根据十八届四中全会的精神，实践中应区分不同的改革事项和不同的情况，科学合理地采用不同的立法适应改革的方式；并不是所有的改革事项都必须采取这一方式，有的改革事项经过充分论证，具备修改或者废止法律条件的，应当做好顶层设计，及时修改或者废止法律。只有实践条件还不成熟、需要先行先试的，才能采取暂时调整或者暂时停止适用法律部分规定的方式。

第二节　全国人民代表大会立法程序

第十四条　全国人民代表大会主席团可以向全国人民代表大会提出法律案，由全国人民代表大会会议审议。

全国人民代表大会常务委员会、国务院、中央军事委员会、最高人民法院、最高人民检察院、全国人民代表大会各专门委员

会，可以向全国人民代表大会提出法律案，由主席团决定列入会议议程。

【释义】 本条是关于有关机关向全国人大提出法律案的规定。

提出法律案，是法律制定程序的开始。法律案的提起程序，又称立法提案程序，是指依法享有提案权的主体依照法定程序向立法机关提出有关制定、修改或者废止某项法律的程序，是立法程序的起始阶段，其表现形式是提出议案。议案是指要求全国人大会议讨论并作出决定的议事原案，法律案属于议案中的一种。全国人大组织法规定，提案人可以向全国人大提出属于全国人大职权范围内的议案。宪法第六十二条规定，全国人大享有十五项职权，其中涉及立法的有：修改宪法，制定和修改刑事、民事、国家机构的和其他的基本法律。根据上述规定，有权向全国人大提出议案的主体，就有提出法律案的权力，提出的法律案应当在全国人大的职权范围内。本节第十四至第十七条对提案人提出法律案的程序作了规定，其中本条是对机关提出法律案的规定。

一、提出法律案的机关主体

根据本条的规定，向全国人大提出法律案的机关主体可以分为三类。

一是全国人大主席团。全国人大主席团是全国人大会议的主持者，主席团成员通常由常委会提出名单草案，由代表大会预备会议决定。其主要职责是决定大会副秘书长的人选、会议日程、议案表决办法，向会议提出议案的截止日期以及其他有关事项。考虑到在大会期间，有可能需要临时提出法律案，交由全国人大会议审议讨论，因而规定大会主席团可以提出法律案。并且全国人大主席团是大会会议的主持集体，人数有一百多人，成员来自党政军和工人、农民、知识分子等各方面的代表人士，具有广泛的代表性，大会主席团有条件集中各方面的意见提出法律案。

二是全国人大常委会、全国人大各专门委员会。全国人大常委会是全国人大的常设机构，在全国人大闭会期间，行使国家权力。由于全国人大的会期较短，难以有很多时间来研究起草法律案。为了使全国人大审议的法律案有较好的基础，对需要由全国人大制定的法律，由全国人大常委会先审议并提出法律案，有利于全国人大的立法工作。全国人大专门委员会是全国人大常设性的专门机构，在全国人大及其常委会闭会期间，开展经常性的工作，其工作职责之一就是研究、审议和拟定议案，向全国人大或其常委会提出。

三是国务院、中央军事委员会、最高人民法院、最高人民检察院。国务院是最高国家行政机关；最高国家权力机关的执行机关。中央军事委员会领导全国武装力量。最高人民法院和最高人民检察院分别是最高审判机关和检察机关，独立行使审判权和检察权。它们工作中的事项，需要由全国人大制定法律的，可以向全国人大提出法律案。

二、法律案的形式及内容

法律案是指依法享有提案权的主体向立法机关提出的关于制定、修改、废止某项法律的议案。法律案与法律草案是两个不同的概念。法律案是指有关法律的制定的建议，内容一般比较原则、概括。提出法律案，应同时提出法律草案。法律草案内容比较具体、系统、完整，以条文形式体现具体内容，是法律未被通过以前的文本。

提出法律案，应当同时提出法律草案文本及其说明，并提供必要的参阅资料。修改法律的，还应当提交修改前后的对照文本。法律草案的说明应当包括制定或者修改法律的必要性、可行性和主要内容,以及起草过程中对重大分歧意见的协调处理情况。

三、机关提出法律案的程序

不同的提案主体,提出法律案的程序不同。大会主席团提出法律案,要经主席团会议审议讨论并由主席团会议通过。全国人大常委会提出法律案,一般是由有关的提案主体向常委会提出,经常委会会议审议讨论,需要提请大会通过的,由常委会会议决定提请大会审议。如立法法就是由委员长会议委托法制工作委员会起草,向常委会会议提出,经常委会会议审议后,提请大会审议的。常委会向大会提出的法律案,多采取这种形式。专门委员会提出法律案,要经专门委员会全体会议审议通过。可以先向常委会提出,经常委会会议审议修改后再向大会提出;也可以直接向大会提出。国务院、中央军事委员会、最高人民法院和最高人民检察院提出法律案,由本机关首长签署。可以先向全国人大常委会提出,经常委会审议修改后再向大会提出;也可以直接向大会提出。有关国防建设方面的法律案,一般由国务院和中央军委联合提出。

主席团向大会提出的法律案直接交由大会会议审议。全国人大常委会、国务院、中央军事委员会、最高人民法院、最高人民检察院、全国人大各专门委员会向大会提出的法律案,由主席团决定列入会议议程。向全国人大提出的法律案,在列入会议议程之前,提案机关有权撤回。

四、法律草案的起草

从我国多年立法实践来看,法律草案通常是由法律案的提案人或提案人所属部门或者工作机关负责起草。具体情况是:

1. 由全国人大主席团、全国人大常委会、全国人大各专门委员会提出的法律案,其法律草案通常由下列机关起草:(1)全国人大有关专门委员会。专门委员会是法律案的法定提案人,它可以自己组织法律草案的起草工作。(2)全国人大常委会的工作机构。根据全国人大常委会议事规则的规定,法工委和办公厅可根据委员长会议的委托,代常委会拟订法律草案,并向常委会会议作说明。(3)全国人大代表或全国人大常委会组成人员。由于我国的人大代表和常委会组成人员大多数不是专职的,并且没有助手和工作人员,虽然提出为数不少的法律案,但他们实际上很难承担法律草案的起草工作,因而很难真正进入审议程序。(4)成立专门的起草委员会。在起草某些重要或特殊法律时,由全国人大或全国人大常委会成立专门的起草委员会。如香港基本法起草委员会。(5)专业机构和人员。这是本次立法法修改新增加的内容。专业性较强的法律草案,可以吸收相关领域的专家参与起草工作,或者委托有关专家、教学科研单位、社会组织起草。

2. 由国务院提出的法律案,通常由国务院确定某一个部委负责起草。涉及哪个主管部门的法律,就由哪个主管部门负责牵头起草。一些重要的综合性的法律草案,通常由综合部门负责牵头起草,如预算法,由财政部负责牵头起草。法律草案起草出来之后,报国务院法制机构审查,经国务院常务会议讨论审议通过后提出。

3. 最高人民法院提出的法律案,由最高人民法院起草,主要是与司法审判以及审判组织有关的法律草案。

4. 最高人民检察院提出的法律案,由最高人民检察院起草,主要是与检察工作和检察院的组织有关的法律草案。

5. 有关国防建设方面的法律案,一般由国务院和中央军委联合提出。由中央军委起草,主要由军委各总部来承担起草任务。

第十五条　一个代表团或者三十名以上的代表联名，可以向全国人民代表大会提出法律案，由主席团决定是否列入会议议程，或者先交有关的专门委员会审议、提出是否列入会议议程的意见，再决定是否列入会议议程。

专门委员会审议的时候，可以邀请提案人列席会议，发表意见。

【释义】　本条是关于代表团或者代表联名提出法律案的规定。

一、代表团或者代表联名提出法律案

本条规定了两个提案主体：代表团或者代表联名。宪法第七十二条规定："全国人民代表大会代表和全国人民代表大会常务委员会组成人员，有权依照法律规定的程序分别提出属于全国人民代表大会和全国人民代表大会常务委员会职权范围内的议案。"本条对全国人大代表向全国人民代表大会提出法律案的形式作了进一步明确：第一种方式是由代表团提出法律案。全国人大代表由各省、自治区、直辖市、特别行政区和军队选举产生，按选举单位组成代表团。现共有三十五个选举单位，组成三十五个代表团。虽然每个代表团的人数不等，但都享有同等的提案权，即每一个代表团都构成一个提案主体，代表团的提案由代表团全体代表的多数通过。第二种方式是代表联名提出法律案。代表联合提出法律案，要求有三十名以上代表联名。一般是一人领衔提出，其他代表签名附议。代表联名提出法律案不受代表团的限制，即使代表分处不同的代表团，都可以共同联名提出法律案，只要符合三十名以上的人数要求。

代表法第九条对代表提出议案的内容和形式作了规定：代表有权依照法律规定的程序向本级人大提出属于本级人大职权范围内的议案。议案应当有案由、案据和方案。法律案属于议案的一种，根据法律案本身的特点，代表团或者代表联名提出的法律案，应当按照本法第五十四条的规定，同时提出法律草案文本及其说明，并提供必要的参阅资料。修改法律的，还应当提交修改前后的对照文本。法律草案的说明应当包括制定或者修改法律的必要性、可行性和主要内容，以及起草过程中对重大分歧意见的协调处理情况。

二、代表团或者代表联名提出的法律案的处理程序

代表团或者代表联名提出的法律案与机关提出的法律案在处理程序上有所不同。机关提出的法律案，直接由大会主席团决定列入会议议程（大会主席团提出的法律案，直接交由大会审议）。代表团或者代表联名提出的法律案，有三种处理方式：一是由大会主席团决定直接列入会议议程；二是由大会主席团决定不列入大会议程；三是对是否列入本次大会议程，不作决定，主席团可以先交有关的专门委员会审议、提出是否列入会议议程的意见，再由主席团决定是否列入会议议程。实践中，每次全国人大会议期间，对代表团和代表联名提出的法律案以及其他各种议案，都是先由有关的专门委员会提出是否作为议案处理的意见，对基本符合议案要求的，作为议案处理；对不符合议案要求的，改作批评、意见和建议，交由有关机构、组织认真研究，书面答复代表。作为议案处理的，由主席团决定交专门委员会审议，提出议案处理结果报告。据了解，从1979年到目前为止，还没有代表团和代表联名提出的法律案被列入会议议程审议通过的。代表团和代表联名提出的其他议案被列入大会会议议程或常委会会议议程的有四件：（1）1993年3月八届全国人大一次会议期间，根据中共中央关于修改宪法的补充建议，以代表联名的形式向大会提出宪法补充修正案，由主席团决定列入当次会议议程，同全国人大常委会提出的宪法修正案合并为一

个宪法修正案交大会全体会议表决通过。(2)1993 年 3 月八届全国人大一次会议期间,广东省代表团提出建议成立香港特别行政区筹备委员会预备工作委员会的议案,列入当次大会会议议程审议后,大会作出决定,授权常委会设立香港特别行政区筹备委员会的准备工作机构,着手进行各项有关准备工作。同年 7 月,八届全国人大常委会第二次会议作出决定,设立了该机构。(3)1994 年 3 月八届全国人大二次会议期间,郑耀棠等三十二名代表提出了关于港英最后一届立法局在 1997 年 6 月 30 日终止和依法组建香港特别行政区第一届立法会的议案,主席团决定将该议案交付法律委员会审议。同年 8 月,八届全国人大常委会第九次会议根据法律委员会的审议报告,审议了郑耀棠等三十二名代表的议案,作出了有关决定。(4)1993 年 3 月八届全国人大一次会议期间,福建省代表团袁启彤等三十六名代表提出了关于授权厦门市人大及其常委会和厦门市人民政府分别制定法规和规章的议案,1994 年 3 月八届全国人大二次会议审议了该议案,作出了授权决定。

三、邀请提案人列席会议

为了充分了解和掌握法律案的有关情况,听取提案人的意见和说明,专门委员会审议主席团交付审议的法律案时,可以邀请提案人参加专门委员会会议。需要指出的是,邀请提案人列席会议并不是专门委员会审议的必经程序,专门委员会可以邀请,也可以不邀请提案人列席会议。提案人列席会议发表的意见,作为专门委员会审议的参考。至于在什么样的情况下可以邀请提案人列席会议,本法不作具体规定,而是交由专门委员会具体掌握。这样规定是考虑到既要有利于充分听取提案人的意见,同时也要有利于审议过程的科学化、民主化。

第十六条 向全国人民代表大会提出的法律案，在全国人民代表大会闭会期间，可以先向常务委员会提出，经常务委员会会议依照本法第二章第三节规定的有关程序审议后，决定提请全国人民代表大会审议，由常务委员会向大会全体会议作说明，或者由提案人向大会全体会议作说明。

常务委员会依照前款规定审议法律案，应当通过多种形式征求全国人民代表大会代表的意见，并将有关情况予以反馈；专门委员会和常务委员会工作机构进行立法调研，可以邀请有关的全国人民代表大会代表参加。

【释义】 本条是关于向全国人大提出的法律案，可以先向常委会提出并进行审议，以及法律案向代表征求意见的规定。

一、向全国人大提出的法律案，可以先向常委会提出并进行审议

全国人大每年举行一次会议，由全国人大常委会召集。会议于每年第一季度举行，一般于每年 3 月上旬举行。宪法和法律对会期没有规定，从以往全国人大会期的情况来看，一般为半个月，最短的会期为五天（四届全国人大一次会议），最长的会期为二十六天（一届全国人大二次、四次会议和二届全国人大三次会议）。由于大会每年只召开一次，并且会期较短，为了充分发挥国家权力机关的作用，保证国家权力行使的连续性，因此，全国人大设立常委会。常委会是代表大会的常设机关，在大会闭会期间行使国家权力。常委会一般每年召开六次会议，每两个月召开一次。为了使代表大会审议的法律案有较好的审议基础，本条规定，拟向大会提出的法律案，在大会闭会期间，可以先向常委会提出并由常委会审议。

根据宪法的有关规定，全国人大制定和修改刑事、民事、国家机构的和其他的基本法律，因此，这类法律案，须向大会提出。

由于大会会期的限制，在一年中的大多数时间里，无法向大会提出法律案。为了使向大会提出的法律案得到充分的审议，因而在大会闭会期间可以先向常委会提出。这里强调的是“在大会闭会期间”。在大会召开期间提出的法律案，不适用上述规定，应当直接向大会提出，由大会作出处理。

需要注意的是，可以先向常委会提出法律案的主体，应当是有权向全国人大提出又同时有权向常委会提出法律案的主体。比如，大会主席团只在大会期间存在，大会闭会期间没有主席团，当然不存在向常委会提出法律案问题。代表团也只在大会期间活动，大会闭会期间不以代表团形式活动，因此，也不能向常委会提出法律案。闭会期间，代表依法进行联名当然是可以的，但法律没有规定代表可以联名向常委会提出法律案，因此，代表如果有三十人以上联名要求向常委会提出法律案，可以通过常委会组成人员联名提出。

从以往的实践看，提请大会审议的法律案，通常在每年的 8 月或 10 月提请常委会审议，常委会会议审议之后，印发各地和各有关部门征求意见。法律委员会根据常委会组成人员的审议意见、有关专门委员会的审议意见以及各方面提出的意见，进行统一审议，提出修改意见。具体程序依照本法第二章第三节规定的有关程序。一般经常委会二次或多次会议审议之后，由常委会决定提请大会审议。

全国人大议事规则第二十五条规定，大会举行前，常委会对准备提请大会审议的重要的基本法律案，可以将草案公布，广泛征求意见，并将意见整理印发会议。这是民主和公开原则的重要体现。

经常委会会议审议的法律案，由谁向大会作说明，区别两种不同情况：第一种是，如果原来是委员长会议向常委会提出的法律案,由于委员长会议不能向大会提出法律案,因此,应当由常委会向大会提出法律案,由常委会向大会作说明。例如,立法法的修改,就是由委员长会议向常委会提出法律案,先由常委会进行了两次审议,然后由常委会决定提请大会审议。在十二届全国人大三次会议上,由常委会作为提案人向大会提出关于提请审议《中华人民共和国立法法修正案(草案)》的议案,并由常委会向大会作说明。第二种是,如果是国务院、中央军事委员会、最高人民法院、最高人民检察院、专门委员会向常委会提出法律案,经常委会会议审议后决定提请大会审议的,可以由常委会向大会作说明,也可以由提案人向大会作说明。一般情况下,是由提案人向大会作法律草案的说明。例如,制定企业所得税法,是由国务院向常委会提出法律案,经常委会审议后决定提请大会审议,在十届全国人大五次会议上,由国务院作为提案人向全国人大提出法律案,并向大会作说明。由于财政部具体负责起草法律草案,因此,在大会上是由财政部部长受国务院的委托,向大会作说明。

二、法律案向代表征求意见

常委会依照本条第一款规定审议法律案,应当通过多种形式征求全国人大代表的意见,包括书面征求、召开座谈会征求等多种形式。实践中,征求代表意见的形式主要采取邮寄法律草案纸质版本、通过代表信箱发送电子版本、省级人大常委会组织代表集中研读法律草案等形式。代表既可以通过代表邮箱回复对法律草案的意见,也可以书面向全国人大常委会法制工作机构反馈意见,还可以在省级人大组织的代表研读中发表自己的意见。目前,由常委会审议后决定提请全国人民代表大会审议的法律案,在常委会决定提请大会审议后,大会审议前,都会专门组织代表研读法律草案,征求全国人大代表对法律案的意见,这已经成为一种新常态。例如,2010 年大会审议选举法修正案草案、2012 年大会审议刑事诉讼法修正案草案、2015 年大会审议立法法修正案草案前,都发送全部全国人大代表征求意见。由于常委会一般在 12 月召开时决定提请大会审议法律案,因此,代表研读一般安排在第二年的一月。代表研读后,省级人大常委会工作机构将本省全国人大代表研读情况以书面形式汇总报告,全国人大常委会法制工作机构负责对代表研读意见进行收集、整理,并将有关情况予以反馈。

代表是最高国家权力机构的组成人员。要充分尊重代表的主体地位,发挥代表在立法中的作用。立法调研是立法过程中听取意见的重要形式,专门委员会和常委会工作机构进行立法调研,可以邀请有关的全国人大代表参加,这一做法,既能够使专门委员会和常委会工作机构更加直接、充分地听取代表意见,尤其是相关领域、基层代表的意见,也方便代表通过调研更加直接、广泛地听取和反映有关方面特别是基层百姓的意见,更好地履行代表职务。近年来,全国人大常委会在立法调研中,对代表意见高度重视,代表参加立法调研,已经成为立法工作的新常态。

第十七条　常务委员会决定提请全国人民代表大会会议审议的法律案,应当在会议举行的一个月前将法律草案发给代表。

【释义】 本条是关于将法律草案提前印发给人大代表的规定。

全国人民代表大会组织法第二条规定:“全国人民代表大会常务委员会应当在全国人民代表大会会议举行一个月以前,将开会日期和建议大会讨论的主要事项通知全国人民代表大会代表。”全国人大议事规则第五条规定:“全国人民代表大会常务委员会在全国人民代表大会会议举行前，进行下列准备工作：(一)提出会议议程草案；(二)提出主席团和秘书长名单草案；(三)决定列席会议人员名单；(四)会议的其他准备事项。”第六条规定：“全国人民代表大会常务委员会在全国人民代表大会会议举行的一个月前，将开会日期和建议会议讨论的主要事项通知代表，并将准备提请会议审议的法律草案发给代表。”根据上述规定，全国人大常委会负责大会的准备工作。常委会应当在大会举行的一个月前，将开会日期和建议会议讨论的主要事项通知代表，并将准备提请会议审议的法律草案发给代表。因此，本条规定，常委会决定提请大会审议的法律案，应当在会议举行前的一个月印发给代表。

人民代表大会制度是我国的根本政治制度，是坚持党的领导、人民当家做主、依法治国有机统一的重要制度载体和制度保证。人民代表大会作为主要的民主渠道，最大的优势就是依照法定程序把党的主张和人民的意志统一起来，从而实现三者的有机统一。人大最大的特点就是依法按程序办事，贯彻民主集中制原则，充分发扬民主，集体行使职权、集体决定问题，确保宪法赋予人大的职权得到正确行使，确保人大制定的法律、法规和作出的决定、决议体现人民的意志，保证国家机关协调高效运转。这些优势和特点就决定了人大在全面推进依法治国的进程中地位重要、作用巨大。法治每向前推进一步，都需要人民代表大会制度提供坚实的保障。全国人大代表是最高国家权力机关组成人员。尊重代表的权利就是尊重人民的权利，保障代表依法履职就是保障人民当家做主。党的十八届四中全会决定中提出：“健全法律法规规章起草征求人大代表意见制度，增加人大代表列席人大常委会会议人数，更多发挥人大代表参与起草和修改法律作用。”我国有各级人大代表二百六十多万人，他们绝大多数在基层工作，最了解人民群众所思所想所盼，最清楚制度建设的需求。在立法中尊重代表的主体地位，确保代表充分发挥在代表大会审议法律草案的作用，向代表提前发送法律草案是第一步。

由于大会会期短，议程多，加上全国人民代表大会会议在北京召开，多数代表是在大会召开前几天才来京报到，在此之前，代表分散在全国各地。我国幅员辽阔，边远地区交通不便，为了使法律草案及时送交代表，使代表有充分的准备、研究时间，规定将法律草案提前印发给代表是十分必要的。本条根据代表所必需的准备时间和实际工作中可以提前的时间，规定在大会举行的一个月前将法律草案发给代表。一个月前，是指常委会发出的法律草案的时间，而不是指代表实际收到法律草案的时间。由于代表居住在全国各地，交通情况很不一样，所以，代表实际收到法律草案的时间，有的可能在一个月前收到，有的可能在一个月以内收到。随着信息化的发展和网络的普及，在传统的发送法律草案纸质版本的基础上，全国人大常委会还同时通过代表邮箱向代表发送法律草案电子文本，大大节约了发送时间，使代表有更充分的时间提前对法律草案进行研究。同时，按照以往做法，对提交大会审议的法律案，在向代表发送后要组织全国人大代表研读讨论。

认真充分地准备工作对成功地举行大会具有重要意义。代表对法律案进行审议时，需要先了解法律草案的内容，以便对法律案进行比较深入的研究，提出切实可行的意见。我国的人大代表多数都是兼职的，提前将法律草案印发给代表，有利于代表合理安排时间，充分研究有关材料，征求各方面的意见，从而在大会上提出比较成熟和有价值的意见。另外，法律案专业性较强，有的法律草案条文较多，代表也需要有一个研究的过程。提前印发是使法律案得到充分讨论的基础，是代表充分有效行使权力的要求，有利于提高立法质量。

需要说明的是，提前一个月向代表发送法律草案的规定，不适用于临时召集的全国人大会议。宪法规定，全国人大会议每年举行一次，由全国人大常委会召集。如果全国人大常委会认为必要，或者有五分之一以上的全国人大代表提议，可以临时召集全国人大会议。全国人大临时会议一般具有紧迫性，开会日期和会议内容都是临时决定的，不可能提前一个月通知全国人大代表。到目前为止，我国还没有召开过全国人大临时会议。

第十八条　列入全国人民代表大会会议议程的法律案，大会全体会议听取提案人的说明后，由各代表团进行审议。

各代表团审议法律案时，提案人应当派人听取意见，回答询问。

各代表团审议法律案时，根据代表团的要求，有关机关、组织应当派人介绍情况。

【释义】　本条是关于代表团审议法律案的规定。

法律案的审议是指立法机关对已经列入议事日程的法律案正式进行审查和讨论。审议是保证立法质量、体现立法民主的重要环节，它可以使法律案更加完备和成熟。审议法律草案时，一般考虑以下几个方面的内容：(1)制定该法的必要性和可行性，立法目的是否正确合理，该法是否符合实际的需要，立法时机是否恰当，法律草案的各项规定是否具有可操作性；(2)对权利和义务的规定是否立足全局，统筹兼顾；(3)法律草案条文是否以宪法为依据，是否符合宪法的规定；(4)草案与其他法律之间以及草案文本各条文之间是否协调一致；(5)立法技术是否完善，概念是否准确，结构是否合理，文字是否清晰，语法和逻辑是否正确等。

根据本章规定,大会审议法律案有以下几种方式:各代表团审议、有关专门委员会审议、法律委员会统一审议、代表团团长会议审议、大会全体会议进行审议。代表团审议是大会审议法律案的一个重要环节。

一、大会全体会议听取法律草案的说明

大会全体会议,就是由全体代表参加的会议。全体会议在制定法律中的主要任务,一是听取提案人对法律草案的说明,二是对法律草案进行表决。根据全国人大议事规则的规定,全国人大会议在必要时,可以组织大会发言。

二、代表团审议

大会全体会议听取法律草案的说明后,由各代表团进行审议。全国人大代表近三千人,为了便于会议的组织和讨论,提高效率,除举行全体会议外,代表大部分时间都是按照代表团进行活动。代表团是人大代表按照选举单位组成的参加大会的临时性组织。代表团的审议形式分为两种:一是代表团全体会议审议;二是代表小组会议审议。全国人大组织法和全国人大议事规则规定,人大代表按照选举单位组成代表团。代表团在会议期间,对全国人大的各项议案进行审议。代表团全体会议推选代表团团长、副团长。团长召集并主持代表团全体会议,副团长协助团长工作。由于各省、自治区、直辖市、特别行政区之间人口差别很大,有的代表团人数较多,有的代表团人数较少。人数较多的代表团,可以分成若干小组。代表小组推选若干人为小组会议召集人,由召集人轮流召集小组会议。代表团人数较少的,不再分代表小组,都是集中在一起开会,因此,没有区分全体会议与小组会议。

三、提案人应当派人听取意见，回答询问

这是一种义务性规定，即提案人派员参加代表团对法律案的审议是一种义务。提案人是有关机关的，由有关机关派人参加审议；提案人是代表团或者三十名以上代表联名的，由代表团或者联名代表派人参加审议。提案人派人参加审议的作用有两个：一是听取代表意见。在认真听取代表意见的基础上，对法律草案作进一步研究，提出修改完善的意见。二是与代表沟通，回答询问。这种询问，应是针对法律案审议中的问题，比如草案作这种规定的理由、有关实际情况、有关方面的意见、外国对类似问题的法律规定等。代表会前得到的是法律草案和有关的会议资料，这些资料虽然反映了法律案的主要情况，但并不是全部情况，代表有权就未知情况进行询问或者就已知信息提出疑问。这样规定，可以使代表了解情况，便于进行审议。同时，这种形式也对提案人提出了要求，促使提案人在起草时认真研究考虑各种可能提出的问题，这对提高法律草案的质量也是有好处的。

四、有关机关、组织派人介绍情况

对于提案人来说，无论代表团是否提出要求，都应当派人到会听取意见；对于有关机关、组织来说，则只有在代表团提出要求的情况下，才需派人介绍情况。这里的“有关机关、组织”不是指提案人，而是指直接起草法律案的有关机关、组织，也包括法律通过后实施时可能涉及的机关、组织，或者有关法律研究机构、组织。“介绍情况”是指与法律的制定和执行有关的情况。为什么规定有关机关或者组织要根据要求介绍情况？这是因为，向全国人大提出法律案的主体是特定的，有一些组织并没有提案权，如中华全国总工会、中华妇女联合会、共青团等，但有些法律和它们有密切关系，如工会法、妇女权益保护法、未成年人保护法等，在讨论这些法律案时，由它们派人介绍情况，对审议是十分有益的。另外，由代表团或者代表联名提出的法律案，有关主管部门可能比较了解情况，由它们介绍有关情况有益于法律草案的审议。因此，在代表团审议法律案时，向代表团介绍有关情况并不仅仅局限于提案人。

第十九条　列入全国人民代表大会会议议程的法律案，由有关的专门委员会进行审议，向主席团提出审议意见，并印发会议。

【释义】　本条是关于专门委员会审议法律案的规定。

专门委员会是全国人大的专门机构。1954 宪法规定设四个委员会：预算审查委员会、代表资格审查委员会、法案委员会、民族委员会。实际上在闭会期间仅有法案委员会、民族委员会两个委员会。1956 年刘少奇委员长提出设“八大委员会”，因反右运动被搁置。1979 年 7 月，第五届全国人民代表大会第二次会议又重新设立了民族委员会、法案委员会和预算委员会。1982 年宪法为了进一步发挥人民代表大会作用，加强人大同“一府两院”的协调和对“一府两院”的监督，参考国外议会的经验，明确规定，全国人大设立民族委员会、法律委员会、财经委员会、教科文卫委员会、外事委员会、华侨委员会和其他需要设立的专门委员会。在全国人大闭会期间，各专门委员会受全国人大常委会的领导。各专门委员会在全国人大及其常委会领导下，研究、审议和拟订有关议案。1983 年 6 月六届全国人大第一次会议按照现行宪法的规定设立了上述六个专门委员会。1988 年 3 月七届全国人大第一次会议增设了内务司法委员会，1993 年 3 月八届全国人大第一次会议增设了环境与资源保护委员会。1998 年 3 月九届全国人大第一次会议又增设了农业与农村委员会，到目前为止，全国人民代表大会共设有九个专门委员会。

全国人民代表大会组织法对专门委员会的组织、产生、职责作了专章规定，根据该法的规定，全国人大各专门委员会受全国人民代表大会的领导，闭会期间受全国人大常委会的领导。全国人大专门委员会在全国人大及其常委会领导下，负责研究审议、拟定有关议案，开展立法、监督等经常性工作。全国人大专门委员会是全国人大的常设工作机构。全国人大专门委员会的主任委员、副主任委员、委员由全国人大主席团在代表中提名，大会全体会议通过，他们大多是某一方面的专家或有比较丰富的实际工作经验。全国人大一般每年只举行一次会议，全国人大常委会也只是每两个月召开一次会议，设立专门委员会，作为全国人大及其常委会的常设工作机构，便于开展经常性工作，了解情况，调查研究，协助审议和拟订有关议案，提出意见和建议，有利于全国人大及其常委会更好地行使职权。在以往的法律中，对专门委员会如何参与立法工作，规定得不是很具体。只有全国人民代表大会组织法规定，法律委员会统一审议向全国人大和全国人大常委会提出的法律草案，其他专门委员会就有关的法律草案向法律委员会提出意见。立法法为了充分发挥专门委员会在审议法律案中的作用，坚持法律委员会统一审议的原则，在一些具体问题上，借鉴国外议会立法程序，总结我国多年人大立法的成功经验，对法律委员会和有关专门委员会审议法律的程序作了规定，对立法实践中可能出现的一些问题，提出了具体解决的办法，较好地解决了法律委员会和有关的专门委员会在审议法律过程中的关系。

法律案由专门委员会进行审议，是各国的通行做法。在全国人大的九个专门委员会中，除法律委员会以外，其他的八个专门委员会不是对所有的法律案都进行审议，而是只对与该委员会有关的法律案进行审议。各专门委员会仅就与其有关的法律案进行审议,这是由专门委员会的专业性决定的。如财经委员会负责审议有关财经方面的法律案;内司委负责审议与最高人民法院、最高人民检察院和国务院所属公安部、安全部、监察部、司法部、民政部以及工会、妇联等人民团体有关的法律案;教育科学文化卫生方面的法律案,由教育科学文化卫生委员会进行审议。有的法律案可能涉及几个专门委员会,则涉及的有关专门委员会都进行审议。例如,村民委员会组织法,既涉及内务司法委员会,又涉及农业与农村委员会,因此,这两个委员会都要进行审议。专门委员会怎么审议?要召开全体会议集体讨论,审议后向主席团提出审议意见,同时印发会议。由于向大会提出的法律案,一般是先向常委会提出,在常委会审议期间,有关专门委员会已经进行了审议,提出了审议意见。在这种情况下,如果有关专门委员会没有新的意见,也可以不再提出修改意见。

人大专门委员会审议法律案,是适应立法工作日益复杂化、专业化的需要建立的制度。由专门委员会审议法律案具有非常重要的意义。从知识结构看,专门委员会多按代表的专业、长处加以分类,再组成相关的委员会。因此,由它们审查技术性、专业性较强的法律案,可以使审查更为全面、深入。实践证明,法律案经过专门委员会的审议,对保证立法质量,具有至关重要的作用。

全国人大议事规则规定,专门委员会审议议案和有关报告,涉及专门性问题的时候,可以邀请有关方面的代表和专家列席会议,发表意见。全国人民代表大会和地方各级人民代表大会代表法规定:“代表可以被推选或者受邀请列席主席团会议、专门委员会会议,发表意见。”这些规定也适用于专门委员会审议法律案。

第二十条　列入全国人民代表大会会议议程的法律案，由法律委员会根据各代表团和有关的专门委员会的审议意见，对法律案进行统一审议，向主席团提出审议结果报告和法律草案修改稿，对重要的不同意见应当在审议结果报告中予以说明，经主席团会议审议通过后，印发会议。

【释义】　本条是关于法律委员会对法律案进行统一审议的规定。

一、专门委员会审议法律案的分工

全国人民代表大会法律委员会，是由我国宪法规定的全国人大的九个专门委员会之一。与其他专门委员会相比，法律委员会在全国人大及其常委会的立法乃至整个法治活动中，担负着更多和更重要的责任。我国专门委员会审议法律案的职责分工是：其他专门委员会只负责审议与其相关的法律案，法律委员会则统一审议所有法律案。1982 年 12 月，五届全国人民代表大会第五次会议审议通过的全国人民代表大会组织法第三十七条明确规定："法律委员会统一审议向全国人民代表大会或者全国人民代表大会常务委员会提出的法律草案；其他专门委员会就有关的法律草案向法律委员会提出意见。"这一规定以法律的形式确立了全国人大及其常委会制定法律由法律委员会统一审议的制度。法律委员会的审议，对于全国人大审议法律案来说，是一种全局性的审议，是各种审议中一道关键性的关口。由法律委员会统一审议提请全国人大审议的法律案，是我国立法的一个非常重要的制度。提请全国人大审议的法律案，在经过各代表团、有关的专门委员会审议之后，法律委员会根据各代表团和各专门委员会的审议意见，对法律案进行统一审议，具有重要意义：一方面有利于维护法制的统一，避免各项法律之间互相矛盾、互不衔接，提高立法质量；另一方面也有利于集中立法力量,加快立法步伐。

二、法律委员会统一审议法律案的具体程序

实践中,全国人民代表大会法律委员会统一审议向全国人大提出的法律案,法律委员会的统一审议工作是和全国人大常委会法制工作委员会共同完成的。法制工作委员会(以下简称法工委)是全国人大常委会的工作机构。在统一审议法律案的过程中,法律委员会是同法工委共同进行工作的。需要遵循这样几个具体程序:(1)汇总并研究各代表团和专门委员会的审议意见。这项工作主要由法工委具体完成。实践中,法工委在各代表团分组审议法律案时,会派工作人员到会听取并记录意见,并加以汇总。根据各代表团意见和有关专门委员会的审议意见,法工委逐条进行研究,提出对法律案的修改建议。(2)法律委员会召开全体会议,根据法工委汇总的各代表团意见和有关专门委员会的审议意见以及法工委提出的修改建议,对法律案进行逐条审议。(3)法律委员会对法律案进行审议后,要向主席团提出审议结果报告和法律草案修改稿。审议结果报告的内容一般包括法律草案是否成熟可行和其他有关情况,还要包括修改内容和修改理由等。其中,对重要的不同意见应当予以说明。经主席团会议审议通过后,印发全国人大会议。(4)法律草案修改稿经各代表团审议后,由法律委员会根据各代表团的审议意见,对法律草案修改稿再次进行修改研究,提出法律草案建议表决稿。再经各代表团审议后,经主席团审议提出法律草案表决稿后,由主席团提请大会全体会议表决,由全体代表的过半数通过。

例如,2015 年 3 月 8 日下午,十二届全国人大三次会议全体会议听取关于立法法修正案草案的说明后,10 日上午,各代表团全体会议对立法法修正案草案进行了审议,下午,各代表团分组会议对立法法修正案草案进行审议，法工委及时汇总整理了各代表团的意见，送法律委员会，并及时对审议意见逐条进行研究，提出法律草案修改建议。11 日上午，法律委员会召开全体会议，听取法工委修改建议的汇报，逐条进行审议，向主席团提出关于立法法修正案草案审议结果的报告和全国人民代表大会关于修改立法法的决定草案。因为采取的是修正案的形式，所以在这个阶段提出的关于修改立法法的决定草案，实际上就是对提交大会审议的立法法修正案草案进行修改的基础上形成的修改稿。12 日上午，主席团召开会议，听取法律委员会主任委员乔晓阳同志作立法法修正案草案审议结果的报告，审议通过全国人民代表大会关于修改立法法的决定草案，印发全国人大会议。12 日下午，各代表团审议关于修改立法法的决定草案。13 日上午，法律委员会再次召开会议，审议关于修改立法法的决定草案，提出关于修改立法法的决定草案修改意见的报告和关于修改立法法的决定草案建议表决稿。14 日上午，主席团召开会议，听取法律委员会关于修改立法法的决定草案修改意见的报告，决定将关于修改立法法的决定草案建议表决稿提请各代表团审议。14 日下午，各代表团对关于修改立法法的决定草案建议表决稿进行审议。在对关于修改立法法的决定草案进行修改完善后，于 15 日将关于修改立法法的决定草案表决稿印发全国人大会议表决。

第二十一条　列入全国人民代表大会会议议程的法律案，必要时，主席团常务主席可以召开各代表团团长会议，就法律案中的重大问题听取各代表团的审议意见，进行讨论，并将讨论的情况和意见向主席团报告。

主席团常务主席也可以就法律案中的重大的专门性问题，

召集代表团推选的有关代表进行讨论,并将讨论的情况和意见向主席团报告。

【释义】 本条是关于主席团常务主席召开有关会议,对法律案中的重大问题进行审议的规定。

一、召集代表团团长会议,听取审议意见

全国人大议事规则第七条规定,全国人大会议举行前,代表按照选举单位组成代表团。代表团全体会议推选代表团团长、副团长。在大会期间,主席团常务主席可以根据需要召开代表团团长会议,由代表团团长反映本代表团对会议各项议题的讨论情况和审议意见,传达主席团会议的决定和意见等。代表团团长起着联系和沟通大会主席团和代表的作用。

全国人民代表大会会议主席团(简称全国人大主席团或大会主席团)是在全国人民代表大会会议期间主持会议的临时会议机构。大会主席团的名单草案由全国人大常委会在全国人民代表大会会议举行前提出,经各代表团审议后,提请全国人大预备会议选举产生。主席团的成员必须是本届全国人民代表大会的代表,涵盖各方面人士。从往届来看,一般包括:党和国家领导人;各民主党派中央、全国工商联负责人和无党派爱国人士;中央党政军机关有关负责人和人民团体负责人;香港特别行政区、澳门特别行政区、国家支柱产业、科技、社会科学、教育、文艺、体育、卫生、宗教、归侨的代表以及工人、农民、解放军代表,武警部队的代表;人口较多的少数民族代表;各省、自治区、直辖市以及香港、澳门特别行政区代表团的召集人。大会主席团产生后,由主席团第一次会议推选主席团常务主席若干人,负责召集会议,并推选主席团成员中的若干人分别担任每次全体会议的执行主席。以后的主席团会议由主席团常务主席召集和主持。

全国人大议事规则第十三条第一款规定:“主席团常务主席可以召开代表团团长会议,就议案和有关报告的重大问题听取各代表团的审议意见,进行讨论,并将议论的情况和意见向主席团报告。”这一规定也适用于对法律案的审议。代表大会会议由主席团主持,主席团会议由主席团常务主席主持。为了便于主席团对法律案中的重要问题作出决策,向代表大会提出建议,主席团常务主席可以召集代表团团长会议,就法律案中的重大问题听取各代表团的审议意见,进行讨论。关于何为“重大问题”,本条没有规定,由主席团常务主席掌握。一般来说,“重大问题”应当是各代表团在审议法律案中提出的有不同意见的问题。代表团团长应当如实反映本代表团对法律案中重大问题的审议意见。主席团常务主席应当将代表团团长会议讨论的情况和意见向主席团报告,以便主席团了解掌握情况。

二、召集代表团推选的有关代表进行讨论

全国人大议事规则第十三条第二款规定,主席团常务主席可以就议案中的重大的专门性问题,召集代表团推选的有关代表进行讨论。这一规定同样适用于法律案的审议。为了直接听取代表的意见和建议,主席团常务主席可以选择一些重要的专门性问题,召集各代表团推选的代表开会讨论。“代表团推选”是为了保证参加讨论的代表能够具有一定的代表性。“推选”就是代表之间互相推举,程序比较简单。“有关代表”是指与所要讨论的“重大的专门性问题”有一定关联的代表。这种关联性可以体现在专业、职业、行业等方面,如要讨论经济问题,代表团可以推选从事经济领域工作的代表或者对经济问题有专门研究的代表,以发挥代表的专长,加深对“重大的专门性问题”的研究讨论。在必要的时候,还可以要求有关部门负责人参加会议,汇报情况,回答问题。会议讨论的情况和意见应当向主席团报告。

第二十二条　列入全国人民代表大会会议议程的法律案，在交付表决前，提案人要求撤回的，应当说明理由，经主席团同意，并向大会报告，对该法律案的审议即行终止。

【释义】　本条是关于提案人要求撤回已列入全国人大会议议程的法律案的规定。

本条规定源于全国人民代表大会组织法第十一条和全国人大议事规则第二十七条的规定。其第十一条规定："向全国人民代表大会提出的议案，在交付大会表决前，提案人要求撤回的，对该议案的审议即行终止。"全国人大议事规则第二十七条规定："列入会议议程的议案，在交付表决前，提案人要求撤回的，经主席团同意，会议对该议案的审议即行终止。"立法程序是因提出法律案而启动的，提案人有权提出法律案，当然也有权撤回法律案。撤回法律案的权利是由提案人有权提出法律案派生出来的。提出法律案的目的是为了使之在立法机关获得通过，制定成为法律。但由于一些原因，原法律案已经失去意义或由于立法时机不成熟，也允许提案人撤回已提出的法律案。

外国议会关于提案撤回问题大致有以下几种规定：一是提案未经附议以前，提案人可以随意撤回；二是提案经附议后，提案人如果要求撤回，必须征得附议人的同意；三是提案已为主席接受或交付会议讨论，提案人要求撤回的，要由主席征得全体议员同意后才能撤回；四是提案被修正后，不得撤回。法律案亦是如此，在不同阶段对撤回的程序应当有所不同，立法法区分两种不同情况，对撤回程序分别作了不同规定：一种情况是在列入大会会议议程之前，要求撤回的。提案人提出法律案，并不是自动进入大会议程的，需要经过一个列入议程的程序。全国人民代表大会组织法第五条规定，全国人民代表大会每次会议举行预备会议，选举本次会议的主席团和秘书长，通过本次会议的议程和其他准备事项的决定。所以，根据上述规定，在大会期间提出的法律案，由大会主席团决定列入大会议程。立法法第十四条和第十五条分别对不同提案人提出的法律案由主席团列入大会议程的程序作了规定。全国人大议事规则第五条规定，全国人大常委会在全国人大会议举行前，提出会议议程草案。根据该规定，在大会前提出法律案的，由常委会决定列入大会议程草案，由大会预备会议通过。在列入大会议程前，由于大会对法律案尚未进行审议，所以，立法法规定，提案人在这个阶段撤回法律案，无须经任何同意程序即可不列入大会议程。另一种情况是提案人在法律案列入大会议程后要求撤回的。由于大会议程是经过一段程序确定的，这一段程序是庄重的、法定的、具有权威的，法律案一经列入全国人大会议议程，就成为大会内容的一部分，不再完全受提案人支配。但由于它是提案人提出的，和提案人有着密切联系，所以在规定提案人有权撤回法律案的同时，还必须对提案人撤回法律案有所约束，以体现大会的庄重和权威。一是撤回的时间，必须在法律案交付表决前。如果法律案已经交付表决，虽然表决结果尚未出来或者尚未进行表决，但是提案人不能要求撤回。因为法律案一旦交付表决获得通过，就成为全国人大常委会的决定，自然不能再由提案人撤回；如果法律案交付表决未获得通过，依照立法法规定提案人可以重新提出，但已不存在撤回的问题。二是提案人要求撤回法律案，必须说明理由。撤回法律案，应当有正当理由，无正当理由的，不能撤回。三是须经主席团同意，并向大会报告。也就是说，提案人提出撤回法律案的要求后，大会并不是自动终止对该法律案的审议，只有经过主席团同意，并向大会报告，撤回法律案的要求才能生效，会议才能停止对该议案的审议。如果主席团认为要求撤回的理由不能成立，或者多数代表不赞成撤回，可以不同意撤回,由大会继续对该法律案进行审议。为什么列入大会议程后的法律案的撤回需要经过主席团同意?这是因为:第一,大会议程是会议进行的步骤和规程,是会议顺利进行的保证,不能随意改变。第二,列入会议议程后,代表和有关的专门委员会对该法律案的审议已经进行了大量工作,不只属于提案人,因此,是否撤回不能仅由提案人一方面决定。特别是在代表或者有关的专门委员会对法律案提出较多的修改意见时,提案人因不同意代表或者有关专门委员会的修改意见而要求撤回的,会议是否要终止对该法律案的审议,应当注意听取代表的意见,充分尊重代表的意见。立法法的这一规定,既尊重了提案人的提案权,又尊重了代表的审议权,使两方面权利都得到体现和兼顾。实践中,我国还没有发生过提请全国人大会议审议的法律案,在交付表决前由提案人撤回的情况。

第二十三条　法律案在审议中有重大问题需要进一步研究的,经主席团提出,由大会全体会议决定,可以授权常务委员会根据代表的意见进一步审议,作出决定,并将决定情况向全国人民代表大会下次会议报告;也可以授权常务委员会根据代表的意见进一步审议,提出修改方案,提请全国人民代表大会下次会议审议决定。

【释义】　本条是关于大会授权常委会审议大会的法律案的规定。

本条规定来源于全国人大议事规则的规定。全国人大议事规则第二十八条规定:“列入会议议程的议案,在审议中有重大问题需要进一步研究的,经主席团提出,由大会全体会议决定,可以授权全国人民代表大会常务委员会审议决定,并报全国人民代表大会下次会议备案或者提请全国人民代表大会下次会议审议。”这一规定同样适用于法律案的审议。提请大会审议的法律案，一般经当次会议审议后即交付表决。但是，也会出现这样一种情况，即有的法律案在审议过程中，代表对法律草案中的重大问题有不同意见，经审议后，仍有较大的分歧。这里所说的重大问题，一般是指法律案的重要条款或核心条款，或者是代表提出的意见较多、分歧较大的条款，涉及公民、法人权利义务或国家机关职责的重大调整、社会普遍关注影响较大的问题。由于大会的会期有限，不一定能在大会会期内对有关重大问题研究透彻。为了有更加充分的时间，把有争议的问题研究清楚，使制定的法律更加完善，更加符合科学立法、民主立法的要求，提高立法质量，在这种情况下，不宜仓促对法律案进行表决，法律案可以暂不交付表决。其处理方式有两种。

一是授权常委会根据代表的意见进一步审议，作出决定。例如，1981 年 12 月，五届全国人大四次会议对民事诉讼法草案进行审议后，决定原则批准该草案，授权全国人大常委会根据代表和其他方面的意见对民事诉讼法草案进行审议修改后公布试行。1982 年 3 月，五届全国人大常委会第二十二次会议通过了民事诉讼法（试行）。又如，1987 年 4 月，六届全国人大五次会议在审议了村民委员会组织法草案后，由于代表对村民委员会与乡镇人民政府的关系等重大问题有较大的不同意见，会议决定原则通过该议案，授权全国人大常委会根据宪法的有关规定，参照大会审议中代表提出的意见，进一步调查研究，总结经验，审议修改后予以颁布试行。1987 年 11 月，六届全国人大常委会第二十三次会议审议通过了村民委员会组织法（试行）。需要指出的是，常委会根据代表的意见进一步审议，作出决定，需要将决定情况向全国人民代表大会下次会议报告。这是因为，审议这一法律案的权力属于全国人大，常委会是由于特殊情况根据全国人大的授权作出的决定，因此，这一权力不能不受监督和约束，而应当通过向下一次全国人民代表大会报告，达到全国人民代表大会对常委会行使这一授权的监督的作用。需要指出的是，全国人大议事规则第二十八条规定的是报全国人民代表大会下次会议"备案"，而不是"报告"，根据特别法优于一般法的原则，对于法律案，要适用立法法的规定，即向全国人民代表大会下次会议报告。立法法对法律案的要求，比议事规则对其他议案的要求要严格，这是因为相比其他议案，法律案在全国人大获得半数以上通过后，即成为具有约束力的法律，对国家、公民和社会的权益影响可能更直接，更需谨慎行使立法权。

二是授权常委会根据代表意见进一步审议，提出修改方案，提请下次代表大会审议决定。这种情况主要限于必须由代表大会通过的法律，即立法法第七条第二款规定的"全国人民代表大会制定和修改刑事、民事、国家机构的和其他的基本法律"，根据立法法的这一规定，必须由代表大会通过的法律，常委会无权制定，自然也无权通过。在过去的立法实践中，这种情况还没有出现过。

第二十四条　法律草案修改稿经各代表团审议，由法律委员会根据各代表团的审议意见进行修改，提出法律草案表决稿，由主席团提请大会全体会议表决，由全体代表的过半数通过。

【释义】　本条是关于主席团将法律案提请大会全体会议表决的规定。

一、法律委员会提出法律草案表决稿

列入全国人民代表大会会议议程的法律案，由法律委员会根据各代表团和有关的专门委员会的审议意见，对法律案进行统一审议。实践中，全国人民代表大会法律委员会统一审议向全国人大提出的法律案，法律委员会的统一审议工作是和全国人大常委会法制工作委员会共同完成的。法律委员会对法律案进行审议后，要向主席团提交审议结果报告和法律草案修改稿。审议结果报告的内容一般包括法律草案是否成熟可行和其他有关情况，还要包括修改内容和修改理由等。其中，对重要的不同意见应当予以说明。经主席团会议审议通过后，法律草案修改稿印发会议，由各代表团再次进行审议。法律草案修改稿经各代表团审议后，由法律委员会根据各代表团的审议意见，对法律草案修改稿再次进行修改研究，提出法律草案建议表决稿。再经各代表团审议后，经主席团审议提出法律草案表决稿后，由主席团提请大会全体会议表决。

二、大会全体会议表决

法律案经过审议后，就进入了表决程序。法律案的表决，就是立法机关组成人员对法律案是赞成、反对或者弃权进行表态的活动。法律案经过表决的结果就是通过法律案或者不通过法律案。通过的法律案再经过公布程序就成为了法律。不通过的法律案，则立法机关终止对该法律案的审议；如果提案人认为确需制定该法律，可以依法重新提出，由立法机关依法处理。可见，法律案的表决程序，是决定法律案命运的一个至关重要的程序。因此，世界各国都对法律表决方法进行了严格规定。表决以表决者的立场是否为他人所知，分为公开表决和秘密表决。以表决对象是否完整，分为整体表决和部分表决。此外，还有全民公决，即由公民直接投票表示对法律案的态度。关于表决的原则，均遵循少数服从多数的原则。多数决定原则即推定多数人的判断与选择为合理的、正确的，并把多数人的判断与选择作为决策或者意见取舍的标准。它是当前世界各国议会普遍采取的一项原则。多数赞成又分为两种情况：一是获绝对多数的表决,即赞成者必须达到全体组成人员的多数;二是获相对多数的表决,是指赞成者达到全体出席人员或参加表决的多数。西方国家表决一般采取相对多数制。

在我国,大会全体会议是大会会议的重要形式,也是全国人大行使权力的主要、决定性场所。只有经大会全体会议表决,才能通过议案。立法法总结以往经验,将进入表决程序的法律案叫做法律草案表决稿,这样进一步明确了法律草案审议的不同阶段,当法律草案表决稿提出时,就标志着法律案的审议进入了表决程序。法律草案的表决是全国人大以法定形式对法律草案表示最终的意见,从而决定法律案是否成为法律。这是法律制定程序中具有决定意义的一个步骤。全国人大议事规则第二十四条规定:“法律委员会根据各代表团和有关的专门委员会的审议意见,对法律案进行统一审议,向主席团提出审议结果报告和草案修改稿,对重要的不同意见应当在审议结果报告中予以说明,主席团审议通过后,印发会议,并将修改后的法律案提请大会全体会议表决。”立法法延续了这一规定,明确法律草案表决稿由主席团提请大会全体会议表决。

全国人大对法律案的表决,采取整体表决的办法,即就整个法律草案进行表决,而不是逐条进行表决。全国人大表决通过法律案,采取绝对多数原则,即以最高国家权力机关全体成员过半数的赞成为通过。表决结果由会议主持人当场宣布。为了保障法律案表决程序中的绝对多数原则的实现,全国人大议事规则第五十二条明确规定:“大会全体会议表决议案,由全体代表的过半数通过。”全国人大组织法和全国人大议事规则规定,大会进行选举和通过议案,由主席团决定采用无记名投票方式、举手表决方式或者其他方式。表决是全国人大决定问题的唯一方法,因而也是全国人大举行会议的一个必经程序。表决的具体方式由大会主席团决定,全国人大每次会议都由主席团通过一个大会的表决方法。表决的具体方式有三种:一是无记名投票;二是举手表决;三是法律规定或者主席团决定的其他方式。其他方式是指包括电子表决器、鼓掌、默示等方式。目前,全国人大会议会场表决法律案,一般采取电子表决器进行表决。全国人大会议安装了电子表决器,对一般法律草案采用按电钮无记名方式表决。这样,既能方便代表按自己的意见进行表决,有利于发扬民主;同时,电子表决器具有保密性,并且快速准确,有利于提高会议的效率。

第二十五条　全国人民代表大会通过的法律由国家主席签署主席令予以公布。

【释义】 本条是关于公布全国人大通过的法律的规定。

法律的公布是指立法机关或国家元首将已通过的法律以一定的形式予以公布,以便全社会遵守执行。立法机关表决通过了法律案产生了法律,但是法律的生效还应当经过法律的公布程序。法律的公布是法的制定程序中的最后一个步骤,它是法律生效的前提。法律通过后,凡是未经法定程序和法定形式予以公布的,都不能产生法律效力,不具有普遍约束力。所以,我们在立法中必须严肃、科学地对待法律公布程序,使机关、公民能够及时了解法律,自觉地执行和遵守法律。

我国在法律公布权问题上,经历了一个发展变化的过程。1954 年宪法规定由国家主席公布法律,1975 年宪法则删去了这一规定。1978 年宪法规定由全国人大常委会委员长公布法律。1982 年修改宪法,重新规定由国家主席公布法律。

在法律公布问题上,从形式上看,我国与一些西方国家的做法相同,即由立法机关通过法律,国家元首公布法律。但我国与西方国家在法律公布问题上有着实质性区别。一些西方国家实行三权分立,规定法律由国家元首公布,国家元首有否决权,法律公布权是对议会的一种牵制。如美国宪法规定,众议院和参议院通过的法案,总统可以不予签署,否决参众两院通过的法案。在我国,国家主席签署公布法律,是必经的步骤,以证明该法律已经履行完法定程序,并证明该法律与立法机关所通过的完全一致。国家主席签署公布法律,是履行宪法赋予国家主席的职责。法律一经全国人大及其常委会表决通过,国家主席有责任立即签署公布,不能拖延更不能拒绝签署公布。这是因为,我国实行的是人民代表大会制度,不是三权分立制度,没有西方国家所谓的"牵制与平衡"。国家主席由全国人民代表大会选举产生,国家主席根据全国人民代表大会或者常务委员会的决定公布法律。法律案经全国人民代表大会或者常务委员会通过,还不能说完成了立法程序,必须经国家主席签发主席令公布,才算完成所有立法程序。法律经国家主席公布,才发生法律效力。

根据本法规定,签署公布法律的主席令应载明该法律的制定机关、通过日期和施行时间。关于公布法律刊载的媒介,请参见本法第五十八条的释义。

第三节　全国人民代表大会常务委员会立法程序

第二十六条　委员长会议可以向常务委员会提出法律案,由常务委员会会议审议。

国务院、中央军事委员会、最高人民法院、最高人民检察院、全国人民代表大会各专门委员会,可以向常务委员会提出法律案,由委员长会议决定列入常务委员会会议议程,或者先交有关

的专门委员会审议、提出报告，再决定列入常务委员会会议议程。如果委员长会议认为法律案有重大问题需要进一步研究，可以建议提案人修改完善后再向常务委员会提出。

【释义】 本条是关于委员长会议及其他有关机构向全国人大常委会提出法律案和处理程序的规定。

立法程序是立法机关制定法律的具体方式、步骤的总称，包括法律案的提出、审议、表决、公布等环节。提出法律案是审议的基础，也是正式立法程序的开始。

一、关于提出法律案的主体

从各国议会的情况看，有权提出法律草案的主体主要有：一是议会的成员，许多国家的宪法中都有明确规定。二是议会两院的领导机构和各委员会。三是行政机关，许多国家的宪法都明确行政机关享有立法提案权，如在日本，国会审议和通过的法律绝大部分是内阁提出的，由内阁总理大臣代表内阁向国会提出议案。需要指出的是，在严格实行三权分立的总统制国家，行政机关没有立法提案权，因为立法提案权作为立法权由议员享有，行政机关只负责执行，提出法案须通过议员。四是国家元首和选民，在一些国家，国家元首享有立法提案权。有的国家规定，一定数量的选民有提出法律草案的权利。如奥地利规定，二十万名以上的选民可以提出法律草案。五是联邦制国家的州或邦。六是最高司法机关。如蒙古宪法规定，蒙古人民共和国最高法院、蒙古人民共和国检察署有立法建议权。又如，秘鲁最高法院对司法问题有立法提案权。巴拿马最高法院对民法典、商法典、刑法典的修改有立法提案权。七是政党组织、社会或经济组织等，如在意大利，国家经济与劳动会议有提出关于经济和劳动的法律草案的权利，省议会也有向意大利议会两院提出有关本地区事务的法律草案的权利。

在我国，根据全国人大组织法的规定，有权向全国人大常委会提出法律案的主体主要有两类：一是国务院、中央军事委员会、最高人民法院、最高人民检察院和全国人大各专门委员会、全国人大常委会委员长会议；二是常委会组成人员十人以上联名。从实际情况看，提出法律案最多的是国务院，其次是委员长会议和各专门委员会，中央军委、最高人民法院和最高人民检察院也提出了一些法律案，常委会组成人员尚没有联名提出过法律案。

二、关于法律案列入会议议程的程序

法律草案向立法机关提出后，必须经过一定的程序，才能列入会议议程进行审议。本条根据不同的提案主体，对法律案列入会议议程的程序分别作了规定。由委员长会议向常委会提出的法律案，可以直接列入常委会会议议程进行审议。由国务院、中央军事委员会、最高人民法院、最高人民检察院、全国人民代表大会各专门委员会向全国人大常委会提出的法律案，要经过委员长会议决定后列入常委会会议议程。这样规定，是因为委员长会议负责拟订常委会会议议程草案，有权根据常委会会议议程情况，以及需要审议的具体事项的轻重缓急，决定将审议事项具体列入哪次会议议程，以提高常委会的议事效率。

根据本条规定，委员长会议对其他国家机关提出的法律案，区分不同情况予以处理：对于比较成熟的法律案，委员长会议直接决定列入会议议程，绝大多数国家机关提出的法律案都属于此种情形。对于基本成熟但仍有一些问题需要进一步研究的法律案，由委员长会议先交有关的专门委员会审议并提出报告，再决定列入常委会会议议程。实践中，有时有关国家机关提出的个别法律案确实不够成熟，存在重大问题需要进一步研究，如果直接列入常委会会议议程，会给之后的审议造成困难。总结过去实践中行之有效的做法，本条规定，如果委员长会议认为法律案有重大问题需要进一步研究的，可以建议提案人修改完善后再向常委会提出。这样一方面有利于保证列入会议议程的法律案的质量，为今后的审议打下较好基础；另一方面又使立法程序更加严密。

三、向常委会提出法律案需要注意的问题

第一，提案主体应当就与本机关职权有关的事项行使立法提案权。以全国人大专门委员会为例，全国人民代表大会组织法明确规定，各专门委员会可以提出属于全国人大及其常委会职权范围内同本委员会有关的议案。这一规定明确要求各专门委员会提出的议案要同本委员会的职权相关，法律案自然也不例外。其他享有提案权的机关包括国务院、中央军事委员会、最高人民法院、最高人民检察院，在提出法律案时也应当注意所提法律案应当与本部门的工作及职责相关。

第二，提案的内容应当属于常委会的职权范围。按照全国人民代表大会组织法和全国人大常委会议事规则的规定，向全国人大常委会提出的议案应当属于常委会的职权范围，法律案也应如此。

对于其他国家机关和各专门委员会向常委会提出法律案的时间，法律没有限制性的规定，这与对代表联名提出法律案的要求有所不同（由于受大会会期的限制，代表提议案必须在代表大会规定的议案截止时间内提出）。对于提出法律案的要求，本法第五十四条规定，提出法律案，应当同时提出法律草案文本及其说明，并提供必要的参阅资料。

第二十七条　常务委员会组成人员十人以上联名，可以向常务委员会提出法律案，由委员长会议决定是否列入常务委员

会会议议程,或者先交有关的专门委员会审议、提出是否列入会议议程的意见,再决定是否列入常务委员会会议议程。不列入常务委员会会议议程的,应当向常务委员会会议报告或者向提案人说明。

专门委员会审议的时候,可以邀请提案人列席会议,发表意见。

【释义】 本条是关于常委会组成人员向全国人大常委会提出法律案和处理程序的规定。

一、常委会组成人员提出法律案应当注意的几个问题

第一,提案要符合法定人数。根据本条的规定,常委会组成人员必须十人以上联名才能提出法律案。根据全国人民代表大会组织法和全国人大常委会议事规则的规定,常委会组成人员十人以上联名可以提出议案。法律案是议案的一种,因此本条明确规定常委会组成人员向常委会提出法律案也要十人以上联名。

第二,提案的内容要属于全国人大常委会的职权范围。全国人民代表大会组织法和全国人大常委会议事规则规定,常委会组成人员向常委会提出议案要属于常委会的职权范围,法律案也不能例外。

第三,提案要有法律草案文本及说明。实践中,有的常委会委员提出立法议案,只是建议制定某部法律,或者只是提出需要对某部法律进行修改或者补充,但是没有具体内容更无法律草案文本,这样并没有达到立法议案的要求。不管是有关国家机关还是常委会委员,在提出法律案的同时,都应当依法同时提出法律草案文本及其说明,并提供必要的参阅资料。

二、关于法律案列入常委会会议议程的程序

对常委会组成人员十人以上联名提出的法律案,委员长会议可以决定列入或者不列入常委会会议议程。如果委员长会议

经研究后认为比较成熟的，可以直接决定提请常委会会议审议；如果不很成熟或者有一定问题需要进一步研究的，可以先交有关的专门委员会审议，由专门委员会提出意见，向委员长会议报告。委员长会议根据有关专门委员会的审议意见认为可以提请常委会会议审议的，决定提请审议；认为不成熟或者仍需进一步研究的，可以决定不提请常委会会议审议。对决定不提请常委会会议审议的法律案，应当向常委会会议报告或者向提案人说明。在交有关专门委员会审议的时候，专门委员会讨论该法律案，可以邀请联名提出法律案的常委会组成人员列席会议，发表意见，以利于专门委员会委员对法律案作进一步的全面了解，避免草率决定，确保向委员长会议提出切实可行的意见。为了保证提请审议的法律案的质量，这一规定是有必要的。

第二十八条　列入常务委员会会议议程的法律案，除特殊情况外，应当在会议举行的七日前将法律草案发给常务委员会组成人员。

常务委员会会议审议法律案时，应当邀请有关的全国人民代表大会代表列席会议。

【释义】　本条是关于法律草案应当提前印发给常委会组成人员和全国人大代表列席常委会会议的规定。

为了提高立法质量和审议法律案的水平，应当保证常委会组成人员在会议举行以前，有时间对会议拟审议的法律案进行研究，提前为审议做好准备。全国人大常委会议事规则明确规定，常委会举行会议，应当在会议举行七日以前，将开会日期、建议会议讨论的主要事项，通知常委会组成人员。所以本条规定，应在常委会会议举行的七日前提前发给常委会组成人员法律案。这里规定的“七日”只是一个最低期限，在客观条件允许的情况下,应当尽量提前将法律案发给常委会组成人员,有利于常委会会议进行审议。如遇特殊情况,如召开临时会议或者是临时提出紧急提案等情况时,法律案的印发时间可以不受该规定的限制。

本条第二款是2015年立法法修改时新增加的规定,体现了充分发挥人大代表在立法工作中的作用,有利于提高法律草案起草和审议质量。十八届四中全会决定提出:"健全法律法规规章起草征求人大代表意见制度,增加人大代表列席人大常委会会议人数,更多发挥人大代表参与起草和修改法律作用。"按照这一要求,根据常委会组成人员的意见和近年来工作中的实际做法,2015年修改立法法时增加规定,常委会会议审议法律案,应当邀请有关的全国人大代表列席。人大代表是人民选举产生的行使国家权力的代表。充分发挥人大代表在立法中的作用,不仅是使立法反映和体现人民意志的制度要求,也有利于促进科学立法、民主立法,提高立法质量。

第二十九条　列入常务委员会会议议程的法律案,一般应当经三次常务委员会会议审议后再交付表决。

常务委员会会议第一次审议法律案,在全体会议上听取提案人的说明,由分组会议进行初步审议。

常务委员会会议第二次审议法律案,在全体会议上听取法律委员会关于法律草案修改情况和主要问题的汇报,由分组会议进一步审议。

常务委员会会议第三次审议法律案,在全体会议上听取法律委员会关于法律草案审议结果的报告,由分组会议对法律草案修改稿进行审议。

常务委员会审议法律案时,根据需要,可以召开联组会议或者全体会议,对法律草案中的主要问题进行讨论。

【释义】 本条是关于常委会审议法律案实行三审制的规定。

法律案的审议程序,是立法程序中最重要的阶段。法律案只有经过常委会组成人员的充分审议,才能实现科学立法、民主立法,保证立法质量。本条对全国人大常委会审议法律的具体程序作了规定,明确全国人大常委会审议法律案,一般实行三审制,同时规定了常委会审议法律案的具体会议形式。

一、三审制

(一)三审制的形成过程

在六届全国人大常委会以前,提请常委会审议的法律案,大都是在当次会议上就交付表决。为了使常委会组成人员有充分的时间审议法律案,六届全国人大常委会委员长会议决定,提交常委会会议审议的法律案,在当次会议上不表决,由法律委员会向下一次常委会会议或者以后的常委会会议提出审议结果报告。1987年制定的全国人大常委会议事规则,将这一程序以法律的形式固定下来。自此以后,六届、七届、八届全国人大常委会对法律案的审议一般要经过两次常委会会议审议,才能交付表决。九届全国人大常委会为了提高立法质量,将二审制进一步发展为一般实行三审制:一审,听取提案人对法律草案的说明,进行初步审议;二审,初次审议后经过两个月或者更长的时间,常委会委员们对法律草案进行充分的调查研究后,围绕法律草案的重点、难点问题和分歧意见,再次进行深入审议;三审,在专门委员会根据常委会组成人员的审议意见对法律草案进行修改并提出审议结果报告的基础上,再作审议,如果意见不大,即交付表决。实行三审制,可以使审议工作更为充分,有利于提高立法质量。

(二)三审制的分工

总结全国人大常委会实行三审制的实践经验,立法法对三审的内容作出了比较明确的规定，将三审制用法律形式固定下来，使这一行之有效的做法法律化、制度化，使审议工作有法可依。三审制的主要分工是：

一审，全国人大常委会会议第一次审议法律案，在常委会全体会议上听取提案人作法律草案的说明。说明中一般要对制定该法律的必要性、可行性及主要内容作介绍。然后，由常委会组成人员对法律草案进行初步审议。初步审议通常是在分组会议上进行，由常委会组成人员对法律案进行初步的讨论。

二审，常委会会议第二次审议法律案，在常委会全体会议上听取法律委员会关于法律草案修改情况和主要问题的汇报，这个汇报是法律委员会根据各方面对法律草案的意见（包括常委会组成人员对法律草案的初审意见，有关专门委员会对法律草案的意见，有关部门、专家和地方对法律草案的意见等），对法律草案进行修改后作出的，是对新的法律草案修改了哪些内容，为什么这样修改，有何不同意见，还存在哪些问题所作的介绍。根据法律委员会的汇报，常委会召开分组会议对新修改的法律草案文本作进一步审议。第二次审议应当围绕法律草案二次审议稿的重点、难点问题和分歧意见，进行深入审议，因为第二次审议距离第一次审议通常至少要经过两个月的时间（全国人大常委会会议每两个月召开一次），闭会期间进行了充分的调查研究，各方面对法律草案的意见也反映的更加充分，因此，第二次审议法律案比第一次审议应当更深入、更具体、更有针对性。

三审，常委会会议第三次审议法律案，在全体会议上听取法律委员会关于法律草案审议结果的报告。这个报告是对该法律草案的整个审议过程和各方面对法律草案二次审议稿提出的意见作出的总结，一般首先简单介绍审议过程，然后对二次审议稿的修改作出介绍，对重要的不同意见也要在审议结果报告中予以说明。常委会组成人员召开分组会议对法律草案三次审议稿再进行审议，在当次会议上提出意见，法律委员会根据委员们的意见再对草案三次审议稿进行必要的修改，提出建议表决稿；如果没有大的意见，由委员长会议决定提请常委会全体会议表决，以常委会全体组成人员的过半数通过。

二、常委会会议审议法律案的形式

根据全国人大常委会议事规则的规定，常委会举行会议的时候，召开全体会议、分组会议、联组会议。这是常委会会议的三种具体方式，在审议法律案中的作用不尽相同。

（一）全体会议

常委会全体会议是常委会全体组成人员参加的会议，是常委会行使职权最基本的会议形式之一。全体会议听取关于议案的说明、关于议案审议结果的报告和有关工作报告，并对各项议案进行表决。因此，对法律案的说明、修改意见的汇报、审议结果报告和法律案的表决都是在全体会议上进行。通常情况下，常委会会议的开始和结束都要召开全体会议，而审议各项议案多在分组会议和联组会议上。

（二）分组会议

分组会议是将常委会组成人员分成若干个小组开会，便于常委会组成人员讨论问题，发表意见。所有提交全体会议审议的法律案，都要经过分组会议的审议，所以分组审议是常委会审议法律案的基础。目前，全国人大常委会组成人员共分六个小组召开分组会议，使更多的常委会组成人员有发表意见的机会。根据会议安排，分组会议审议法律案，多是先审议准备通过的法律草案，然后再审议二审和初审的法律草案。对于常委会组成人员和列席会议人员在分组会议上提出的对法律草案的意见，由工作人员记录,并及时整理成会议简报印发当次会议。同时法律委员会要对常委会组成人员提出的具体修改意见抓紧时间研究,对于常委会进入三审的法律案,法律委员会必须在当次会议上根据常委会组成人员的意见,提出最后的修改意见报告和建议表决稿。

(三)联组会议

联组会议是在分组会议基础上召开的若干个小组联席会议,是在分组会议审议的基础上对议案进行进一步审议,在更大范围内让对法律案有不同意见的常委会组成人员有直接交锋的机会。通常情况下,讨论的大都是热点问题,使常委会组成人员对有关问题认识更加深入,有利于达成共识。这种讨论可以是在法律案的初审阶段,也可以在法律案的二审和三审阶段。

立法实践中,全国人大常委会通常召开分组会议审议法律案,由于每组参与审议的人数相对较少,能够保证常委会组成人员有充分的时间发表意见,有利于发扬民主,保证审议质量。但是,对于法律草案中的主要问题,出现意见不一致或者需要进一步研究论证的,也可以召开联组会议或者全体会议进行讨论,使问题和观点得到更多的交锋和交流,推动对问题的深入研究。据此,本条规定,常务委员会审议法律案时,根据需要,可以召开联组会议或者全体会议,对法律草案中的主要问题进行讨论。这一规定有利于保证审议质量,推动科学立法、民主立法。

第三十条　列入常务委员会会议议程的法律案,各方面意见比较一致的,可以经两次常务委员会会议审议后交付表决;调整事项较为单一或者部分修改的法律案,各方面的意见比较一致的,也可以经一次常务委员会会议审议即交付表决。

【释义】　本条是关于常委会审议法律案实行三审制的例

外规定。

根据全国人大的立法实践和实际工作需要，本法在确立全国人大常委会审议法律案实行三审制的同时，对常委会的立法程序作了变通规定，把重质量和讲效率较好地结合起来，有利于人大立法工作的开展。根据本条规定，对于一些内容比较单一、分歧又不大的法律案，也可以二审通过，不必强求一致。全国人大常委会立法实践中，有一些法律和有关法律问题的决定是经过两次审议通过的。例如，公益事业捐赠法经九届全国人大常委会第九次会议和第十次会议两次会议审议通过。对于部分修改的法律案，争议不大，各方面意见比较一致的，可以经一次常委会会议审议就交付表决。例如，2012 年 10 月第十一届全国人大常委会第二十九次会议通过了关于修改治安管理处罚法的决定，根据修改后的刑事诉讼法的规定，对治安管理法的个别条文作了相应修改，因各方面意见比较一致，经一次常委会会议审议即通过。

实践中，一些调整事项较为单一、各方面的意见比较一致的法律案，是经一次常委会会议审议通过的。例如，2012 年 12 月第十一届全国人大常委会第三十次会议通过的关于加强网络信息保护的决定，由于调整事项较为单一，各方面意见也比较一致，经一次常委会会议审议即通过了该法律案。因此，2015 年修改立法法时，总结这一实践经验，在本条增加规定，对于调整事项较为单一，各方面的意见比较一致的，也可以经一次常委会会议审议通过。

第三十一条　常务委员会分组会议审议法律案时，提案人应当派人听取意见，回答询问。

常务委员会分组会议审议法律案时，根据小组的要求，有关

机关、组织应当派人介绍情况。

【释义】 本条是关于常委会分组审议法律案时提案人和有关部门应当到会听取意见、回答询问的规定。

常委会分组审议法律案是常委会组成人员审议法律案的重要环节，因为常委会审议法律案的基本形式是分组会议，常委会组成人员对法律草案发表意见多数是在分组会议上。虽然联组会议也可以对法律案进行讨论，但并不是所有的法律案都在联组会议上审议。而分组审议则不同，所有提交常委会审议的法律案都必然经过分组会议的审议，应当说分组审议奠定了常委会审议法律案的基础。

常委会组成人员在分组审议法律案的过程中，一方面要对法律草案提出修改意见，同时可能会对该法律制定的必要性、背景情况、法律草案条文本身的具体含义等提出疑问，因此本条规定，提案人要派人到会，听取意见，回答询问。对于常委会组成人员对法律草案提出的意见，有关人员要认真听取，并作详细的记录；对常委会组成人员提出的问题要如实回答，态度要诚恳，力争使提问人得到满意的解答。

这里要求提案人以及有关机关和组织派人听取意见，回答询问，并不要求派负责人，而是派了解情况的同志就可以，这同本法第三十四条关于专门委员会审议法律案可以要求有关机关组织派有关负责人说明情况的规定有所不同。一方面，分组会议上回答询问一般是作简单的解答，如果需要对议案进行必要的说明，提案机关的负责同志可以在常委会全体会议或者联组会议上进行，这在全国人大常委会议事规则中有明确规定；另一方面，目前全国人大常委会召开分组会议有六个小组，每个小组都派负责人恐难做到，因此提案机关为每个小组安排若干了解情况的同志负责听取意见并回答询问也是可以的，如果真有疑难问题，所派人员难以回答，提案机关的负责同志可以选择适当时机给予解答。

本条的规定有助于常委会组成人员全面了解情况，有利于常委会组成人员行使好审议权，对提高立法质量、审议质量是有益的。

第三十二条 列入常务委员会会议议程的法律案，由有关的专门委员会进行审议，提出审议意见，印发常务委员会会议。

有关的专门委员会审议法律案时，可以邀请其他专门委员会的成员列席会议，发表意见。

【释义】 本条是关于有关的专门委员会审议法律案程序的规定。

一、全国人大专门委员会的设置情况及其职责

全国人大专门委员会是全国人民代表大会的常设机构。全国人民代表大会每年一般只召开一次会议，全国人大常委会也是每两个月才召开一次会议，而且人员多，不便于讨论各种问题。为了使全国人大的审议和监督更具体、更深入，设立一些专门委员会，作为全国人大的常设机构，在全国人大闭会期间，了解情况，调查研究，协助全国人大及其常委会审议和拟定有关议案，提出意见和建议，有助于全国人大及其常委会更好地行使职权。

我国宪法明确规定，全国人大设立民族委员会、法律委员会、财政经济委员会、教育科学文化卫生委员会、外事委员会、华侨委员会和其他需要设立的专门委员会。1983 年，六届全国人大第一次会议按照宪法的规定设立了上述六个专门委员会。1988 年 3 月，七届全国人大第一次会议根据需要增设了内务司法委员会。1993 年 3 月，八届全国人大第一次会议又增设了环

境与资源保护委员会。1998年3月,九届全国人大第一次会议又增设了农业与农村委员会。到目前为止,全国人大共设有九个专门委员会。

根据全国人大组织法的规定,在全国人大及其常委会的领导下,专门委员会主要负责研究、审议、拟定有关议案,开展立法、监督等常规性工作。法律委员会统一审议向全国人大或者全国人大常委会提出的法律草案,其他专门委员会就有关的法律草案向法律委员会提出意见。

二、规定专门委员会参与立法审议的意义

根据本条的规定,列入常委会会议议程的法律案,由法律委员会和有关的专门委员会进行审议。这是适应立法工作日益复杂化、专业化的需要而建立的制度。由专门委员会协助常委会对法律案进行审议有非常重要的意义,主要表现在:第一,常委会人数较多,不利于对法案进行充分审议。而通过专门委员会审议,可以进行更加全面周详的研究讨论。第二,常委会议事时间有限,一般每两个月召开一次会议,一次会议七天左右,一个法律案在一次常委会会议上一般安排半天讨论时间,难以提供更充裕的时间审议。由专门委员会参与审议,提出意见,能把立法质量与工作效率较好地统一起来。第三,各专门委员会多按代表的专业、擅长的领域加以分类,再组成相关的委员会。由专委会审查技术性、专业性较强的法案,可以使审议更为深入、全面。第四,对于常委会会议审议中提出的重大问题,由有关的专门委员会负责进一步研究,向委员长会议提出意见,由常委会依法决定该法律案是否终止审议,既可以避免草率从事,又有利于保证立法质量。因此,本法规定,法律委员会负责对所有法律进行统一审议,向常委会提出法律草案修改稿和修改意见的汇报、审议结果的报告;其他有关的专门委员会对与之有关的法律案进行审议，所提出的意见，印发常委会会议。

三、有关的专门委员会审议法律案的程序

在通常情况下，有关的专门委员会审议法律案有两种情况：

一是法律草案与本委员会有关，专门委员会对列入常委会会议议程的法律案主动进行审议，主要是从内容是否可行，结构是否正确，文字是否适当等方面提出意见。二是列入常委会会议议程的法律草案经过审议，委员长会议认为存在重大问题，决定交有关的专门委员会进一步调查研究提出审议意见，再决定提交以后的常委会会议审议通过。

有关的专门委员会审议法律案，应当召开全体会议，提出审议意见，一方面要印发常委会会议，另一方面要交法律委员会，以便法律委员会集中各方面意见对法律案进行修改，向常委会提出法律草案修改稿和修改情况的汇报或者审议结果报告，完成统一审议职责。

根据本条的规定，有关的专门委员会审议法律案时，可以邀请其他专门委员会的成员列席会议，发表意见。这是为了有利于各个专门委员会在审议法律案时更好地沟通情况作出的规定。本法第三十三条还规定，法律委员会审议法律案时，应当邀请有关的专门委员会成员列席会议，发表意见。这就使全国人大各专门委员会之间对法律案的审议工作有机地结合起来，有助于全国人大立法工作的开展。

第三十三条　列入常务委员会会议议程的法律案，由法律委员会根据常务委员会组成人员、有关的专门委员会的审议意见和各方面提出的意见，对法律案进行统一审议，提出修改情况的汇报或者审议结果报告和法律草案修改稿，对重要的不同意见应当在汇报或者审议结果报告中予以说明。对有关的专门委

员会的审议意见没有采纳的，应当向有关的专门委员会反馈。

法律委员会审议法律案时，应当邀请有关的专门委员会的成员列席会议，发表意见。

【释义】 本条是关于法律委员会统一审议法律案程序的规定。

全国人民代表大会组织法明确规定，法律委员会统一审议向全国人民代表大会或者全国人大常委会提出的法律草案，其他专门委员会就有关的法律草案向法律委员会提出意见。这一规定以法律的形式确立了全国人大及其常委会制定法律由法律委员会统一审议的制度。全国人大常委会议事规则对法律委员会统一审议问题作出了进一步规定。立法实践证明，建立统一审议制度，是维护法制统一的必要保证，对保证立法质量、加快立法步伐起到了积极的作用。立法法重申和明确了这一规定。

一、法律委员会统一审议与有关专门委员会审议法律案的关系

全国人大机关是一个有机的整体，相互间是分工合作的关系，目标是一致的。各专门委员会、法制工作委员会都要在全国人大常委会的领导下，各司其职，各负其责，协调一致，共同做好立法工作。立法法对法律委员会统一审议和有关专门委员会审议的程序作出了具体的规定，明确了法律案由有关的专门委员会进行审议，提出审议意见，印发常委会会议。法律委员会根据常务委员会组成人员、有关的专门委员会的审议意见和各方面提出的意见，对法律案进行统一审议。

二、法律委员会统一审议法律案的具体程序

由法律委员会统一审议法律案，是全国人大常委会多年来立法经验的总结，是保障法制统一的重要手段。通常情况下，法律案经过常委会初审后，法律委员会、法制工作委员会要做以下

几项工作：第一，认真整理常委会组成人员对法律草案初审的意见，准备在常委会二次审议该法律草案时印发会议。第二，根据立法的需要召开有关地方、部门、人民团体、专家、有关基层和群体代表、全国人大代表和社会有关方面参加的座谈会、论证会、听证会等，听取各方面对法律草案的意见。第三，将法律草案印发各地和有关部门广泛征求各方面的意见，并要求按规定时间将意见书面反馈回来，进行归纳整理。第四，法律草案向全社会公布（经委员长会议决定不公布的除外），对反馈意见也要负责整理。第五，根据常委会组成人员、有关专门委员会和各方面的意见，由法制工作委员会对法律草案进行修改，提出法律草案修改稿。之后，法律委员会召开会议，根据各方面提出的意见，对法律草案逐条进行进一步的研究修改，修改时应当注意吸收各方面的意见，特别是常委会组成人员和有关专门委员会对该法律案提出的审议意见。对于重要的不同意见，能够采纳的，应当及时在法律修改稿中进行修改；不能采纳的，也要认真研究。为了使立法工作更加深入、扎实，让常委会组成人员对各方面提出的重要不同意见有所了解，本法明确规定，对于重要的不同意见，无论是否被采纳，法律委员会都应当在修改意见的汇报或者审议结果的报告中予以说明。同时，为了及时与有关专门委员会沟通，本条还明确规定，对有关专门委员会的审议意见没有采纳的，应当向有关专门委员会反馈。

根据本条规定，法律委员会审议法律案时，应当邀请有关的专门委员会的成员列席会议，发表意见。这是为了有利于法律委员会与其他有关的专门委员会沟通审议法律情况作出的规定。因为许多法律案，法律委员会在审议，有关的专门委员会也在对该法律案进行审议，法律委员会和有关的专门委员会在审议过程中对有些问题的看法可能出现不一致，有时还可能出现较大的意见分歧，需要及时沟通。实践中，法律委员会根据需要邀请有关的专门委员会的成员列席会议，发表意见，对重要的不同意见进行探讨，力求使问题得以解决。立法法总结了这一有益经验，明确规定，法律委员会审议法律案时，应当邀请有关的专门委员会成员列席会议，发表意见。这些规定使全国人大各专门委员会对法律案的审议工作得到了交流和沟通，简化了程序，有利于对法律案重大问题的解决，有助于全国人大和全国人大常委会的立法工作。

第三十四条　专门委员会审议法律案时，应当召开全体会议审议，根据需要，可以要求有关机关、组织派有关负责人说明情况。

【释义】　本条是关于专门委员会审议法律案时可以要求有关机关、组织派负责人介绍情况的规定。

依照本法的规定，列入常务委员会会议议程的法律案，法律委员会和有关的专门委员会有权进行审议。专门委员会对法律案的审议可以在常委会审议的各阶段进行。本条是针对所有专门委员会作出的规定，既包括法律委员会，也包括有关的专门委员会。各专门委员会审议法律案，应当召开全体会议，通常情况下，委员会全体会议要有半数以上的委员参加方能举行。委员会全体会议应当由主任委员负责召集和主持，受主任委员的委托，副主任委员也可以召集和主持全体会议。对于审议的法律案，各位委员都有发表自己意见的权利。

专门委员会委员在审议法律案的过程中，可能会对该法律制定的必要性、可行性、背景情况、法律草案条文本身的具体含义等提出疑问，因此本条规定，专门委员会审议法律案时，根据需要，可以要求有关机关、组织派有关负责人说明情况。这里有两个问题需要注意：

一是“有关机关、组织”不单单是指提案机关，也可能是与法律草案中某些具体规定有关的其他机关、组织。这一方面是因为有些提案人对法律案涉及的有关问题不一定了解得十分透彻，而有关机关和组织可能更了解情况。例如，老年人权益保障法修订草案是由内务司法委员会提出的，但老年人权益保障具体政策和措施、老年人权益保障的具体情况和存在问题可以请民政部和全国老龄办的负责同志来介绍情况。另一方面是法律案的规定涉及了某些领域，规定是否合适，可以邀请相关机关、组织介绍情况。例如，审议立法法过程中，法律委员会就曾就行政法规的有关问题，邀请国务院法制办的有关负责同志介绍情况。

二是要求有关机关、组织“派有关负责人”说明情况，这同本法第三十一条规定的常委会会议分组会上有关机关、组织派人介绍情况有所不同。这里强调由“有关负责人”介绍情况，主要是与专门委员会审议法律案的特点有关。专门委员会审议法律案，是为了协助常委会的审议。由于专门委员会人员少、专业性较强，审议时间充裕，法律案中的一些矛盾和问题应当力争在专门委员会的审议中得到解决，因此，专门委员会的审议往往比常委会更深入、具体。加之有时专门委员会受委员长委托要对法律草案中的重大问题提出意见，因此，在邀请有关机关、组织派人介绍情况时，法律规定派“有关负责人”，这有利于专门委员会组成人员全面了解情况，有利于问题的协商研究，有利于审议工作的顺利进行。这里的“负责人”前加“有关”二字，是强调派主管这方面业务工作的负责人到会即可，不一定要求是该机关、组织的主要领导人。

第三十五条　专门委员会之间对法律草案的重要问题意见不一致时，应当向委员长会议报告。

【释义】 本条是关于各专门委员会的重要不同意见如何处理的规定。

依照法律规定，列入常委会会议议程的法律案，由法律委员会和有关专门委员会进行审议，有关的专门委员会审议与本委员会有关的法律案，法律委员会负责法律案的统一审议，为了加强各专门委员会之间对法律案审议工作的联系，使法律委员会统一审议同发挥其他各专门委员会作用有机的结合，本法第三十二条、第三十三条明确规定了有关的专门委员会审议法律案时，可以邀请其他专门委员会成员列席会议，发表意见；法律委员会审议法律案时，应当邀请其他专门委员会成员列席会议，发表意见；法律委员会在审议法律案过程中，对有关的专门委员会的审议意见没有采纳的，应当向有关的专门委员会反馈。这一系列规定较好地解决了法律委员会和其他各专门委员会审议法律的沟通问题，减少了不必要的矛盾，从而协商解决问题，在专门委员会审议阶段将矛盾化解。但是，在实践过程中，由不同的专门委员会对同一法律案进行审议，可能由于考虑问题的角度不同，也可能是由于掌握的情况不同等原因，有时会对法律案的一些问题提出不同意见，虽然经过沟通，有时也未能达成一致。在这种情况下，专门委员会之间对法律案重要问题意见不一致，依照本条的规定，应当向委员长会议报告。

委员长会议是常委会的核心机构，也可以说是领导机构，但它不具有行政领导职能，它负责处理常委会的日常工作，为常委会行使职权服务，并不代替常委会行使职权。委员长会议根据需要不定期召开。但由于每次常委会的会期、会议议程草案、交常委会审议的议案都要由委员长会议决定，因此，在每次常委会召开前，都要举行委员长会议；同时，又由于交付表决的议案要由委员长会议提请常委会表决，在每次常委会期间，也要召开委员长会议。委员长会议由委员长召集并主持，委员长可以委托副委员长主持会议。

本条规定专门委员会之间对法律草案的重要问题意见不一致时，应当向委员长会议报告，委员长会议可以就有关问题听取有关专门委员会的介绍，进行研究，提出解决的意见。对于该法律制定的必要性、可行性有重大分歧意见的，委员长会议可以提出将法律案搁置，暂不列入下次常委会会议议程。

第三十六条　列入常务委员会会议议程的法律案，法律委员会、有关的专门委员会和常务委员会工作机构应当听取各方面的意见。听取意见可以采取座谈会、论证会、听证会等多种形式。

法律案有关问题专业性较强，需要进行可行性评价的，应当召开论证会，听取有关专家、部门和全国人民代表大会代表等方面的意见。论证情况应当向常务委员会报告。

法律案有关问题存在重大意见分歧或者涉及利益关系重大调整，需要进行听证的，应当召开听证会，听取有关基层和群体代表、部门、人民团体、专家、全国人民代表大会代表和社会有关方面的意见。听证情况应当向常务委员会报告。

常务委员会工作机构应当将法律草案发送相关领域的全国人民代表大会代表、地方人民代表大会常务委员会以及有关部门、组织和专家征求意见。

【释义】　本条是关于各专门委员会和常委会工作机构采取多种形式听取对法律案意见的规定。

深入推进科学立法、民主立法是提高立法质量的根本途径。

党的十八届三中、四中全会对深入推进科学立法、民主立法提出了一系列要求，在立法法审议和听取意见过程中，常委会组成人员、代表、专家和社会公众也提出了许多好的意见和建议。党的十八届四中全会决定提出："健全立法机关主导、社会各方有序参与立法的途径和方式。"此次立法法修改，总结实践做法和经验，认真贯彻落实党中央决策部署，对常委会在立法过程中广泛听取各方面意见的规定，作了进一步完善，主要是对立法论证会、听证会以及法律草案印发征求意见的范围作了完善和细化。

一、座谈会

座谈会是发扬民主的一种传统方式，运用于我国民主生活的各个方面。在立法中，座谈会是由有关法案起草单位、审议机关或者审议机关的工作机构根据需要，邀请与该法案有关的机关、团体、企业事业单位和有关方面的专家，对法律草案的内容进行座谈讨论、发表意见。座谈会的主要特点是简便易行，便于深入讨论问题。在立法工作中，随时可以根据需要举行座谈会，参加座谈会的人员可以包括方方面面，也可以根据需要只邀请某一方面的人员。座谈内容可以是一个法案的全部，也可以只就法案中若干重点问题进行专题座谈。座谈会对发言顺序、发言时间、发言次数等一般不作限制，发言可长可短，可以相互讨论，主持人可以把各方面对法案的不同意见介绍给座谈会参加人员，使与会人员可以从各种不同角度思考问题，主持人也可以参与发表意见，从而使讨论得以展开和深入，特别是对一些难点、焦点问题，通过讨论便于达成共识。

根据需要，座谈会在常委会会议初审、二审后都有可能召开。为了提高工作效率，座谈会可以由法律委员会、有关的专门委员会和常务委员会工作机构联合召开。参加人员包括有关机关组织、地方、专家学者和利害关系人等，一般是分类召开几个座谈会。

二、论证会

党的十八届四中全会决定中指出，探索建立有关国家机关、社会团体、专家学者等对立法中涉及的重大利益调整论证咨询机制。此次立法法修改，新增一款，对论证会作了规定。

论证会根据需要举行，主要是针对法律案中技术性较强的问题，邀请有关专家对其合理性和可行性进行研究论证，求得比较权威的意见，供常委会审议时参考。如果说座谈会、听证会两个制度主要是解决立法的民主性问题，那么论证会制度主要是解决立法的科学性问题。论证会的主要特点是专业性强、权威性高。论证会所要研究讨论的问题，是法案中涉及专业性、技术性较强的问题，不是一般性的问题。参加论证会的人员必须是对法案所涉及的有关专业、技术问题有较深造诣的专家。专家发表意见主要是对法案所涉及的有关专业、技术问题，从科学性、可行性角度进行论证。由于参加论证会的人员都是某一方面的专家，他们所发表的意见有充分的论据支持，因此，论证意见具有很高的权威性，对立法具有重要的影响甚至具有决定性的影响。为了保证论证意见的客观、公正，举办单位在邀请论证会参加人员时，应当使持各种不同意见的专家都有代表参加，发表意见。

法律案有关问题专业性较强，需要进行可行性评价的，应当召开论证会。2002 年文物保护法修订时，法律委员会和法制工作委员会联合召开了有文物行政部门、博物馆、文物商店负责人，文物收藏者、文物专家、法学专家以及工商行政管理部门负责人参加的论证会，就馆藏文物和民间文物的管理问题进行了集中研讨。食品安全法修订时，为了充分听取各方面的意见，曾就召开食品安全码问题召开论证会。此次立法法修改，曾就

“税收法定”、“城市管理”等专业性较强的问题，专门邀请专家和有关方面，召开论证会。论证会邀请的参会人员，既可以是有关专家、相关部门，还可以是相关领域的全国人民代表大会代表。论证情况应当向常务委员会报告。

三、听证会

2000 年审议通过的立法法规定，列入常委会会议议程的法律案，应当听取各方面的意见，听取意见可以采取座谈会、论证会、听证会等多种形式。至此，听证制度正式进入立法领域。此次立法法修改对听证会作了进一步完善和细化。

听证会较之以往普遍实行的座谈会有其优越性，它的透明度更高，对问题的调查更深入、充分。第一，立法听证会经过利害关系各方及专家的直接陈述、辩论和举证，便于立法机关获得新的资料，有利于进一步了解情况，发现新的事实。第二，有利于充分反映民意。立法听证会通常邀请利害关系人、利益群体和有关专家参加，从而可以使矛盾得到比较充分的暴露，减少立法的盲目性，使立法更加切实可行。第三，立法听证会能够使法案得到充分的审查和讨论，在辩论中使不同意见逐步减少，有利于化解矛盾，使法律更能为大多数人所接受，为法律的出台和今后的执法工作打下基础。第四，通常情况下，听证会要公开举行，参与者在参加立法听证的同时，也受到了深刻的民主法制教育，有利于法制的宣传。

“听证”一词来源于普通法，最初是指司法听证。后来这一制度从英国传到美国，美国把它移植到立法和行政中，目的是为了加强立法和行政的民主化。“二战”后，立法听证又传入了日本和拉丁美洲等受美国法影响较大的国家。20 世纪 60 年代以来，随着行政权力的不断膨胀，西方社会加强公众参与立法和行政事务的呼声越来越高，美国法律中规定的立法听证制度，受到了西方社会的普遍认同。美国的听证会程序大致包括以下几个内容:一是发出通知,包括听证法案的性质、内容,听证会的时间、地点、程序,主持听证会的机关和有关法律依据,立法过程中对该法律的主要争论焦点。通知往往是在联邦公报或者报刊上刊登,有时也采取公告方式。二是给利害关系人参与听证的机会,使他们得以在听证会上发表自己的意见,提出立法建议。参加听证的各方可以就有关问题展开辩论,提出证据支持自己的主张。三是证人发言后对证人提问。听证会涉及的有关人员有义务到国会及其委员会作证或者提供证词,不出席或者不提供证词的,国会有权依法采取强制措施。在美国举行听证会,特别注意发挥院外利益集团的作用。当某个法案涉及某个利益集团时,听证会一定要听取他们的意见,如制定一个有关核电站的法案,就要听取有关环保组织的意见,同时还要听取有关公民和相关企业的意见。主持听证会的有关委员会不发表意见,可以简单介绍法律的主要问题和收集到的情况,让参加听证的人在听证会上进行充分辩论,由国会议员了解这些意见后,自己作出判断,在今后的审议中发表意见。

2005 年 9 月,全国人大法律委员会、财经委员会和全国人大常委会法工委曾共同举行个人所得税工薪所得减除费用标准听证会。从立法法出台到 2013 年 11 月,各地有二十九个省级人大常委会共举行了八十二次立法听证会。地方人大组织的听证会,主要有以下几个特点:第一,从听证的法规上看,涉及面较广。听证最多的是消费者权益保护法规、物业管理法规和道路交通安全法规等。第二,从听证的事项上看,大多数是就法规中直接涉及群众切身利益、社会普遍关注的问题或是意见分歧较大的焦点问题进行听证。如道路交通事故中死亡赔偿金和残疾赔偿金的计算标准是按城乡居民“同命同价”还是“同命不同价”，被拆迁房屋货币补偿标准等。第三，从听证陈述人的遴选上看，基本上是涉及重大利益的不同利害关系人。听证的组织机构根据拟听证的事项，按照不同利益主体或持不同观点的各方人数基本相当的原则确定陈述人，同时，考虑陈述人的代表性等因素。例如，2006 年 12 月上海市在修改绿化条例过程中，针对“扰民大树”的去与留问题进行听证，选择的二十名听证陈述人主要是意见不同的两方：一方为“护绿派”，提出是否移树或砍树要慎重决策；另一方为“移树派”，提出要保证居民住宅的通风、采光。听证陈述人具有代表性，有社区居民、业主委员会成员、居委会成员以及物业公司代表，保证了不同利益的各方都能平等发表意见、阐述观点，不同观点相互争锋，法规中的焦点问题得到充分表达、交流。第四，从听证的形式上看，一般都公开进行，形式也较为灵活。例如，山东举行过三次网上听证，全程采用网络交流方式，还就物业管理条例草案立法听证进行在线观看；上海市对绿化条例草案进行听证时，将听证会会场“搬进”社区；湖南省、浙江省在对消费者权益保护条例草案、物业管理条例草案听证时采用了直播方式。第五，从听证的结果上看，许多省份在听证后都制作了听证报告。听证报告包括听证的主要问题、听证会的基本情况、听证会参加人发言的基本观点及处理意见等。听证报告一般被用作常委会的文件或者参阅资料，供常委会会议审议法案时参考，有的根据听证意见提出对法案相应的修改建议，有的听证意见被予以采纳。

此次立法法修改，总结实践经验，对有关听证会的规定作了完善。第一，明确要求必须召开听证会的情形。法律案有关问题存在重大意见分歧或者涉及利益关系重大调整，需要进行听证的，应当召开听证会。第二，对听证会的陈述人的选择作了规定。为保证陈述人有充分的代表性，明确要求听证会要选取有关基层和群体代表、部门、人民团体、专家、全国人民代表大会代表和社会有关方面等各方面的陈述人参加。第三,规定听证会举行后,形成的听证报告要向常委会报告。

四、书面征求意见

书面征求意见,往往是在常委会会议初审后,即由常委会工作机构向有关地方和部门发出法律草案征求意见。常委会工作机构负责整理各方面的意见。党的十八届四中全会决定提出,"加强人大对立法工作的组织协调,健全立法起草、论证、协调、审议机制,健全向下级人大征询立法意见机制","建立健全法律法规规章起草征求人大代表意见制度,增加人大代表列席人大常委会会议人数,更多发挥人大代表参与起草和修改法律作用"。此次修改,根据中央要求和实践经验,完善征求意见的范围,将"相关领域的全国人民代表大会代表"、"地方人民代表大会常务委员会",明确纳入了征求意见的范围。

第三十七条 列入常务委员会会议议程的法律案,应当在常务委员会会议后将法律草案及其起草、修改的说明等向社会公布,征求意见,但是经委员长会议决定不公布的除外。向社会公布征求意见的时间一般不少于三十日。征求意见的情况应当向社会通报。

【释义】 本条是关于法律案向社会公布征求意见的规定。

在通常情况下,对列入常委会会议议程的法律案,法律委员会、有关的专门委员会和常委会工作机构都要采取多种形式听取各方面的意见,如召开座谈会、论证会、听证会,将法律草案发送有关机关、组织和专家征求意见,以及到有关地方、部门调查研究等。法律案向社会公布征求意见也是听取意见的一种重要形式。党的十八届四中全会决定中提出:"健全法律法规规章草案公开征求意见和公众意见采纳情况反馈机制,广泛凝聚社会共识。”根据决定要求,在总结全国人大常委会法律草案公开征求意见经验的基础上,此次立法法修改将法律草案公开征求意见的规定作了完善和细化。

制定法律的过程是充分发扬民主、在民主基础上科学地集中人民意志的过程。立法的公开化是立法民主化和科学化的保证。公开立法过程,人民群众和社会各方面才得以了解情况和广泛发表意见,立法机关才得以广听博纳、集思广益。一般来说,立法制度的完善、立法民主原则的落实,总是与立法过程的公开相联系的。有的国家规定,拟定法律法规必须用公告的方式刊登消息,将法律法规名称、制定机关、立法意图及主要内容公布于众,并给予民众特别是法律法规调整的相对人通过书面或口头方式表达异议的机会。此次立法法修改,在总则中增加了立法公开的原则。法律案向社会公布征求意见,是立法公开原则的体现。

2000 年审议通过的立法法规定:“列入常务委员会会议议程的重要的法律案,经委员长会议决定,可以将法律草案公布,征求意见。”自新中国成立初至十届全国人大常委会任期结束这段时期,法律草案公开征求意见工作虽然有多次实践并收到很好的效果,但此前只将比较重要的法律草案进行公布,征求意见。2008 年 4 月,十一届全国人大常委会委员长会议第二次会议决定,为进一步推进科学立法、民主立法,今后全国人大常委会审议的法律草案,一般都予以公开,向社会广泛征求意见。全国人大机关先后通过了《全国人大机关向社会公布法律草案工作程序》和《关于做好法律草案向社会公开征求意见工作的实施意见》,对法律草案网上公布征求意见的程序作了详细规定。

从 2008 年 4 月起,全国人大常委会会议审议的法律草案一般都在中国人大网站上公开征求意见。目前法律草案在常委会会议审议以后,由法工委提出法律草案及其说明,报常委会秘书长批准后送办公厅信息中心在中国人大网站公布,时间一般为一个月。十二届全国人大以来,对二审后的法律草案也公开征求意见。对网上征求意见,立法工作机构高度重视:一是指派专人,全程跟踪,每天查阅反馈意见,重要意见和动态随时报告。二是征求意见时间截止后,认真归纳、综合整理,编印社会公众意见简报,并作为立法参阅资料印发常委会会议。三是深入研究,对合理意见予以采纳吸收。如人民群众普遍关注的车船税法,草案全文公布后一个月内,就收到各方面的意见近十万条,法工委进行了认真梳理分析,并及时向社会作出反馈。考虑到我国乘用车保有量的87%左右都是中小排量,而且主要由广大工薪阶层使用的实际情况,根据大多数人的意见,对草案进行了重要修改,既不增加广大群众的税负,又有利于促进节能减排。法律草案在网上普遍公开的做法,引起了各方面很大关注,获得舆论的热烈欢迎,收到了很好的社会效果。社会公众与媒体普遍认为,网上公布法律草案征求意见是全国人大常委会积极推进科学立法、民主立法的一项重要举措,对于人民群众充分反映自己的意见和愿望;对于集思广益,凝聚共识,做好立法工作;对于宣传普及法律常识,增强全社会法律意识;对于国家行政机关、审判机关、检察机关等更好地贯彻实施法律,都具有重要意义。

列入常务委员会会议议程的法律案,除委员长会议决定不予公开的之外,通常都向社会公布,征求公众意见。自2008年4月以来,全国人大常委会审议的法律案只有两部因为涉及事项比较敏感,未向社会公布征求意见。向社会公布的内容,除法律草案外,还应当包括起草、修改的说明等。这样做有利于社会公众了解法律草案的背景、要解决的主要问题、起草时的考虑等，从而使公众更快地了解法律草案，提出的意见更有针对性。向社会公布征求意见的时间一般不少于三十日。通常在当次常委会结束后将法律草案及其起草、修改的说明等向社会公布。“三十日”给公众留有充分发表意见的时间。征求意见的情况应当向社会通报。

第三十八条　列入常务委员会会议议程的法律案，常务委员会工作机构应当收集整理分组审议的意见和各方面提出的意见以及其他有关资料，分送法律委员会和有关的专门委员会，并根据需要，印发常务委员会会议。

【释义】　本条是关于常委会工作机构整理各方面关于法律草案的意见的规定。

常委会组成人员审议法律案，一方面要进行调查研究，根据自己了解的有关情况发表对法律案的意见；另一方面要依据会议提供的文件，如各方面对法律草案的意见以及制定该法律的一些背景情况。因此，提供内容丰富而又有参考价值的会议文件是保证立法工作顺利进行的必要前提条件。在常委会审议法律案的过程中，印发常委会会议的立法参阅资料和有关立法工作的文件主要由常委会工作机构负责提供。

通常情况下，常委会工作机构为整理与立法有关的材料，要做以下几项工作：第一，在审议法律案以前，将制定该法律需要了解的背景情况和相关问题整理成参阅资料，在审议该法律草案时，印发常委会会议。第二，在常委会会议审议法律案过程中，常委会工作机构要安排工作人员到六个小组认真听取意见，并作详细的记录，会后将意见归纳整理。一方面将意见分送法律委员会和有关的专门委员会，以便对法律草案作进一步修改；

另一方面根据会议的需要将整理的简报印发下次常委会会议，供常委会组成人员再次审议该法律案时参考。第三，在常委会闭会期间，要将采取多种形式征求的意见（包括法律委员会、有关的专门委员会和常委会工作机构召开座谈会、论证会、听证会听取到的各方面意见，法律草案发送相关领域的全国人大代表，地方人大常委会，有关部门、组织和专家征求的意见，法律草案向全社会公布征求的意见）进行整理，送法律委员会和有关的专门委员会，并根据需要印发常委会会议。

第三十九条　拟提请常务委员会会议审议通过的法律案，在法律委员会提出审议结果报告前，常务委员会工作机构可以对法律草案中主要制度规范的可行性、法律出台时机、法律实施的社会效果和可能出现的问题等进行评估。评估情况由法律委员会在审议结果报告中予以说明。

【释义】　本条是关于法律案通过前评估的规定。

这一内容是立法法此次修改新增加的条文。十二届全国人大常委会以来，常委会领导提出提高立法质量，增强法律的可执行性和可操作性的要求。根据常委会领导的要求和部署，全国人大常委会法工委开始实施法律案通过前评估。2013 年 4 月，全国人大常委会法工委对旅游法开展了首次通过前评估。此后，全国人大常委会法工委先后对多部法律案开展了通过前评估。为提高通过前评估的质量，真正实现通过前评估的目标，积累了经验。选好评估会的各方面的代表以及做好评估会的准备工作，对提高评估会的质量，非常重要。例如，2014 年 8 月，全国人大常委会法工委召开了安全生产法修正案草案的出台前评估会。为提高评估会质量，增强参会人员的代表性，在有关方面推荐的基础上，评估会共邀请全国人大代表、专家学者以及生产经营单位、有关行业协会和技术管理服务机构、地方政府以及安全生产监督管理部门等方面的二十三人参加。从参会代表组成看，既有矿山、建筑等生产单位的代表，也有轨道交通运营、商场等经营单位的代表；既有企业主管安全生产的负责同志，也有生产一线安全管理人员；既有有关部门的代表，也有基层乡镇和街道办事处的同志；既有发达省份的代表，也有来自工业集中省份的代表。在选取代表时，既考虑其行业、职业背景，也充分考虑其单位、职务情况。所有参会代表均未直接参与过安全生产法修正案草案的起草和审议工作。为使参会代表充分做好准备，会前，法工委将草案修改稿印发全体代表，安排半天时间供参会代表研读草案内容。法工委有关同志就草案的起草过程、主要内容、审议和修改情况向各位代表作了详细说明，并就参会代表提出的一些具体问题作了解答。

通过前评估作为民主立法、科学立法的一项创新举措，在提高立法质量，增强立法的可操作性等方面，发挥了很好的作用，也受到了多方的肯定。这个做法也逐渐成为了在全国人大常委会立法通过前的“常规动作”。另外，有的地方如广东省也在同时期开展了地方性法规的通过前评估，取得了很好的社会效果。此次立法法修改在听取意见和调研过程中，一些常委会委员、专家和地方建议总结立法实践经验，将该做法在立法法中明确下来。全国人大常委会法工委根据实践经验，对法律案通过前评估的对象、开展评估的时间、评估的内容、评估的主体以及评估情况的应用等在本条中作了规范。

法律案通过前评估的对象是拟提请常务委员会会议表决通过的法律案。法律案通过前评估的时间是法律委员会提出审议结果报告前。根据本法第三十三条的规定，列入常务委员会会议议程的法律案，由法律委员会对法律案进行统一审议，并对拟提请表决的法律案提出审议结果报告和法律草案修改稿。法律案通过前评估的时间要安排在此次法律委员会全体会议之前。法律案通过前评估的内容主要是法律草案中主要制度规范的可行性、法律出台时机、法律实施的社会效果和可能出现的问题等。在法律草案经过反复研究论证、多次听取意见及修改，已经比较成熟拟提请表决时，再召开评估会，主要听取的就是各方面对制度规范的可行性、法律出台时机、法律实施的社会效果和可能出现的问题等方面的评估意见，而不是再泛泛地听取意见了。评估情况，作为法律草案是否成熟可行，是否适宜提请常委会会议表决通过的重要参考意见，要在法律委员会的审议结果报告中予以反映。

第四十条　列入常务委员会会议议程的法律案，在交付表决前，提案人要求撤回的，应当说明理由，经委员长会议同意，并向常务委员会报告，对该法律案的审议即行终止。

【释义】　本条是关于列入常委会会议议程的法律案撤回的规定。

提出法案的目的是为了使之在立法会议上获得通过，制定成为法律。但由于一些原因，如情势变迁，原法案已失去意义或由于立法时机不成熟，也允许提案人撤回已提出的法案。一般来说，提案人有权提出法律案，也有权撤回法律案。撤回法律案的权利是由提案人有权提出法律案派生出来的。外国议会关于提案撤回问题大致有以下几种规定：一是提案未经附议以前，提案人可以随意撤回；二是提案经附议后，提案人如果要求撤回，必须征得附议人的同意；三是提案已为主席接受或交付会议讨论，提案人要求撤回的，要由主席征得全体议员同意后才能撤回；四是提案被修正后，不得撤回。

立法法规定,法律案在列入常委会会议议程前,提案人要求撤回的,撤回即时生效,常委会即不列入会议议程。但是,如果法律案已经列入会议议程,提案人要求撤回法律案,则必须符合以下条件:第一,提案人撤回法律案必须是在法律案交付表决之前,因为法律案一旦交付表决,获得通过,就成为法律,自然不能再由提案人撤回;如果法律案交付表决未获通过,依照立法法规定提案人可以重新提出,也不存在撤回问题。第二,如果提案人是常委会组成人员十人以上联名,在所提出的法律案要求撤回时,必须是原提案人全体或过半数以上提出请求,如果是少数提案人提出,不能要求撤回。当然对于提案人是机关的,通常不会出现这种情况,但如果该法律案是两个以上有提案权的机关联合提出的,要求撤回时,也需要协商一致,共同向常委会提出撤回要求。第三,提案人撤回法律案要说明理由,经委员长会议同意并向常委会报告后,对该法律案的审议才终止。依照全国人大常委会议事规则的规定,提案人要求撤回议案,经委员长会议同意,会议对该议案的审议即行终止。在制定立法法的过程中,最初的草案基本沿袭了全国人大常委会议事规则的规定。但一些常委会组成人员提出,提案人要求撤回法律案,应当说明撤回的理由。因为法律案一旦列入常委会会议议程,就不再属于提案人,不能说撤回就撤回,要撤回必须要有充足的理由。还有一些常委会组成人员提出,已经常委会会议审议的法律案,只经委员长会议同意即可终止审议,不严肃,建议改为经常委会同意或规定得更详细些。立法机关采纳了各方面的意见,明确规定法律案列入会议议程后,提案人要求撤回的,应当说明理由,经委员长会议同意,并向常务委员会报告,会议对该法律案的审议即行终止。

第四十一条　法律草案修改稿经常务委员会会议审议，由法律委员会根据常务委员会组成人员的审议意见进行修改，提出法律草案表决稿，由委员长会议提请常务委员会全体会议表决，由常务委员会全体组成人员的过半数通过。

法律草案表决稿交付常务委员会会议表决前，委员长会议根据常务委员会会议审议的情况，可以决定将个别意见分歧较大的重要条款提请常务委员会会议单独表决。

单独表决的条款经常务委员会会议表决后，委员长会议根据单独表决的情况，可以决定将法律草案表决稿交付表决，也可以决定暂不付表决，交法律委员会和有关的专门委员会进一步审议。

【释义】　本条是关于法律草案表决通过程序的规定。

一、什么是表决制度

常委会对法律草案进行充分审议后，必须交付全体会议表决通过才能成为正式法律。因此，对法律案的表决是立法程序中不可缺少的重要环节。常委会是集体行使职权，适用“少数服从多数”的原则，只有通过表决才能判断常委会组成人员对法律案赞成与反对的多寡，从而确认该法律案是否获得通过，是否具备法律效力。

根据立法法的规定，列入常委会会议议程的法律案，一般经过三次常委会会议审议后，只要不存在重大问题即可以交付表决。对于各方面意见比较一致的法律案，可以经两次常委会会议审议就交付表决。调整事项较为单一或者对现有法律仅进行部分修改的法律案，各方面的意见比较一致的，也可以经一次常委会会议审议即交付表决。法律委员会在常委会会议期间根据常委会组成人员的审议意见，对审议的法律草案修改稿作进一步修改，提出法律草案表决稿和修改意见的汇报，交委员长会议，由委员长会议决定将法律草案表决稿提请常委会全体会议表决，经常委会全体组成人员的过半数通过。

关于表决通过法律的方式，各国规定有所不同，归纳起来大约有九种：呼喊表决、举手表决、起立表决、分组列队表决、点名表决、投票表决、掷球或作记号表决、使用表决器表决、鼓掌欢呼表决。在我国，根据全国人大常委会议事规则的规定，常委会表决议案，采用无记名方式、举手方式和其他方式。从全国人大常委会的立法实践看，1986 年 3 月以前一直是采取举手表决方式，自 1986 年 3 月六届全国人大常委会第十五次会议开始，采用电子表决器进行表决。电子表决器是不记名的，常委会组成人员通过按电子表决器，表达自己对法律案的意见，可以赞成，可以反对，也可以弃权，法案获得常委会全体组成人员的过半数的赞成票，即为通过。

关于表决通过所需要的法定人数和计算基准，各国的规定也不尽相同，一般说，表决通过所需要的法定人数的多少，主要取决于法案的重要程度。例如，对宪法的表决，通常都要求有三分之二的多数票才能通过，而对一般法律，过半数即可。我国法律也是这样规定的。表决应以法定票数通过，但对于计算基准各国规定有所不同，各国的表决一般有以下三种计算基准：第一，出席表决比例制。这种方式以出席而参加表决的人数为计算基准，出席而不参加表决（弃权或投白票）的不计算在内。例如，出席会议一百五十人，有三十人弃权，一百二十人参加表决，如采用过半数决议制，则得六十一票及以上的一方获得通过。第二，出席会议比例制。这种方式以全体出席人数为计算比例的基准，而不问其参加表决与否。如出席会议一百五十人，以过半数为通过决议的基准，则获得七十六票及以上即通过。第三，全体成员比例制。这种方式以全体议员人数为计算比例的基准,而不问其是否出席或是否参加表决。如议员总数一百五十人,出席会议一百二十人参加表决,仍需获得七十六票及以上方能通过。采用这种方式,强调立法机关成员应尽可能到会,并参加表决。我国全国人大常委会采取的是第三种计算方式,是绝对多数的原则,是以常委会全体组成人员的过半数通过为标准。因此,全国人大常委会议事规则规定,常委会会议必须有常委会全体组成人员的过半数出席,才能举行,是同常委会表决方式相呼应的。

表决是法案通过的必经程序,但经过这一程序的法案并不是都能得以通过。全国人大常委会行使立法权以来,绝大多数法律草案都能较顺利地得以通过,有几部法律还是由出席会议的全体组成人员全票通过的,第一部全票通过的法律是体育法,在1995年八届全国人大常委会第十五次会议上全票通过,后来又有行政复议法等法律也获得了全票通过。但也有个别法律草案因不够成熟,交付表决后未获通过。如九届全国人大常委会第九次会议上,国务院提交的公路法修正案,由于赞成票等于常委会全体组成人员的半数,而未超过常委会全体组成人员的半数而未获通过。

对于未通过的法案如何处理,一些国家有相应的规定。例如,葡萄牙有关法律规定,政府提出的法案,如没有付诸表决,随其卸任而失效。表决中被否决的法案,不得在同一届会期中再次提出,除非议会改选。又如,科威特宪法规定,在同次会议期间,议员提出的法案已被国民议会否决,不得再次提出。立法法根据我国的实际情况规定交付常委会表决的法律案未获通过,如果提案人认为必须制定该法律,可以按照法律规定的程序重新提出,由委员长会议决定是否列入会议议程。如果委员长会议决定列入会议议程,常委会可以对该法律案重新进行审议。

二、关于设立单独表决制度的背景

2014年，党的十八届四中全会通过的《中共中央关于全面推进依法治国若干重大问题的决定》指出，完善法律草案表决程序，对重要条款可以单独表决。根据中央这一精神，立法法对表决程序作了相应修改，在本条第二款中规定，“法律草案表决稿交付常务委员会会议表决前，委员长会议根据常务委员会会议审议的情况，可以决定将个别意见分歧较大的重要条款提请常务委员会会议单独表决”。

法律案的表决程序，有整体表决和单独表决之分。全国人民代表大会组织法、全国人大议事规则、全国人大常委会议事规则和修改前的立法法均未明确规定单独表决制度，全国人大及其常委会表决一直采用整体表决程序。所谓整体表决，就是人大常委会会议对一个法律案的整体进行表决，组成人员只能对法律案的整体投赞成、反对或者弃权票，而不能单独对其中某个章节或者某个条款表示赞成、反对或者弃权。一般来说，在审议中，常委会组成人员对一个法律案的多数条款往往是能够取得一致意见的，分歧较大的仅是少数章节甚至个别条款。但在整体表决模式下，由于常委会组成人员只能笼统地表示赞成、反对或者弃权，不能具体地表达其意志，从而可能产生两种情况：一种情况是有的常委会组成人员即使不赞成个别条款，但为了保证整部法律案的通过，也只能投赞成票；另一种情况是常委会组成人员可能会把对个别条款的反对扩大到对整个法律案的反对，拖延整部法律的出台。

当前，中国特色社会主义法律体系业已形成，我国进入全面建成小康社会、全面深化改革、全面推进依法治国的新阶段。在新形势下，要进一步提升立法的科学性、民主性，增强法律的针对性和可执行性。法律案的表决是立法的最后环节，它既是之前立法程序的延续，也是法律案成为法律，从而具有法律强制力的关键一环。实行更为精细的表决制度，对重要条款进行单独表决，有利于进一步提升立法的民主性和科学性，是新形势下提高立法质量的有效途径。

所谓“单独表决”，是指由参加表决者（全国人大常委会组成人员）对法律草案中分歧意见较大的重要条款先行单独表决，再就整个草案进行表决的方式。对重要条款单独表决，可以使立法中的问题更加明确，审议的焦点更为集中，能够避免法律草案因个别条款有争议而久拖不决，难以出台，有利于提高立法质量和效率。党的十八届四中全会后，地方上开始从制度上和实践上试水单独表决。2014 年 11 月，广东省人大常委会通过了《关于对法规案中个别重要条款单独表决的决定》。在 2015 年 1 月 13 日，广东省人大常委会首次对法规案中的重要条款进行单独表决，《广东省环境保护条例（修订草案表决稿）》第十九条表决通过，五十四人赞成，八人弃权；紧接着，该修订草案表决稿表决获得通过。

三、关于单独表决的适用

（一）时间条件

适用单独表决的时间条件是，在法律草案表决稿交付常务委员会会议表决前。之所以定在这样一个时间点，是由于到了表决前，对法律草案的审议已经相当充分，常委会组成人员的相关意见已经得到充分表达，法律案中的矛盾焦点已经十分明确。委员长会议此时可以作出准确的判断，是否存在某些重要条款意见分歧较大的情况，并据此作出是否将这些条款拿出来提请常委会会议单独表决的决定。

（二）实体条件

适用单独表决的实体条件是，存在个别意见分歧较大的重要条款。这里有三点原则需要把握:一是个别条款原则。如果分歧意见较大的条款比较多,那么就说明整个法律案还不够成熟,各方面意见都还没有达成一致,就不宜急于交付表决,可以由委员长会议决定暂不付表决,经进一步修改完善后,再提交以后的常委会会议审议。二是意见分歧较大原则。所谓"分歧较大",要在实践中具体由委员长会议根据法律案的整体情况、个别条款的重要程度以及审议情况来作出具体分析和判定。如有些条款涉及十分专业的问题,对于大多数常委会组成人员来说,因为专业所限无法提出有针对性的审议意见而都持不反对的态度;如果本专业领域的组成人员提出了不同的意见,虽然人数占比小,但他们的意见却是十分重要的,那么这一专业性的条款也可视为意见"分歧较大"的条款。三是重要条款原则。所涉意见分歧较大的条款,应当是一个法律案或者其中重要章节中的核心性、支架性的条款。

(三)程序条件

适用单独表决的程序条件是,由委员长会议决定,提请常委会会议表决。根据本法的规定,对法律草案表决稿是由委员长会议提请常委会全体会议表决的;同样的,对个别条款是否交付表决,也由委员长会议决定。

四、单独表决后的处理程序

个别条款被委员长会议提请常委会会议单独表决后,可能产生两种后果:该条款获得常委会全体组成人员的过半数同意而获得通过,或者没有获得过半数同意而遭到否决。一般情况下,在个别条款获得单独表决通过后,委员长会议就可以决定将法律草案表决稿交付常委会会议表决;而在个别条款未获单独表决通过的情况下,委员长会议可以决定暂不将法律草案付表决,而交由法律委员会和有关的专门委员会进一步审议,待修改完善后,再提请以后的常委会会议审议;也可以根据情况,删除未获单独表决通过的个别条款,将法律草案交付表决。

第四十二条　列入常务委员会会议审议的法律案,因各方面对制定该法律的必要性、可行性等重大问题存在较大意见分歧搁置审议满两年的,或者因暂不付表决经过两年没有再次列入常务委员会会议议程审议的,由委员长会议向常务委员会报告,该法律案终止审议。

【释义】　本条是关于法律案终止审议的规定。

对于列入常委会会议审议过的法律案,如果存在重大问题,经多次研究、修改仍不宜或者不能继续审议,应当如何处理,在以往的法律中,没有明确的规定。2000 年立法法制定时,针对这一问题,规定了法律案终止审议的程序,为决定法律案终止审议提供了法律依据。

实践中,列入常委会会议议程的法律案不能按正常程序进行表决的,大致有两种情况:一是,在常委会会议一审或者二审过程中,发现法律案尚不成熟或者对于制定该法律的必要性、可行性各方面还存在较大意见分歧,需要进一步研究,委员长会议根据这一实际情况,将该法律案交法律委员会或者有关的专门委员会进一步研究,提出审议意见。该法律案暂不列入下次常委会会议议程,使法律案处于搁置状态。二是,法律草案表决稿交付常务委员会会议表决前,委员长会议根据常务委员会会议审议的情况,决定将个别意见分歧较大的重要条款提请常务委员会会议单独表决。单独表决的条款经常务委员会会议表决后,委员长会议根据单独表决的情况,可以决定将法律草案表决稿交付表决,也可以决定暂不付表决,交法律委员会和有关的专门委员会进一步审议。因暂不付表决经过两年没有再次列入常务委员会会议议程审议的由委员长会议向常务委员会报告，该法律案终止审议。但通常情况下，有的法律案由于基础较差，在制定的必要性上存在问题，有的立法的时机尚不成熟，在短时间内没有再次提交常委会审议或者交付表决的可能，对于这类法律案如何处理，在立法程序上有一个交代是十分必要的。1993年八届全国人大常委会第四次会议审议了国家勋章和荣誉称号法（草案），后因该法律案有一些问题需要进一步研究被搁置，由于当时没有明确的法律依据，对该法律案是否还应当继续审议不明确。本条就是考虑到我国立法的实际情况，规定了一个两年的时限，规定法律案搁置审议满两年的，或者因暂不付表决经过两年没有再次列入常务委员会会议议程审议的，由委员长会议向常委会报告，该法律案终止审议。

在特定情况下，对常委会审议过的某些法律案终止审议，这里有两个问题需要注意：第一，在这个程序中，只有委员长会议有权向常委会提出法律案终止审议的意见，专门委员会无权决定法律案终止审议。这与有的国家的规定不同。在美国，委员会掌握着法案的取舍大权，凡委员会不向大会提出报告的，法案即被取消。第二，搁置审议满两年的，或者因暂不付表决经过两年没有再次列入常务委员会会议议程审议的时间计算，应当是搁置或者决定暂不付表决后没有再进入常委会的审议程序满两年；如果这期间常委会对该法律案又进行了审议，审议后又被搁置或者暂不付表决，计算时间应当从再一次被搁置或者决定暂不交付表决时计算。

第四十三条　对多部法律中涉及同类事项的个别条款进行修改，一并提出法律案的，经委员长会议决定，可以合并表决，也可以分别表决。

【释义】　本条是关于分别表决的规定。

党的十八届四中全会提出，完善法律草案表决程序。中央提出的这一要求，不仅反映在本法第四十一条规定的重要条款单独表决上，也反映在本条的分别表决中。与单独表决一样，分别表决也是推进立法科学化和民主化的重要途径。

分别表决的前提是，对多部法律中涉及同类事项的个别条款进行修改，提案人一并提出法律案。这种就多部法律的修改一并提出法律案的修改方式，被形象地称为“打包立法”。根据近年的立法实践，这一形式的立法可以分为“打包清理”和“打包修改”两种形式，其产生都有一定的历史背景。

一是“打包清理”。当前，中国特色社会主义法律体系已形成，国家经济、政治、文化、社会生活的各个方面基本做到有法可依。但是，改革开放早期制定的部分法律中的一些规定，与经济社会发展特别是社会主义市场经济的要求明显不适应；同时，由于各部门法都得到了充分发展，法律之间也产生了一些明显不一致、不协调的突出问题；有些法律规定可操作性不强，难以用国家强制力保证实施。因此，有必要对明显不适应现实要求，已基本不适用的法律予以废止；对有些法律中明显不适应社会主义市场经济和经济社会发展要求的规定进行修改；对法律之间前后不一致、不衔接，并且适用立法法规定的法律适用规则也难以解决的规定进行修改。但是，由于这样的清理式的修法，涉及的法律较多，每部法律涉及的条款很少，且修改都为法律清理性质，继续适用一法一案的标准立法模式，显然不利于提高立法效率、节约立法资源。为此，“打包立法”应运而生，即立法机关在一个法律性文件中对散布在多部法律内的有关规定，一次性地作出“打包”修改。2009 年 6 月，全国人大常委会首次采用了“打包立法”，将五十九件拟修改的法律，以一揽子“打包”的方式，在一个议案中提出，最终又以一个“修改决定”的形式出台。二是“打包修改”。党的十八大后，以习近平为总书记的党中央提出，坚持立法先行，发挥立法的引领和推动作用。凡属重大改革都要于法有据，不允许在法治轨道之外改革试点。改革中需要修改法律的可以先修改法律，先立后破，有序进行。在整个改革过程中，都要高度重视运用法治思维和法治方式，加强对相关立法工作的协调。这就意味着：一方面，立法主动适应改革和经济社会发展的需要，用立法来引领和推动改革。另一方面，改革要坚持立法先行，改革举措涉及法律立改废的，要及时启动立法程序。实践证明行之有效的，要及时上升为法律；实践条件还不成熟的、需要先行先试的，要按照法律程序特别授权；对不适应改革要求的法律，要及时修改和废除。曾经出现过的，为了改革而突破法律，甚至所谓的“善意违法”，将不能继续存在。政府要依法推进行政审批制度改革和政府职能转变，进一步激发市场、社会的创造活力，必须有相关法律的支撑。因此，截至2014年年底，国务院三次提请全国人大常委会对部分法律进行“打包”修改，分别是：2013年6月修改文物保护法等十二部法律，2013年12月修改海洋环境保护法等七部法律，2014年8月修改保险法等五部法律。这三次修改，与法律清理一样，都采取了一揽子“打包”的方式，在一个议案中提出，最终以一个“修改决定”的形式出台。在很大程度上提升了立法效率，节约了立法资源。

但是，在“打包立法”的过程中，一些常委会组成人员和人大代表认为，有些“打包修改”可能涉及某部或者某几部法律中重要制度的修改，不宜一并采取合并表决的方式，建议在此种情况下，采取逐个分别表决的方式。本条作出规定，“打包”修改法律，一并提出法律案的，经委员长会议决定，可以合并表决，也可以分别表决。2015 年 4 月，国务院提请全国人大常委会审议药品管理法等二十六部法律的修正案（草案）的议案。这个议案主要修改行政审批制度改革、工商登记改革和价格改革的内容。常委会会议对这个议案进行了审议，有些常委会组成人员提出，有些法律的修改只分别涉及取消和下放行政审批、工商登记前置审批改为后置审批以及价格改革的内容；有些法律的修改同时涉及上述两个或三个方面内容，建议根据情况，对修正案草案修改的法律进行梳理并适当分类，分别进行表决。有些常委会组成人员对修正案草案中的特种设备安全法、药品管理法、文物保护法三部法律的修改提出了一些问题，建议进一步说明或暂不付表决。最终，全国人大常委会对国务院“打包”提请修改的二十六部法律作了拆分，分别通过了关于修改港口法等七部法律的决定、关于修改电力法等六部法律的决定、关于修改义务教育法等五部法律的决定、关于修改计量法等五部法律的决定，以及关于修改药品管理法的决定和关于修改文物保护法的决定。对特种设备安全法的修改，则暂不付表决。此外，一些地方早些年已经开始试行分别表决。2006 年 12 月，湖北省人大常委会审议《关于确认省人民政府规章设定的七项行政许可事项继续实施的决定（草案）》后，对有争议的七项行政许可事项进行分项表决，其中“家电维修范围技术核准证核发”一项行政许可事项被否决，会议随后通过整个决定的其他内容。

根据本法规定，采取合并表决还是分别表决，由委员长会议根据法律草案的内容和审议的情况作出决定。

第四十四条　常务委员会通过的法律由国家主席签署主席令予以公布。

【释义】　本条是关于公布全国人大常委会通过的法律的

规定。

关于法律的公布，在本书对第二十五条的释义中已有较为详细的阐释，在此不再赘述。需要进一步说明的是，关于公布法律的程序，大致分为两个步骤：第一个步骤是签署，即由国家元首依法在公布文件上签字，以证明该项法律是依法制定的，并证明该项法律与立法机关所通过的完全一致；第二个步骤是刊告，即将国家元首签字的法律，刊登在正式的刊物（公报）和其他法律规定的载体上。我国也不例外，根据本法规定，常务委员会通过的法律由国家主席签署主席令予以公布。签署公布法律的主席令载明该法律的制定机关、通过和施行日期。法律签署公布后，及时在全国人民代表大会常委会公报和中国人大网以及在全国范围内发行的报纸上刊载。这点对于所有的法律，无论是全国人大通过的，还是全国人大常委会通过的，要求都是一样的。关于法律刊载的媒介，请参见本法第五十八条的释义。

第四节　法 律 解 释

第四十五条　法律解释权属于全国人民代表大会常务委员会。

法律有以下情况之一的，由全国人民代表大会常务委员会解释：

（一）法律的规定需要进一步明确具体含义的；

（二）法律制定后出现新的情况，需要明确适用法律依据的。

【释义】　本条是关于立法解释权的归属和立法解释范围的规定。

法律解释是对法律规定的含义所作的说明和阐述。1954

年宪法、1978 年宪法和 1982 年宪法都规定，全国人大常委会“解释法律”。

1955 年《全国人民代表大会常务委员会关于解释法律问题的决议》规定：“凡关于法律、法令条文本身需要进一步明确界限或作补充规定的，由全国人民代表大会常务委员会分别进行解释或用法令加以规定。”由于 1996 年以前，全国人大常委会所作的解释性决定没有明确称为“解释”，因此，对哪些属于“法律解释”的理解不尽一致。

2000 年立法法颁布施行后，全国人大常委会根据立法法的规定，共作出二十余件法律解释，主要涉及刑法、刑事诉讼法、香港特别行政区基本法、澳门特别行政区基本法、民法通则、婚姻法等法律条文。

1. 涉及刑法、刑事诉讼法的解释有：(1)2001 年 8 月关于刑法第二百二十八条、第三百四十二条、第四百一十条的解释。(2)2002 年 4 月关于刑法第三百八十四条第一款的解释，关于刑法第二百九十四条第一款的解释。(3)2002 年 8 月关于刑法第三百一十三条的解释。(4)2002 年 12 月关于刑法第九章渎职罪主体适用问题的解释。(5)2004 年 12 月关于刑法有关信用卡规定的解释。(6)2005 年 12 月关于刑法有关文物的规定适用于具有科学价值的古脊椎动物化石、古人类化石的解释，关于刑法有关出口退税、抵扣税款的其他发票规定的解释。(7)2014 年 4 月关于刑事诉讼法第七十九条第三款的解释，关于刑事诉讼法第二百五十四条第五款、第二百五十七条第二款的解释，关于刑事诉讼法第二百七十一条第二款的解释，关于刑法第二百六十六条的解释，关于刑法第三十条的解释，关于刑法第一百五十八条、第一百五十九条的解释，关于刑法第三百四十一条、第三百一十二条的解释。

2. 涉及港澳基本法的解释有:(1)2004 年 4 月关于香港特别行政区基本法附件一第七条和附件二第三条的解释。(2)2005 年 4 月关于香港特别行政区基本法第五十三条第二款的解释。(3)2011 年 8 月关于香港特别行政区基本法第十三条第一款和第十九条的解释。(4)2011 年 12 月关于澳门特别行政区基本法附件一第七条和附件二第三条的解释。

3. 涉及民法通则、婚姻法的解释是:2014 年 11 月关于民法通则第九十九条第一款、婚姻法第二十二条的解释。

立法法总结实践经验,进一步明确法律有以下情况之一的,由全国人大常委会解释:

(一)法律的规定需要进一步明确具体含义的

进一步明确法律规定的具体含义,是法律解释的基本功能,当然也是立法解释的功能。至于哪些情况需要作立法解释,一般有以下三种情况:

一是需要进一步明确法律界限的。

二是需要弥补法律规定的轻微不足的。

三是对法律规定含义理解产生较大意见分歧的。在有些情况下,有关法律执行机关对法律规定的含义产生较大意见分歧,难以达成共识,为了保证法律的正确执行,需要由立法机关对法律规定的含义作出解释,以统一各方面的认识。

(二)法律制定后出现新的情况,需要明确适用法律依据的

法律是相对稳定的,而社会是不断发展的。在法律制定后出现的新情况,如果符合原来法律规定的精神,是原来的法律规定所能包含的,则可以通过法律解释的办法,明确其法律适用依据,以减少对法律的修改,保持法律的稳定性。例如,1980 年 9 月国籍法第三条规定:"中华人民共和国不承认中国公民具有双重国籍。"但香港回归后,有些香港居民中的中国公民持有外

国护照，针对这种新的实际情况，1996 年 5 月全国人大常委会《关于〈中华人民共和国国籍法〉在香港特别行政区实施的几个问题的解释》指出："所有香港中国同胞，不论其是否持有'英国属土公民护照'或者'英国国民（海外）护照'，都是中国公民。自 1997 年 7 月 1 日起，上述中国公民可继续使用英国政府签发的有效旅行证件去其他国家或地区旅行，但在香港特别行政区和中华人民共和国其他地区不得因持有上述英国旅行证件而享有英国的领事保护的权利。"

第四十六条　国务院、中央军事委员会、最高人民法院、最高人民检察院和全国人民代表大会各专门委员会以及省、自治区、直辖市的人民代表大会常务委员会可以向全国人民代表大会常务委员会提出法律解释要求。

【释义】　本条是关于谁有权向全国人大常委会提出法律解释要求的规定。

关于法律解释的程序，宪法没有规定。立法法总结以往立法解释的实践，对法律解释规定了一个比较简易的程序，这包括四个环节：一是提出法律解释要求；二是研究拟订法律解释草案；三是审议法律解释草案；四是表决法律解释草案、公布法律解释。

根据本条规定，可以向全国人大常委会提出法律解释要求的机关，包括国务院、中央军事委员会、最高人民法院、最高人民检察院和全国人大各专门委员会以及各省、自治区、直辖市人大常委会。为什么规定这些机关可以提出法律解释要求？这是因为：第一，只有在法律执行中遇到的问题，才可以提出解释要求，不是法律执行中遇到的问题，如研究或普法中遇到的问题，可以采取讨论或法律询问的方式解决，不需要采用立法解释的方式解决。第二,在法律执行过程中遇到需要作法律解释时,应当先向其上级机关提出,上级机关能答复解决的,则无须提出立法解释要求。

法律解释要求与议案有所不同。议案是提请全国人大及其常委会审议并在审议后交付表决通过的建议。所以,议案不仅要有理由、依据,还要有具体内容,否则,全国人大及其常委会就无法进行审议,也无法交付表决。法律解释要求,是希望全国人大常委会进行法律解释的建议,一般不需要提出具体解释内容。比如,1999 年 6 月 11 日,国务院《关于提请解释〈中华人民共和国香港特别行政区基本法〉第二十二条第四款和第二十四条第二款第(三)项的议案》,虽然其名称叫"议案",但没有提出具体的解释内容,只是要求解释。

为什么法律解释不需要提出解释内容?第一,提出解释要求是因为提出者不清楚法律规定的含义,所以才要求解释。如果提出解释要求的机关能够提出具体的解释内容,说明提出者对法律的含义是清楚的,也就无须要求解释了。第二,有利于克服立法解释的部门倾向,避免使立法解释成为一些部门扩大自己权力和谋取不正当利益的工具。

第四十七条　常务委员会工作机构研究拟订法律解释草案,由委员长会议决定列入常务委员会会议议程。

【释义】 本条是关于由谁研究拟订法律解释草案和如何列入常委会会议议程的规定。

法律解释要求提出后,统一由全国人大常委会工作机构(即法制工作委员会)按照原来制定该法律的原意,研究拟订法律解释草案,由委员长会议决定列入常委会会议议程审议。例如,1999 年 6 月国务院提出解释香港基本法有关条款的要求后，就是由法制工作委员会按照基本法的立法原意，研究拟订了解释草案，由委员长会议决定列入常委会会议进行审议的。

法制工作委员会，是全国人大常委会的立法工作部门，在委员长会议领导下，负责对列入常委会会议议程的所有法律草案的具体研究、修改工作，为全国人大及其常委会、委员长会议和法律委员会审议法律案服务。本条根据过去立法解释的实践做法，明确规定由常委会工作机构（即法制工作委员会）拟订法律解释草案，有利于法律解释准确体现立法原意，也有利于保持法律解释的统一，避免法出多门，维护法律的权威和尊严。

法制工作委员会在研究拟订法律解释草案过程中，应当广泛听取各方面的意见，包括全国人大常委会其他工作机构、法律执行部门、专家学者，以及有关公民、法人和其他组织的意见。

第四十八条　法律解释草案经常务委员会会议审议，由法律委员会根据常务委员会组成人员的审议意见进行审议、修改，提出法律解释草案表决稿。

【释义】　本条是关于法律解释草案审议程序的规定。

法律解释草案列入常委会会议议程后，有说明的，先在常委会全体会议上听取法制工作委员会作法律解释草案的说明，然后由常委会分组会议进行审议。对法律解释草案，是否必须同时提出说明，立法法没有明确规定。在20世纪50年代，法律解释一般没有说明，90年代以后所作的法律解释都有相应的说明。例如，1999年6月九届全国人大常委会第十次会议就听取了法工委副主任乔晓阳同志所作的关于香港基本法有关条款的解释的说明。再如，最近一次法律解释，2014年10月十二届全国人大常委会第十一次会议听取了法工委副主任信春鹰所作的关于民法通则第九十九条第一款、婚姻法第二十二条的解释

(草案)的说明。因此,提出法律解释的议案,一般应同时提出相应的说明。

法律解释草案经常委会会议分组审议后,由法律委员会根据常委会组成人员的审议意见进行审议,提出草案表决稿。法律委员会是否提出审议结果报告,本条没有明确规定,可以根据修改情况决定。如果修改比较少,可以不提出审议结果报告;如果修改比较多,则可以提出审议结果的报告。

本条只规定法律委员会要对法律解释草案进行审议,对其他专门委员会是否进行审议,没有明确规定。如果在实践中需要有关专门委员会进行审议的,可以由委员长会议决定交由有关专门委员会审议,提出审议意见。

第四十九条　法律解释草案表决稿由常务委员会全体组成人员的过半数通过,由常务委员会发布公告予以公布。

【释义】 本条是关于法律解释草案的表决和法律解释的公布程序的规定。

法律委员会提出的法律解释草案表决稿经常委会会议审议后,如果常委会组成人员没有大的分歧意见,则由委员长会议提请常委会全体会议表决,以常委会全体组成人员的过半数通过。

法律解释由常委会发布公告予以公布。为什么没有规定法律解释由国家主席签署公布?这是因为:第一,法律解释是法律的一部分,不是一件新的法律,所以宪法规定,国家主席签署公布法律,没有规定签署公布法律解释。第二,过去的实践做法,法律解释都是由常委会公布的。但过去常委会公布法律解释都不发布公告,本条规定常委会应以公告的形式公布法律解释,使法律解释程序更加郑重和完善。

第五十条　全国人民代表大会常务委员会的法律解释同法律具有同等效力。

【释义】 本条是关于法律解释的效力的规定。

根据本条规定,全国人大常委会的法律解释同法律具有同等效力。所谓同法律具有同等效力,包括两个方面的含义:

一是在时间上,全国人大常委会的法律解释的效力同法律的效力相同。由于法律解释是对法律条文的含义所作的进一步明确,而法律规定的含义应当是法律生效时就是这样的,因此,法律解释本身没有独立的效力,它的效力取决于法律规定的效力。不论什么时候对这一含义作出解释,人们的行为应当一直都受这一规定约束,符合这一规定的要求。

当然,全国人大常委会对法律进行解释前已经作出处理的案件,特别是已经由法院作出终审判决的案件,为了维护社会关系的稳定和法院的权威,在不严重违背社会公共利益和秩序的前提下,可以视情况豁免其受解释的约束。例如,1999 年 6 月 26 日,全国人大常委会关于香港特别行政区基本法有关条款的解释,根据实际情况规定:“本解释公布后,香港特别行政区法院在引用《中华人民共和国香港特别行政区基本法》有关条款时,应以本解释为准。本解释不影响香港特别行政区终审法院 1999 年 1 月 29 日对有关案件判决的有关诉讼当事人所获得的香港特别行政区居留权。此外,其他任何人是否符合《中华人民共和国香港特别行政区基本法》第二十四条第二款第(三)项规定的条件,均须以本解释为准。”这一规定,一方面纠正了此前香港终审法院判决对香港基本法有关条款所作的错误解释,另一方面在不违背大原则的前提下,又照顾了香港终审法院作出的终审判决已经产生的实际后果。

二是在空间上,全国人大常委会的法律解释的效力同法律的效力相同。在我国的各种法律解释中，全国人大常委会的法律解释是最高的解释，其效力同法律一样，被解释的法律的效力所及范围，也就是法律解释的效力所及的范围。具体来说，全国人大常委会的法律解释对行政机关、审判机关、检察机关以及公民、法人和其他组织，都具有约束力。

需要注意的是，全国人大常委会的法律解释是对法律条文的含义作出的进一步明确，是一种抽象的解释，并不直接处理案件。全国人大常委会对法律有关条文作出解释后，具体案件如何处理，仍由有关执法机关依照各自的权限和程序办理。

第五节 其他规定

第五十一条 全国人民代表大会及其常务委员会加强对立法工作的组织协调，发挥在立法工作中的主导作用。

【释义】 本条是关于发挥人大及其常委会在立法工作中的主导作用的规定。

完善以宪法为核心的中国特色社会主义法律体系，关键在于坚持科学立法、民主立法，完善立法体制，提高立法质量。目前，许多法律草案由政府有关部门起草，部门主导立法的问题普遍存在，要么导致各相关部门因利益冲突而相互扯皮、推诿塞责，使得该立的法迟迟立不起来；要么由于部门主导而致使部门利益法律化。针对这一状况，党的十八届四中全会通过的《中共中央关于全面推进依法治国若干重大问题的决定》中提出，“健全有立法权的人大主导立法工作的体制机制，发挥人大及其常委会在立法工作中的主导作用”。理解这一规定，要把握好以下几点。

一、坚持党的领导是根本

党的领导是中国特色社会主义最本质的特征，是建设中国特色社会主义法治体系，建设社会主义法治国家的政治保证。习近平总书记强调，要充分发挥党总揽全局、协调各方的领导核心作用，善于使党的主张通过法定程序成为国家意志。立法工作是国家重要的政治活动，加强党对立法工作的领导，对于保证立法正确的政治方向，推动中央重大决策部署贯彻落实至关重要。要完善党对立法工作中重大问题决策的程序，使之制度化、规范化。凡立法涉及重大体制和重大政策调整的，必须报党中央讨论决定。党中央向全国人大提出宪法修改建议，依照宪法规定的程序进行宪法修改。法律制定和修改的重大问题由全国人大常委会党组向中央报告。立法是宪法赋予人大及其常委会的一项重要职权，在党的领导下，发挥人大及其常委会在立法中的主导作用，是新形势下坚持和完善人民代表大会制度，加强和改进立法工作的应有之义。

二、要符合坚持和完善人民代表大会制度的要求

发挥人大在立法中的主导地位，是与人大作为国家权力机关的地位和作用相适应的。立法工作必须体现和维护人民代表大会制度的根本政治制度要求。现在，我们强调要建设法治国家，社会上有人认为是要走西方法治化的道路，于是希望通过立法来改变我们的政治体制和道路选择。我们讲的改革总目标是两句话，前一句是完善和发展中国特色社会主义制度，后一句是实现国家治理体系和治理能力现代化。立法工作必须始终围绕这个总目标来进行。如果偏离中国特色社会主义制度，立法工作就会误入歧途。我们讲制度自信，首先是要对作为国家根本政治制度的人民代表大会制度充满自信，并且自始贯穿立法工作的全过程。必须确保立法实现党的领导、人民当家做主、依法

治国的有机统一，努力使每一项立法体现和尊重人民的主体地位，保证人民当家做主。

三、加强人大对立法工作的组织协调

立法工作涉及部门多，牵涉面广，程序复杂，利益焦点集中，全社会广泛关注，因此要加强人大对立法工作的组织协调。要建立健全人大与“一府两院”等有关方面的沟通协调机制、立法规划和立法工作计划督促落实机制，提高立法规划、立法工作计划的实施效果。

四、发挥人大在立法工作中的主导作用

立法是一项综合性很强的工作，人大及其常委会的主导作用应当体现在法律法规的立项、起草、审议、修改、表决等各个环节。

（一）发挥人大及其常委会在确定立法项目中的主导作用

人大及其常委会要通过每届任期的立法规划、年度立法计划，加强对立法工作的通盘考虑和统筹安排，既适应改革发展稳定的需要，又确保立法资源用在刀刃上。什么法该立，什么法应当抓紧制定，规定什么内容，怎么规定，都应有杠杠。人大常委会在编制立法规划和立法工作计划时，应当围绕党和国家工作大局，着力通过立法推动落实党中央的重大决策部署，加强涉及经济社会发展全局的重要领域立法，广泛征求意见，科学论证评估，对各方面提出的立法需求进行通盘考虑、总体设计，增强立法的针对性、及时性和系统性。要进一步完善并落实人大立法项目征集、调研和论证制度，采取有效措施扩大立法项目征集范围，使立法项目更具广度和深度，进一步扩大立法项目论证的参加范围，增强论证效果。全国人大常委会有关工作机构应当积极督促、推动有关方面落实立法规划和年度立法工作计划。

（二）把握立法进度主导

各方面要高度重视立法工作，善于将立法决策和改革决策相衔接，及时提出立法建议，积极参与立法工作。加强和改进法律起草机制，按照四中全会决定要求，对涉及综合性、全局性、基本性法律草案的起草，由全国人大相关专门委员会、全国人大常委会法制工作机构组织有关部门参与起草，并形成常态化制度。探索和逐步形成立法机关主导，有关部门参加，专家学者、企事业单位、人大代表和人民群众共同参与起草法律法规草案的工作机制，有利于使各方面的意见和关切得到充分表达，调动一切积极因素，广泛凝聚社会共识，防止部门利益，也有利于加快立法进度、提高立法质量。同时，由有关部门起草的法律草案，全国人大相关专门委员会、全国人大常委会法制工作机构可以提前参与。对专业性较强的法律，可以探索委托第三方起草。

完善立法协调沟通机制，有利于充分发挥立法在表达、平衡、调整、规范社会利益关系方面的重要作用。首先，要加强立法协商。立法机关有必要就法律草案的内容，通过各种渠道，充分听取政协委员、民主党派、工商联、无党派人士、人民团体、社会组织的意见。其次，要探索建立国家机关、社会团体、专家学者等对立法中涉及的重大利益调整论证咨询机制，使立法机关可以准确把握最广大人民根本利益、现阶段群众共同利益、不同群体特殊利益的关系，在法律中统筹兼顾社会不同方面的利益。最后，要拓展公民有序参与立法途径，健全法律法规草案公开征求意见和公众意见采纳情况反馈机制，广泛凝聚社会共识，使法律的制定过程成为普法的有效渠道，增强法律实施的社会基础。

（三）把握立法决策主导

要抓住每一部法律中“关键的那么几条”，积极督促有关部门下决心、想办法解决。对于法律关系比较复杂、分歧意见突出的问题，要主动加强与有关方面的沟通协商，提出解决方案；对于重大事项，由常委会党组及时向党中央请示汇报。对争议较大但实践迫切需要的法律案，可以引入第三方评估，充分听取各方意见、研究清楚后，及时作出决策，不能久拖不决。完善审议程序，提高法律草案审议质量和效率。常委会审议法律案，应当安排必要的时间，保证常委会组成人员充分发表意见。在法律案审议过程中，法律案有关问题具有较强的专业性或者需要进行可行性评价的，应当召开论证会，听取专家、有关部门等方面的意见；法律案有关问题存在重大意见分歧或者涉及利益关系重大调整的，应当召开听证会，听取利害关系人、有关部门、专家等方面的意见；调整事项较为单一，各方面的意见比较一致的，可以经一次常委会会议审议通过；对个别有重大意见分歧的条文可以单独先予表决，避免久议不决。

（四）发挥人大在立法中的作用，既要发挥人大常委会的作用，也要发挥人民代表大会和代表的作用

要增加代表大会审议法律案的次数，充分发挥人民代表大会的立法职能，要创新和完善各级人大代表参与立法工作的机制，充分发挥人大代表在立法中的作用。人大代表是国家权力机关的组成人员，必须坚持人大代表的立法主体地位。我国有各级人大代表二百六十多万人，他们绝大多数在基层工作，最了解人民群众所思所想所盼，最清楚制度建设的需求。要建立健全人大代表议案、建议和立法规划、立法计划的衔接机制，认真研究采纳代表议案提出的立法建议。要拓宽代表参与立法的途径和渠道，更多吸收人大代表参加立法调研和审议等立法活动。还要健全向下级人大征询立法意见机制，探索人大代表跨级、多层参与立法工作的制度化。

第五十二条 全国人民代表大会常务委员会通过立法规划、年度立法计划等形式，加强对立法工作的统筹安排。编制立法规划和年度立法计划，应当认真研究代表议案和建议，广泛征集意见，科学论证评估，根据经济社会发展和民主法治建设的需要，确定立法项目，提高立法的及时性、针对性和系统性。立法规划和年度立法计划由委员长会议通过并向社会公布。

全国人民代表大会常务委员会工作机构负责编制立法规划和拟订年度立法计划，并按照全国人民代表大会常务委员会的要求，督促立法规划和年度立法计划的落实。

【释义】 本条是关于全国人大常委会立法规划、年度立法计划的编制、公布和督促落实的规定。

一、关于全国人大常委会立法规划

立法规划，是有立法权的人大常委会在职权范围内，为实现任期内的一定目标，按照一定原则和程序编制的，关于立法工作的设想和部署。目前除全国人大常委会外，相当一部分省、自治区、直辖市人大常委会也制定立法规划。全国人大常委会立法规划，是经党中央批准，全国人大常委会为明确其任期内立法的总体安排和部署，围绕国家中心工作，按照一定程序所编制的指导立法工作的文件。1991年11月七届全国人大常委会编制了《全国人大常委会立法规划(1991年10月—1993年3月)》，这是报经党中央批准的第一个立法规划。从八届全国人大常委会开始到目前十二届全国人大常委会，均是在任期届始之年编制立法规划，并报党中央同意后印发执行。

编制全国人大常委会立法规划，首先，要重视发挥全国人大代表在立法工作中的作用，认真研究代表议案和建议，代表提出的立法项目建议是立法规划项目的主要来源之一。其次，要广泛征集意见。十八届四中全会决定中提出，完善立法项目征集和论证制度。立法规划要广泛征求各方面意见,这也是科学立法、民主立法的重要体现。最后,要科学论证评估。立法机关主导的立法项目论证,可以有效地避免部门主导下立法的部门利益化趋向,克服立法的随意性和盲目性,实现立法资源优化配置,提高立法实效;有利于中国特色社会主义法律体系的形成与完善,保障社会主义法制的统一;有利于拓宽公众对立法的有序参与、凝聚社会共识。编制立法规划应当根据经济社会发展和民主法治建设的需要,确定立法项目,围绕党和国家工作大局,着力通过立法推动落实党中央的重大决策部署,加强涉及经济社会发展全局的重点领域立法,对各方面提出的立法需求进行通盘考虑、总体设计,增强立法的针对性、及时性和系统性。

目前,全国人大常委会立法规划是由全国人大常委会法制工作委员会负责编制,提请委员长会议讨论通过,报请党中央同意后印发执行,并向社会公开。立法规划报请党中央批准,体现了党对立法工作的领导,是与宪法规定的党的领导核心地位的精神相一致的。十八届四中全会决定提出,加强党对立法工作的领导,完善党对立法工作中重大问题决策的程序。经过三十多年来的实践,制定立法规划已经形成了一套行之有效的制度机制。

全国人大常委会立法规划一般将列入规划的立法项目分为三大类:第一类是条件比较成熟、任期内拟提请审议的法律草案;第二类是需要抓紧工作、条件成熟时提请审议的法律草案;第三类是立法条件尚不完全具备、需要继续研究论证的立法项目。从八届到十一届全国人大常委会立法规划都只有前两类,十二届全国人大常委会立法规划首次明确了第三类研究论证项目。

二、关于全国人大常委会年度立法计划

全国人大常委会年度立法计划是对本年度立法工作的具体安排。全国人大常委会制定年度立法计划的工作是从 1993 年八届全国人大开始的，到现在已经制定了二十二个年度立法计划。年度立法计划主要是贯彻五年立法规划的原则要求，落实立法规划确定的立法项目的审议安排。同时，根据经济和社会发展需要，年度立法计划可以对立法规划进行必要的补充和调整。从实施情况来看，年度立法计划对于发挥全国人大及其常委会在立法工作中的主导作用、保证立法工作的有序进行、科学地确定立法项目、最大限度地减少立法的盲目性、提高立法质量，起到了积极的作用。

立法计划编制程序一般是：在前一年度下半年由全国人大常委会法制工作委员会着手编制下一年度的立法工作计划，通常于前一年度 12 月由委员长会议原则通过，对下一年度的立法工作作出预安排。待下一年度 3 月全国人民代表大会会议召开后，根据会议精神和全国人大代表审议中的意见、建议，对预安排作出调整完善，经委员长会议讨论通过后正式印发执行，并向社会公布。

年度立法计划一般包括三部分内容。第一部分一般是关于立法工作的总体要求，即今后一年的立法工作应遵循的指导思想和原则要求。第二部分是具体的立法项目任务。列入年度立法计划的立法项目通常分为三类：安排继续审议的法律案（上一年度审议尚未通过、结转到下一年度的法律案）、初次审议的法律案（具体列出法律案提请初次审议的具体月份）和若干预备项目（条件成熟时提请初次审议）。第三部分一般是关于做好立法工作的具体措施，对加强和改进立法工作，切实提高立法质量，推进科学立法、民主立法等方面作出了部署和安排，比如，发挥人大在立法工作中的主导作用，完善人大代表参与立法的工作机制，做好立法项目论证、法律案通过前评估和立法后评估工作，加强和改进立法调研工作，健全法律草案公开征求意见工作机制和公众意见采纳情况反馈机制，完善法律草案公开征求意见工作机制，加强法律解释工作，督促法律配套规定的制定和修改，做好立法宣传和舆论引导工作等方面。

三、全国人大常委会工作机构对立法规划和年度立法计划的编制及督促落实的职责

按照本条第二款规定，全国人大常委会工作机构在立法规划和计划方面有两项职责：

一是负责编制立法规划和拟订年度立法计划。九届全国人大常委会以前，全国人大常委会立法规划由全国人大常委会秘书处拟订。十届全国人大常委会期间的立法规划编制工作、立法计划拟订工作由全国人大常委会办公厅负责。这是立法规划工作体制的首次调整。2007 年立法规划工作体制再次调整后，十一届全国人大常委会立法规划首次由常委会法制工作委员会负责具体编制工作，同时开始承担拟订年度立法计划工作。

二是按照全国人大常委会的要求，督促立法规划和年度立法计划的落实。全国人大常委会法制工作委员会一般从“任务、组织、时间、责任”四方面督促立法规划、年度立法计划具体立法项目的落实，要求各承担法律草案起草的单位切实推进起草工作，组织起草班子，制定时间表，明确任务和责任。如不能按照立法规划、年度立法工作计划规定的时间提请审议法律草案，承担起草职责的有关单位要向全国人大常委会报告未完成的原因或有关情况。立法规划、年度立法计划的督促落实工作能够增强全国人大常委会立法工作的主动性；有助于各部门之间的协调和有准备地参加立法活动，提高立法质量和立法工作

效率;有利于保证全国人大常委会任期内立法任务的完成和立法目标的实现。

第五十三条　全国人民代表大会有关的专门委员会、常务委员会工作机构应当提前参与有关方面的法律草案起草工作;综合性、全局性、基础性的重要法律草案,可以由有关的专门委员会或者常务委员会工作机构组织起草。

专业性较强的法律草案,可以吸收相关领域的专家参与起草工作,或者委托有关专家、教学科研单位、社会组织起草。

【释义】　本条是关于全国人大有关专门委员会、常委会工作机构起草法律草案和发挥专家学者在法律草案起草工作中作用的规定。

一、关于全国人大有关专门委员会、常委会工作机构起草、参与起草法律草案

根据本法规定,全国人民代表大会各专门委员会可以向全国人民代表大会提出法律案,由主席团决定列入会议议程;委员长会议可以向常务委员会提出法律案,由常务委员会会议审议。全国人民代表大会各专门委员会可以向常务委员会提出法律案,由委员长会议决定列入常务委员会会议议程。根据上述规定,委员长会议、全国人大专门委员会可以作为提出法律案的主体。按照实际做法,委员长会议提请审议的法律案一般由全国人大常委会工作机构承担具体起草工作。修改前的立法法只对提案主体作出规定,没有对专门委员会、工作委员会如何开展法律草案起草工作作出规定。本次修改增加了这一方面的规定。

全国人大有关的专门委员会、常委会工作机构开展法律草案起草工作,一般有两类做法:

一是对于国务院、中央军委、最高人民法院、最高人民检察

院等方面牵头起草的法律草案,全国人大有关专门委员会、常委会工作机构应当提前参与有关方面的法律草案起草工作。当然,全国人大各专门委员会、常委会工作机构各自牵头起草的法律草案,相互之间也应当互相参与。这样可以提前介入调研和起草工作,理顺各部门、各环节之间的关系,及时了解各方诉求和分歧所在,便于协调处理重大意见分歧,避免起草部门前期"闭门造车"沟通不够,有利于提请全国人大或其常委会后审议工作的顺利进行。

二是综合性、全局性、基础性的重要法律草案,可以由有关的专门委员会或者常委会工作机构组织起草。党的十八届四中全会决定提出,建立由全国人大相关专门委员会、全国人大常委会法制工作委员会组织有关部门参与起草综合性、全局性、基础性等重要法律草案制度。应当注意,这一规定并不是限制全国人大专门委员会、常委会工作委员会的起草范围。宪法、立法法未对全国人大专门委员会起草、提请审议法律案的范围作出限制性规定。这一规定只是进一步强调,全国人大相关部门和机构应当加大对具有综合性、全局性、基础性等重要法律草案的组织起草工作力度。

全国人大专门委员会、常委会工作委员会起草法律草案,主要通过两种途径提请审议:一种是由专门委员会起草并提请审议。由于全国人大专门委员会是宪法、法律规定的议案提出主体,既可以牵头组织起草法律草案,又可以直接提请全国人大或其常委会审议法律草案。另一种是常委会工作委员会受委员长会议委托起草法律草案,由委员长会议提请常委会审议。工作委员会只是组织起草,并不是议案提出主体。目前,一般的做法是,法制工作委员会起草刑事、民事、国家机构等方面的法律,预算工作委员会起草涉及财政税收方面的立法。

党的十八届四中全会决定和立法法专门对综合性、全局性、基础性的重要法律草案起草工作提出要求、作出规定，其主要目的在于防止部门利益法制化。实践中，立法机关在立法过程中的主导作用有时发挥得不够，一个主要原因是受到部门利益的影响。长期以来，部门主导起草法律草案已成常态。在全国人大常委会立法规划和年度立法计划中，绝大部分是由政府提出的立法项目，这些法律项目的立项和起草均是由各政府部门提出并承担。与此同时，一些关系人民群众切身利益、人民群众普遍关注、经济社会发展急需的立法项目，社会呼声很高，全国人大代表多次提出相关议案建议，但限于这种部门主导起草的机制，难以进入立法程序。推进科学立法、民主立法，就是要转变这种主导机制，充分发挥人大在立法工作中的主导作用，从体制机制和工作程序上有效地防止部门利益法律化。

二、发挥专家学者在起草工作中的作用

对于专业性较强的法律草案，要发挥专家学者在起草工作中的作用，这是一项体现科学立法要求的重要举措，也是长期立法实践的经验总结。

按照本条第二款规定，发挥专家学者在起草工作中的作用一般有两种形式：一种是吸收专家参与。法律草案起草工作中一般都会成立专家顾问小组，邀请相关领域内的有影响力的、权威专家学者直接参与，有的专家甚至与立法工作人员一起搭班子，直接参与承担具体的起草工作。另一种是委托有关专家学者、教学科研单位和社会组织起草。承担起草工作的机构可以根据该立法项目的具体情况，确定委托对象，可以委托一位或多位专家学者，或者成立专家起草组，如民法典起草过程中曾委托九位学者专家组成民法起草工作小组；也可以委托教学科研单位，如高校、研究机构；还可以委托行业协会等社会组织。

第五十四条　提出法律案，应当同时提出法律草案文本及其说明，并提供必要的参阅资料。修改法律的，还应当提交修改前后的对照文本。法律草案的说明应当包括制定或者修改法律的必要性、可行性和主要内容，以及起草过程中对重大分歧意见的协调处理情况。

【释义】　本条是关于提出法律案，应提出相应文件资料的规定。

法律案是指依法享有提案权的机构和人员（即提案人），按照法定程序向立法机关提出的关于制定、修改或废止某项法律的议案。针对过往提出的法律案质量存在参差不齐的现象，本条对提出法律案的要件作了明确规定，具体要求如下：

一、提出法律草案文本

在立法实践中，普遍认为法律草案文本应当是立法政策、立法意志与立法语言之间内容与形式高度统一的载体。法律草案文本的存在是开展法律立改废释工作的前提。法律草案文本的形式可以分为，制定法律的草案文本、修改法律的草案文本、认可法律的草案文本、补充法律的草案文本等。其中，制定法律的草案文本是法律草案文本的基本模式，其内容结构可以根据法律案的不同特点来设计。法律草案文本通常由三方面组成：一是法律的标题即法律名称。二是文本的核心内容，主要是关于立法依据、宗旨和原则；关于权利义务的设定；关于行为的法定模式和法定后果；关于专门概念和术语的解释；关于法的适用范围和生效或施行时间的规定；关于授权有关机关制定变通、补充规定或制定实施细则的规定；关于废止有关法的规定；以及其他有关内容。三是文本内容表述层次和序数排列。如总则、分则、附则；编、章、节、条、款、项、目。

二、提出法律草案说明

法律草案说明是法律案的提案人向立法机关就法律草案中的有关问题所作解释而制作的说明性文件,其目的是使立法机关及其组成人员了解草案的有关问题,理解立法意愿和难点条款。所以,法律草案说明的制作目的与立法目的相一致,服务于立法,为立法提出具备必要性、可行性的解释、阐述和论证的材料。

全国人大议事规则和全国人大常委会议事规则对提案人应当就法律草案向提请审议的会议作出说明作了规定,但对法律草案说明的具体内容没有规定。本条对法律草案说明的具体内容作了明确规定,法律草案说明应当包括制定该法的必要性、可行性和主要内容,以及起草过程中对重要分歧意见的协调情况。

1. 必要性一般是指为什么要立此法,社会现实中为什么需要此法,立此法要解决什么样的问题或者该法所要实现的目标。立法的必要性论述,应简明扼要,抓住重点,构建起解决现实问题与制定法律草案的逻辑关系。

2. 可行性一般是指此法出台后是否可行,包括法律上有无可能,与其他法律是否相衔接,还包括其施行需要什么条件,已经掌握了哪些条件,还需创造什么条件等。这就要求提案人在法律草案的起草阶段应当进行可行性研究。可行性研究的主要内容是,以全面、系统的分析为主要方法,以经济效益、社会效益和国家利益为中心,围绕影响法律实施的各种因素,预测法律施行后,一些关键条款能否得到顺利推行,对经济社会运行和发展有怎样的影响。

3. 法律草案的主要内容一般是指该法的立法精神、基本原则、调整的范围、调整的主体、主要的程序、适用范围、法律责任等。法律草案主要内容的说明并不是事无巨细,而主要是对立法原意以及法律草案疑点、难点和争议之处加以说明。

4. 起草过程中对重要分歧意见的协调情况。立法的过程是不同利益的表达、协调的过程。法律草案的提案人在起草过程中,要听取各方面的意见,对各方利益进行协调处理,并最终落实到法律草案的具体条文中去。习近平总书记在《关于〈中共中央关于全面推进依法治国若干重大问题的决定〉的说明》中指出,在立法工作中部门化倾向、争权诿责的现象较为突出,有的立法实际上成了一种利益博弈,不是久拖不决,就是制定的法律法规不大管用。以往有的立法中出现对机构职责分工等需由提案人协调解决的事项未予明确的情况,这些问题在审议过程中争议很大,导致立法久拖不决。对此,党的十八届四中全会决定提出,对部门间争议较大的重要立法事项,由决策机关引入第三方评估充分听取各方意见,协调决定,不能久拖不决。要求对重大分歧意见的协调情况进行说明,一是必须对起草中的重大分歧意见在说明中予以反映,使立法机关了解相关情况;二是要求提案人必须对有重大分歧意见的问题在充分论证的基础上进行协调,必要时引入第三方评估或者公开听取意见,消除部门利益,防止久拖不决,并在说明中反映最终协调结果。提案人应当向立法机关说明对这些不同意见的协调情况,包括有哪些主要方面的不同意见,提案人组织协调的过程,协调的结果是什么,以及最终如何反映到草案条文中去。

应当注意的是,修改后的立法法第五十三条第二款规定,专业性较强的法律草案,可以吸收相关领域的专家参与起草工作,或者委托有关专家、教学科研单位、社会组织起草。对于前述专家参与起草或者委托起草的相关情况,也应当在法律草案的说明中一并指出。

三、提供必要的参阅资料

本条对必要的参阅资料的具体范围没有规定。在立法实践中，有关必要的参阅资料主要包括以下几个方面：一是党和国家的有关方针政策；二是有关方面工作的实际做法和效果，以及有关典型案例；三是有关人大代表、政协委员和社会公众对有关立法项目提出的议案、建议、提案和意见等；四是法律草案提案人、常委会法制工作机构、法律委员会、有关专门委员会对立法相关事项的调研情况报告和分析报告；五是公开征求意见的情况报告和有关听证会、论证会、座谈会的情况报告；六是现行有关法律、行政法规等的规定及其实施情况；七是国外、境外有关的立法情况和做法等。

四、提交修改前后的对照文本

此次立法法修改，对于修改法律的法律案，还要求提案人提交修改前后的对照文本。提案人提出修改法律的法律案时，是以某法的修正案（草案）或者某法（修订）的形式提出的。修正案（草案）的基本形式较为简单，只是单纯描述将第×条修改为第×条，修改为“……（具体内容）”；或者增加一条，作为第×条：“……（具体内容）”；或者删去第×条等。至于修改后法律变成怎样，被修改的条款前后有什么不同，增加或者删减条款对于条款之间的逻辑关系有怎样的影响，以及有关条文顺序的调整，是难以从修正案（草案）中看出来的。修订则由于是对法律的整体修改，审议对象是整部草案文本，从中也很难对比出新旧文本之间的区别。为了便于立法机关组成人员审议，法制工作部门的同志在工作中创造了修改前后对照文本这一形式。对照文本分为两栏，左栏是修改前的原法律条文，右栏是根据修正案（草案）修改后的文本或者修订后的文本，其中增加、删减和修改的部分，均用黑体标注。近些年来，提案人提交修改前后的对照文本已成为提案时的“标准动作”，方便了人大代表和常委会组成人员的审议，受到好评。鉴于此，这次立法法修改作出了相应规定。

第五十五条　向全国人民代表大会及其常务委员会提出的法律案，在列入会议议程前，提案人有权撤回。

【释义】 本条是关于提案人撤回法律案的规定。

目前多数国家对法律案的撤回问题采取的做法是，法律案在议会委员会审查前，提案人可以随时撤回。但当进入议会委员会审查或者议会审议阶段后，撤回须经过一定程序并获得认可。我国立法法对于法律案的撤回，分别规定了两种情况：一是本法第二十二条和第四十条的规定，已列入大会或常委会会议议程的法律案，在交付表决前，提案人要求撤回的，应当说明理由，经主席团或委员长会议同意，并向大会或常委会报告，对该法律案的审议即行终止。二是本条的规定，向全国人民代表大会及其常委会提出的法律案，在列入大会和常委会会议议程前，提案人可以随时撤回。法律案在列入会议议程之前，处于提案人的支配之下，是否提出，如何提出，提案人有权决定，因此，在列入会议议程之前，提案人有权撤回。这样规定进一步完善了法律案撤回的程序。

第五十六条　交付全国人民代表大会及其常务委员会全体会议表决未获得通过的法律案，如果提案人认为必须制定该法律，可以按照法律规定的程序重新提出，由主席团、委员长会议决定是否列入会议议程；其中，未获得全国人民代表大会通过的法律案，应当提请全国人民代表大会审议决定。

【释义】 本条是关于表决未获通过的法律案如何处理的

规定。

法律案经表决能否获得立法机关的通过，是法律案成为法律的最重要和最直接的一步。全国人大和常委会会议通过法律草案按照少数服从多数原则，采用全体成员过半数的办法确定是否通过。法律案获得全体代表的过半数和常务委员会全体组成人员的过半数同意，该法律案就公布成为法律。如果法律案经表决，赞成票未获得过半数，该法律案就不能公布成为法律。

法律案的表决，标志着法律案审议程序的终结。表决意味着审议程序的结束，是代表大会和常委会组成人员以法定形式对法律案表示的最后的态度，表决结果就是集体意见的表现。如果法律案未达到法定通过的要求，就意味着遭到否决，该法律案已不再存在。法律案表决没有通过，不可以进行再次表决。

本条规定未获通过的法律案，提案人可以按照法定程序重新提出法律案，即提案人享有就相同事项再次提出法律案的权利。一是提案人享有提出法律案的权利，重新提出法律案是其提案权的再次运用。二是在表决的实际操作过程中，也碰到一些实际问题。例如，由于种种原因，有时出席人数虽达到法定多数，但不够多，而法律案的通过采取的是绝对多数，出席人数影响了法律案的通过。九届全国人大常委会第九次会议表决公路法修正案就属于这种情况，当时由于出席人数不够多，表决结果以一票之差未能通过。

提案人重新提出法律案时，要认真分析法律案未获通过的原因。如果仅仅是因出席人数或技术问题而未获通过，这时可以重新提出，并有望通过。如果法律案是因代表或委员对某些重大问题有不同意见而未获通过，重新提出相同的法律案，就要慎重考虑。这时要考虑对重大问题是否统一了认识，如果分歧意见并没有消除，就不要急于提出法律案。因为这时法律案提出之后，是否能通过，依然存在问题，并且容易引起不必要的争论。

提案人重新提出法律案，要按法律规定的程序。提案人是国家机关的，应经有关国家机关首长签署；提案人是全国人大专门委员会的，要经专门委员会重新讨论通过；提案人是代表或者常委会组成人员联名的，应当重新联名提出。重新提出的法律案列入会议议程的程序，同其首次提出时列入会议议程的程序有所不同。对于国家机关首次提出的议案，大会主席团或者委员长会议都应当决定列入会议议程，而不能不决定列入会议议程。而对于重新提出的法律案，大会主席团或者委员长会议有权决定是否列入会议议程。如果大会主席团或者委员长会议认为立法条件不成熟或者缺少立法的必要性，可以不列入会议议程。因为这种法律案经过审议表决，各种意见反映得比较充分，大会主席团或者委员长会议有充足的判断依据。

重新提出法律案的程序，原来是向代表大会提出的，应当仍然向代表大会提出，而不能改为向常委会提出。当然，原来是向常委会提出的，可以直接向大会提出，由大会作出决定。

第五十七条　法律应当明确规定施行日期。

【释义】　本条是关于规定施行时间要求的规定。

法律的施行日期，即法律的生效时间，是指法律何时开始生效，以及法律对于其生效前的事件或者行为是否具有溯及力的问题，是一部法律的重要组成部分。

目前，我国法律生效的时间一般都单独写一条，放在附则里作最后一条。没有附则的法律，施行时间放在法律的最后一条中规定。法律施行的时间是根据某法律的具体性质和实际需要决定的，有以下几种表示方法：一是由该法律自行规定具体的生效日期,我国绝大多数法律的生效日期采用的都是这种形式,即法律公布后并不立即生效施行,而是经过一段时间后才生效施行,如公益事业捐赠法第三十二条规定“本法自 1999 年 9 月 1 日起施行”。二是法律自公布之日起施行,这种表示方法也有许多,如全国人大议事规则第五十四条规定“本规则自公布之日起施行”。三是法律公布后到达一定期限开始生效。这种表示方法较少,如企业破产法(试行)第四十三条规定“本法自全民所有制工业企业法实施满三个月之日起试行”。四是比照其他法律以确定本法律的生效时间。五是自法律试行之日起生效。六是自法律文件到达之日起生效,这种方式在现代社会已经很少见。一些同志认为前两种表示的施行时间是确定的实施时间,立法应明确确定施行时间。为此,立法法规定,法律应当明确规定施行时间。只有明确了施行时间,才能做好准备,使法律进入实施状态,使其得到执行、适用和遵守。如果没有施行时间,法律就难以进入实施状态,难以发挥其应有的社会作用。

修改后法律的生效时间由修改法律的形式决定。目前,我国立法实践中修改法律的形式主要有以下两种:一是以修订的方式对法律条文进行全面修改,重新公布法律文本以替代原法律文本;二是以修正的方式对法律的部分条文予以修改,并以修改决定的形式公布,具体形式是修改决定之后附修正本,将原法律根据这一决定作相应的修改以重新公布,这是我国法律修改最基本、最重要的形式。此次立法法修改亦采取这种形式。采用修订形式修改的法律,由于修改的内容较多,涉及法律原则、制度的修改,一般是重新规定法律施行日期;以修正形式修改的法律,由于只涉及部分条文的修改,一般不改变法律的施行日期,只规定修改决定的施行日期,该施行日期仅对修改的部分适用,未修改的部分仍然适用原法规定的生效日期。例如,国家赔偿法的施行日期是 1995 年 1 月 1 日,2010 年 4 月 29 日十一届全国人大常委会第十四次会议审议通过的《全国人民代表大会常务委员会关于修改〈中华人民共和国国家赔偿法〉的决定》规定:“本决定自 2010 年 12 月 1 日起施行。”所以,该法未修改的条文从 1995 年 1 月 1 日起产生法律效力,经过修改的条文生效时间则为 2010 年 12 月 1 日。

第五十八条　签署公布法律的主席令载明该法律的制定机关、通过和施行日期。

法律签署公布后,及时在全国人民代表大会常务委员会公报和中国人大网以及在全国范围内发行的报纸上刊载。

在常务委员会公报上刊登的法律文本为标准文本。

【释义】　本条是关于法律公布的规定。

立法机关表决通过法律案产生了法律,法律的生效还应当经过法律的公布程序。若未按法定程序和法定形式予以公布,该法律不具有法律效力。法律只有对外公布了,才能为社会所知悉,所以,我们在立法工作中必须严肃、科学地对待法律公布程序,使机关、组织和公民能够了解法律,自觉地执行和遵守法律。

一、公布法律的权力属于国家主席

公布法律是法律生效的重要步骤。法律草案经过立法机关审议、表决并且通过以后,若未按法定程序和法定形式予以公布,该法律不具有法律效力。我国法律公布的标志是签署国家主席令。签署主席令公布法律,在我国经历了一个发展变化过程。1954 年宪法规定国家主席签署公布法律,1975 年宪法删去了这一规定,1978 年宪法规定全国人大常委会委员长签署公布法律,1982 年宪法第八十条规定“中华人民共和国主席根据全国人民代表大会的决定和全国人民代表大会常务委员会的决定,公布法律”。至此,宪法重新规定国家主席签署公布法律。从我国宪法的有关规定看,国家主席签署公布法律,是法律规定的国家主席的职责,国家主席无权拒绝签署公布法律。

二、主席令的内容

我国宪法第八十条规定了由国家主席公布法律,但是对采取何种方式公布,并没有规定。实践中采取的方式是以国家主席签署主席令的形式公布。主席令应包括哪些内容?本条根据实际做法和公布法律的要求,规定了公布法律的主席令必须包括制定机关、通过日期和施行时间这三项内容。制定机关是指哪一次代表大会,哪一次常委会;通过日期是指代表大会或常委会表决通过法律案的日期;施行时间是指法律生效的时间。

三、法律的刊载

法律签署之后,就要向全社会公开,为社会大众所知。其中一种方式是在法定的刊物上刊登。在指定的刊物上刊登公布法律,被普遍认为是公布法律的最好办法。目前世界上,大多数国家都有公布法律的正式刊物,如法国有《法兰西共和国政府公报》,意大利有《意大利共和国公报》。我国刊登公布法律的渠道,主要有两种:一是《全国人民代表大会常务委员会公报》;二是在全国范围内发行的报纸,主要是《人民日报》《法制日报》等。两种渠道,各有优势,公报比较权威,但出版周期较长,发行速度慢,公开发行的数量小、范围窄;报纸覆盖面广,传播及时,但有时刊登的积极性不高。因此,需要进一步拓宽刊载法律的载体。随着互联网的兴起,越来越多的人习惯于通过互联网获得外界信息,网络已经成为人们必不可少的媒介载体。因此,本次修改立法法,对于法律的刊载载体作了与时俱进的补充,将网站作为刊载载体予以明确。同时,鉴于网上的信息来源比较多样，为了保障人们获得的法律条文的真实性、权威性，明确由全国人大常委会主办的中国人大网作为刊载法律的官方网站。同时，本条的规定，对刊载法律提出了进一步的要求：一是要求及时；二是在全国范围内发行的报纸上刊登。目前，全国范围内发行的报纸很多，在所有全国范围内发行的报纸上刊登，既不可能，也没有必要，应当选取一些中央的主要媒体，明确其刊载义务，以确保法律的及时刊载。

四、法律的标准文本

目前，我国各种形式的法律“汇编”“全书”“大全”很多，难免有错误。因此，需要有一个标准的法律文本。本条规定，刊登在全国人大常委会公报上的法律文本为标准文本。所谓标准文本，就是各种法律文本之间出现不一致时，均以常委会公报上刊登的法律文本为标准。常委会公报是全国人大常委会刊登法律的法定刊物，其所刊载的文件，都经过了严格的校对审核，因此，将其作为标准文本是可行的。这一规定，对维护法制的统一，保证法律的贯彻实施，具有重要意义。

第五十九条　法律的修改和废止程序，适用本章的有关规定。

法律被修改的，应当公布新的法律文本。

法律被废止的，除由其他法律规定废止该法律的以外，由国家主席签署主席令予以公布。

【释义】　本条是关于修改或者废止法律的规定。

立法行为包括制定法律、修改法律和废止法律三种情形。党的十八届四中全会决定提出：“完善立法体制机制，坚持立改废释并举，增强法律法规的及时性、系统性、针对性、有效性。”“对不适应改革要求的法律法规，要及时修改和废止。”四中全会决定的上述内容，对我们做好法律修改和废止工作，提出了明确要求。要高度重视法律修改和废止，制定法律非常重要，修改法律和废止法律对于提高立法质量，亦具有重要意义。

一、法律的修改

修改法律是对已经颁布施行的法律进行部分内容的改变。法律公布施行后，由于各方面情况发生变化，法律所调整的社会关系已不适应发生变化的情况，这时法律要经过修改以适应新的情况。1997 年 9 月，党的十五大明确提出，到 2010 年形成有中国特色社会主义法律体系的立法工作目标。2010 年，这一立法工作目标如期完成，一个立足中国国情和实际、适应改革开放和社会主义现代化建设需要、集中体现党和人民意志的，以宪法为统帅，以宪法相关法、民法商法等多个法律部门的法律为主干，由法律、行政法规、地方性法规等多个层次的法律规范构成的中国特色社会主义法律体系已经形成。中国特色社会主义法律体系形成后，由于基本的法律已经普遍制定，适应经济社会发展和改革需要及时修改法律就变得更为重要。

修改法律属于立法行为的一种，因此就应当按照宪法的规定和法定的程序进行。我国宪法第六十二条、第六十七条规定了修改法律的权限范围，全国人民代表大会制定和修改刑事、民事、国家机构的和其他的基本法律；全国人民代表大会常务委员会制定和修改除应当由全国人民代表大会制定的法律以外的其他法律，在全国人民代表大会闭会期间，对全国人民代表大会制定的法律进行部分补充和修改，但是不得同该法律的基本原则相抵触。法律的修改程序适用本章的有关规定，即本章第二节、第三节和本节的有关规定，其主要内容有：一是提出修改法律的议案；二是审议修改法律的议案；三是表决修改法律的议案；四是公布表决通过的法律文本。

这里应当注意一点，就是关于特别行政区基本法的修改，基本法规定了专门的修改程序，不同于一般法律的修改程序。所以，本法的有关规定不适用于特别行政区基本法的修改。

法律被修改的，应当重新公布新的法律文本。法律不论是部分条文的修改还是全面修改，都应当重新公布新的法律文本，以体现法律的严肃性。目前，我国立法实践中修改法律的形式主要有以下三种：一是以修订的方式对法律条文进行全面修改，重新公布法律文本以替代原法律文本；二是以修正的方式对法律的部分条文予以修改，并以修改决定的形式公布，由于修改决定仅规定修改的条文，对于未修改的条文，也需要公布供社会公众知悉，具体形式是修改决定之后附修正本，将原法律根据这一决定作相应的修改以重新公布，这是我国法律修改最基本、最重要的形式；三是以修正案的方式进行修改，目前除宪法修改外，主要是对刑法的修改采用这一方式。

二、法律的废止

法律的废止是指停止已颁布施行法律的效力，法律的废止同样属于立法活动。我国法律的废止有四种情况：一是新法中明确规定废止旧的法律。如婚姻法第五十一条规定："本法自1981年1月1日起施行。1950年5月1日颁行的《中华人民共和国婚姻法》，自本法施行之日起废止。"二是通过清理，集中宣布一批法律废止。如1987年11月24日，六届全国人大常委会第二十三次会议批准法制工作委员会《关于对1978年底以前颁布的法律进行清理的情况和意见的报告》，明确宣布，从1949年9月至1978年年底，制定或者批准的一百三十四件法律中有一百一十一件失效。三是新的法律颁布施行，旧的法律自然失效。如1979年五届全国人大二次会议通过的人民法院组织法和人民检察院组织法颁布施行后，1951年中央人民政府委员会通过的《人民法院暂行组织条例》和《人民检察署暂行组织条例》未公布废止，但在实际中已失去效力。四是法律调整对象消失，法律不再适用。如1950年中央人民政府通过的土地改革法和《私营企业暂行条例》，分别因当时土地改革的完成和资本主义工商业社会主义改造的结束，该法律法规不再适用，达到事实上的废止。本条对法律的废止问题作了专门规定，废止法律应按本章规定的有关程序办理。

为了进一步对立法技术进行规范，本次修改立法法，在本条增加规定，法律被废止的，除由其他法律规定废止该法律的以外，由国家主席签署主席令予以公布。例如，2009年6月27日，十一届全国人大常委会第九次会议通过《全国人民代表大会常务委员会关于废止部分法律的决定》，就是以主席令的形式公布的。

第六十条　法律草案与其他法律相关规定不一致的，提案人应当予以说明并提出处理意见，必要时应当同时提出修改或者废止其他法律相关规定的议案。

法律委员会和有关的专门委员会审议法律案时，认为需要修改或者废止其他法律相关规定的，应当提出处理意见。

【释义】　本条是关于法律草案与其他法律相关规定不一致时如何处理的规定。

一、法律草案与其他法律相关规定不一致如何处理

实践中，我国法律之间的不一致是客观存在的。造成这种现象的原因之一是，一部法律制定或修改了，其他法律与其相关的规定没有得到联动修改。例如，刑事诉讼法在2012年修改以前，一直与律师法在律师会见权、调查取证权等方面存在不一致。关于律师会见权、调查取证权等，按照刑事诉讼法的规定，

律师要会见犯罪嫌疑人和被告人，要经过司法机关批准。但是根据律师法的规定，是不需要经过批准的，只需要拿“三证”即律师执业证书、律所证明、当事人委托书或者是法律援助的公函就可以了。为什么后出台的律师法和先出台的刑事诉讼法的规定不一致？这是因为，2007 年进行律师法修订时，对刑事诉讼法的这一规定也已经打算进行修改，但是当时尚未进行修改。考虑到，如果律师法按照当时的刑事诉讼法规定了，在刑事诉讼法修改出台后，律师法又落后了，还要作相应的修改，因此律师法是提前规定了，结果造成刑事诉讼法和律师法在很长一段时间都不一致。党的四中全会决定提出：“完善立法体制机制，坚持立改废释并举，增强法律法规的及时性、系统性、针对性、有效性。”为贯彻落实四中全会的这一精神，确保法制统一，本次修改立法法增加规定：法律草案与其他法律相关规定不一致的，提案人应当予以说明并提出处理意见，必要时应当同时提出修改或者废止其他法律相关规定的议案。以往的法律清理，都是阶段性的，难免会造成在一段时间内有关法律尚未修改，与其他法律相关规定存在不一致。本条新增的这一规定，要求制定新法或修改法律要统筹考虑其他法律的相关规定，做到联动修改，并且对提案人赋予了维护法制统一的责任：一是对提出的法律草案中的规定，与其他法律相关规定不一致的，提案人要在提交法律案的同时作出说明，并提出处理意见。二是如果有必要，提案人应当同时提出修改或者废止其他法律相关规定的议案。通过这一规定，可以督促提案人在提出法律案时统筹兼顾相关法律规定。这样一来，相关法律可以同时予以修改，通过这种捆绑式打包修改，有利于增强法律的及时性、系统性，维护法制统一。

二、法律委员会和有关专门委员会可以提出处理意见

法律委员会和有关的专门委员会审议法律案时，认为需要修改或者废止其他法律相关规定的，应当提出处理意见。法律清理、维护法制统一的责任，既要赋予提案人，也要赋予法律委员会和有关的专门委员会。因为，从职责上来说，法律委员会和有关的专门委员会审议法律案，本身就要考虑有关法律规定之间是否存在不一致的问题。从专业性上来说，法律委员会和有关的专门委员会较一般人而言，更容易发现法律规定之间不协调之处。如果法律委员会认为需要修改或者废止其他法律相关规定的，应当提出处理意见，再由有权机关按照法定程序提请全国人大常委会决定。

第六十一条　法律根据内容需要，可以分编、章、节、条、款、项、目。

编、章、节、条的序号用中文数字依次表述，款不编序号，项的序号用中文数字加括号依次表述，目的序号用阿拉伯数字依次表述。

法律标题的题注应当载明制定机关、通过日期。经过修改的法律，应当依次载明修改机关、修改日期。

【释义】　本条是关于法律文本标号形式的规定。

一、法律文本的标号形式

法律文本的标号形式是为了将法律内容的组成和内在联系，层次分明地、有机地表现出来，使法律一目了然，从而方便立法，方便使用。法律内容是否分为以及如何分为编、章、节、条、款、项、目，取决于法律内容的复杂与简单。一部法律可以分为编、章、节，也可分为条、款、项、目，这完全是为了将法律内容表现清楚和更具逻辑性。一般编、章、节有名称，条、款、项、目则是

表现编、章、节内容的独立的意思单位。

（一）编

编一般设置于重大的、篇幅长的法律文本中，编的名称下面可设若干章，编的序号用中文数字。如我国的刑法、刑事诉讼法、民事诉讼法等设有编或分上下编。

（二）章

具有中等篇幅内容的法律，一般按章排列构成。章之上可以有编，也可以不设编，章的下面可以设若干节，内容少的章也可以不设节。可以通过章的设置情况，了解到法律的整体结构和主要内容。章的序号按中文数字依自然数顺序排列。每一章有章名，表达独立的法律内容。我国法律大量地使用章的结构，如全国人民代表大会议事规则、全国人民代表大会和地方各级人民代表大会选举法、兵役法等。

（三）节

节是设置于章下面的，节有节名。设几个节由章的内容长短决定，节的序号用中文数字表示。节可多可少也可不设，但设节最少不能少于两节。设节的目的是为了在使用法律时能清楚、迅速地了解整个法律的框架和结构。目前我国有些法律某一章的内容比较多，但并没有设节，如地方各级人民代表大会和地方各级人民政府组织法等，这主要是考虑到整个法律文本的统一协调。

（四）条、款

1. 条是设在章或节之下，表示法律内容最基本的完整单位。一条规定相同的内容，同一个内容应当规定在同一个条文中。条按照中文数字，以自然数为顺序表示。一部法律的条文应当按统一的顺序排列，一贯到底，内容排列按照逻辑从一般到具体。设条的目的是为了准确、迅速、有效把握法律最基本的主旨和内容。

2. 款在条之下,表示条的内容分不同层次。一个款表示一个层次的意思,同一个意思只规定在一款中。款没有顺号,依附条而存在,一条可以设多款。款的使用率仅次于条,没有款的法律是很少的。

(五)项、目

1. 项设在款之下,表示款的内容分为不同层次的意思。设项时应当注意款的性质和层次,同一性质和层次用项表示,也可以用多项表示款的几层意思。项的序号用中文数字加括号表述。

2. 目设在项之下,表示项的内容分为不同层次的意思。可以用多目表示项有几层意思,目在法律中使用得比较少,序号一般用阿拉伯数字依次表述。

二、法律的标题和题注

(一)法律的标题是指法律文本的名称

一般法律文本的名称应当由三个要件组成:一是法律的适用范围;二是调整对象;三是效力等级。如《中华人民共和国行政监察法》《中华人民共和国村民委员会组织法》和《中华人民共和国商标法》等,都由以上三个要件组成。即"中华人民共和国"表示适用范围,"行政监察"、"村民委员会"和"商标"表示调整对象,"法"表示效力等级。

(二)题注是指法律标题下括号内的内容

题注内容包括法律制定机关和通过日期。明确法律制定机关是直接说明了法律的位阶。明确通过日期是直接证明了法律经过了立法机关的审议程序。其主要目的是进一步体现法律的尊严,方便法的修改或废止及执法活动。例如,企业国有资产法的题注是:2008 年 10 月 28 日第十一届全国人民代表大会常务委员会第五次会议通过,2008年10月28日中华人民共和国主席令第五号公布,自2009年5月1日起施行。"第十一届全国人民代表大会常务委员会第五次会议通过"表明该法律的制定机关,"2008年10月28日"是该法律的通过日期。同时,对于新制定的法律,题注还会标明是几号主席令,以及本法施行日期;多次修改的法律则只标明法律制定机关和通过日期。长期以来,对于法律标题下的题注并没有统一规范,造成实践中对多次修改的法律的题注形式存在不统一的问题,对此,本次修改立法法对此作了规范,增加规定,经过修改的法律,应当依次载明修改机关、修改日期,不论其是以修正还是修订方式进行修改,均按照时间先后载明,并标明是第几次修正或修订。

第六十二条　法律规定明确要求有关国家机关对专门事项作出配套的具体规定的,有关国家机关应当自法律施行之日起一年内作出规定,法律对配套的具体规定制定期限另有规定的,从其规定。有关国家机关未能在期限内作出配套的具体规定的,应当向全国人民代表大会常务委员会说明情况。

【释义】　本条是关于法律规定明确要求有关国家机关对专门事项作出配套规定的规定。

我国很多法律中都明确要求有关国家机关对专门事项作出配套的具体规定。但是实践中,有些法律条文明确规定的且对法律实施有重要影响的配套规定或是迟迟不能出台,或是滞后多年才公布实施,严重影响了法律的有效实施和权威性。全国人大常委会高度重视法律实施遇到的此类问题,多年来采取了多种措施来督促配套规定的及时制定。2009年2月,十一届全国人大常委会委员长会议制定了《关于法律配套法规制定的工作程序》。总结多年工作经验,此次立法法修改对这一问题作出规定,特别对配套规定的制定期限提出明确要求。

本条规定的“有关国家机关对专门事项作出配套的具体规定”,主要是指为保证法律实施,法律条文明确规定,需要由国务院、中央军委等有关方面制定(包括修改、废止)的法规、规章及其他规范性文件等。这其中,既包括法律明确规定的就实施某一条文而需要制定的具体办法或者所作的专门授权,也包括法律条文仅规定了基本原则或者设计了基本制度而需要进一步具体细化以便于实施的配套要求。需要注意的是,对于要求有关方面制定的一般性、实施性的配套规定,不属于本条所称“有关国家机关对专门事项作出配套的具体规定”的范围。例如,选举法规定,省、自治区、直辖市的人民代表大会及其常务委员会根据本法可以制定选举实施细则,报全国人民代表大会常务委员会备案;再如,预算法规定,国务院根据本法制定实施条例。

从目前法律的有关规定看,配套的具体规定制定主体非常广泛,主要有:(1)国务院。如义务教育法规定,义务教育经费保障的具体办法由国务院规定。(2)国务院、中央军委。如人民武装警察法规定,人民武装警察部队实行警衔制度,具体办法由国务院、中央军事委员会规定。(3)国务院所属有关部门。如律师法规定,律师收费办法,由国务院价格主管部门会同国务院司法行政部门制定;还有一种情况是由有关部门制定报国务院批准或备案,如海关法规定,海关为履行职责,可以配备武器。海关工作人员佩戴和使用武器的规则,由海关总署会同国务院公安部门制定,报国务院批准。(4)有权制定地方性法规的地方人大常委会。其中包括省一级人大常委会,如野生动物保护法规定,地方重点保护野生动物和其他非国家重点保护野生动物的管理办法,由省、自治区、直辖市人民代表大会常务委员会制定;有时也包括设区的市、自治州的人大常委会,如固体废物污染环境防治法规定,农村生活垃圾污染环境防治的具体办法,由地方性法规规定。(5)有权制定地方规章的地方人民政府。如城乡规划法规定,临时建设和临时用地规划管理的具体办法,由省、自治区、直辖市人民政府制定。

本条对法律规定明确要求有关国家机关对专门事项作出配套的具体规定提出了期限上的要求,即要求有关国家机关应当自法律施行之日起一年内作出规定。对此,《关于法律配套法规制定的工作程序》要求,法律配套规定争取做到与法律同步起草、同步出台、同步实施,并从几方面提出要求,保证配套规定能够按期限提出:一是在立法规划、立法工作计划编制阶段,有关方面在提出立法项目时,应当同时就该项目是否需要制定法律配套规定进行研究并提出初步意见。二是在法律草案起草过程中,经研究论证需要制定法律配套规定的,起草单位应当同时开展有关法律配套规定的研究和起草工作;需要由本部门与其他部门共同制定法律配套规定的,起草单位应当与有关部门共同开展相关配套规定的起草工作;需要由其他部门制定配套规定的,起草单位应当与相关部门做好沟通协调,及时开展法律配套规定的起草工作。三是拟提请全国人大及其常委会审议的法律草案,提请审议机关可以在草案说明中介绍需要制定法律配套规定的情况,也可以将法律配套规定草案和已有的规定作为参阅材料,随同法律草案一并报送全国人大常委会。全国人大有关专门委员会审议法律草案时,应当对需要制定法律配套规定的有关情况提出意见。四是法律通过后,全国人大常委会法制工作委员会应当列出需要制定的法律配套规定目录,通过发函方式督促有关方面及时制定、修改配套规定。《关于法律配套法规制定的工作程序》还规定了全国人大有关专门委员会、常委会有关工作委员会在督促配套规定方面的职责分工:负责联系法律草案起草的全国人大有关专门委员会、常委会有关工作委员会,应当对有关法律配套规定的研究和起草工作进行督促。全国人大有关专门委员会、常委会有关工作委员会应当跟踪、掌握配套规定的制定进展情况。全国人大有关专门委员会、常委会有关工作委员会应当沟通协调、密切配合,跟踪、掌握法律配套规定的制定进展情况,并结合执法检查和开展有关监督工作,做好法律配套规定制定的督促工作。

鉴于法律规定制定配套规定的情况比较复杂,本条还对特殊情况作出规定,即法律对配套的具体规定制定期限另有规定的,从其规定。主要考虑到,在特定情况下,法律可能要求有关方面制定一些需要为改革发展留有空间、在执行中逐步到位或者需要择机出台、应急出台的法律配套规定,当然也会对这些情况下的制定期限要求作出特殊要求和考虑。

本条还规定了未按时完成配套规定制定工作的报告制度。未按时完成一般有两种情况:一是有关国家机关应当制定出台配套规定,却未能按期完成;二是由于配套规定在制定过程中发生重大情势变化或者确需在实践中继续积累总结经验等特殊客观情况,致使有关方面未能按时制定。有关国家机关未能在期限内作出配套的具体规定的,应当向全国人大常委会说明情况。

第六十三条　全国人民代表大会有关的专门委员会、常务委员会工作机构可以组织对有关法律或者法律中有关规定进行立法后评估。评估情况应当向常务委员会报告。

【释义】 本条是关于组织开展立法后评估的规定。

本条规定是这次立法法修改新增加的内容。对实施一段时间的法律制度进行评估,对法律制度的科学性、法律规定的可操作性、法律执行的有效性等作出客观评价,为修改完善法律、改进立法工作提供参考依据，有利于促进法律制度的有效实施，进一步加强和改进立法工作，不断提高立法质量。近年来，全国人大有关的专门委员会和常委会工作机构组织开展了多部法律的立法后评估工作，积累了有益经验，如全国人大内务司法委员会组织对残疾人保障法进行评估，环境与资源保护委员会组织对大气污染防治相关法律进行评估，全国人大常委会法制工作委员会自2010年至2012年先后组织对科学技术进步法、农业机械化促进法和中小企业促进法三部法律有关制度进行评估。

一、立法后评估的实施主体

立法后评估的实施主体是决定对法律开展评估活动的主体。根据本条规定，开展立法后评估工作的实施主体是全国人大有关的专门委员会和常委会工作机构，即由全国人大有关的专门委员会、常委会工作机构组织对有关法律或者法律中的有关规定进行评估。例如，在2012年对中小企业促进法有关制度进行评估时，为了保障评估工作顺利开展，由全国人大常委会法制工作委员会牵头组织，邀请全国人大财政经济委员会、工业和信息化部、国家发改委、中国人民银行、中国银监会、中国证监会等十一个部门和单位有关同志参加，组成评估工作小组，具体组织落实评估工作。

立法后评估工作涉及调查问卷的设计与组织填写、实地调研、评估数据的分析、评估报告的起草等大量工作，环节多、要求高，除了发挥立法机关的主导作用外，还需要调动各方面的积极性，发挥法律实施主管机关、地方人大、相关专业机构、高等院校、科研单位以及专家的作用，取得支持和配合，相互协调，共同做好评估工作。同时，还应当通过各种形式和途径，积极引导公众广泛参与，了解和听取社会公众对法律制度的认知度、满意度以及相关的意见、建议。

二、评估对象的选择

（一）对一部法律的几项具体制度进行评估

2011 年全国人大常委会选择科学技术进步法和农业机械化促进法中具有关键意义的、事关结构调整与经济转型国家战略的几项法律制度，进行立法后评估。对一部法律中的几项具体制度进行评估的方式，评估工作重点突出，涉及的相关部门比较集中，评估工作易于深入和扎实。但与对整部法律评估相比，工作面较窄，缺乏对某一部法律的整体把握和全面了解。

（二）对整部法律进行评估

2012 年全国人大内务司法委员会组织开展残疾人保障法立法后评估工作，采用的就是整部法律评估。对整部法律进行评估，其优点是有利于全面了解整部法律的制定和执行情况。由于评估工作涉及的部门比较多，需要协调和沟通的关系较为复杂，投入的人力和物力也比较多，工作难度较大。

（三）对多部法律进行全面评估

对部分现行有效的法律进行评估是一种值得探索的评估方式。例如，可以对金融、税收、企业、环境保护、教育、医疗卫生等某一类的法律进行评估，综合判断这一类法律制度的设计是否合理、制度是否健全、执行是否到位及存在哪些问题，便于了解相关法律之间的规定是否协调和配套，是否有法律尚未规定的空白，等等。与对几项具体法律制度或者某一部法律进行评估相比，这种评估方式具有一定高度和广度，在中国特色社会主义法律体系形成的背景下，对于进一步完善法律体系、健全法律制度很有意义。

三、评估报告的形成与应用

对法律进行评估，需要按照一定的原则、程序进行，通过文献研究、问卷调查、实地调研、情况报告、实例分析等多种方式收集相关信息，对评估指标进行量化处理，注重定性分析与定量分析相结合，确保各类信息与资料的真实性与客观性，准确反映法律制度的实施情况，为形成科学的评估结论提供扎实可靠的依据。评估数据收集和分析工作结束后，应当及时起草立法后评估报告。评估报告起草完成后，还要征求各有关方面的意见，并根据这些意见和建议不断修改完善，直至最终定稿。

评估报告是立法后评估工作的成果表现形式，是对整个立法后评估工作的概括和总结，也是对法律进行评估的结论性成果。根据评估数据分析得出的统计分析结果、根据定量分析和定性分析结果得出的评估结论以及有关建议，都是在评估报告中完整体现出来的。立法后评估报告应当对评估工作取得的成果作出客观描述。评估报告的内容一般包括开展评估工作的过程、法律实施的成效与存在的问题、对法律或其具体制度的客观评价，以及对完善立法和加强法律实施的意见和建议等。

本条规定："评估情况应当向常务委员会报告。"2011 年开展科学技术进步法和农业机械化促进法有关制度的立法后评估试点工作时，还将立法后评估报告提交常委会书面审议。

评估报告经全国人大常委会审议后，为使评估报告得到充分应用，可将评估报告送交有关部门认真研究论证，作为改进工作、修改完善法律以及及时启动法律的立改废程序的参考依据。

第六十四条　全国人民代表大会常务委员会工作机构可以对有关具体问题的法律询问进行研究予以答复，并报常务委员会备案。

【释义】 本条是关于法律询问答复的规定。

在法律实施中，有关部门与地方往往向立法工作机构提出一些法律询问,要求予以答复,以指导工作。本条总结多年来这方面的工作经验,对法律询问作了规定。根据全国人大常委会法制工作委员会多年答复法律询问的情况来看,法律询问的范围主要有以下几种:(1)国务院所属机构在执行法律过程中提出的具体法律问题;(2)最高人民法院、最高人民检察院的工作机构在司法过程中提出的具体法律问题;(3)省、自治区、直辖市人大常委会工作机构在工作中提出的具体法律问题;(4)向全国人大常委会提出的法律解释要求,经研究不需要进行法律解释、可以采用法律询问答复的问题;(5)全国人大常委会领导交办的其他需要研究答复的问题。另外,还有人民团体和全国性社会团体在法律实施过程中向法制工作机构提出的具体法律问题。

本条规定,法律询问答复的主体是全国人大常委会工作机构,实践中为全国人大常委会法制工作委员会。该委员会的职责之一为"对省级人大常委会及中央有关国家机关提出的有关法律问题的询问,进行研究答复"。具体流程为:由法工委有关业务室根据法律规定,研究起草答复意见,报法工委领导审批,一些重要的法律询问答复,还要报全国人大常委会秘书长审批;然后以书面或其他形式答复询问的有关部门。

上述机关、单位提出的询问很经常,量也很大,有时候要求答复的时限很短。如果将这些问题都提请常委会作法律解释,既没有必要,也不可能。法律询问答复是全国人大常委会法制工作委员会根据法律规定,按照严格的工作程序研究提出的,特别是法工委参加了法律的具体制定工作,比较了解立法原意,因此,法律询问答复虽然不具有法律解释的法律效力,但其对法律的理解是比较权威的,对于各部门、地方理解执行法律发挥了重要作用。

法律询问答复必须报全国人大常委会备案，目的是加强对法律询问答复的监督，如果发现不正确的答复，可以进行纠正。

第三章 行政法规

行政法规是我国最高行政机关,即中央人民政府——国务院根据宪法和法律或者全国人大及其常委会的授权决定,依照法定权限和程序,制定的有关行政管理的规范性文件。行政法规在我国立法体制中具有重要地位,处于仅次于法律的重要立法层次。立法法以宪法为依据,总结行政法规的制定经验,对行政法规的制定依据、权限范围和程序作了具体规定,很好地体现了行政法规在我国立法体制中的地位和作用。

目前我国现行有效的行政法规七百多件。行政法规内容广泛,包括国防、外交、公安、司法、民政、财政、税务、金融、保险、审计、劳动、人事、监察、教育、科学、文化、卫生、体育、交通、邮电、城乡建设、环境保护、农业、林业、海关、工商行政管理等行政管理的各个领域。实践表明,大量行政法规的制定和施行,对实施宪法和法律,促进依法行政,推进国家的改革开放和经济建设,维护社会稳定,发挥着重要作用。

第六十五条 国务院根据宪法和法律,制定行政法规。

行政法规可以就下列事项作出规定:

(一)为执行法律的规定需要制定行政法规的事项;

(二)宪法第八十九条规定的国务院行政管理职权的事项。

应当由全国人民代表大会及其常务委员会制定法律的事项,国务院根据全国人民代表大会及其常务委员会的授权决定

先制定的行政法规，经过实践检验，制定法律的条件成熟时，国务院应当及时提请全国人民代表大会及其常务委员会制定法律。

【释义】 本条是关于制定行政法规权限范围的规定。

我国宪法在配置立法权时，使用了几个不同的范畴来表达。即全国人大及其常委会行使国家立法权；国务院根据宪法和法律，制定行政法规，用“根据”原则对行政机关的立法权限作了基本的界定；省、自治区、直辖市人大及其常委会在不同宪法、法律和行政法规相抵触的前提下，可以制定地方性法规，用“不抵触”原则界定了地方的立法权限。实践表明，这种划分是比较科学的。虽然简单，但执行起来并不困难，实际操作并不难以把握；虽然原则、灵活，但可以按这些原则进行有效的立法监督，能够更好地维护法制统一。特别是这种划分是动态的，而不是静态的，没有拘泥于事权的分配，保持了立法体制内在的活力，有利于调动各个立法主体的积极性，满足法制建设对立法的需求。宪法颁布以来，我国正是依据这种划分，开展了卓有成效的立法工作。

当然，立法实践对宪法的规定也提出了一些问题。宪法第八十九条规定国务院根据宪法和法律制定行政法规，但对如何理解宪法和有关法律规定的“根据”原则，则有两种不同意见。一种是“职权说”。即法定的行政机关除了根据宪法和法律制定行政法规外，在宪法和法律赋予的职权范围内，根据实际需要，也可以制定行政法规。认为制定行政法规是行政机关行使行政管理职权的形式之一，行政机关在其职权范围内，凡法律未曾禁止的，或者不属于法律明确列举的调整事项，可以通过制定行政法规来履行职权。制定行政法规的“根据”除了宪法和法律的具体授权外，还应包括赋予行政机关的职权。在职权范围内,没有具体授权也可以制定行政法规。另一种是"依据说"。即行政机关制定行政法规,应遵守宪法和有关法律的要求,即应有直接的"根据",具体的授权。认为制定行政法规不是行政机关固有的权力,也不是行政机关行使职权的形式。认为"职权说"有许多矛盾和问题:一是与行政机关的性质不符,行政机关是执行机关,不是立法机关。二是与职权的性质不符,行政机关的职权是指在哪些事项上享有管理权,而不是指享有创制规范的权力。三是与国家体制不相符,行政机关依职权立法,必然影响或者甚至取代国家权力机关立法;同时也会形成多头立法、立法无序的状况,不利于各国家机关按照各司其职、分工合作的原则开展工作,不利于保证法制的统一。这两种观点向我们提出的实质问题有:一是"根据"是否就是指具体的授权依据?二是行政机关的"职权"是否可以成为制定行政法规的根据?三是行政机关制定行政法规,是行政机关固有的权力,还是因授权获得的权力?

立法法针对实践中提出的问题,以宪法为根据,对行政法规的立法权限作了进一步的明确和界定。这种进一步的划分,可以说既没有完全按照"职权说"的观点进行细化,也没有完全按照"依据说"的观点详细界定。因为从实际情况来看,"职权说"的观点失之过宽,把行政机关的管理职权不加分析,全部当成行政法规的权限范围,混淆了行政权和立法权的性质,从长远来看,并不利于法制建设。而"依据说"又失之过窄,难以适应改革开放形势的客观需要,不利于调动行政立法的积极性,充分发挥行政立法的优势。行政立法的优势之一就是能及时应对社会生活中出现的新情况和新问题,而这时往往没有具体法律的授权依据。如某些制定法律的条件不成熟、来不及制定法律或者需要通过制定行政法规积累经验的具体行政管理事项,如果过于强调必须有授权或者法律依据才能制定行政法规，就有可能贻误立法时机。因此，立法法将“根据”原则作了较宽的界定。

根据立法法，行政法规可以就下列事项作出规定：

（一）为执行法律的规定需要制定行政法规的事项

国务院是我国的最高行政机关，最高国家权力机关的执行机关，贯彻实施国家权力机关的法律是它的一项重要职责。国家最高行政机关贯彻执行法律，将法律规定的权利义务关系落实到具体的个人和组织，特别是由于我国地广人多，经济文化发展不平衡，为适应各地不同的情况，有些法律条文比较原则，这些都需要国务院根据各种实际情况，制定具体的实施规定。从行政法规制定的实际情况来看，这方面的行政法规主要有三类：

一是综合性的实施细则、实施条例和实施办法。它是在法律颁布之后，对法律实施中的各种问题作出的比较全面、具体的规定。主要内容包括专有名词术语的解释、处罚奖励幅度的具体化、行政执法机关职责的具体化、行政执法程序的具体化、实施法律的具体措施和办法等。全国人大及其常委会通过的很多法律中，都在附则中明确规定国务院可以根据法律制定实施细则。如个人所得税法、税收征收管理法、森林法、收养法、档案法等。有些法律虽未明确规定国务院可以制定实施细则或者办法，但为实施该法，制定相应的办法或者规定也是可以的。

二是为实施法律中的某一项规定和制度而制定的专门规定。有些法律中某一项制度或是属于具体行政管理事项，或是缺少经验，法律只能作原则规定，由实施机关作进一步具体的规定。如国家赔偿法第三十七条规定，赔偿费用预算与支付管理的具体办法由国务院规定。据此，国务院制定了《国家赔偿费用管理条例》，并于2011年1月公布实施。

三是对法律实施的过渡、衔接问题和相关问题作出的规定。如执业医师法的调整对象是执业医师,不包括乡村医生,但乡村医生是和执业医师法有关的问题,因此,执业医师法规定,乡村医生的管理办法,由国务院另行规定。

(二)宪法规定的国务院行政管理职权的事项

行政一般是指国家行政机关从事的执行、管理活动。国务院的行政管理活动实际上就是执行国家最高权力机关的决策(包括立法和各种决议、决定),并为实施决策而进行的计划、领导、组织、协调和监督。国务院的行政管理职权就是由宪法根据执行和管理的实际需要而赋予的。

宪法第八十九条规定,国务院行使下列职权:(1)根据宪法和法律,规定行政措施,制定行政法规,发布决定和命令;(2)向全国人民代表大会或者全国人民代表大会常务委员会提出议案;(3)规定各部和各委员会的任务和职责,统一领导各部和各委员会的工作,并且领导不属于各部和各委员会的全国性的行政工作;(4)统一领导全国地方各级国家行政机关的工作,规定中央和省、自治区、直辖市的国家行政机关的职权的具体划分;(5)编制和执行国民经济和社会发展计划和国家预算;(6)领导和管理经济工作和城乡建设;(7)领导和管理教育、科学、文化、卫生、体育和计划生育工作;(8)领导和管理民政、公安、司法行政和监察等工作;(9)管理对外事务,同外国缔结条约和协定;(10)领导和管理国防建设事业;(11)领导和管理民族事务,保障少数民族的平等权利和民族自治地方的自治权利;(12)保护华侨的正当的权利和利益,保护归侨和侨眷的合法的权利和利益;(13)改变或者撤销各部、各委员会发布的不适当的命令、指示和规章;(14)改变或者撤销地方各级国家行政机关的不适当的决定和命令;(15)批准省、自治区、直辖市的区域划分,批准自治州、县、自治县、市的建置和区域划分;(16)依照法律规定决定省、自治区、直辖市的范围内部分地区进入紧急状态;(17)审定行政机构的编制,依照法律规定任免、培训、考核和奖惩行政人员;(18)全国人民代表大会和全国人民代表大会常务委员会授予的其他职权。

从宪法的规定来看,国务院的行政管理职权实际上是四个方面:一是全国性行政工作的领导权。这主要体现在上述第(3)、(4)、(5)、(15)、(16)项上。二是部门性行政工作的领导和管理权,主要体现在第(6)项至第(12)项上。三是行政机关的编制审定权和行政人员的任免、奖惩权,主要体现在第(17)项上。四是行政监督权,主要体现在第(13)、(14)项上。

上述第(1)、(2)项关于国务院规定行政措施,制定行政法规,发布决定和命令以及向全国人大及其常委会提出议案的规定,是非常重要的职权。国务院作为国家最高行政机关,宪法规定的其他各项职权,通常是要通过行使这两项职权得以实现。

在国务院的行政管理职权范围内,国务院可以依据宪法和法律制定和颁布行政法规。立法法在配置各立法主体的立法权限时,首先规定了全国人大及其常委会的十一项专属立法权,这些都属于重大事项的创制权,其中有些与国务院的行政管理职权有关,比如国家主权的事项,对公民政治权利剥夺、限制人身自由的强制措施和处罚,税种的设立、税率的确定和税收征收管理等税收基本制度,对非国有财产的征收、征用,基本经济制度以及财政、海关、金融和外贸的基本制度等。虽然这些事项与国务院的行政管理职权有关,但非经专门授权或者法律规定,国务院不能就这些事项制定行政法规。例如,依照法律规定,国务院有权决定省、自治区、直辖市的范围内部分地区进入紧急状态,但这并不等于可以以行政法规创立紧急状态制度,因为进入紧急状态涉及在一个地区和一定时间内暂时中止公民的某些权利和自由。所以,并不是宪法第八十九条所规定的事项,都能制定行政法规,它必须以不超越全国人大及其常委会的国家立法权为前提。另外,对于全国人大及其常委会专属立法权以外的事项,国务院也只能从行政管理的角度制定行政法规;有法律的要根据法律制定行政法规。

(三)全国人大及其常委会授权的事项

立法法第九条规定:"本法第八条规定的事项尚未制定法律的,全国人民代表大会及其常务委员会有权作出决定,授权国务院可以根据实际需要,对其中的部分事项先制定行政法规,但是有关犯罪和刑罚、对公民政治权利的剥夺和限制人身自由的强制措施和处罚、司法制度等事项除外。"对于全国人大及其常委会专属立法权范围内的事项,国务院不能制定行政法规。如果要对其中的事项进行规定,就需取得授权。从前面两项内容来看,行政法规的调整范围已是相当广泛了,在这种情况下,为什么还要规定全国人大及其常委会授权国务院立法?这主要是因为:一是发展社会主义市场经济,没有现成的经验和模式,必须在实践中不断探索。二是当今社会,科学技术迅猛发展,社会关系复杂多变,不断出现新情况、新问题。三是全国人大每年开一次会,全国人大常委会每两个月召开一次会议,会期较短,工作方式是集体行使职权,集体决定问题。这些因素决定了全国人大及其常委会对其专属立法权领域的事项难以完全做到及时立法。因此,为了及时应对复杂多变的情况,积极进行探索,发挥行政法规的灵活、迅速的优势,建立授权制度是必要的。根据实际需要,全国人大及其常委会可以将其专属立法权领域的部分事项授权国务院制定行政法规。

国务院根据全国人大及其常委会的授权决定先制定的行政

法规,经过实践检验,制定法律的条件成熟时,国务院应当及时提请全国人大及其常委会制定法律。何为“制定法律的条件成熟”?这是一个需要研究的问题。可以从以下几个标准来掌握:第一,行政法规所规范的社会关系已经比较稳定,不是在急速的变化调整中。如我国的金融管理体制,经过改革开放以来的实践和探索,逐步明确了中国人民银行的职能,即作为国家的中央银行,在国务院的领导下制定和执行货币政策,防范和化解金融风险,维护金融稳定。因而在《银行管理暂行条例》的基础上,全国人大于1995年制定了中国人民银行法,2003年全国人大常委会作了修改。第二,行政法规所规定的措施和制度,经实践检验是可行的,也是必需的。如1990年2月,国务院颁布了《行政监察条例》,多年的实施表明,条例规定的监察体制和监察措施是可行的。因此,在此基础上,制定了行政监察法。第三,改革的方向比较明确具体。如我国的经济体制改革,经过长时间的探索,最终把建立社会主义市场经济体制作为改革目标,具体到国有企业改革,就是要建立现代企业制度。公司法正是根据经济体制改革所确立的方向,在国务院有关部门颁布的《有限责任公司规范意见》《股份有限公司规范意见》的基础上制定的。第四,各方面的意见比较一致。一般来说,争论比较大的,往往存在条件还不够具备、时机还不够成熟等问题。

第六十六条　国务院法制机构应当根据国家总体工作部署拟订国务院年度立法计划,报国务院审批。国务院年度立法计划中的法律项目应当与全国人民代表大会常务委员会的立法规划和年度立法计划相衔接。国务院法制机构应当及时跟踪了解国务院各部门落实立法计划的情况,加强组织协调和督促指导。

国务院有关部门认为需要制定行政法规的,应当向国务院

报请立项。

【释义】 本条是关于国务院立法计划编制、原则要求和督促落实以及行政法规立项的规定。

一、国务院立法工作计划的编制和原则要求

长期以来，国务院只制订年度立法工作计划，没有编制过五年立法规划。与全国人大常委会立法计划较为类似，国务院立法工作计划对于指导立法工作具有重要意义，有利于明确立法工作的重点、难点、目标和任务，加强国务院对行政立法工作的领导；有利于明确国务院有关部门的立法职责，推动相关立法工作有条不紊地进行；有利于把立法和改革决策结合起来，使立法与社会关系协调发展，取得预期的社会效果；有利于保持立法工作的协调统一，防止重复立法和分散立法，降低立法成本，提高立法质量。关于国务院编制立法工作计划的内容是本次立法法修改根据多年来的立法实践新增加的内容。

国务院年度立法计划由国务院法制机构即国务院法制办公室承担，报国务院审批后印发执行。《行政法规制定程序条例》规定，国务院于每年年初编制本年度的立法工作计划。从体例上看，国务院立法工作计划一般由两部分组成。一部分是关于印发国务院立法工作计划的通知。主要是明确指导思想和立法重点，并对落实立法工作计划提出意见，如对法律和行政法规送审稿质量的要求等。另一部分是立法项目，包括制定、修改法律的项目和行政法规的项目两种，一般分为三档。一档项目是力争年内完成的项目；二档项目是需要抓紧工作、适时提出的项目；三档项目是需要积极研究论证的项目。一般的要求是在力争完成一档项目、抓紧做好二档项目的前提下，兼顾三档项目。

本条对国务院法制机构拟订立法计划提出了三个方面的原则要求。第一，国务院法制机构拟订立法计划的根据是国家总体工作部署。按照宪法和立法法有关规定,国务院既是有权向全国人大或其常委会提出法律草案的主体之一,又是行政法规的制定主体,既承担由国务院提请审议法律草案的起草工作,又承担制定行政法规的任务。因此,国务院立法工作计划必须紧紧围绕国家总体工作部署来筹划立法工作,统筹安排法律项目和行政法规项目。第二,国务院年度立法计划中的法律项目应当与全国人民代表大会常务委员会的立法规划相衔接。全国人大常委会五年立法规划的项目,其中有相当一部分是由国务院有关部门负责起草、由国务院依法提请审议的。国务院应当通过其年度立法计划保证全国人大常委会立法规划确定的立法项目能够在任期内提请审议,这样也是逐年分解落实全国人大常委会立法规划提出的立法项目任务。第三,国务院编制年度立法计划应当与全国人大常委会本年度立法计划相衔接。全国人大常委会年度立法计划对于初次提请审议项目有明确的时间要求,国务院立法计划需要做好立法项目上的对接,确保国务院能够及时提出法律案提请全国人大常委会会议审议。从技术层面上说,一般国务院年底立法计划所列的法律项目数量一般会适当多于全国人大常委会年度立法计划,主要是为本年度以后的立法工作的连续性考虑。

二、国务院立法计划的督促落实

国务院法制办公室负责国务院立法计划的督促落实。按照国务院批准的国务院法制办公室的“三定方案”,其主要职责之一即承担统筹规划国务院立法工作的责任,拟订国务院年度立法工作安排,报国务院批准后组织实施,督促指导。按照国务院立法工作计划中确定的工作分工,绝大部分法律、行政法规草案的起草工作是由国务院法制机构之外的国务院其他部门来承担,从实践来看,相关法律、行政法规草案一般都是由行政主管部门来组织起草的。为了确保国务院立法工作计划能够得到落实,本条明确规定国务院法制机构督促落实的职责,将“三定方案”规定的职责以法律形式予以确认,要求国务院法制机构及时跟踪了解国务院各部门落实立法工作计划的情况,加强组织协调和督促指导。《行政法规制定程序条例》还规定,国务院年度立法工作计划在执行中可以根据实际情况予以调整。

三、行政法规的立项

立项就是将制定行政法规的项目纳入国务院立法计划,或者由国务院批准或者决定某一事项开展制定行政法规的工作。通常情况下,制定行政法规项目的报请立项与国务院立法计划的编制是相联系的。《行政法规制定程序条例》规定,国务院有关部门认为需要制定行政法规的,应当于每年年初编制国务院年度立法工作计划前,向国务院报请立项。国务院有关部门报送的行政法规立项申请,应当说明立法项目所要解决的主要问题、依据的方针政策和拟确立的主要制度。列入国务院年度立法工作计划的行政法规项目应当符合下列要求:(1)适应改革、发展、稳定的需要;(2)有关的改革实践经验基本成熟;(3)所要解决的问题属于国务院职权范围并需要国务院制定行政法规的事项。《行政法规制定程序条例》还规定,由国务院法制机构在拟订国务院年度立法工作计划时,对部门报送的行政法规立项申请进行汇总研究,报国务院审批。

第六十七条 行政法规由国务院有关部门或者国务院法制机构具体负责起草,重要行政管理的法律、行政法规草案由国务院法制机构组织起草。行政法规在起草过程中,应当广泛听取有关机关、组织、人民代表大会代表和社会公众的意见。听取意见可以采取座谈会、论证会、听证会等多种形式。

行政法规草案应当向社会公布，征求意见，但是经国务院决定不公布的除外。

【释义】 本条是关于行政法规的组织起草、听取意见程序和向社会公布征求意见程序的规定。

一、行政法规的组织起草

行政法规的起草，不同于起草一般的行政机关文件，它是行使行政法规制定权、实现行政管理目标的重要步骤，关系到行政法规的出台进程、立法质量等。国务院高度重视行政法规的组织起草工作，通常以国务院文件的形式确定具体的起草部门，督促组成起草班子，确定起草的指导思想和原则。《行政法规制定程序条例》规定，行政法规由国务院组织起草。国务院年度立法工作计划确定行政法规由国务院的一个部门或者几个部门具体负责起草工作，也可以确定由国务院法制机构起草或者组织起草。其中有两种情况：

第一，行政法规由国务院有关部门或者国务院法制机构具体负责起草。这是一般的做法。从实际情况来看，部门性行政法规一般由业务主管部门承担起草任务；涉及几个部门的事项，由主要的行政主管部门牵头，其他有关部门参加，共同承担起草任务。

第二，重要行政管理的法律、行政法规草案由国务院法制机构组织起草。按照国务院批准的国务院法制办公室的“三定方案”，其主要职责之一即负责起草或组织起草有关重要法律草案、行政法规草案。党的十八届四中全会决定提出，重要行政管理法律法规由政府法制机构组织起草。这一规定既可以加强国务院对重要法律草案、行政法规草案的统筹安排，又避免了国务院有关部门之间的掣肘、争议不绝或者部门利益的影响，有效地推进重要立法项目的进程，提高国务院立法效率和质量。从立法实践看，突发事件应对法、食品安全法、反垄断法、行政许可法以及国务院取消和下放行政审批项目所修改的法律等重要法律草案，都是由国务院法制办公室承担起草工作或者组织起草的。

二、行政法规的听取意见程序

行政机关实行行政首长负责制，这是行政管理所必需的，同时也应看到，其决策的民主性较之国家权力机关有一定的差别；而行政机关在行政管理中，又容易从方便管理的角度考虑和决定问题。为此，如何实现行政法规立法的民主化十分重要。本法明确规定，行政法规在起草过程中应当广泛征求意见，具体地说，主要包括以下两个方面：

第一，要注意听取有关机关、组织和社会公众的意见。包括既要听取有关机关、组织的意见，包括国家机关、企事业单位、科研机构、社会组织等，又要听取社会公众的意见；既要听取执法部门的意见，又要听取管理相对人的意见；既要听取国务院有关部门的意见，又要听取地方特别是基层行政机关的意见；等等。《行政法规制定程序条例》也对广泛听取意见作出了规定：起草行政法规，应当深入调查研究，总结实践经验，广泛听取有关机关、组织和公民的意见。听取意见可以采取召开座谈会、论证会、听证会等多种形式。

第二，要注意听取人民代表大会代表的意见。听取人大代表意见，是本次立法法修改新增加的内容。人民代表大会制度是我国的根本政治制度，是人民当家做主的实现形式。因此，行政法规在起草过程中，广泛听取人大代表的意见也是必然要求。党的十八届四中全会决定提出，健全法律法规规章起草征求人大代表意见制度。本次修改将这一要求以法律的形式予以固定。需要注意的是，听取人大代表意见，没有对人大代表的层级作出规定，既可以是全国人大代表，也可以是省、市、县乃至镇的人大代表,在实践中可由起草单位根据具体情况来确定。

行政法规听取意见的方式,与对法律的规定是一致的,可以采取座谈会、论证会、听证会等多种形式。

三、向社会公布征求意见

2003 年至 2007 年,国务院先后公布了三十多件法律草案、行政法规草案,向社会公开征求意见。自 2008 年起,除涉及国家秘密、国家安全的外,所有行政法规草案都通过"中国政府法制信息网"向社会公开征求意见。多年来,国务院法制机构一直坚持将行政法规草案向公众征求意见的做法,对于拓宽公众参与政府立法的渠道,提高政府立法的透明度和公众参与程度,集中民智,反映民意,保障人民通过多种途径参与立法,进一步增强立法的科学性、合理性、可操作性,起到了很好的促进作用。总结这些立法实践经验,本次立法法修改将行政法规向社会公布征求意见的做法以法律形式予以规定。

按照国务院法制办公室制定的《法律法规草案公开征求意见暂行办法》,行政法规向社会公布征求意见,是指将行政法规草案全文或者部分内容在中央主要媒体、中国政府法制信息网上公布,向社会公开征求意见和建议。行政法规草案在中国政府法制信息网上公开征求意见的期限一般不少于三十天,情况紧急等特殊情况除外。法律法规草案向社会公开征求意见的,应当在公布草案或者其主要内容的同时,公布征求意见说明、向公众介绍征求意见的重点,并列明公众提出意见和建议的方式、期限以及拟接收意见和建议的单位及其通讯地址、电子信箱等信息。

需要注意的是,某些特殊的行政法规草案,经国务院决定,可以不向社会公布征求意见。按照实际做法,一般涉及国家秘密、国家安全、汇率和货币政策确定等不宜向社会公开征求意见的行政法规草案，报国务院决定后不予公布。

第六十八条　行政法规起草工作完成后，起草单位应当将草案及其说明、各方面对草案主要问题的不同意见和其他有关资料送国务院法制机构进行审查。

国务院法制机构应当向国务院提出审查报告和草案修改稿，审查报告应当对草案主要问题作出说明。

【释义】　本条是关于行政法规草案审查的规定。

2001年国务院制定了《行政法规制定程序条例》。根据立法法和该条例，起草机关完成起草任务之后，要依照一定的程序报送国务院法制机构审查。为什么草案起草之后，还要报法制机构进行审查，而不直接报国务院决定？这主要是从国家全局出发，进一步研究审查草案的必要性和可行性，提高立法质量，保证法制统一，防止部门倾向。各部门在起草时，可能从本部门的工作考虑较多，在处理局部与全局、本部门和其他部门、行政相对人的关系时，客观上受到一些局限；再加上起草者主观和客观上的原因，草案难免会有一些缺陷。法制机构统一审查，可以将立法失误和缺陷加以避免和克服或降到最低程度。

起草机关报送审查时，应当材料齐备。主要有：一是行政法规草案送审稿（以下简称行政法规送审稿）。起草部门报送的行政法规送审稿，应当由起草部门主要负责人签署。几个部门共同起草的行政法规送审稿，应当由该几个部门主要负责人共同签署。二是行政法规送审稿的说明。起草部门将行政法规送审稿报送审查时，应当一并报送行政法规送审稿的说明。行政法规送审稿的说明应当对立法的必要性，确立的主要制度，各方面对送审稿主要问题的不同意见，征求有关机关、组织和公民意见的情况等作出说明。反映不同意见一定要全面、客观，不能故意隐瞒不同意见。三是其他有关资料。主要包括国内外的有关立法资料、调研报告、考察报告、论证材料、评估报告等。

审查的主要程序是：

一是了解情况。法制机构接到草案后，要根据草案性质和业务分工，确定具体负责审查的部门和人员。经办人员着手进行审查时，首先要了解草案的有关情况。主要包括起草过程、草案的主要内容及条文的含义、对草案的主要不同意见、现行有关的法律、法规和方针政策、现实的基本情况、国外的相关情况等。了解情况可以采取请起草部门介绍情况、深入实际调查研究、书面收集有关资料等多种方式。

二是征求意见。审查者要想了解草案的矛盾和焦点，是否必要和可行，最好的办法就是征求各方面的意见，从中发现问题。征求意见可以按照立法法关于在起草过程中征求意见的方式、方法和要求的规定办理，也可以根据草案的具体情况采取其他更为灵活的方式，如电话征求意见、有针对性地征求个别部门的意见等。

三是协调分歧。国务院有关部门对行政法规送审稿涉及的主要制度、方针政策、管理体制、权限分工等有不同意见的，国务院法制机构应当进行协调，力求达成一致意见；不能达成一致意见的，应当将争议的主要问题、有关部门的意见以及国务院法制机构的意见报国务院决定。

四是审查修改。国务院法制机构主要从以下方面对行政法规送审稿进行审查：(1)是否符合宪法、法律的规定和国家的方针政策。(2)是否符合以下要求：体现改革精神，科学规范行政行为，促进政府职能向经济调节、社会管理、公共服务转变；符合精简、统一、效能的原则，相同或者相近的职能规定由一个行政机关承担，简化行政管理手续；切实保障公民、法人和其他组织的合法权益,在规定其应当履行的义务的同时,应当规定其相应的权利和保障权利实现的途径;体现行政机关的职权与责任相统一的原则,在赋予有关行政机关必要的职权的同时,应当规定其行使职权的条件、程序和应承担的责任。(3)是否与有关行政法规协调、衔接。(4)是否正确处理有关机关、组织和公民对行政法规送审稿主要问题的意见。(5)其他需要审查的内容。

国务院法制机构在认真研究各方面的意见,与起草部门协商后,对行政法规送审稿进行修改,形成行政法规草案和对草案的说明,并写出审查结果报告。

国务院法制机构对行政法规草案审查完毕后,向国务院提出审查报告和草案修改稿,提请国务院审议。法制机构提出的审查报告应当对草案的主要问题作出说明,其中既包括对主要内容的说明,也包括对有关不同意见的说明及协调结果。

行政法规草案由国务院法制机构主要负责人提出提请国务院常务会议审议的建议;对调整范围单一、各方面意见一致或者依据法律制定的配套行政法规草案,可以采取书面审查即传批方式,由国务院法制机构直接提请国务院审批。

行政法规送审稿有下列情形之一的,国务院法制机构可以缓办或者退回起草部门:一是制定行政法规的基本条件尚不成熟的;二是有关部门对行政法规送审稿规定的主要制度存在较大争议,起草部门未与有关部门协商的;三是上报的行政法规送审稿、说明等不符合要求,报送的材料不齐备等。

第六十九条　行政法规的决定程序依照中华人民共和国国务院组织法的有关规定办理。

【释义】　本条是关于行政法规的决定程序的规定。

行政法规的决定就是在认真研究的基础上,由国务院对报送的行政法规草案决定是否修改、如何修改、是否通过。其程序依照国务院组织法的有关规定办理。国务院组织法是关于国务院的组成、会议制度、领导制度、工作中的请示报告制度和机构设置的原则的重要法律。其中第二条规定:“国务院实行总理负责制。总理领导国务院的工作。副总理、国务委员协助总理工作。”第四条规定:“国务院会议分为国务院全体会议和国务院常务会议。国务院全体会议由国务院全体成员组成。国务院常务会议由总理、副总理、国务委员、秘书长组成。总理召集和主持国务院全体会议和国务院常务会议。国务院工作中的重大问题,必须经国务院常务会议或者国务院全体会议讨论决定。”《行政法规制定程序条例》规定:“行政法规草案由国务院常务会议审议,或者由国务院审批。”一项行政法规的颁布,往往是一项新的管理制度或者措施的诞生;行政法规在全国范围内实施,具有普遍约束力,影响广泛;有的还规定有处罚措施,涉及行政相对人的切身利益。因此,一般来说,制定行政法规都属于国务院工作中的重大问题,都应当经国务院常务会议或者国务院全体会议讨论决定。当然,个别行政法规草案,各方面意见比较一致,实践经验比较成熟,调整对象比较简单,或者只对原有行政法规作少量条文修改,这类不属于重大问题的草案,可以由国务院领导书面审批。

国务院常务会议审议行政法规草案时,由国务院法制机构或者起草部门作说明。

国务院实行总理负责制,不实行少数服从多数的合议表决制。国务院常务会议或者全体会议讨论通过行政法规,没有严格的次数要求,多数情况下,一次会议即原则通过,有的行政法规也可经过两次或者两次以上会议讨论通过。

第七十条　行政法规由总理签署国务院令公布。

有关国防建设的行政法规，可以由国务院总理、中央军事委员会主席共同签署国务院、中央军事委员会令公布。

【释义】　本条是关于行政法规的公布主体的规定。

公布是行政法规制定工作中的最后一道程序。行政法规和法律的制定一样，在其通过之后，并不自然产生法律效力。因为这时的法律尚不为公众知晓，不能发挥调整社会关系、规范人们行为的作用。要使法律得到遵守和执行，就必须将法律公之于众。立法理论认为，法律必须公布，未经公布的法律，不具有法律效力，对公众不具有约束力。因此，行政法规通过之后，要及时公布。

我国法律由国家主席签署主席令予以公布，地方性法规由代表大会主席团或者常委会公告公布，规章由部门首长或者地方政府首长签署公布。行政法规的公布权属于总理。总理是国家最高行政机关的首长，领导和主持国家行政机关的工作。国务院组织法规定，国务院发布决定、命令和行政法规，向全国人民代表大会或者全国人民代表大会常务委员会提出的议案，任免人员，由总理签署。

行政法规草案经国务院常务会议审议，或者经国务院审批后，国务院法制机构应当根据国务院对行政法规草案的审议意见，对行政法规草案进行修改，形成草案修改稿，报总理签署国务院令公布施行。总理签署公布行政法规，表明该项行政法规已经完成了立法程序，开始产生法律效力。总理公布行政法规，采取签署国务院令的形式。国务院令的内容通常包括该行政法规的制定机关、通过日期和施行时间。

国防法规定，国务院领导和管理国防建设事业，制定国防建设方面的行政法规。但是在实践中一些涉及国防建设方面的行政法规都是由国务院、中央军委联合发布的,如《现役士兵服役条例》《民用运力国防动员条例》《军人抚恤优待条例》等。此次立法法修改过程中,有些常委委员和军事机关提出,行政法规由国务院、中央军委联合发布,对推进依法治国、依法治军具有重要作用,建议在立法法中予以明确。这一意见得到了采纳,修改后的立法法在本条增加一款,明确规定:"有关国防建设的行政法规,可以由国务院总理、中央军事委员会主席共同签署国务院、中央军事委员会令公布。"

第七十一条　行政法规签署公布后,及时在国务院公报和中国政府法制信息网以及在全国范围内发行的报纸上刊载。

在国务院公报上刊登的行政法规文本为标准文本。

【释义】 本条是关于行政法规的公布载体的规定。

首先,行政法规的刊载要及时。一般来讲,当天签署的行政法规,应当马上或者在第二天通过报纸和其他媒体刊登,以便让有关机关准备实施,让公民、法人和其他组织知晓,对自己的行为作出调整。有些行政法规是自公布之日起施行,这种情况下,及时公布更为重要,否则难以发挥作用。

其次,行政法规的刊载要便于获取。行政法规的公布载体有三种:一是国务院公报。它是正式刊登国务院颁布的行政法规、各种决定、命令、行政措施、提出的议案、签订的条约和协定、人事任命以及其他国务院文件的法定刊物,具有权威性。其不足之处是出版周期较长,不便于及时获取。二是中国政府法制信息网。随着信息技术的发展,采取网上公布的方式,更加便于获取和查阅,符合推进科学立法、民主立法的要求。2008 年 5 月 1 日起施行的《政府信息公开条例》也规定,行政法规、规章和规范性文件属于信息公开的范围,行政机关应当通过政府公报、政府网站、新闻发布会以及报刊、广播、电视等便于公众知晓的方式公开。此次修改立法法，明确了国务院法制机构的官方网站“中国政府法制信息网”作为行政法规公布的载体。三是全国范围内发行的报纸，目前主要是《人民日报》《法制日报》等。其优势是每日出版，传播范围广，迅速及时。全国范围内发行的报纸很多，在所有全国范围内发行的报纸上刊登，既不可能，也没有必要，应当选取一些主要的大报，以确保法律的及时刊载。

最后，行政法规的刊登应当做到准确。有些情况下，刊登行政法规的载体很多，有时多家报纸同时刊登，还有各种“汇编”“全书”“大全”等书籍收录行政法规，但由于编辑校对工作不到位，各种文本之间出现不一致的情况时有发生，不够严肃。为了便于执法和司法，必须明确标准文本。因此，立法法规定，在国务院公报上刊登的行政法规文本为标准文本。文本之间发生不一致时，应当以公报上刊登的文本为准。

第四章 地方性法规、自治条例和单行条例、规章

地方性法规是指法定的地方国家权力机关依照法定的权限,在不同宪法、法律和行政法规相抵触的前提下,制定和颁布的在本行政区域范围内实施的规范性文件。自治条例是民族自治地方的人民代表大会依照当地民族的政治、经济和文化的特点制定的全面调整本自治地方事务的综合性规范性文件。单行条例是民族自治地方的人民代表大会依照当地民族的政治、经济、文化的特点制定的调整本自治地方某方面事务的规范性文件。规章通常称行政规章,是国家行政机关依照行政职权所制定、发布的针对某一类事件或某一类人的一般性规定,是抽象行政行为的一种,包括部门规章(也称部委规章)和地方政府规章。本章分两节,共十五条,对于地方性法规、自治条例和单行条例以及规章制定的主体、原则、权限、程序等作了规定。

第一节 地方性法规、自治条例和单行条例

第七十二条 省、自治区、直辖市的人民代表大会及其常务委员会根据本行政区域的具体情况和实际需要,在不同宪法、法律、行政法规相抵触的前提下,可以制定地方性法规。

设区的市的人民代表大会及其常务委员会根据本市的具体

情况和实际需要，在不同宪法、法律、行政法规和本省、自治区的地方性法规相抵触的前提下，可以对城乡建设与管理、环境保护、历史文化保护等方面的事项制定地方性法规，法律对设区的市制定地方性法规的事项另有规定的，从其规定。设区的市的地方性法规须报省、自治区的人民代表大会常务委员会批准后施行。省、自治区的人民代表大会常务委员会对报请批准的地方性法规，应当对其合法性进行审查，同宪法、法律、行政法规和本省、自治区的地方性法规不抵触的，应当在四个月内予以批准。

省、自治区的人民代表大会常务委员会在对报请批准的设区的市的地方性法规进行审查时，发现其同本省、自治区的人民政府的规章相抵触的，应当作出处理决定。

除省、自治区的人民政府所在地的市，经济特区所在地的市和国务院已经批准的较大的市以外，其他设区的市开始制定地方性法规的具体步骤和时间，由省、自治区的人民代表大会常务委员会综合考虑本省、自治区所辖的设区的市的人口数量、地域面积、经济社会发展情况以及立法需求、立法能力等因素确定，并报全国人民代表大会常务委员会和国务院备案。

自治州的人民代表大会及其常务委员会可以依照本条第二款规定行使设区的市制定地方性法规的职权。自治州开始制定地方性法规的具体步骤和时间，依照前款规定确定。

省、自治区的人民政府所在地的市，经济特区所在地的市和国务院已经批准的较大的市已经制定的地方性法规，涉及本条第二款规定事项范围以外的，继续有效。

【释义】　本条是关于地方性法规的制定主体、制定原则和赋予设区的市立法权的规定。

地方性法规，是指法定的地方国家权力机关依照法定的权限,在不同宪法、法律和行政法规相抵触的前提下,制定和颁布的在本行政区域范围内实施的规范性文件。自 1979 年以来,我国地方性法规的制定工作经历了探索起步、逐步完善和不断发展提高的阶段,取得了巨大的成就。截至 2011 年中国特色社会主义法律体系形成时,地方人大及其常委会共制定地方性法规八千六百多件。这些地方性法规的内容涉及地方政治、经济、教育、科学、文化、卫生、民政、资源和环境保护等社会生活各个方面。地方性法规是中国特色社会主义法律体系的重要组成部分,对于保证宪法和法律在地方的实施、对于补充国家立法以及各地因地制宜自主解决本地方的事务起到重要作用。本次修改立法法对本条作了较大幅度修改,根据党的十八届三中、四中全会精神,依法赋予设区的市地方立法权,同时又对设区的市行使立法权的事项范围和开始行使立法权的时间、步骤如何确定作了明确规定。

一、地方性法规的制定主体

(一)地方性法规的沿革

新中国成立后,我国地方立法经历了三个阶段:

第一阶段是从 1949 年新中国成立到 1954 年宪法颁布。1949 年 12 月 26 日,中央人民政府政务院制定的《大行政区人民政府委员会组织通则》规定:大行政区人民政府或军政委员会有权根据共同纲领和国家的法律、法令,以及中央人民政府规定的施政方针和政务院颁布的决议、命令,拟定与地方政务有关的暂行法令、条例,报政务院批准或备案。1950 年 1 月 6 日中央人民政府政务院公布的《省、市、县人民政府组织通则》规定:省、市、县人民政府有权拟定与省政、市政、县政有关的暂行法令、条例或单行法规,报上级人民政府批准或备案。这一时期,地方制定暂行法令、条例或者单行法规的活动,还不能称为现在所说的地方立法，但具有地方立法的萌芽。

第二阶段是从 1954 年宪法的颁布至 1979 年地方组织法的颁布。1954 年宪法确立了由中央统一行使国家立法权的制度，取消了一般地方享有的法令、条例拟定权，仅规定民族自治地方有权制定自治条例、单行条例，全国人民代表大会是行使国家立法权的唯一机关，全国人大常委会负责解释法律、制定法令。1975 年宪法和 1978 年宪法在立法权方面也作了类似的规定。

第三阶段是从 1979 年地方组织法施行以后。1979 年地方组织法规定省级人大及其常委会行使地方性法规制定权，第一次以法律的形式赋予地方立法权。1982 年五届全国人大第五次会议通过的宪法，确认了 1979 年地方组织法规定的地方立法制度。宪法第一百条规定："省、直辖市的人民代表大会和它们的常务委员会，在不同宪法、法律、行政法规相抵触的前提下，可以制定地方性法规，报全国人民代表大会常务委员会备案。"这次会议还对地方组织法进行了修改，规定了省会市和经国务院批准的较大的市的人大常委会有权拟订地方性法规草案提请省级人大常委会审议制定。1986 年，再次修改地方组织法，进一步规定省会市和较大的市的人大及其常委会有权制定地方性法规报省级人大常委会批准后施行。2000 年制定立法法时又增加规定，经济特区所在地的市的人大及其常委会也可以制定地方性法规。为落实党的十八届四中全会关于"依法赋予设区的市地方立法权"精神，2015 年修改立法法时，明确规定所有设区的市的人大及其常委会都可以根据本市的具体情况和实际需要，在不同宪法、法律、行政法规和本省、自治区的地方性法规相抵触的前提下，可以对城乡建设与管理、环境保护、历史文化保护等方面的事项制定地方性法规。

（二）地方性法规的制定主体

根据本条的规定，地方性法规的立法主体包括两大类：一是省、自治区和直辖市人大及其常委会，目前，我国除台湾地区外共有二十二个省、五个自治区和四个直辖市。二是设区的市、自治州人大及其常委会。此外，根据全国人大关于修改立法法的决定，广东省东莞市和中山市、甘肃省嘉峪关市、海南省三沙市，比照适用有关赋予设区的市地方立法权的规定。

1. 关于设区的市

在立法法修改前，除省、自治区和直辖市以外，只有"较大的市"有制定地方性法规的权限。修改前的立法法所称的"较大的市"包括三类：省会市、经济特区所在地的市以及经国务院批准的较大的市。2000 年的立法法将上述几种享有地方立法权的城市统一称为"较大的市"，主要是考虑到在其他章节尤其是在第五章适用与备案中涉及上述主体时，表述起来比较方便。在立法法修改前，我国共有四十九个较大的市享有地方性法规制定权，包括二十七个省会市、十八个经国务院批准享有地方性法规制定权的较大的市以及四个经济特区所在地的市。还有二百三十五个其他设区的市没有地方立法权（注：立法法修改后，2015 年 4 月初，国务院又批复同意西藏自治区撤销林芝地区设立林芝市，新疆维吾尔自治区撤销吐鲁番地区设立吐鲁番市）。十八个经国务院批准享有地方性法规制定权的较大的市包括：1984 年国务院批准的唐山市、大同市、包头市、大连市、鞍山市、抚顺市、吉林市、齐齐哈尔市、无锡市、淮南市、青岛市、洛阳市（同时批准的重庆市于 1997 年已升为直辖市）；1988 年批准的宁波市；1992 年批准的淄博市、邯郸市和本溪市；1993 年批准的徐州市、苏州市。四个经济特区所在地的市包括：深圳市、厦门市、珠海市和汕头市。

改革开放以来，地方经济社会发生了巨大的变化，许多设区的市规模相当大，按照国务院2014年11月公布的城市规模新标准（国发〔2014〕51号），属于特大城市（常住人口五百万至一千万人）的设区的市有八十七个，占30%；有的甚至超过一千万人口（超大城市），如山东的临沂、河南的南阳；属于大型城市（三百万至五百万人）的设区的市有八十二个，占29%，大型、特大型城市加起来近60%。随着城镇化建设的发展，与其相关的土地、人口、环境、城乡建设与管理、社会治理等问题日益复杂，管理这样一个人口众多的区域当然要依靠法治，发挥立法的引领和推动作用，除了国家的法律法规、省一级的法规，还有一些具有本行政区域特点和特别需要的事项，国家和省级不可能专门立法，所以有必要按照依法治国的要求赋予其地方立法权。近年来，一些全国人大代表多次提出议案、建议，要求增加具有地方立法权的较大的市的数量。一些设区的市向国务院提出申请，要求批准为较大的市，享有地方性法规制定权。党的十八届三中全会提出，逐步增加有地方立法权的较大的市的数量，十八届四中全会进一步明确提出依法赋予设区的市地方立法权。十八届四中全会提出的"依法"，就是要依照立法法。这就要求遵循在中央的统一领导下，充分发挥地方主动性和积极性的原则，通过修改立法法赋予设区的市地方立法权。依法赋予所有设区的市地方立法权，不仅能够满足设区的市的立法需求，调动其积极性与主动性，充分发挥立法在"四个全面"战略布局中的重要作用，不断完善中国特色社会主义法律体系，而且有利于加强和改进市级人大工作，坚持和完善人民代表大会制度。

在立法法修改过程中，对于设区的市的名称曾有过不同意见，有的意见认为，立法法上具有地方立法权的"较大的市"已经是一个被广泛接受的概念，建议还是维持"较大的市"的概念。但是在全国人大审议过程中，有些代表提出，修改前的立法法中的“较大的市”具有特定含义，赋予所有设区的市地方立法权后，直接使用“设区的市”的表述更加明了，也易于理解。法律委员会经研究，建议将修正案草案中关于“较大的市”的相关表述修改为“设区的市”。

2. 关于自治州

在立法法修改以前，自治州作为民族自治地方，其人民代表大会有权依照当地民族的政治、经济和文化的特点，制定自治条例和单行条例。此次修改立法法，赋予了所有设区的市地方立法权。民族区域自治法第四条第二款明确规定：“自治州的自治机关行使下设区、县的市的地方国家机关的职权，同时行使自治权。”因此，自治州的人大及其常委会也相应地具有了设区的市的人大及其常委会制定地方性法规的职权，立法法中也对此作了明确。

3. 不设区的地级市

地级市从字面理解是与“地区”级别相同的市，是一种行政级别的概念，不是法律概念。大部分地级市都是设区的市，但是也有几个市没有设区，如广东省东莞市和中山市、甘肃省嘉峪关市、海南省三沙市四个地级市是不设区的市。在修改立法法赋予所有设区的市地方立法权后，也需要考虑是否对几个不设区的地级市赋予地方立法权的问题。在修改过程中，考虑到这些地级市的实际需要，按照赋予设区的市地方立法权的精神，决定在依法赋予设区的市地方立法权的同时，也同时赋予广东省东莞市、中山市，甘肃省嘉峪关市和海南省三沙市以设区的市地方立法权。在全国人大关于修改立法法的决定中，专门规定：“广东省东莞市和中山市、甘肃省嘉峪关市、海南省三沙市，比照适用本决定有关赋予设区的市地方立法权的规定。”

二、制定地方性法规应当遵循的原则

宪法第一百条规定:“省、直辖市的人民代表大会和它们的常务委员会,在不同宪法、法律、行政法规相抵触的前提下,可以制定地方性法规,报全国人民代表大会常务委员会备案。”地方组织法对宪法的规定作出了补充,规定省、自治区、直辖市以及省、自治区的人民政府所在地的市和经国务院批准的较大的市的人大及其常委会,根据本行政区域的具体情况和实际需要,在不同宪法、法律、行政法规相抵触的前提下,可以制定和颁布地方性法规。对于制定地方性法规应当遵循的原则,立法法在本条中对宪法和地方组织法的规定进行了重申。

(一)根据本行政区域的具体情况和实际需要的原则

地方性法规的特性之一是具有地方性,也就是说,第一,制定地方性法规的主体只能是地方国家权力机关;第二,地方性法规的内容应适应地方的实际情况,解决本行政区域的实际问题;第三,地方性法规的效力只限于本行政区域,超出本行政区域即没有约束力。

所谓“体现地方特色”,就是要求地方立法能反映本地的特殊性。地方立法,贵在有地方特色,地方立法的生命力全在于此。在制定地方性法规的过程中,无论是制定执行性的地方性法规,还是在中央尚未立法而先行立法的情况下,都要注意根据本地方的具体情况和实际需要,有针对性地立法。那种在地方立法中贪大求全的倾向,是不可取的。另外,地方性法规所规范的事项,应只限于本行政区域,不能超越这个范围。如有的地方性法规的内容涉及水污染治理的事项,如果水域只限于本行政区域,本地方制定这样的法规无疑是可以的;但如果水域是跨不同的行政区域的,那么一个行政区域的地方性法规对全流域的污染问题作出规定,就是不适当的,即使制定出来,也无法得到执行。

（二）不同宪法、法律、行政法规相抵触的原则

宪法是国家的根本法，法律、行政法规是地方性法规的上位法，制定地方性法规不能同宪法、法律和行政法规相抵触，否则即是无效的。多年来，由于宪法和法律对于地方性法规的权限未作具体界定，因此，对于何为“不抵触”，在理论界和实践中有不同的理解。有的意见认为，既然宪法和法律对地方性法规只规定不相抵触原则和报备案制度，对地方立法权限并无明确的限制性规定，因此，地方性法规只要遵循了不抵触原则，只要是地方实际需要的，都可以制定，即使涉及中央统一管理的事项，地方性法规也不是不可以规定。有的意见则认为，地方性立法从属于中央立法，地方性法规不仅不能同宪法、法律和行政法规的规定不一致，对于中央尚未立法的事项，地方性法规不应先行立法。无论从理论和实践上看，上述两种对“不抵触”原则或过宽或过窄的理解都是有失偏颇的。

我国宪法规定，中央和地方国家机构的职权划分，遵循在中央统一领导下充分发挥地方主动性、积极性的原则。不抵触原则正是在地方性法规与中央立法的关系上体现了上述中央与地方关系总的原则。根据不抵触原则，首先，地方性法规的制定要有利于国家法制统一，只能由法律规定的事项，地方性法规不能涉及；法律、行政法规已经作出规定的，地方性法规不能与之相违背。其次，在地方性法规的制定中，应充分发挥地方立法的主动性和积极性，通过制定地方性法规，结合本地方的具体情况和实际需要，因地制宜，保证宪法、法律和行政法规的实施，同时有针对性地解决地方性事务。对于专属立法权之外的事项，考虑到国家处于改革时期，中央立法不能一步到位的，地方可以先行立法，在总结实践经验后，再上升为中央立法。

三、设区的市和自治州制定地方性法规的事项范围

赋予所有设区的市地方立法权，既要适应地方的实际需要，又要相应明确其地方立法权限和范围，避免重复立法，维护法制统一。如何合理界定设区的市地方立法权限，是立法法修改过程中的焦点问题之一，提交常委会和代表大会审议的草案，曾作过两次修改。2014 年 8 月立法法修正案草案一审稿规定："较大的市制定地方性法规限于城市建设、市容卫生、环境保护等城市管理方面的事项。"2014 年 12 月的立法法修正案草案二审稿规定，较大的市可以"对城市建设、城市管理、环境保护等方面的事项，制定地方性法规，但法律对较大的市制定地方性法规的事项另有规定的除外"。2015 年 3 月提交全国人民代表大会审议的立法法修正案草案规定，较大的市"对城市建设与管理、环境保护、历史文化保护等方面的事项"，制定地方性法规，但法律对较大的市制定地方性法规的事项另有规定的除外。最后通过的《全国人民代表大会关于修改〈中华人民共和国立法法〉的决定》（以下简称《修改决定》）明确规定设区的市可以对"城乡建设与管理、环境保护、历史文化保护等方面的事项"制定地方性法规，法律对设区的市制定地方性法规的事项另有规定的，从其规定。根据《第十二届全国人民代表大会常委会法律委员会关于〈中华人民共和国立法法修正案（草案）〉审议结果的报告》，"城乡建设与管理、环境保护、历史文化保护等方面的事项"，范围是比较宽的。例如，从城乡建设与管理看，就包括城乡规划、基础设施建设、市政管理等；从环境保护看，按照环境保护法的规定，范围包括大气、水、海洋、土地、矿藏、森林、草原、湿地、野生生物、自然遗迹、人文遗迹等；从目前四十九个较大的市已制定的地方性法规涉及的领域看，修正案草案规定的范围基本上都可以涵盖。总体上看，上述规定能够适应地方实际需要。

此外，考虑到原有四十九个较大的市的情况，已经制定的地方性法规中，可能有部分是在上述范围以外的，按照法不溯及既往的原则，《修改决定》规定，原有四十九个较大的市“已经制定的地方性法规，涉及上述事项范围以外的，继续有效”。对这些法规，如因为上位法修改或者实际情况发生变化，可以对地方性法规进行必要的修改，但是不应再增加立法法关于设区的市立法权限范围以外的事项。此外，根据立法法的规定，只有原有较大的市已经制定的地方性法规，涉及上述事项范围以外的，继续有效。设区的市已经提请市人大常委会审议，但尚未通过的地方性法规，应当符合修改后立法法关于设区的市立法权限范围的事项。如果涉及立法法规定的设区的市地方立法权限范围以外的事项，应当对草案的相关规定进行修改，或者停止对该草案的审议，由提案人撤回。设区的市已经列入立法计划的立法项目，也应当按照修改后的立法法关于设区的市立法权限范围，对立法计划进行调整，对超出其立法权限范围的立法项目，不再提请审议，如确需立法，可由省、自治区人大常委会立法解决。

同时，修改后的立法法还规定了“法律对设区的市制定地方性法规的事项另有规定的，从其规定”。例如，本法第七十七条第一款规定：“地方性法规案、自治条例和单行条例案的提出、审议和表决程序，根据中华人民共和国地方各级人民代表大会和地方各级人民政府组织法，参照本法第二章第二节、第三节、第五节的规定，由本级人民代表大会规定。”

四、省、自治区人大常委会对设区的市制定的地方性法规的审批程序

我国1982年宪法没有规定设区的市的人大及其常委会可以制定地方性法规。1982年12月五届全国人大五次会议修改地方组织法时，增加规定：“省、自治区的人民政府所在地的市

和经国务院批准的较大的市的人民代表大会常务委员会，可以拟订本市需要的地方性法规草案，提请省、自治区的人民代表大会常务委员会审议制定，并报全国人民代表大会常务委员会和国务院备案。”根据这一规定，省会市和经国务院批准的较大的市只有地方性法规草案的拟订权，没有制定权。1986 年 12 月六届全国人大常委会第十八次会议修改地方组织法时，将这一规定修改为：省会市和经国务院批准的较大的市的人大及其常委会可以制定地方性法规，报省、自治区人大常委会批准后施行。当时，任全国人大常委会秘书长兼法制工作委员会主任的王汉斌同志在修改说明中指出，“建议省、自治区简化审批程序，只要同宪法、法律、行政法规和本省、自治区的地方性法规没有抵触，原则上应尽快批准”，实际赋予了省会市和经国务院批准的较大的市部分立法权。自 1986 年以来，一些省、自治区人大常委会是按照这一建议办的，但也有些省、自治区人大常委会批准程序过于复杂，实际上同制定程序没有什么区别，使批准的时间拖得过长，影响了一些报请批准的地方性法规的及时出台。

在制定立法法的过程中，多数较大的市的人大常委会的同志和有的省人大常委会的同志建议，将省、自治区批准较大的市的地方性法规的程序改为备案程序，赋予较大的市的人大及其常委会完整的立法权。理由是：第一，现在省、自治区人大常委会制定地方性法规的任务比较重，对省会市和较大的市报请批准的地方性法规往往难以及时批准；第二，经过十几年的发展，省会市和较大的市人大常委会已经培养了一支素质比较好的立法干部队伍，能够适应立法工作需要。因此，可以规定，省会市和较大的市制定的地方性法规报省、自治区人大常委会备案。如果省、自治区人大常委会发现省会市和较大的市制定的地方性法规同宪法、法律、行政法规和本省、自治区的地方性法规相抵触,可以依法予以撤销。一些省、自治区人大常委会的同志则认为,现行做法应予维持。理由是:第一,宪法只规定省、自治区、直辖市人大及其常委会可以制定地方性法规,没有规定省会市和较大的市可以制定地方性法规。如果赋予省会市和较大的市完整的立法权,应首先修改宪法。第二,赋予省会市和较大的市完整的立法权,这些地方往往强调城市的特殊性,容易产生同省、自治区之间的矛盾。而备案采取“不告不理”的原则,靠备案审查制度进行监督,容易流于形式。还有一种意见认为,目前的批准程序可以保留,但应当简化,可以规定,省会市和较大的市制定的地方性法规如同宪法、法律、行政法规和本省、自治区的地方性法规没有抵触,省、自治区的人大常委会应当在一定的期间内予以批准。

在此次修改立法法的过程中,也还有一些已经有立法权的较大的市的人大常委会的同志建议,将省、自治区批准较大的市的地方性法规的程序改为备案程序,但是考虑到全面赋予设区的市地方立法权后,立法主体大量增加,为了维护法制统一,还是有必要由省级人大常委会对设区的市的地方性法规进行批准。

立法法在本条中对省、自治区人大常委会批准设区的市的地方性法规提出了要求:

第一,省、自治区的人民代表大会常务委员会对报请批准的地方性法规,应当对其合法性进行审查。经审查认为同宪法、法律、行政法规和本省、自治区的地方性法规不抵触的,应当在四个月内予以批准。对于地方性法规的规定是否适当、立法技术是否完美、文字表述是否优美,不作审查。如果在审查中发现报批的地方性法规同宪法、法律、行政法规或本省、自治区的地方性法规相抵触,省、自治区人大常委会可以不予批准,也可以发回修改。

第二，省、自治区人大常委会对报请批准的设区的市的地方性法规进行审查时，发现其同本省、自治区人民政府的规章相抵触的，应当作出处理决定。曾有一种意见认为，设区的市制定的地方性法规不能同省、自治区人民政府制定的规章相抵触。理由是，省、自治区、直辖市制定的地方性法规不能同国务院制定的行政法规相抵触，设区的市作为省、自治区的下级地方政权，其制定的地方性法规也不得同省、自治区的规章相抵触。立法机关经过研究，考虑到设区的市制定的地方性法规是经省、自治区人大常委会批准的，因此，其法律效力应当同省、自治区的地方性法规相同，因此，不宜要求设区的市的地方性法规不得同省、自治区规章相抵触。同时，为了保证法制的统一，立法法规定，省、自治区人大常委会在批准过程中，如果发现报批的地方性法规同省、自治区规章相抵触，可以根据情况作出处理。处理决定可以有三种情况：第一种，如认为省、自治区的规章不适当，可以批准设区的市的地方性法规。根据立法法的规定，省、自治区人大常委会有权撤销省、自治区人民政府制定的不适当的规章，因此当然有权批准与省、自治区规章不同的设区的市地方性法规。设区的市的地方性法规经批准后，其效力即高于省、自治区政府规章，在设区的市范围内应当按照地方性法规执行。如果省、自治区人大常委会认为省、自治区规章不适当，不宜在其他地区执行，在批准设区的市的地方性法规的同时，可以撤销省、自治区的规章或责成省、自治区政府作出修改。第二种，如认为设区的市的地方性法规不适当，可以责成设区的市人大常委会对报批的地方性法规进行修改，如果设区的市不同意修改，可以不予批准。第三种，如果认为设区的市的地方性法规与省、自治区的规章的规定均不适当，则可以分别按照以上两种办法处理。

五、设区的市开始制定地方性法规的具体步骤和时间的确定

立法法修改后,从法律层面全面赋予所有设区的市地方立法权。但是考虑到设区的市数量较多,地区差异较大,立法水平也参差不齐,这一工作必须本着积极稳妥的精神予以推进。因此,全面赋权并不是意味着在修改立法法的决定通过后,所有设区的市立即可以开始制定地方性法规。立法法规定设区的市、自治州开始制定地方性法规的具体步骤和时间,都要由所在省、自治区的人大常委会综合考虑人口数量、地域面积、经济社会发展情况以及立法需求、立法能力等因素确定。立法法确定的人口数量、地域面积、经济社会发展情况以及立法需求、立法能力等因素,主要是考虑主客观相统一。通常而言,人口数量较多、地域面积较大、经济社会发展情况相对较好的设区的市,在城市治理方面需要立法的事项相对更多。但这一标准也并不绝对,有的地方可能虽然人口多、面积大,但是本地方却没有很强的制定地方性法规的需求;而有的地方虽然人口不多、经济社会发展水平一般,但是却有一些特殊问题需要通过立法解决。因此,省级人大常委会在确定时间和步骤时,还要综合考虑城市本身是否具有比较强烈的主观愿望,提出急切的立法需求,并且在立法机构设置、立法人才储备等方面是否满足了可以开始制定地方性法规的需要。

设区的市行使地方立法权宜“成熟一个、确定一个”,做到既积极,又稳妥。对于立法需求不强烈的地方,可以往后摆一摆;对于立法能力达不到要求、立法质量得不到保障的地方,则不宜仓促行使地方立法权。在具体工作中要抓好“五个统筹建设”:一是抓好权力机构和工作机构的统筹建设。法制委员会

是立法法规定的统一审议机构,法制工作委员会是工作班子,两者互相配合、不可或缺。设立法制委员会和法制工作委员会是人大行使立法权的前提条件,也是评估一个设区的市立法能力的硬杠杠。二是抓好专门机构与人大代表、常委会组成人员和社会力量的统筹建设。人大代表和常委会组成人员是国家权力机关组成人员,都是立法主体,其审议能力直接关系立法质量。设区的市人大常委会在抓好专门机构设置和专业力量配置的同时,也要高度重视常委会组成人员与人大代表的培训工作,同步提高立法能力,确保立法质量。三是抓好省市两级人大立法能力的统筹建设。设区的市开始制定地方性法规后,必然会加大省级人大常委会特别是法制工作机构的工作量。在加强市级人大立法能力的同时,必须相应地充实并强化省人大常委会的立法力量。各省、区人大常委会确定设区的市开始制定地方性法规的具体步骤和时间,也要考虑自身力量和承受能力。四是抓好人大与政府立法能力的统筹建设。立法活动包括调研、起草、审议、表决等多个环节,具体工作既涉及人大及其常委会,也涉及政府及其有关部门。实际工作中,相当一部分法规案是由政府提出的,政府的立法能力在相当程度上影响到法规质量。与此同时,这次修改立法法,还相应赋予市政府制定政府规章的权力。因此,在重视人大立法能力建设的同时,也要同步考虑政府法制部门以及其他部门法制力量的建设,做到齐头并进。五是抓好立法工作与人大其他工作的统筹。在设区的市开展地方立法工作的同时,还要统筹做好监督工作、代表工作、自身建设等,把市级人大工作的水平提升到一个新的台阶。此外,还要做好"老市"与"新市"的统筹。所谓"老市",就是在立法法修改前,已经享有地方立法权的较大的市,包括省会市、国务院批准的较大的市以及经济特区所在的市。所谓"新市",就是在立法法修改后，由省级人大常委会确定可以开始行使地方立法权的设区的市。既要认真研究解决“老市”与“新市”面临的共性问题，又要对“老市”和“新市”分类指导。对于“老市”而言，要严格遵循修改后的立法法对设区的市立法权的权限范围，适时调整立法工作的重心，做好衔接过渡工作。

此外，由于立法法规定，设区的市、自治州的人大及其常委会制定的地方性法规，由省、自治区的人大常委会报全国人大常委会和国务院备案，因此，立法法在本条中还规定了设区的市、自治州开始制定地方性法规的具体步骤和时间，也要同时报全国人大常委会和国务院备案。

第七十三条　地方性法规可以就下列事项作出规定：

（一）为执行法律、行政法规的规定，需要根据本行政区域的实际情况作具体规定的事项；

（二）属于地方性事务需要制定地方性法规的事项。

除本法第八条规定的事项外，其他事项国家尚未制定法律或者行政法规的，省、自治区、直辖市和设区的市、自治州根据本地方的具体情况和实际需要，可以先制定地方性法规。在国家制定的法律或者行政法规生效后，地方性法规同法律或者行政法规相抵触的规定无效，制定机关应当及时予以修改或者废止。

设区的市、自治州根据本条第一款、第二款制定地方性法规，限于本法第七十二条第二款规定的事项。

制定地方性法规，对上位法已经明确规定的内容，一般不作重复性规定。

【释义】　本条是关于地方性法规权限的规定。

一、划分地方性法规权限范围的方式

在立法法修改的过程中，对于如何进一步完善中央与地方的立法权限划分，明确地方立法的权限范围，曾研究过是否对中央和地方权限范围一一作出列举。经过深入研究和广泛听取意见，发现这种方式既不符合我国的体制，又不可行。这是因为，我国是单一制国家，地方的权力是中央赋予的，不存在只能由地方立法而中央不能立法的情况，同时，实际上也很难对中央和地方的立法权限都作出列举。因此经过反复研究，立法机关维持本条关于地方性法规权限的规定，在规定全国人大及其常委会的专属立法权后，对地方性法规的权限范围作出了原则规定。

二、地方性法规权限范围

根据本条规定，地方性法规可以作出规定的事项包括三类：

（一）为执行法律、行政法规的规定，需要根据本行政区域的实际情况作具体规定的事项

这一规定是指，在有上位法的情况下，为保证法律和行政法规的实施，地方性法规可以制定执行性的规定。法律和行政法规是要在全国范围内实行的，考虑到全国各地的实际情况，有些规定只能比较概括和原则，比较具体的规定，则需要由地方性法规根据本行政区的实际情况加以制定，这样才利于更好地根据实际情况执行法律和行政法规。在一些法律和行政法规中对此作出了明确的规定，如全国人民代表大会和地方各级人民代表大会选举法规定："省、自治区、直辖市的人民代表大会及其常务委员会根据本法可以制定选举实施细则，报全国人民代表大会常务委员会备案。"村民委员会组织法规定："省、自治区、直辖市的人民代表大会常务委员会根据本法，结合本行政区域的实际情况，制定实施办法。"对于上述规定，地方人大及其常委会应当制定地方性法规，这是地方人大及其常委会的职责。地方制定执行性的、具体化的规定，不能和法律、行政法规相抵触。这里需要注意，地方性法规应当以法律、行政法规规定为依据作

出具体化的或补充的规定,但不能同法律或行政法规相抵触。

(二)地方性事务中需要制定地方性法规的事项

地方性事务是与全国性的事务相对应的,地方性事务是指具有地方特色的事务,一般来说,不需要或在可预见的时期内不需要由全国制定法律、行政法规来作出统一规定。例如,对本行政区域内某一风景名胜、某种地方特色非物质文化遗产的保护,就属于地方性的事务,一般来说不需要国家作出规定。又如,禁放烟花爆竹,在有些城市中被认为是必要的,因此需要制定禁放烟花爆竹的地方性法规,而有些城市认为燃放烟花爆竹不应当受到限制。这类事项显然不必要由国家统一立法。

(三)在全国人大及其常委会专属立法权之外,中央尚未立法的事项

最高国家权力机关的专属立法权,是地方性法规的"禁区",无论国家是否制定法律,地方都不能作出规定,否则地方性法规就是越权,是无效的。对于最高国家权力机关专属立法权以外、国家尚未制定法律或者行政法规的事项,则允许地方性法规先行作出规定。在立法实践中,即使是允许地方先行作出规定的,如果涉及中央统一管理的事项,地方也不宜作出规定。因此,在国家立法出台前,地方可以先制定地方性法规,以解决地方的实际问题。但中央一旦立法,由于法律和行政法规的位阶高于地方性法规,地方性法规同法律或行政法规相抵触的规定即为无效,制定机关应当及时进行修改或者废止。

(四)对设区的市立法权限的规定

需要注意的是,对于设区的市而言,不论是为了执行法律、行政法规的规定,需要根据本行政区域的实际情况作具体规定,还是就地方性事务或者在全国人大及其常委会专属立法权之外,中央尚未立法的事项进行立法,都需要受到本法第七十二条

第二款规定“城乡建设与管理、环境保护、历史文化保护等方面的事项”的限制。

三、地方性法规一般不重复上位法规定

本法第七十二条明确规定了制定地方性法规应当“根据本行政区域的具体情况和实际需要”的原则。为了充分体现地方性法规的地方性，地方性法规的内容应适应地方的实际情况，解决本行政区域的实际问题，有针对性地立法。哪些方面需要规定就规定哪些方面，不要构筑体系，对法律、行政法规的规定不要作不必要的重复。在2000年立法法通过后十几年来，在地方立法中确实出现了不少重复立法的情况。特别是在为了执行上位法而制定的具体实施性的地方性法规中，存在片面贪大求全的情况，为了在体例上与上位法一致，照搬照抄上位法的规定。在修改立法法过程中，许多方面担心在赋予所有设区的市和自治州立法权以后，会进一步加剧重复立法的情况，严重浪费立法资源。因此，修改后的立法法在本条中又增加了一款，进一步强调制定地方性法规，对上位法已经明确规定的内容，一般不作重复性规定。

第七十四条　经济特区所在地的省、市的人民代表大会及其常务委员会根据全国人民代表大会的授权决定，制定法规，在经济特区范围内实施。

【释义】 本条是关于经济特区法规的规定。

经济特区法规是指经济特区所在地的省、市的人大及其常委会根据全国人大的授权决定制定的在经济特区范围内实施的法规。经济特区法规是我国地方立法的一种特殊形式。我国的经济特区和经济特区立法是改革开放的产物。1980年8月2日，国务院向全国人大常委会提出了在广东省的深圳、珠海、汕头和福建省的厦门设立经济特区，并同时将《广东省经济特区条例（草案）》提请审议。同年8月26日，五届全国人大常委会第十五次会议批准了国务院提出的《广东省经济特区条例》。此后，全国人大及其常委会作出了一系列关于经济特区立法的授权决定。1981年11月26日，五届全国人大常委会第二十一次会议决定授权广东省、福建省人大及其常委会，根据有关的法律、法令和政策规定的原则，按照各该省经济特区的具体情况和实际需要，制定经济特区的各项单行经济法规，并报全国人大常委会和国务院备案。1988年4月13日，七届全国人大一次会议决定划定海南岛为海南经济特区，同时，授权海南省人大及其常委会，根据海南经济特区的具体情况和实际需要，遵循国家有关法律、全国人大及其常委会有关决定和国务院有关行政法规的原则制定法规，在海南经济特区实施，并报全国人大常委会和国务院备案。经济特区立法开始以来，广东省、福建省以及海南省人大及其常委会根据国家法律、法规和政策以及国务院的行政法规的原则，结合经济特区的实际情况，制定了大量的经济特区法规，对于经济特区的经济建设和改革开放，发挥了重要作用。为了更好地发挥经济特区的作用，1992年7月1日，七届全国人大常委会第二十六次会议、1994年3月22日八届全国人大第二次会议和1996年3月17日八届全国人大第四次会议，分别决定授权深圳市、厦门市和汕头市、珠海市的人大及其常委会和各该市的人民政府分别制定法规和规章，在各该经济特区实施。

经济特区所在地的市人大及其常委会，既可以制定地方性法规又可以制定经济特区法规，但是如经济特区的范围与所在地的市的范围不完全重合时，经济特区法规只能在经济特区适用，而不能扩展到全市范围内适用。例如，2010年7月之前深圳的宝安区不属于深圳经济特区的范围，因此，当时深圳经济特区法规就不能在宝安区适用。当时，厦门、珠海、汕头的行政区与经济特区的范围也不完全一致。为此，经国务院批复，深圳（2010 年 7 月 1 日）、厦门（2010 年 7 月 1 日）、珠海（2010 年 10 月 1 日）、汕头（2011 年 5 月 1 日）已分别将经济特区扩大至全市，这就使得经济特区法规与地方性法规的适用地域范围相一致。

授权决定赋予经济特区制定经济特区法规的权力，促进了经济特区市场经济和社会主义民主法制建设的发展。根据深圳市人大常委会提供的资料，自 1992 年 7 月 1 日全国人大常委会授权以来，截止到 2014 年年底，深圳市共制定经济特区法规一百二十项左右，其中约 70% 是有关市场经济和城市管理方面的立法。在这些法规中，有三分之一是借鉴香港及国外法律，具有先行性和试验性的；另有三分之一是根据特区实际需要，根据国家法律、行政法规的基本原则，对国家法律、行政法规进行变通、补充和细化的；还有三分之一属于为加强行政法制、环境保护、城市管理和精神文明建设需要而制定的。在促进市场经济建设的领域，制定了包括规范市场主体、房地产市场、劳动力市场、建筑市场、运输市场、医疗市场、中介服务市场、商品市场八个方面的规定。同时还制定了大量以促进高新技术发展、口岸管理、环境保护、城市管理等为内容的法规、规章。

伴随着改革开放的发展以及经济特区立法的实践探索，目前在经济特区法规制定中存在的一个主要的问题是，经济特区法规进行变通的权限在哪里。经济特区法规的权限范围是由全国人大的授权决定规定的，但由于全国人大的授权决定规定得比较原则，因此，宪法的规定以及法律和行政法规的基本原则不能变通外，经济特区法规在其他情况下变通的权限并不明确。

在这一问题上，目前更具争议的是，由于经济特区法规具有试验性，那么，国家在相应方面制定了法律和行政法规后，经济特区法规能否对其再进行变通？对此，存在两种意见。一种意见认为，现在情况与过去有很大变化，改革已在全国全面推进，有些已经制定了法律、行政法规，如证券法、公司法等，这些法律在经济特区也要实行，不能再变通，不然形成不了统一的市场。另一种意见认为，随着改革开放的深入发展，经济特区的特殊政策是减少了，但中央对于经济特区的基本政策没有变，特区"试验田"的地位没有变，特区在发展市场经济、加强城市管理等许多方面，对于完善企业制度、促进高新技术产业发展、完善社会保险、加速行政体制改革、促进环境保护等问题，还会有创新和变通，特区立法的先行、试验功能以及补充功能是特区发展的保证，因此，中央立法后，仍应允许特区立法在遵循中央立法基本原则的前提下进行变通。

对于经济特区法规变通规定的限制，立法法没有作出明确规定。这样规定是考虑到既能适应现在有些需要变通的情况，也为今后的发展变化留下了空间和余地。目前我国的改革开放仍处于不断深入和发展的时期，虽然国家给经济特区在税收等方面的特殊政策减少了，但经济特区的优势以及在改革开放中的特殊作用依然存在。今后，仍应允许经济特区法规在经济体制改革和对外开放方面作出变通规定。同时，经济特区的人大及其常委会在行使经济特区立法权时，应当从国家的整体利益出发，维护国内市场的统一和社会主义法制的统一。对于涉及国家主权以及其他只能由中央立法的事项，经济特区法规不能涉及。如果中央立法时已经考虑到经济特区的情况之后作出全国统一规定的，经济特区应当遵循中央立法的规定，制定或者修改经济特区法规时，不应再作出与中央立法不一致的规定。

第七十五条 民族自治地方的人民代表大会有权依照当地民族的政治、经济和文化的特点，制定自治条例和单行条例。自治区的自治条例和单行条例，报全国人民代表大会常务委员会批准后生效。自治州、自治县的自治条例和单行条例，报省、自治区、直辖市的人民代表大会常务委员会批准后生效。

自治条例和单行条例可以依照当地民族的特点，对法律和行政法规的规定作出变通规定，但不得违背法律或者行政法规的基本原则，不得对宪法和民族区域自治法的规定以及其他有关法律、行政法规专门就民族自治地方所作的规定作出变通规定。

【释义】 本条是关于自治条例和单行条例的制定原则、报批程序以及变通范围的规定。

我国宪法规定，各少数民族聚居的地方实行民族区域自治，设立自治机关，行使自治权。制定自治条例和单行条例是自治机关行使自治权的重要方式。自治条例是民族自治地方的人民代表大会依照当地民族的政治、经济和文化的特点制定的全面调整本自治地方事务的综合性规范性文件。单行条例是民族自治地方的人民代表大会依照当地民族的政治、经济、文化的特点制定的调整本自治地方某方面事务的规范性文件。自治条例集中体现民族自治地方的自治权，具有民族自治地方总章程的性质。单行条例是民族自治地方行使某一方面自治权的具体规定，单行条例应当遵循自治条例的规定。

一、自治条例和单行条例的沿革

我国1954年宪法就对自治条例作出了规定。1985年，吉林省延边朝鲜族自治州率先制定了《延边朝鲜族自治州自治条例》，截至2008年年底，各民族自治地方现行有效自治条例为一百三十七件。目前，全国五个自治区尚未颁布自己的自治条例。单行条例的制定始于1954年宪法颁布后的五六十年代，当时单行条例的内容多为自治地方人民代表大会和人民委员会组织条例，但随着时间和情况的变化，许多都不再适用了。1984年民族区域自治法颁布后，各个民族区域自治地方又制定了许多新的单行条例，涉及的内容十分广泛，包括婚姻、继承、资源开发、计划生育、未成年人保护、社会治安、环境保护以及土地、森林、草原管理等。立法法根据宪法和民族区域自治法，总结实践经验，在权限范围上，立法法对自治条例和单行条例不能变通的范围作出了进一步明确的规定。

二、自治条例和单行条例制定中应遵循的原则

本条第一款中规定："民族自治地方的人民代表大会有权依照当地民族的政治、经济和文化的特点，制定自治条例和单行条例。"这一规定，是重申宪法和民族区域自治法的规定。自治条例和单行条例与地方性法规的制定原则不同。地方性法规的制定应遵循两个原则，即在法律规定的权限范围内，根据本行政区域的具体情况和实际需要，遵循不同宪法、法律和行政法规相抵触的原则。自治条例和单行条例的制定原则只有一条，即依照当地民族的政治、经济和文化的特点。根据这一原则，自治条例和单行条例在权限范围内可以对法律和行政法规予以变通。

地方性法规的制定权，主要是为了保证地方更有效地管理本行政区域内的各种事务，体现的是宪法规定的"遵循在中央的统一领导下，充分发挥地方的主动性、积极性的原则"。自治条例和单行条例制定权，主要是为了保证民族区域自治机关行使自治权，体现的是宪法规定的"各民族一律平等"原则。

三、自治条例和单行条例的报批程序

根据本条规定，自治区的自治条例和单行条例，报全国人大

常委会批准后生效。自治州、自治县的自治条例和单行条例，报省或者自治区的人大常委会批准后生效，并报全国人大常委会备案。这一规定，也是对宪法和民族区域自治法有关规定的重申。自治条例和单行条例的报批程序，在 1954 年宪法中就有规定。根据 1954 年宪法的规定，自治区、自治州、自治县的自治条例和单行条例，一律报全国人大常委会批准。1982 年宪法对此作出了修改，规定只有自治区的自治条例和单行条例报全国人大常委会批准，将批准自治州和自治县的自治条例和单行条例的权力下放到省、自治区人大常委会。规定自治条例和单行条例的报批程序，主要是出于国家法制统一的考虑。由于自治条例和单行条例的制定可以对法律和行政法规进行变通，那么自治条例和单行条例有关的变通规定是否适当，则由上级人大常委会来进行审查。经审查，如果上级人大常委会认为有关的变通规定是适当的，便作出批准的决定，该自治条例或单行条例即生效；否则，上级人大常委会可以作出不批准的决定，自治条例或单行条例的制定机关就此应当作出调整和修改。

四、自治条例和单行条例的变通范围

一般来说，自治条例和单行条例在以下两个方面，对法律、行政法规作出变通规定。一是国家法律明确授权可以变通的事项。如婚姻法等法律中明确规定民族自治地方可以根据该法的基本原则制定变通或补充规定。二是国家立法虽未明确授权，但是不完全适合本民族自治地方实际情况的规定。我国幅员辽阔，地区间经济、文化发展不平衡，特别是自治地方与沿海发达地区相比，差距很大，国家立法是面向全国的，难以完全照顾到民族自治地方的特殊情况，因此，有些规定可能存在不完全适合自治地方的情况。在这种情况下，自治条例和单行条例依法可以对有关规定予以变通。

在立法法制定过程中,对于上述可以变通的事项,各方面的意见是比较一致的;但同时提出,立法法应对不能变通的事项作出规定,以使自治条例和单行条例的变通范围更加明确。根据本条第二款规定,自治条例和单行条例不能作变通规定的范围包括以下几个方面:

(一)自治条例和单行条例不得对法律和行政法规的基本原则作出变通规定

根据地方组织法的规定,地方各级人大负有在本行政区域内,保证宪法、法律、行政法规和上级人大及其常委会决议的遵守和执行的职责。一部法律和行政法规的基本原则,是它们最核心的内容,是法律和行政法规基本精神的体现。如果自治条例和单行条例对基本原则作出变通,那么就是对整部法律或行政法规的否定,当然更谈不上保证宪法、法律、行政法规在本行政区域内的遵守和执行,这是与其担负的职责相违背的。例如,变通婚姻法,不能变通婚姻法关于婚姻自由、一夫一妻、男女平等及保护妇女、儿童和老年人的合法权益等基本原则。变通民法通则,对其中的自愿、平等、等价有偿和诚实信用原则不能变通。

(二)自治条例和单行条例不得对宪法和民族区域自治法作出变通规定

我国宪法是国家的根本法,规定了国家的根本制度、国家生活的基本准则和公民的基本权利义务等根本性问题,具有最高的法律效力和权威,是国家统一和各民族团结的基础,全国各族人民、一切国家机关和武装力量、各政党和各社会团体、各企业事业组织,都必须以宪法为根本的活动准则,宪法的各项原则和规定必须得到全面的遵守和执行。因此,宪法的规定是不能变通的,否则,就无法维护国家的统一和各民族的团结。

民族区域自治法是实施宪法规定的民族区域自治制度的基本法律，全面系统地规定了民族自治地方的建立，民族自治地方自治机关的组成和自治权，上级国家机关领导和帮助，民族自治地方内的民族关系等，是各民族自治地方立法的法律依据。如果允许变通民族区域自治法的规定，民族自治地方就否定了自己立法的法律依据，因此，民族区域自治法也是不能变通的。

（三）自治条例和单行条例不得对其他有关法律、行政法规专门就民族自治地方所作的规定作出变通规定

法律、行政法规中专门就民族自治地方所作的规定，是全国人大及其常委会、国务院立法过程中，已经充分考虑到维护国家整体利益和照顾自治地方民族特点和实际情况的需要而制定的，对此，自治条例和单行条例就不能再以特殊为由进行变通。例如，选举法中规定了地方各级人民代表大会的代表名额的确定办法。其中，省、自治区、直辖市的代表名额基数为三百五十名，省、自治区每十五万人可以增加一名代表，直辖市每二万五千人可以增加一名代表；但是，代表总名额不得超过一千名。同时选举法还规定自治区、聚居的少数民族多的省，经全国人民代表大会常务委员会决定，代表名额可以另加5%。聚居的少数民族多或者人口居住分散的县、自治县、乡、民族乡，经省、自治区、直辖市的人民代表大会常务委员会决定，代表名额可以另加5%。这里，前面的规定为一般规定，而后面那条规定是专门就民族自治地方所作的规定，对此，不应再作变通规定。

第七十六条　规定本行政区域特别重大事项的地方性法规，应当由人民代表大会通过。

【释义】 本条是关于应由人民代表大会通过的地方性法规的规定。

根据宪法和地方组织法规定,制定地方性法规的主体包括有地方性法规制定权的人民代表大会及其常委会。但实践中,除少数涉及代表大会职权的地方性法规(如人民代表大会工作条例或议事规则)外,地方人大常委会很少向人民代表大会提请地方性法规案。在有的地方,人民代表大会甚至从未制定过地方性法规,使宪法和法律规定的地方人大制定地方性法规的权力被虚置,这是不符合宪法和法律原意的。出现这一问题的原因:一是由于宪法和地方组织法没有对地方人大及其常委会制定地方性法规的权限范围作出划分。根据宪法规定,全国人民代表大会制定和修改刑事、民事、国家机构的和其他的基本法律,全国人大常委会制定和修改应当由全国人民代表大会制定的法律以外的其他法律。虽然目前对于究竟何为“基本法律”,还存在不同意见,但宪法的规定为全国人大及其常委会在立法权限上作出了基本的界定和分工,而地方性法规则没有也难作基本与非基本之分。二是由于地方人大召开人大会议时,会期比较短,为节省时间,一般也就不将地方性法规案列入会议议程。另外,地方人大常委会对地方人大制定地方性法规的权力认识不足也是造成这一问题的原因之一。针对这一情况,本条规定“规定本行政区域特别重大事项的地方性法规,应当由人民代表大会通过”,从而为地方人大及其常委会在制定地方性法规方面的权限作出了一个基本的分工。对于什么属于“特别重大事项”,立法法没有作出明确规定。一般来说,凡涉及本地区全局的重要事项或者涉及较多数群众切身利益或较多群众关心的事项,都可以认为属于特别重大事项。例如,在 2014 年 1 月北京市十四届人大二次会议就修订了《北京市大气污染防治条例》。

应当注意的是，立法法的这一规定，只是规定了特别重大的事项应由地方人大通过，但地方人大制定地方性法规的权限，并不限于此，对于属于地方人大职权范围内的其他事项，地方人大也可以制定地方性法规。

第七十七条　地方性法规案、自治条例和单行条例案的提出、审议和表决程序，根据中华人民共和国地方各级人民代表大会和地方各级人民政府组织法，参照本法第二章第二节、第三节、第五节的规定，由本级人民代表大会规定。

地方性法规草案由负责统一审议的机构提出审议结果的报告和草案修改稿。

【释义】　本条是关于地方性法规、自治条例和单行条例的制定程序的规定。

地方性法规的制定程序是指地方国家权力机关在制定、修改或废止地方性法规方面的活动过程。法律的立法程序一般可以分为四个阶段，即提出法律草案、审议法律草案、通过法律和公布法律。地方性法规的制定程序也不例外。立法法根据宪法以及全国人民代表大会组织法、全国人大议事规则和全国人大常委会议事规则，并结合立法实际，比较具体地规定了全国人大及其常委会的立法程序。立法法对于地方性法规制定程序则规定得比较原则。根据本条的规定，地方性法规案的提出、审议和表决程序，根据地方组织法，参照本法第二章第二节、第三节、第五节的规定，由本级人民代表大会规定。

一、地方性法规案的提出

提出地方性法规案，是地方性法规制定程序的正式开始。

（一）向大会提出地方性法规案和列入会议议程的程序

根据地方组织法的规定，在地方人民代表大会会议期间，大会主席团、常委会、各专门委员会、本级人民政府以及代表十人以上联名，可以向本级人大提出属于本级人大职权范围内的议案。

在大会期间，大会主席团、常委会、各专门委员会、本级政府提出的地方性法规案，由主席团决定提交本级人民代表大会会议审议，或者并交有关的专门委员会审议、提出报告，再由主席团审议决定提交大会表决。代表十人以上联名提出的地方性法规案，由主席团决定是否列入大会会议议程，或者先交有关的专门委员会审议，提出是否列入大会会议议程的意见，再由主席团决定是否列入大会会议议程。实践中，向大会提出的地方性法规案，往往是先向常委会提出，经常委会审议后，由常委会决定提请大会审议。

（二）向常委会提出地方性法规案和列入议程程序

在人民代表大会闭会期间，常委会主任会议、本级人民政府、人大各专门委员会以及常委会组成人员五人以上联名可以向本级人大常委会提出属于本级人大常委会职权范围内的议案。

主任会议向本级人大常委会提出的地方性法规案，直接列入常委会会议议程，由常务委员会会议审议。本级人民政府、人大各专门委员会向常委会提出的地方性法规案，由主任会议决定提请常委会会议审议，或者先交有关的专门委员会审议、提出报告，再提请常委会会议审议。常委会组成人员五人以上联名向常委会提出的地方性法规案，由主任会议决定是否提请常委会会议审议，或者先交有关的专门委员会审议、提出报告，再决定是否提请常委会审议。

实践中,地方人大及其常委会通过的地方性法规,主要是本级政府提出的,代表团、代表联名或常委会组成人员联名提出的地方性法规案直接列入会议议程审议通过的较少。

(三)提出地方性法规案的要求

立法法对提出地方性法规案的要求没有作出规定,但对提出法律案的要求作了规定。立法法第五十四条规定,提出法律案,应当同时提出法律草案文本及其说明,并提供必要的参阅资料。修改法律的,还应当提交修改前后的对照文本。法律草案的说明应当包括制定或者修改法律的必要性、可行性和主要内容,以及起草过程中对重大分歧意见的协调处理情况。

二、地方性法规案的审议

关于地方性法规的审议程序,立法法主要从三个方面作了规定:一是根据地方组织法;二是可以参照法律案的审议程序;三是应当统一审议。地方组织法对地方人大及其常委会审议议案程序的规定,都适用于对地方性法规案的审议。

(一)参照法律案的审议程序

法律案与地方性法规案的审议程序虽然有所区别,但基本原则和程序是相通的。因此,立法法没有必要也难以对地方性法规案的审议程序作出统一的规定,而只是原则上规定可以参照法律案的审议程序。那么,参照什么呢?主要是参照法律案审议程序中,有关保证立法的民主立法、科学立法,提高立法质量等方面的规定。具体来讲,法律案的以下审议程序,可供地方人大及其常委会审议地方性法规案参照:一是三审制。为保证全国人大常委会对法律案进行深入的审议,立法法总结实践经验,明确规定法律案的审议一般实行三审制,即法律案一般需经常委会三次会议审议后,才能交付表决。地方人大常委会审议地方性法规案,不一定都要实行三审制,但三审制所包含的慎重原则,是适用于地方的。从以往的实践来看,许多地方是实行二审制,实践证明效果是好的,可以继续坚持。但有些地方不论地方性法规案的难易程度,一律实行一审制,实践证明,这一做法难以对地方性法规案中的问题进行深入的审议,不利于提高立法质量。二是专门委员会审议制度。立法法关于法律案都要经过专门委员会审议以及法律委员会和有关专门委员会在审议法律案中的分工和程序等问题,作了规定。这是多年来全国人大及其常委会的一贯做法,效果是好的。这一做法可供地方参照。三是广泛听取各方面意见的制度。此外,立法法关于法律案审议程序的其他一些规定,如关于法律案的撤回和终止审议的规定等,地方也都可以参照。

本次立法法修改,为了进一步提高立法质量,推进民主立法、科学立法,对于立法程序提出许多新要求,如拓宽公民有序参与立法的途径,开展立法协商,完善立法论证、听证、法律草案公开征求意见等制度;健全审议和表决机制;增加法律通过前评估、法律清理、制定配套规定、立法后评估等一系列推进科学立法的措施等。此外,为了防止部门利益、地方利益法制化,对于起草工作也作了要求,规定涉及综合性、全局性、基础性等事项的法律草案,可以由人大有关专门委员会或者常委会工作机构组织起草;重要行政管理的法律、行政法规草案由国务院法制机构组织起草;专业性较强的法律草案,可以吸收相关领域的专家学者参与起草工作,或者委托有关专家学者、教学科研单位和社会组织起草。以上这些程序性规定虽然是针对全国人大及其常委会作出的,但是地方人大制定地方性法规的程序,应当参照全国人大及其常委会的立法程序作出规定。在立法法通过后,各地方也要依照新的规定修改、完善地方性法规制定条例,不断提高立法质量。

（二）关于统一审议问题

所有法律案都由法律委员会进行统一审议，是全国人大及其常委会立法实践中的一条成功经验，对于保证国家法制的统一，保证立法质量，起到了很重要的作用。地方性法规案是否要有统一审议程序，在立法法制定以前，有关法律没有规定。实践中，各地有三种做法：第一种是参照全国人大的做法，由有关委员会对所有的地方性法规案进行统一审议；第二种是没有实行统一审议，自始至终由各委员会分别进行审议；第三种是先由有关委员会分别审议，但在交付表决前由负责法制的委员会进行统一审议。

在立法法的制定过程中，关于地方性法规是否应当实行统一审议，曾经有不同意见。一种意见认为，全国人大实行统一审议是历史形成的，地方的情况与此不同，如果实行统一审议，势必引起机构和人员的变动，甚至会影响立法工作，也不利于发挥其他委员会的作用。另一种意见主张实行统一审议，认为地方性法规草案由各个专门委员会分别审议后直接提交常委会，法规之间在内容、体例上容易出现矛盾，"部门利益倾向"也较难以克服。

立法法采纳了后一种意见。根据本条规定，地方性法规草案要由负责统一审议的机构提出审议结果的报告和草案修改稿，也就是说，必须要有一个统一审议的机构。那么，什么机构可以成为"负责统一审议的机构"？在立法法制定的过程中，有的地方提出，工作委员会或者主任会议是否可以负责统一审议？我们认为，第一，审议权是立法权的一部分，只有人大代表才能成为审议主体。工作委员会不是由人大产生的，其工作人员大多不是代表，因此，不能由工作委员会负责统一审议。第二，主任会议担负着繁重的常委会日常工作，难以把过多的精力用于对地方性法规草案的审议上。在审议地方性法规草案的过程中，主任会议起协调、领导作用，统一审议应由专门委员会负责。因此，“负责统一审议的机构”应当是人民代表大会依照地方组织法设立的专门委员会。按照地方组织法关于“省、自治区、直辖市、自治州、设区的市的人民代表大会根据需要，可以设法制（政法）委员会、财政经济委员会、教育科学文化卫生委员会等专门委员会”的规定，负责统一审议地方性法规草案的机构，应当称为法制委员会。为了做好统一审议的工作，还需要有一个比较精干的工作班子与法制委员会配合工作。同时，在统一审议中要十分注意处理好法制委员会与其他专门委员会的关系。法制委员会与其他各专门委员会都是法定的人民代表大会的专门机构，法律地位平等。在参与立法工作方面，是平等的参与主体。在地方立法中，法制委与其他专门委只是分工和工作的侧重点不同。在统一审议中要十分注意发挥两个积极性，特别是有关专门委员会的积极性。对于发挥专门委员会在立法中的作用，立法法对全国人大及其常委会的立法程序作了一系列规定，地方立法也应当参照执行。

三、地方性法规案的表决

地方性法规草案修改稿经代表大会会议或者常委会会议审议后，如果对重大问题没有大的分歧意见，则由主席团或者主任会议交付全体会议表决。根据地方组织法的规定，人大会议表决地方性法规草案，以全体代表的过半数通过；常委会会议表决地方性法规草案，以常委会全体组成人员的过半数通过。此外，党的十八届四中全会提出“完善法律草案表决程序，对重要条款可以单独表决”的要求。此前，有些地方在实践中已经实施过单独表决，但是各地方做法不太统一。修改后的立法法第四十一条第二款、第三款规定：“法律草案表决稿交付常务委员会会议表决前，委员长会议根据常务委员会会议审议的情况，可以决定将个别意见分歧较大的重要条款提请常务委员会会议单独表决。单独表决的条款经常务委员会会议表决后，委员长会议根据单独表决的情况，可以决定将法律草案表决稿交付表决，也可以决定暂不付表决，交法律委员会和有关的专门委员会进一步审议。”各地方可以根据修改后的立法法的精神，进一步完善单独表决程序。

四、自治条例和单行条例的制定程序

自治条例和单行条例的制定程序与地方性法规的制定程序基本相同，但也有区别：第一，自治条例和单行条例只能由民族自治地方的人民代表大会制定，常委会不能制定。但自治条例案或单行条例案可以由常委会向大会提出，或者由其他提案人向常委会提出，经常委会会议审议后，再提请代表大会会议审议。因此，立法法中关于全国人大及其常委会立法程序中的规定，自治地方在制定自治条例和单行条例制定程序时，可以予以参照。第二，自治区的自治条例和单行条例须报全国人大常委会批准后生效；自治州、自治县的自治条例和单行条例，须报省、自治区、直辖市的人大常委会批准后生效。

第七十八条　省、自治区、直辖市的人民代表大会制定的地方性法规由大会主席团发布公告予以公布。

省、自治区、直辖市的人民代表大会常务委员会制定的地方性法规由常务委员会发布公告予以公布。

设区的市、自治州的人民代表大会及其常务委员会制定的地方性法规报经批准后，由设区的市、自治州的人民代表大会常务委员会发布公告予以公布。

自治条例和单行条例报经批准后，分别由自治区、自治州、

自治县的人民代表大会常务委员会发布公告予以公布。

【释义】 本条是关于地方性法规、自治条例和单行条例公布的规定。

地方性法规的公布是指法定主体将地方性法规制定机关通过的法规依法定程序予以公开发布。公布是地方性法规制定程序中的一个法定程序。法律是以国家的强制力来保证执行的，需要全社会的遵守和执行。要使一切国家机关、社会组织以及每个公民都去遵守和执行法律，首先要使他们了解法律的内容。地方性法规是在一个地域范围内实施的规范，其中的许多内容是对法律和行政法规的具体化以及涉及本地方事务的规定，可以说与本地区的个人和组织的利益息息相关。因此，要使地方性法规发挥作用，必须做好地方性法规的公布工作，否则，即使通过的地方性法规本身是完善的，在实际的执行过程中仍然可能发生混乱，这对加强法制是十分不利的。

一、地方性法规的公布主体

根据本条的规定，省、自治区、直辖市的人民代表大会制定的地方性法规由大会主席团发布公告予以公布。由大会主席团公布，一方面是由于地方没有类似国家主席这一超然于行政机关、审判机关和检察机关之外的职位；另一方面，主席团作为人大会议的主持机关，凡人大会议需要向公众公布的事项，都由主席团公布，因此地方性法规由它公布比较顺当。

省、自治区、直辖市的人民代表大会常务委员会制定的地方性法规由常务委员会发布公告予以公布。

设区的市和自治州的人民代表大会及其常务委员会制定的地方性法规报经批准后，由设区的市和自治州的人民代表大会常务委员会发布公告予以公布。设区的市和自治州的人大制定的地方性法规，由于需要报省、自治区的人大常委会批准，因此，经批准后，不论是市（州）人大还是市（州）人大常委会制定的地方性法规，都由设区的市和自治州的人大常委会予以公布。

二、自治条例和单行条例的公布主体

立法法颁布前，对于自治条例和单行条例的公布，法律没有明确的规定，因此实践中做法不太一致。比如，自治州的自治条例报经省人大常委会批准后，有的地方以省人大常委会公告的形式公布，有的地方交由自治州人大常委会公布。立法法对于自治条例和单行条例的公布作出了明确的规定，即自治条例和单行条例报经批准后，分别由各自的制定机关的人大常委会发布公告予以公布，而不由批准机关公布。这同设区的市制定的地方性法规报经批准后，由设区的市人大常委会公布的规定是一致的。

第七十九条　地方性法规、自治区的自治条例和单行条例公布后，及时在本级人民代表大会常务委员会公报和中国人大网、本地方人民代表大会网站以及在本行政区域范围内发行的报纸上刊载。

在常务委员会公报上刊登的地方性法规、自治条例和单行条例文本为标准文本。

【释义】　本条是关于地方性法规、自治条例和单行条例公布载体的规定。

一、地方性法规的公布载体

在立法法制定之前，我国对地方性法规公布后的刊登，没有相应的法律规定，实践中，一般是在常务委员会公报（有的地方称会刊、会报）上刊登，同时也在本地报纸上刊登。但在有一些地方，人大常委会的公报是内部刊物，无法达到公布的目的。而报纸刊登，由于经济原因，一些地方报纸不愿刊登或刊登不及时。为规范地方性法规的刊登，立法法对此作出明确规定。在第十二届全国人民代表大会第三次会议审议立法法修正案草案过程中，一些全国人大代表提出，为了进一步推进立法公开透明，法律法规和部门规章、地方政府规章应当统一刊载，便于社会各方面了解查询，建议根据现在互联网发展和普及情况，增加规定关于在网上统一公布法律法规的规定。

根据本条的规定，地方性法规公布后，首先，应当及时在本级人民代表大会常务委员会公报上刊登，并明确规定，刊登于公报上的文本，是标准文本。所谓“标准文本”，就是如果各种地方性法规文本之间出现不一致的情况，以在常委会公报上刊登的文本为准。这样有利于维护地方性法规的严肃性和权威性，保证地方性法规的正确执行。其次，地方性法规还应当在全国人大常委会的官方网站“中国人大网”和本地方的人民代表大会的官方网站上刊登。官方网站作为新兴的信息载体，具有传播速度快、范围广，并且易于查询的特点，特别是在中国人大网上统一公布各个地方的地方性法规，有利于公众对各个地方的立法情况进行检索。最后，地方性法规还应及时在本行政区域范围内发行的报纸上刊登。报纸是一种传统的传播媒体，价廉且易于得到，并具有可以反复阅读和收藏的特点，在报纸上刊登地方性法规，有利于使本地的民众和组织了解法规的内容。

二、自治条例和单行条例的公布载体

根据本条的规定，自治区的自治条例和单行条例公布后，应及时在本级人大常委会公报和本行政区域范围内发行的报纸上刊登。为什么立法法仅对自治区的自治条例和单行条例的刊登作了规定，而对自治州和自治县的自治条例和单行条例的刊登问题，没有作出规定？主要考虑是，自治州、自治县人大常委会不一定都有常委会公报和本地方报纸，因此，难以对自治州、自治县的自治条例和单行条例的刊登问题作出统一的规定。但自治州、自治县仍应采取适当方式,公布自治条例和单行条例。例如,可以将自治条例、单行条例的文本在省、自治区行政区域范围内发行的报纸上刊登,或者发给公民和组织,或者将文本在公共场所张贴,使公民、组织了解条例的内容。

第二节　规　　章

第八十条　国务院各部、委员会、中国人民银行、审计署和具有行政管理职能的直属机构,可以根据法律和国务院的行政法规、决定、命令,在本部门的权限范围内,制定规章。

部门规章规定的事项应当属于执行法律或者国务院的行政法规、决定、命令的事项。没有法律或者国务院的行政法规、决定、命令的依据,部门规章不得设定减损公民、法人和其他组织权利或者增加其义务的规范,不得增加本部门的权力或者减少本部门的法定职责。

【释义】　本条是关于部门规章制定主体、依据以及权限范围的规定。

部门规章是指国务院各部门根据法律和国务院的行政法规、决定、命令在本部门的权限内按照规定的程序所制定的规定、办法、规则等规范性文件的总称。本条对部门规章的规定,有四个方面的内容:

一、部门规章的制定主体

根据立法法的规定,部门规章的制定主体包括两部分:一是国务院各部、委员会、中国人民银行、审计署;二是具有行政管理职能的直属机构。

宪法第九十条第二款规定:“各部、各委员会根据法律和国务院的行政法规、决定、命令，在本部门的权限内，发布命令、指示和规章。”国务院组织法第十条中规定：“根据法律和国务院的决定，主管部、委员会可以在本部门的权限内发布命令、指示和规章。”宪法对于中国人民银行、审计署制定部门规章的职权没有规定，但一般认为，国务院的组成部门有权制定部门规章。宪法第八十六条规定，国务院由总理、副总理若干人、国务委员若干人、各部部长、各委员会主任、审计长、秘书长组成。因此，根据宪法的规定，国务院各部、各委员会和审计署，属于国务院的组成部门。中国人民银行在国务院中的地位，宪法没有规定，实际上，它一直是被列入国务院的组成序列，中国人民银行行长属于国务院的组成人员。中国人民银行法第四条第一项规定，中国人民银行履行“发布与履行其职责有关的命令和规章”的职责，对中国人民银行制定部门规章的职权作了确认。审计法没有对审计署制定部门规章的职权作出规定。为了明确这两个部门制定部门规章的职权，立法法对此作了规定。

在立法法施行之前，具有行政管理职能的直属机构是否享有制定部门规章的职权没有明确。在体制改革过程中，随着政府职能的转变，设置了众多的直属机构，如国家工商行政管理总局、国家税务总局、国家知识产权局、国家林业局等。这些直属机构有的是正部级的，如国家工商行政管理总局、国家税务总局；有的则是副部级的，如国家知识产权局、国家林业局。这些直属机构虽然不属于部、委，但其行政执法的任务相当重。为了更好地行使自己担负的行政执法职能，这些直属机构制定了大量规范性文件。它们制定的规定能否算规章，有着不同的看法。一种观点认为，宪法和国务院组织法都明文规定只有部、委有规章制定权，没有规定直属机构有这项权力，因而直属机构制定的规定不能算规章。与此相反的观点认为，如果从字面上来理解享有规章制定权的部门，审计署也不享有此权力。而从审计署的地位来看，把它排除在有规章制定权的部门之外，显然不是立法原意，由此可以推论宪法第九十条中所说的“各部、各委员会”是可作扩大解释的。根据《国务院行政机构设置和编制管理条例》的规定，国务院直属机构主管国务院的某项专门业务，具有独立的行政管理职能。在具有独立的行政管理职能这一点上，国务院直属机构与国务院组成部门具有相似性。各直属机构基本担负着与部、委相同的职能，为行使职权，部、委与直属机构共同制定规定已是很普遍的现象；同时，法律和行政法规也经常授权直属机构制定实施细则和实施办法。由此可见，实际做法已经把规章制定权给予了国务院直属机构，它们制定的一般规定应属规章。为了使制定规章的主体在法律上更为明确，使国务院直属机构也能利用规章履行职责，立法法从我国的国情出发，明确规定“具有行政管理职能的直属机构”享有规章制定权。

需要注意的是，不能仅从字面上理解国务院具有行政管理职能的直属机构的概念。例如，证券法规定，国务院证券监督管理机构“依法制定有关证券市场监督管理的规章”；银行业监督管理法规定，国务院银行业监督管理机构“依照法律、行政法规制定并发布对银行业金融机构及其业务活动监督管理的规章”；保险法规定，国务院保险监督管理机构“依照法律、行政法规制定并发布有关保险业监督管理的规章”。这三个监督管理机构，即证监会、银监会、保监会，在国务院发布的《国务院关于机构设置的通知》（国发〔2013〕14 号）中被列为国务院直属事业单位，但其具有行政管理职能，又是直属国务院的机构，因此也属于立法法规定的国务院具有行政管理职能的直属机构，具有规章制定权。

二、制定部门规章的依据

国务院部门规章的制定依据有两类,即法律、行政法规,国务院的决定和命令。没有这两类依据,部门规章不得设定减损公民、法人和其他组织权利或者增加其义务的规范,不得增加本部门的权力或者减少本部门的法定职责。

(一)根据法律和行政法规制定规章

法律和行政法规适用于全国各地区、各部门和各行各业,是各部门制定规章的依据。从我国多年的立法实践看,法律、行政法规的规定有的比较原则、概括,而把一些具体解释性、专业性的规定,授权国务院各部门制定,这样做一是可以避免法律、法规过于冗长烦琐;二是可以保持法律、法规的稳定性,减少过多的修改和调整。

(二)根据国务院的决定和命令制定规章

决定和命令一般都是就某一专门事项或具体问题所作的决定。决定通过后长期适用,而命令基本是针对某个具体问题作出的,一次有效,国务院在领导和管理国家的经济、文化等建设事业和各项行政工作中,经常需要根据实际情况,采取行政措施,发布决定、命令等文件。国务院常务会议、总理办公会议也经常讨论国家管理工作中的重要事项或问题,并作出相应的决定或命令。这些决定和命令,也是国务院有关部门制定规章的依据。

对于如何理解规章的制定依据,曾有两种不同意见:一种意见认为,有权制定规章的行政机关除了根据法律、法规制定规章外,在不同法律、法规相抵触的前提下,在法律赋予的职权范围内,根据实际需要也可以制定规章。制定规章是规章制定机关行使行政管理职权的形式之一,规章制定机关在其职权范围内,凡法律未禁止的,以及不属于法律、法规明确列举的调整事项,规章制定机关可以通过制定规章来履行职权。如果将规章的调整权限仅限定在根据法律、法规的具体授权上，必将限制行政机关的管理职能，可能会使一些本应管理的事项因缺少规范而不能管，或者使一些本来能够纳入依法管理范围内的行政行为，只停留在政策管理层次上。这种意见被称为“职权说”。另一种意见认为，制定规章不是行政机关固有的权力，规章制定机关制定规章，应遵守国务院组织法和地方组织法对制定规章的要求，即应根据法律、法规制定规章。把制定规章看成是行政机关行使职权的形式，有许多矛盾和问题：一是与行政机关的性质不符，行政机关是执行机关，不是立法机关；二是与职权的性质不符，行政机关的职权是指在哪些事项上享有管理权，而不是指享有创制权；三是会带来很多问题，造成多头立法，管理混乱。这种意见被称为“依据说”。

本条第二款规定，“部门规章规定的事项应当属于执行法律或者国务院的行政法规、决定、命令的事项”，实际上是采用“依据说”的观点。应当说明的是，立法法对国务院制定行政法规的职权是采用“职权说”，与部门规章制定权是有区别的。这一区别是基于宪法依据的不同。宪法第八十九条第一项规定，国务院根据宪法和法律，规定行政措施，制定行政法规，发布决定和命令。宪法第九十条第二款规定：“各部、各委员会根据法律和国务院的行政法规、决定、命令，在本部门的权限内，发布命令、指示和规章。”因此，即使法律没有作出规定，国务院可以直接根据宪法第八十九条关于国务院行政管理职权的规定，制定行政法规。而制定部门规章，则必须根据法律和国务院的行政法规、决定、命令，这是立法法采用“依据说”的原因。

三、部门规章的权利义务设定权

立法法规定，部门规章规定的事项应当属于执行法律或者国务院的行政法规、决定、命令的事项。但是,在部门权限范围内,根据法律或者国务院的行政法规、决定、命令所制定的规章,是否具有权利义务的设定权,修改前的立法法并不明确。

党的十八届四中全会决定提出,“行政机关不得法外设定权力,没有法律法规依据不得作出减损公民、法人和其他组织合法权益或者增加其义务的决定”。根据该决定,提请全国人大常委会审议的立法法修正案草案曾规定“没有法律或者国务院的行政法规依据”,部门规章不得设定减损公民、法人和其他组织权利或者增加其义务的规范,不得增加本部门的权力或者减少本部门的法定职责。考虑到国务院发布决定、命令的职权是宪法规定的,具有创制性;同时,将部门规章权利义务设定权的依据限于法律、行政法规也与实际做法不符,因此提交全国人民代表大会审议时,立法法修正案草案增加规定国务院的“决定、命令”的依据。修改后的立法法规定,“没有法律或者国务院的行政法规、决定、命令的依据,部门规章不得设定减损公民、法人和其他组织权利或者增加其义务的规范,不得增加本部门的权力或者减少本部门的法定职责”。

根据法律和国务院的行政法规、决定、命令制定部门规章,与没有法律和国务院的行政法规、决定、命令的依据,部门规章没有权利义务设定权,这两者表达的不是一个层面的意思。这涉及行政机关的管理权与创制权的区别。前者涉及管理权,后者涉及创制权。与部门规章不同,国务院根据宪法第八十九条制定行政法规,基于自身职权,无须法律授权,具有一定的创制权,但其创制权小于其管理权。例如,立法法第八条、第十条规定,限制人身自由的强制措施和处罚只能制定法律,并且不能授权国务院制定行政法规。又如,行政处罚法、行政强制法、行政许可法对行政法规的创制权作了限制。然而,部门规章的创制权是采用“依据说”，部门规章设定权利义务，没有基于自身职权而来的创制权，必须要有明确授权。因此，国务院部门根据法律和国务院的行政法规、决定、命令制定规章，并不意味着该规章必然具有权利义务的设定权，除非有法律和国务院的行政法规、决定、命令的明确授权。

需要注意的是，根据法不溯及既往原则，已经制定的部门规章，没有法律或者国务院的行政法规、决定、命令的依据，设定权利义务，在没有违反上位法的禁止性规定的前提下，这些设定权利义务的规定仍然是有效的，但需要根据立法法的精神和国务院的部署及时进行清理。

四、部门规章规定的事项范围

部门规章规定的事项范围，涉及两个问题：

（一）调整的事项范围

部门规章规定的事项应当属于执行法律或者国务院的行政法规、决定、命令的事项。这就是说，为执行法律和国务院行政法规、决定、命令的规定可以制定规章；不是执行上述规定，不能制定部门规章。法律、行政法规和国务院决定、命令的规定，国务院各部门是要严格执行的，但在执行过程中，如果需要具体化，或作出专门规定，才能付诸实施，就可以制定规章。如果法律、法规的规定比较具体，不必再作规定就可以执行的，可以不再制定规章。为执法制定规章时，应当注意，法律有明确规定的不要照抄、照搬，搞“四世同堂”“五世同堂”，而应当就特别需要的内容作规定，不要自行构筑体系。

（二）部门权限

部门规章的制定和发布必须在其权限范围之内，在内容上必须是本部门业务范围的事项。凡不属于本部门管理的事项，不要在本部门规章中规定；即使是本部门权限内的事项，制定的规章也只能在法律、行政法规、决定、命令规定的幅度内加以具体化,不能越权和与法律、法规相抵触。

第八十一条　涉及两个以上国务院部门职权范围的事项,应当提请国务院制定行政法规或者由国务院有关部门联合制定规章。

【释义】 本条是关于涉及国务院两个以上部门职权范围的事项制定规章的规定。

实践中,国务院部门规章之间、国务院部门规章与地方性法规之间、国务院规章与地方政府规章之间不协调、不一致甚至相互矛盾的现象时有发生。立法法为解决上述问题,在第八十条第二款中规定,没有法律或者国务院的行政法规、决定、命令的依据,部门规章不得增加本部门的权力或者减少本部门的法定职责;在本条又规定,制定规章时,涉及两个以上国务院部门职权范围的事项,应当提请国务院制定行政法规或者由国务院有关部门联合制定规章。2002 年 1 月 1 日起施行的《规章制定程序条例》第八条对立法法这一规定的精神作了重申:"涉及国务院两个以上部门职权范围的事项,制定行政法规条件尚不成熟,需要制定规章的,国务院有关部门应当联合制定规章。有前款规定情形的,国务院有关部门单独制定的规章无效。"

部门规章与行政法规的内容划分应把握以下几点:第一,调整内容是法律没有规定,国务院也没发布过决定、命令加以规定的,应当制定行政法规来规定,不能规定在部门规章中。第二,调整内容涉及几个部门的管理权限,超出单个部门职权的,应制定行政法规。现行由几个部门联合制定规章的做法应逐步改进。在一个部门权限内的内容,可制定部门规章。第三,在我国目前有些部门职权范围划分并不十分明确的现状下,调整内容很明确的在部门职权范围内的，制定部门规章；调整内容是否属于本部门职权范围尚不明确的，制定行政法规。第四，凡是有关行政机关职权、地位、机构设置等组织法方面内容的，制定行政法规。部门规章不能规定组织法方面的内容。第五，在中央和地方的分权关系还有待通过深化改革解决的情况下，为了避免地方利益破坏政令的统一性，凡涉及中央和地方较大利益关系的问题，都应通过制定行政法规来加以解决。

各部委在制定规章时，应妥善地处理好各种关系：一是部委规章与行政法规的关系。制定规章应当以行政法规为依据，但是，由于什么事项应由规章规定，什么事项应由行政法规规定不甚清楚，而常常发生规章“升格”从而“挤占”行政法规的现象。同时，行政法规因体制等诸多因素难以出台而将许多本应由行政法规规定的事项“降格”由规章来规定。这种情况造成了法律规范位阶的混乱，在客观上影响了规章的实效。二是部门规章与地方性法规的关系。这个问题的实质是中央与地方的关系问题。在这个层面上，很难笼统地说部门规章的效力与地方性法规的效力孰高孰低。例如，在宏观经济方面，部委以规章形式确定的财政、金融、计划等政策，应当说，在我们这样一个单一制国家里，地方国家机关的活动包括省级人大及其常委会制定地方性法规的活动，都要遵循。三是不同部委规章之间的关系。这个问题的实质是各部委的权限划分及相应的利益分配问题。由于目前我国改革进入攻坚期，涉及政府转变职能、深化行政体制改革、创新行政管理方式中的一些深层次问题，使不少部委规章相互交叉、冲突和矛盾，造成地方尤其是基层执法部门的混乱。解决这个问题，关键是各部委要从政府职能转变和国家利益的高度来行使自己的权力，对那些由于权限划分不清楚的权力灰色领域，不要以立法的方式来抢占“地盘”;对那些可能要被改革掉的权力或者利益,不要以立法的方式加以巩固。

第八十二条　省、自治区、直辖市和设区的市、自治州的人民政府,可以根据法律、行政法规和本省、自治区、直辖市的地方性法规,制定规章。

地方政府规章可以就下列事项作出规定:

(一)为执行法律、行政法规、地方性法规的规定需要制定规章的事项;

(二)属于本行政区域的具体行政管理事项。

设区的市、自治州的人民政府根据本条第一款、第二款制定地方政府规章,限于城乡建设与管理、环境保护、历史文化保护等方面的事项。已经制定的地方政府规章,涉及上述事项范围以外的,继续有效。

除省、自治区的人民政府所在地的市,经济特区所在地的市和国务院已经批准的较大的市以外,其他设区的市、自治州的人民政府开始制定规章的时间,与本省、自治区人民代表大会常务委员会确定的本市、自治州开始制定地方性法规的时间同步。

应当制定地方性法规但条件尚不成熟的,因行政管理迫切需要,可以先制定地方政府规章。规章实施满两年需要继续实施规章所规定的行政措施的,应当提请本级人民代表大会或者其常务委员会制定地方性法规。

没有法律、行政法规、地方性法规的依据,地方政府规章不得设定减损公民、法人和其他组织权利或者增加其义务的规范。

【释义】　本条是关于地方政府规章制定主体、依据以及权限范围的规定。

地方政府规章是指由省、自治区、直辖市和设区的市、自治州的人民政府根据法律、行政法规、地方性法规并按照法定程序所制定的普遍适用于本地区行政管理工作的规定、办法、规则等规范性文件的总称。

一、地方政府规章的制定主体

省、自治区、直辖市和设区的市、自治州的人民政府有规章制定权。根据2015年修改立法法的决定，广东省东莞市和中山市、甘肃省嘉峪关市、海南省三沙市的人民政府，也有规章制定权。

宪法对地方政府制定规章没有作出规定。1982年12月五届全国人大五次会议修改的地方组织法增加规定："省、自治区、直辖市以及省、自治区的人民政府所在地的市和经国务院批准的较大的市的人民政府，还可以根据法律和国务院的行政法规，制定规章。"1995年修改地方组织法时，将上述规定单列一条，规定："省、自治区、直辖市的人民政府可以根据法律、行政法规和本省、自治区、直辖市的地方性法规，制定规章，报国务院和本级人民代表大会常务委员会备案。省、自治区的人民政府所在地的市和经国务院批准的较大的市的人民政府，可以根据法律、行政法规和本省、自治区的地方性法规，制定规章，报国务院和省、自治区的人民代表大会常务委员会、人民政府以及本级人民代表大会常务委员会备案。"2000年制定立法法时，将地方政府规章的制定主体作了适当扩大，将经济特区所在地的深圳、厦门、珠海、汕头纳入到了较大的市的范围，享有规章制定权。2015年修改立法法，又将地方政府规章的制定主体扩大到所有设区的市、自治州，以及东莞市、中山市、嘉峪关市、三沙市这四个不设区的地级市。

省、自治区、直辖市是我国第一级行政区单位。它的区域范围较大，人口较多，面对的情况也比较复杂。因此，要在国家法律、法规和政策的统一规定指导下，充分调动它们的积极性和主动性，因地制宜地开展工作。同时，省、自治区、直辖市的人民政府是省、自治区、直辖市的人民代表大会的执行机关，是地方行政机关。它要执行本级人大的决议，以及最高国家行政机关的决定和命令；对全省（区、市）行使行政管理权；并保证法律、行政法规在本行政区域的实施。因而，立法法赋予它们享有地方政府规章的制定权，以便更好地行使省级政府的职权。

随着我国社会主义市场经济的不断发展，设区的市、自治州作为一个地区的政治中心和经济中心，其经济规模不断扩大，社会事务日趋复杂，作用越来越重要。因此，立法法规定所有的设区的市、自治州的人民政府也有地方政府规章的制定权，使它们能够根据当地的实际情况和特点来贯彻实施法律、行政法规和地方性法规。

省、自治区、直辖市人民政府的所属部门以及县、自治县、县级市的人民政府没有规章制定权。根据宪法和有关法律规定，省、自治区、直辖市人民政府的部门以及县、自治县、县级市的人民政府无权制定规章是很明确的。但是，在现实生活中，这些无权制定规章的机构却制定了大量的规定。它们制定的规定有些在内容上与地方规章没有多大区别，有些规定由省、自治区、直辖市人民政府批准或批转，因此，许多在实际部门工作的同志把这些规定与地方政府规章相混淆。按照宪法和有关法律规定，规章的制定必须严格按照权限进行，没有规章制定权的省、自治区、直辖市人民政府的部门以及县、自治县、县级市的人民政府不能制定规章。

二、制定地方政府规章的依据

根据本条规定，制定地方政府规章需要注意两个方面的问题：

一是制定地方政府规章要根据法律、行政法规和本省、自治区、直辖市的地方性法规。也即制定地方政府规章采用“依据说”,没有上位法依据,不得制定地方政府规章。这一点与制定地方性法规采用的“不抵触说”有明显区别。宪法第一百条规定,“省、直辖市的人民代表大会和它们的常务委员会,在不同宪法、法律、行政法规相抵触的前提下,可以制定地方性法规”。只要不与上位法相抵触,无须上位法依据,也可以制定地方性法规。

二是没有法律、行政法规、地方性法规的依据,地方政府规章不得设定减损公民、法人和其他组织权利或者增加其义务的规范。这是本条第六款的规定,是2015年修改立法法新增加的内容。根据这一规定,没有上位法的明确授权,地方政府规章没有权利义务的设定权。这一点也与制定地方性法规采用的“不抵触说”有明显区别,只要不与上位法相抵触,无须上位法依据,地方性法规也可以设定权利义务。需要注意的是,根据法不溯及既往原则,已经制定的地方政府规章,没有上位法的依据设定权利义务,在没有违反上位法的禁止性规定的前提下,这些设定权利义务的规定仍然是有效的,但需要根据立法法的精神及时进行清理。

以上两个方面,是制定地方性法规与制定地方政府规章的关键区别。

三、地方政府规章规定的事项范围

地方政府规章规定的事项应当是为执行法律、行政法规、地方性法规的规定而需要制定规章的事项和属于本行政区域的具体行政管理事项。

(一)为执行法律、行政法规、地方性法规的规定需要制定规章的事项

这里有两种情况:一种是法律、行政法规和地方性法规明确

规定由地方政府制定规章的事项。据此,地方政府可以根据授权,结合本地区的实际情况,就如何执行法律、行政法规、地方性法规的规定制定有关规章。另一种是虽然法律、行政法规和地方性法规没有规定地方政府可以制定规章,但为执行法律、行政法规、地方性法规,需要制定一些配套措施和具体规定,在这种情况下,如果本地区的改革和建设确有需要,地方政府也可以根据法律、行政法规和地方性法规的规定以及本地区的实际情况制定有关规章。

(二)属于本行政区域的具体行政管理事项

关于县级以上地方各级人民政府的职权,宪法规定,县级以上地方人民政府依照法律规定的权限,管理本行政区域内的经济、教育科学、文化、卫生、体育事业、城乡建设事业和财政、民政、公安、民族事务、司法行政、监察、计划生育等行政工作。地方组织法根据宪法作了进一步具体规定。在宪法和地方组织法规定的职权范围内,属于具体行政管理事项,省、自治区、直辖市和设区的市、自治州的人民政府可以制定规章。不属于具体行政管理事项,而是属于应当制定地方性法规的事项,则地方政府不能制定规章,而应当向本级人大及其常委会提出地方性法规案,由本级人大及其常委会依法制定地方性法规。具体行政管理事项大体可以包括以下几个方面:一是有关行政程序方面的事项,包括办事流程、工作规范等;二是有关行政机关自身建设的事项,包括公务员行为操守、工作纪律、廉政建设等;三是不涉及创设公民权利义务的有关社会公共秩序、公共事务或事业的具体管理制度,如公共场所(如公园、电影院等)的管理规定,市场(如早市、夜市、超市等)的管理秩序,学校秩序管理规定等。需要注意的是,根据本条第一款的规定,制定地方政府规章的根据是法律、行政法规和本省、自治区、直辖市的地方性法规,因此,地方政府规章对属于本行政区域的具体行政管理事项作出规定,也需要有上位法的依据。

四、地方政府规章可以设定临时性行政措施

本条第六款规定,制定地方政府规章,没有法律、行政法规、地方性法规依据,不得设定减损公民、法人和其他组织权利或者增加其义务的规范。同时,考虑到地方实际工作的需要,本条第五款规定:"应当制定地方性法规但条件尚不成熟的,因行政管理迫切需要,可以先制定地方政府规章。规章实施满两年需要继续实施规章所规定的行政措施的,应当提请本级人民代表大会或者其常务委员会制定地方性法规。"上述规章"实施满两年"后,如未提请本级人大或其常委会制定地方性法规的,规章所规定的本应制定地方性法规进行规定的行政措施自然失效,但规章其他规定继续有效。

五、关于设区的市、自治州制定地方政府规章问题

本条第三款规定:"设区的市、自治州的人民政府根据本条第一款、第二款制定地方政府规章,限于城乡建设与管理、环境保护、历史文化保护等方面的事项。已经制定的地方政府规章,涉及上述事项范围以外的,继续有效。"第四款规定:"除省、自治区的人民政府所在地的市,经济特区所在地的市和国务院已经批准的较大的市以外,其他设区的市、自治州的人民政府开始制定规章的时间,与本省、自治区人民代表大会常务委员会确定的本市、自治州开始制定地方性法规的时间同步。"这两款是2015年修改立法法时增加的关于设区的市、自治州制定地方政府规章的立法事项范围,原四十九个较大的市已经制定的立法事项范围外的地方政府规章的效力,以及新赋予立法权的设区的市、自治州开始制定规章的时间的规定。

关于城乡建设与管理、环境保护、历史文化保护等方面的事

项的含义，如何理解原四十九个较大的市已经制定的立法事项范围外的地方政府规章继续有效，以及如何确定新赋予立法权的设区的市、自治州制定规章的时间等问题，请参见本法第七十二条释义的有关论述。

第八十三条　国务院部门规章和地方政府规章的制定程序，参照本法第三章的规定，由国务院规定。

【释义】 本条是关于规章制定程序的规定。

制定行政规章的程序可分为工作程序和立法程序，主要包括：制定规章的计划的提出、规章的起草、规章草案的审查、规章的审批和发布、规章的备案等。为了统一行政规章的制定程序，根据宪法和有关组织法的规定，总结实践经验，立法法对规章的制定程序从两个方面作了规定：一是原则规定，国务院部门规章和地方政府规章的制定程序，参照立法法关于行政法规制定程序的规定，由国务院规定。二是对规章必不可少的程序作了明确规定。国务院于2001年11月16日公布了《规章制定程序条例》，自2002年1月1日起施行。该条例包括立项、起草、审查、决定和公布、解释与备案等主要内容。这里只对规章的立项、起草、审查和解释进行阐述，规章的决定和公布、备案，请参见本法第八十四条、第八十五条、第八十六条、第九十八条释义的有关论述。

一、规章的立项

（一）报送立项

国务院部门内设机构或者其他机构认为需要制定部门规章的，应当向该部门报请立项。省、自治区、直辖市和较大的市的人民政府所属工作部门或者下级人民政府认为需要制定地方政府规章的，应当向该省、自治区、直辖市或者设区的市的人民政府报请立项。报送制定规章的立项申请,应当对制定规章的必要性、所要解决的主要问题、拟确立的主要制度等作出说明。

（二）形成年度规章制定工作计划

国务院部门法制机构,省、自治区、直辖市和设区的市的人民政府法制机构,应当对制定规章的立项申请进行汇总研究,拟订本部门、本级人民政府年度规章制定工作计划,报本部门、本级人民政府批准后执行。年度规章制定工作计划应当明确规章的名称、起草单位、完成时间等。

（三）年度规章制定工作计划的执行与调整

国务院部门,省、自治区、直辖市和设区的市的人民政府,应当加强对执行年度规章制定工作计划的领导。对列入年度规章制定工作计划的项目,承担起草工作的单位应当抓紧工作,按照要求上报本部门或者本级人民政府决定。年度规章制定工作计划在执行中,可以根据实际情况予以调整,对拟增加的规章项目应当进行补充论证。

二、规章的起草

（一）起草的机构

国务院部门可以确定规章由其一个或者几个内设机构或者其他机构具体负责起草工作,也可以确定由其法制机构起草或者组织起草。省、自治区、直辖市和设区的市的人民政府可以确定规章由其一个部门或者几个部门具体负责起草工作,也可以确定由其法制机构起草或者组织起草。起草规章可以邀请有关专家、组织参加,也可以委托有关专家、组织起草。

（二）公众参与

起草规章,应当深入调查研究,总结实践经验,广泛听取有关机关、组织和公民的意见。听取意见可以采取书面征求意见、座谈会、论证会、听证会等多种形式。起草的规章直接涉及公民、法人或者其他组织切身利益,有关机关、组织或者公民对其有重大意见分歧的,应当向社会公布,征求社会各界的意见;起草单位也可以举行听证会。

(三)征求其他部门意见与协商

起草部门规章,涉及国务院其他部门的职责或者与国务院其他部门关系紧密的,起草单位应当充分征求国务院其他部门的意见。起草地方政府规章,涉及本级人民政府其他部门的职责或者与其他部门关系紧密的,起草单位应当充分征求其他部门的意见。起草单位与其他部门有不同意见的,应当充分协商;经过充分协商不能取得一致意见的,起草单位应当在上报规章草案送审稿时说明情况和理由。

(四)规章送审稿报送审查的要求

起草单位应当将规章送审稿及其说明、对规章送审稿主要问题的不同意见和其他有关材料按规定报送审查。报送审查的规章送审稿,应当由起草单位主要负责人签署;几个起草单位共同起草的规章送审稿,应当由该几个起草单位主要负责人共同签署。规章送审稿的说明应当对制定规章的必要性、规定的主要措施、有关方面的意见等情况作出说明。有关材料主要包括汇总的意见、听证会笔录、调研报告、国内外有关立法资料等。

三、规章的审查

(一)审查的内容

规章送审稿由法制机构负责统一审查。法制机构主要从以下方面对送审稿进行审查:是否遵循立法法确定的立法原则,符合宪法、法律、行政法规和其他上位法的规定;是否切实保障公民、法人和其他组织的合法权益,在规定其应当履行的义务的同时,规定其相应的权利和保障权利实现的途径;是否体现行政机关的职权与责任相统一的原则,在赋予有关行政机关必要的职权的同时,规定其行使职权的条件、程序和应承担的责任;是否体现改革精神,科学规范行政行为,促进政府职能向经济调节、社会管理和公共服务转变;是否符合精简、统一、效能的原则,相同或者相近的职能应当规定由一个行政机关承担,简化行政管理手续;是否与有关规章协调、衔接;是否正确处理有关机关、组织和公民对规章送审稿主要问题的意见;是否符合立法技术要求;需要审查的其他内容。

（二）审查的处理

规章送审稿有下列情形之一的,法制机构可以缓办或者退回起草单位:制定规章的基本条件尚不成熟的;有关机构或者部门对规章送审稿规定的主要制度存在较大争议,起草单位未与有关机构或者部门协商的;上报送审稿不符合报送审查的要求的。

（三）听取各方面意见

法制机构通过以下途径听取各方面意见:将规章送审稿或者规章送审稿涉及的主要问题发送有关机关、组织和专家征求意见;就规章送审稿涉及的主要问题,深入基层进行实地调查研究,听取基层有关机关、组织和公民的意见;规章送审稿涉及重大问题的,召开由有关单位、专家参加的座谈会、论证会,听取意见,研究论证;规章送审稿直接涉及公民、法人或者其他组织切身利益,有关机关、组织或者公民对其有重大意见分歧,起草单位在起草过程中未向社会公布,也未举行听证会的,经本部门或者本级人民政府批准,可以向社会公布,也可以举行听证会。

（四）对机构或者部门不同意见的协调

有关机构或者部门对规章送审稿涉及的主要措施、管理体制、权限分工等问题有不同意见的,法制机构应当进行协调,达成一致意见;不能达成一致意见的,应当将主要问题、有关机构或者部门的意见和法制机构的意见上报本部门或者本级人民政府决定。

(五)形成规章草案和对草案的说明

法制机构应当认真研究各方面的意见,与起草单位协商后,对规章送审稿进行修改,形成规章草案和对草案的说明。说明应当包括制定规章拟解决的主要问题、确立的主要措施以及与有关部门的协调情况等。规章草案和说明由法制机构主要负责人签署,提出提请本部门或者本级人民政府有关会议审议的建议。

四、规章的解释

规章有下列情况之一的,由制定机关解释:(1)规章的规定需要进一步明确具体含义的;(2)规章制定后出现新的情况,需要明确适用规章依据的。规章解释由规章制定机关的法制机构参照规章送审稿审查程序提出意见,报请制定机关批准后公布。规章的解释同规章具有同等效力。

第八十四条　部门规章应当经部务会议或者委员会会议决定。

地方政府规章应当经政府常务会议或者全体会议决定。

【释义】　本条是关于规章决定程序的规定。

部门规章应当经部务会议或者委员会会议决定。部门规章是国家事务管理工作中的重要事项,因此要经部务会议或者委员会会议讨论,充分发表意见后通过。但是,这些会议不是实行表决制,而是实行首长负责制,因此,审议通过部门规章不实行少数服从多数的办法,而采取首长负责制。审议规章草案时,由法制机构作说明,也可以由起草单位作说明。与会成员可以充分发表意见、建议,最后由主持会议的行政首长决定是否通过。

国务院部门审议、通过规章，没有严格的次数要求，多数规章是一次会议通过的，也有的规章需要经过两次会议甚至更多次会议方能通过。

地方政府规章是地方行政管理事务中的重要事项，应当经政府常务会议或者全体会议决定，以保证地方政府重大决策的科学性和可行性。审议规章草案时，由法制机构作说明，也可以由起草单位作说明；然后由政府领导人提出问题，与会有关人员发表意见；最后由主持会议的政府领导人决定是否通过。通过规章不要求经过表决，因为国家行政机关实行首长负责制，而不是实行委员会制，无须表决。

法制机构应当根据有关会议审议意见对规章草案进行修改，形成草案修改稿，报请本部门首长或者省长、自治区主席、市长、自治州州长签署命令予以公布。

第八十五条　部门规章由部门首长签署命令予以公布。

地方政府规章由省长、自治区主席、市长或者自治州州长签署命令予以公布。

【释义】　本条是关于规章公布程序的规定。

在规章通过之后，公布就成为制定规章的最后程序，也是规章对公众产生法律效力的标志。未经合法程序公布的规章不应当具有法律效力，对公众没有约束力。规章公布应当由机关首长签署命令公布。公布规章的命令应当载明该规章的制定机关、序号、规章名称、通过日期、施行日期、部门首长或者省长、自治区主席、市长、自治州州长署名以及公布日期。部门联合规章由联合制定的部门首长共同署名公布，使用主办机关的命令序号。根据《规章制定程序条例》的规定，规章应当自公布之日起三十日后施行；但是，涉及国家安全、外汇汇率、货币政策的确定以及公布后不立即施行将有碍规章施行的，可以自公布之日起施行。

第八十六条　部门规章签署公布后，及时在国务院公报或者部门公报和中国政府法制信息网以及在全国范围内发行的报纸上刊载。

地方政府规章签署公布后，及时在本级人民政府公报和中国政府法制信息网以及在本行政区域范围内发行的报纸上刊载。

在国务院公报或者部门公报和地方人民政府公报上刊登的规章文本为标准文本。

【释义】　本条是关于规章公布载体的规定。

规章制定后应当全部及时地在有关媒体上公布。为了统一公布形式，立法法规定，部门规章签署公布后，及时在国务院公报或者部门公报和中国政府法制信息网以及在全国范围内发行的报纸上刊载。地方政府规章签署公布后，及时在本级人民政府公报和中国政府法制信息网以及在本行政区域范围内发行的报纸上刊载。其中，部门规章和地方政府规章签署公布后及时在中国政府法制信息网刊载是2015年修改立法法增加的内容，目的是为了归口网络发布平台，便于公众查询了解，增加规章发布的透明度。

部门公报应当刊登本部门发布的所有规章，国务院公报只是有选择地刊登部分重要的规章。规章在国务院公报刊登，并不表示国务院认可该规章，国务院如发现规章有问题，仍可依法予以改变或撤销。在国务院公报上刊登，也不能代替部门依照规定的程序向国务院报送备案。从长远上看，应当努力做到所有部门规章都由国务院公报刊登。

立法法规定，在国务院公报或部门公报上刊登的部门规章文本为标准文本。根据这一规定，其他各种形式的规章文本，包括部门自己印发的单行本或汇编本，如果同在国务院公报或部门公报上刊登的规章文本不一致，应当以国务院公报或部门公报上刊登的文本为准。如果国务院公报上刊登的文本同部门公报上刊登的文本不一致，应当以国务院公报上刊登的文本为准。因为国务院公报权威性更大、发行范围更宽，其严肃性和权威性应当受到维护和保证。同样，在地方政府公报上刊登的地方政府规章文本为标准文本。

第五章　适用与备案审查

立法法规定了法律、行政法规、地方性法规、经济特区法规、规章、自治条例和单行条例等的制定程序，宪法和以上规范性文件构成了中国特色社会主义法律体系。在现实中，它们是同时存在并发挥作用的，但是它们的位阶是不同的。作为一个科学的体系，中国特色社会主义法律体系内部原则上是和谐的、不存在冲突的。但由于我国正处于全面深化改革的时期，法律体系的发展变化较快，因此难以避免产生一些不一致的地方。因此，在法的具体运行过程中就产生了如何适用的问题，包括不同位阶间的规范性文件如何适用，以及同一位阶的不同规范性文件如何适用等问题，需要由立法法作出规定。此外，为保持法律体系的和谐统一，立法法还设计了备案审查制度，对下位法报上位法制定机关备案，并对可能存在的冲突进行审查作出规定。

第八十七条　宪法具有最高的法律效力，一切法律、行政法规、地方性法规、自治条例和单行条例、规章都不得同宪法相抵触。

【释义】　本条是关于宪法的法律效力的规定。

法的效力就是法的强制力和拘束力。法作为一种社会行为规范，是以国家强制力作为后盾来保证实施的，公民必须遵守执行，否则，就会受到国家强制力的制裁。但同样是法律规范，因其制定机关、制定程序和依据不同，其效力等级也不一样。在我国,全国人民代表大会及其常务委员会可以制定宪法、法律;国务院可以制定行政法规;省级人民代表大会及其常务委员会、设区的市及自治州的人民代表大会及其常务委员会可以制定地方性法规;经济特区的人民代表大会及其常务委员会可以制定特区法规和地方性法规;自治区、自治州、自治县的人民代表大会可以制定自治条例和单行条例;国务院各部、委员会、中国人民银行、审计署和具有行政管理职能的直属机构,省级政府,设区的市、自治州的政府可以制定规章。2015 年修改立法法,又在依法赋予设区的市地方立法权的同时,赋予四个不设区的地级市地方立法权。因此,法律、行政法规、地方性法规、自治条例和单行条例、规章都是我国法律体系的组成部分。虽然根据行政诉讼法的规定,规章在法院审理案件时,只具有"参照"作用,但对公民来说,规章也是要遵守执行的,也具有法的效力。

宪法是国家法律体系的核心。宪法与其他法律在制定程序、内容等方面又有区别,宪法是按照一种特别程序制定的,它规定的是国家的根本制度,是国家生活中最根本、最重要的问题。宪法是国家的根本法,是国家的总章程,是制定法律的依据。因此,它的地位高于法律,具有最高权威和最高法律效力。所有法律必须符合宪法的规定,与宪法相抵触的法律都没有法律效力。宪法序言和第五条中规定:"全国各族人民、一切国家机关和武装力量、各政党和各社会团体、各企业事业组织,都必须以宪法为根本的活动准则,并且负有维护宪法尊严、保证宪法实施的职责。""一切法律、行政法规和地方性法规都不得同宪法相抵触"。本条内容在宪法中已有相关规定。立法法制定时,本来在全国人大常委会审议的草案中规定各种规范性文件的法律效力等级时,最初并没有这一规定。但有的同志认为,既然立法法要确立我国法律体系中各种规范性文件的效力等级,缺少宪法的效力的规定是不完整的，重申宪法这一规定，对正确把握法律效力的层级关系和准确适用法律有积极意义。其他规范性文件效力等级的比较，首先必须看它是否符合宪法的规定，如果违反宪法的规定，效力等级无论高低都是无效的。因此，立法法中重申了宪法的规定。

第八十八条　法律的效力高于行政法规、地方性法规、规章。

行政法规的效力高于地方性法规、规章。

【释义】 本条是关于法律、行政法规、地方性法规和规章效力等级的规定。

法律、行政法规、地方性法规、规章等规范性文件都是有效的，但它们之间有效力等级之分。目前，我国已制定了二百四十多部法律，七百三十多件行政法规，九千三百多件地方性法规和数以万计的规章，它们都是我国法律体系的组成部分，是调整不同性质社会关系、实施社会管理和依法治国的依据。由于这些规范性文件是不同机关制定的，难免会出现不一致或冲突的情况，在适用时难以选择。为了解决规范性文件之间的冲突，需要明确不同主体制定的规范性文件之间的效力等级。这样，在出现冲突时，可以依照法的规范的不同效力等级，选择优先适用的法的规范。因此，规定法的效力等级，是为了解决不同等级的法的规范之间的冲突，便于法的适用，以保证法制的统一。

一、法律的效力高于行政法规、地方性法规和规章

在由宪法、法律、行政法规、地方性法规、自治条例和单行条例、规章等组成的法律体系中，宪法是根本法，具有最高法律效力。在宪法之下，全国人大及其常委会制定的法律的效力等级最高。根据宪法的规定，全国人民代表大会及其常委会是国家

最高权力机关,行使国家立法权。全国人民代表大会及其常委会制定的法律是制定行政法规、地方性法规、规章的依据。因此,法律的效力高于行政法规、地方性法规和规章,与法律相抵触的行政法规、地方性法规和规章是无效的。

二、行政法规的效力高于地方性法规、规章

我们容易理解行政法规的效力高于规章,这是因为国务院是最高国家行政机关,它统一领导国务院各部门和地方政府的工作,国务院制定的行政法规,国务院各部门和地方政府必须贯彻落实,行政法规是规章的制定依据,因此,规章的效力等级当然比行政法规要低。但为什么行政法规的效力要高于地方性法规呢？理由主要是:(1)我国是单一制国家,地方的权力不是基于人民的自治权,而是来自于中央的授权,地方没有中央不能干预的保留权力。如1954年宪法没有规定地方人大可以制定地方性法规,地方人大就没有立法权。考虑到我国地域广阔、人口众多,各地政治经济文化发展不平衡,要发展经济,必须充分发挥地方的积极性和主动性。因此,1979年地方组织法赋予地方人大制定地方性法规的权力,给予地方一定的自主权。(2)行政法规是依据宪法和法律制定的,在全国范围内实施,而地方性法规只是在一定行政区域内有效。为了实现中央对地方的统一领导,建立统一的市场经济,保证国家法制的统一,也需要确立行政法规的权威。(3)国务院是最高国家权力机关的执行机关,向全国人大及其常委会负责并报告工作,通过制定颁布行政法规,贯彻实施法律,执行国家权力机关的决议、决定。行政法规是国务院履行执行职责的重要形式。总之,规定行政法规的效力高于地方性法规是我国政治制度、国家结构和历史传统等因素决定的。现实中,行政法规的数量超过法律,在社会管理中起着重要作用。

需要注意的是，确立法的效力等级是为了在解决法律冲突时，如何选择优先适用的法律规范，并不是说法的效力等级低，对行政相对人不管用。对行政相对人来说，无论是法律、行政法规、地方性法规还是规章，都必须遵守。

第八十九条　地方性法规的效力高于本级和下级地方政府规章。

省、自治区的人民政府制定的规章的效力高于本行政区域内的设区的市、自治州的人民政府制定的规章。

【释义】　本条是关于地方性法规和地方政府规章、省级政府规章和设区的市、自治州政府规章效力等级的规定。

一、地方性法规的效力高于本级和下级地方政府规章

地方性法规是地方人大及其常委会制定的规范性文件，地方政府规章是地方政府制定的规范性文件。按照我国宪法确立的政治体制，地方人大及其常委会是地方国家权力机关，地方政府是权力机关的执行机关，它由本级人大选举产生，对本级人大负责，受本级人大监督。地方人大制定的地方性法规，地方政府要负责贯彻实施。在地方性法规与地方政府规章的关系上，地方性法规是地方政府制定规章的依据之一，地方性法规的效力要高于地方政府规章。本法规定地方性法规的效力高于本级和下级地方政府规章，也反映了权力机关与执行机关之间的关系。但如果地方政府规章是根据法律、行政法规制定的，在与本级或上级人大制定的地方性法规发生冲突时，不能一味否定地方政府规章的效力，要看地方性法规是否与法律、行政法规一致，如果不一致，地方性法规就不能适用。

二、上级政府规章的效力高于下级政府规章

省、自治区人民政府规章是省、自治区人民政府按照规章制

定程序制定的规范性文件，它在全省、自治区范围内有效。设区的市、自治州的人民政府规章是设区的市、自治州的人民政府按照规章制定程序制定的规范性文件，它在设区的市、自治州所辖区域内有效。从规章的效力范围上说，省、自治区政府规章要比其所辖的设区的市、自治州的政府规章要广。从上下级政府的关系上来说，上级政府领导下级政府，省、自治区人民政府领导其所辖区内的设区的市、自治州的人民政府。因此，规定省、自治区人民政府制定的规章的效力高于本行政区域内的设区的市、自治州的人民政府制定的规章，符合我国的行政管理体制。

需要注意的是，设区的市包括经济特区所在地的市。立法法赋予经济特区所在地的市的人民政府的规章制定权是一般地方政府规章的权限，与授权经济特区政府制定特区规章性质不一样。因此，经济特区所在地的市的人民政府享有的制定规章的权限是一般的设区的市的人民政府制定规章的权限，不是特别权限，其效力比其所在的省级政府规章要低。

第九十条　自治条例和单行条例依法对法律、行政法规、地方性法规作变通规定的，在本自治地方适用自治条例和单行条例的规定。

经济特区法规根据授权对法律、行政法规、地方性法规作变通规定的，在本经济特区适用经济特区法规的规定。

【释义】　本条是关于自治条例、单行条例和经济特区法规的效力的规定。

一、自治条例和单行条例的优先适用效力

自治条例和单行条例是民族自治地方的人民代表大会依照当地民族的政治、经济和文化的特点制定的，是一种特殊的地方立法。我国是一个统一的、多民族的国家，为了保护少数民族的平等权益，宪法和民族区域自治法赋予民族自治地方享有自治权，其中包括制定自治条例和单行条例的权力。自治条例和单行条例不同于一般的地方性法规，虽然它也是地方国家权力机关制定的，但它可以变通法律、行政法规。例如，全国人大及其常委会通过的刑法、民法通则、婚姻法、继承法、收养法、民事诉讼法、妇女权益保障法等法律规定，民族自治地方可以变通或者补充法律的规定。实践中，民族自治地方制定的单行条例，对法律、行政法规作出了变通和补充规定的，内容包括婚姻、继承、资源开发、计划生育、未成年人保护、社会治安、环境保护以及土地、森林、草原管理等。本法第七十五条进一步明确规定，自治条例和单行条例可以依照当地民族的特点，对法律、行政法规的规定作出变通规定。由此可见，在民族自治地方，自治条例和单行条例有优先适用的效力。

二、经济特区法规的优先适用效力

经济特区法规是经济特区所在地的人民代表大会及其常委会根据全国人大的授权制定的。为了适应改革开放、发展经济的需要，全国人大先后授权广东、福建、海南和深圳、厦门、珠海、汕头等省、市的地方人大及其常委会制定经济特区法规。经济特区法规遵循宪法的规定，在不同法律和行政法规的基本原则相抵触的前提下，根据具体情况和实际需要制定。经济特区法规享有的权限比一般地方性法规的权限要大，它可以变通法律、行政法规和地方性法规，将国家给予经济特区的特殊政策具体化，在改革开放方面作出探索试验性规定，起立法“试验田”的作用。这是授权制定经济特区法规的目的所在。因此，对其所作的变通规定，在经济特区范围内，它有优先适用的效力。

需要注意的是，深圳、厦门、珠海、汕头四个特区市除享有经济特区法规制定权以外，本法还规定它可以制定一般性地方法规。经济特区制定的一般性地方法规,不能变通法律、行政法规和省人大及其常委会制定的地方性法规,其效力低于法律、行政法规和省人大及其常委会制定的地方性法规。

第九十一条 部门规章之间、部门规章与地方政府规章之间具有同等效力,在各自的权限范围内施行。

【释义】 本条是关于部门规章、地方政府规章效力的规定。

规章是国务院部门或地方政府制定的规范性文件。规章有两类,一类是部门规章,即由国务院各部、委员会、中国人民银行、审计署和具有行政管理职能的直属机构制定;另一类是地方政府规章,即由省、自治区、直辖市和设区的市、自治州的人民政府,根据法律、行政法规和本省、自治区、直辖市的地方性法规制定。规章对贯彻执行法律、法规,规范行政管理和社会行为,起到了积极作用。但由于享有规章制定权的机关比较多,规章的数量也相当庞大,规章之间可能发生冲突,给规章的执行带来困难,在一定程度上影响了规章的效力和严肃性。因此,必须明确不同规章之间的关系,建立解决规章冲突的机制。

一、部门规章之间具有同等效力

国务院部门和直属机构都是国务院的组成部分,它们之间的地位是平等的,根据国务院的“三定”方案,它们都有自己的管理权限范围。因此,它们根据自己的管理权限制定的规章的效力也是一样的。

二、部门规章与地方政府规章之间具有同等效力

虽然国务院部门对地方政府相应的部门有指导或领导关系,但在行政领导关系上,国务院部门是国务院的组成部门和直属机构,地方政府是地方行政机关,都属国务院领导,它们之间

没有领导与被领导关系。因此,它们制定的规章也没有高低、上下之分,效力是一样的。对于地方政府规章之间的效力,平级地方之间的地方政府规章由于相互间没有隶属关系,自然适用各自范围内施行的原则;对于上下级政府间地方政府规章的效力适用原则,适用本法第八十九条第二款的规定。

本条的规定只是确认了规章之间的效力等级,但没有规定规章发生冲突时该如何解决。如果部门规章之间、部门规章与地方政府规章之间发生冲突,按照本法第九十五条的规定,由国务院裁决。

第九十二条　同一机关制定的法律、行政法规、地方性法规、自治条例和单行条例、规章,特别规定与一般规定不一致的,适用特别规定;新的规定与旧的规定不一致的,适用新的规定。

【释义】 本条是关于同一机关制定的规范性文件不一致时的适用规则的规定。

从理论上说,同一机关制定的规范性文件应当是协调一致的,不会出现冲突。但是,由于不同的规范性文件规范社会关系的范围和角度不一样,制定规范性文件的时间有先有后,以及立法技术的缺陷等原因,同一机关制定的规范性文件不一致的现象还是存在的。由于同一机关制定的规范性文件的效力是一样的,当它们之间出现不一致时,应当如何适用,法律应当明确。有的法律明确了,如行政复议法规定公民、法人或者其他组织对具体行政行为不服的,申请复议的期限是六十日,在此以前出台的涉及行政管理的法律多数规定,申请复议的期限是十五日,还有的规定为五日,有的规定为七日等。对此,行政复议法第四十二条规定:"本法施行前公布的法律有关行政复议的规定与本法的规定不一致的,以本法的规定为准。"但还有许多法律、法规没有明确，实践中产生一些混乱。因此，本条确立了以下两项适用规则：

一、特别规定优于一般规定

特别规定是根据某种特殊情况和需要规定的调整某种特殊问题的法律规范。一般规定是为调整某类社会关系而制定的法律规范。特别规定是一种相对性的概念，它与一般规定的区分是相对而不是绝对的。这种相对性主要体现在适用范围（即对象、事项、地域或者时间的效力范围）的不同。相比之下，适用范围较窄者为特别规定，适用范围较宽者为一般规定。

确立特别规定优于一般规定的规则，是因为特别规定是在考虑具体社会关系的特殊需要的前提下制定的，更符合它所调整的社会关系的特点，所以具有优先适用的效力。

如合同法调整所有的民事合同关系，合同法的规定就是一般规定。除合同法对合同有规定外，海商法、铁路法、民用航空法等法律分别对海上运输合同、铁路运输合同、航空运输合同作了规定。相对于合同法的规定来说，这些规定都是特别规定。如果海上运输合同、铁路运输合同、航空运输合同的内容与合同法的规定不一致，在选择适用的法律时，应当优先适用海商法、铁路法、民用航空法。

二、新的规定优于旧的规定

一切法律都是根据当时的社会关系的情况制定的，随着社会关系的发展变化，法律规范也存在过时的问题，需要不断地修改和更新。法的修改和更新有多种形式，有的是制定了新的同一部法律，有的是在相关的法律中重新作了规定，有的明确宣布哪些法律规范被废止，有的没有明确。因此，在新的规定与旧的规定之间，就会产生冲突，这时就要确立如何选择适用的规则。因此，本法明确了新的规定优于旧的规定的适用规则。如 2007

年通过的物权法中有关担保物权的制度规定对 1995 年制定的担保法中关于抵押、质押、留置等内容作了补充和变更，使物权法与担保法发生了一定的重叠甚至冲突。但物权法并未废止担保法相关章节的规定，只是在物权法第一百七十八条规定“担保法与本法的规定不一致的，适用本法”。这表明，在物权担保问题的法律适用上，物权法这一“新的规定”是优于担保法这一“旧的规定”的。

理解新的规定优于旧的规定这一规则，需要注意两个问题。一是与本法第九十三条有关法的溯及力的规定区别开。本条规定的新的规定优于旧的规定，是两个规范性文件的规定有效的情况下，该适用哪个规定，本条确定的是从新的原则。法的溯及力是解决新法对它生效以前发生的事件和行为是否适用的问题，一般是从旧的原则。二是注意在法律条文中明确规定“法律另有规定的除外”的情形。如行政诉讼法第四十六条第一款规定：“公民、法人或者其他组织直接向人民法院提起诉讼的，应当自知道或者应当知道作出行政行为之日起六个月内提出。法律另有规定的除外。”这就说明，提起行政诉讼的一般期限为六个月，但现行法律中还有一些特别的规定，如专利法第四十六条规定的三个月，土地管理法第十六条规定的三十日，水污染防治法第八十四条规定的十五日等。显然，专利法等各单项法律关于提起行政诉讼的期限的规定相对于行政诉讼法第四十六条，是“特别规定”，同时也是“旧的规定”，但由于行政诉讼法作出了“法律另有规定的除外”的规定，因此不再适用“新的规定优于旧的规定”的原则，而是适用“特别规定优于一般规定”的原则。

还应当注意，适用“特别规定优于一般规定”和“新的规定优于旧的规定”原则有一个重要的前提，就是两个规定要属同一位阶，即应为同一机关制定的同一位阶的法律、行政法规、地方性法规、自治条例和单行条例、规章。如果两个规范性文件，本身就属于不同位阶，则应当适用本法第八十七条至第八十九条规定的“上位法优于下位法”的适用规则。

第九十三条　法律、行政法规、地方性法规、自治条例和单行条例、规章不溯及既往，但为了更好地保护公民、法人和其他组织的权利和利益而作的特别规定除外。

【释义】 本条是关于法律、行政法规、地方性法规、自治条例和单行条例、规章的溯及力的规定。

法的溯及力是关于法是否有溯及既往的效力的问题。即法对它生效前所发生的事件和行为是否适用的问题，如果适用，即为有溯及力，如果不适用，即为没有溯及力。法的溯及力是法的效力的一个重要方面。法作为社会的行为规范，它通过对违反者的惩戒来促使人们遵守执行，人们之所以对自己的违法行为承担不利后果，接受惩戒，就是因为事先已经知道或者应当知道哪些行为是法律允许的，哪些行为是法律不允许的，法律对人们的行为起指导和警示作用。不能要求人们遵守还没有制定出来的法律，法只对其生效后的人们的行为起规范作用。如果允许法具有溯及力，人们就无法知道自己的哪些行为将要受到惩罚，就没有安全感，也没有行为的自由。因此，“法不溯及既往”是一项基本的法治原则，也是世界上大多数国家通行的原则。在我国，“法无溯及力”适用于民法、刑法、行政法等方面，无论是法律、行政法规、地方性法规、自治条例和单行条例还是规章，不论其效力等级是高还是低，都没有溯及既往的效力。这是一个原则，但是，任何原则都是相对的，都可能有例外。对于法不溯及既往原则来说，主要是从轻例外，即当新的法律规定减轻行为人的责任或增加公民的权利时,作为法律不溯及既往原则的一种例外,新法可以溯及既往。从轻例外通常适用于公法领域,如在刑法的溯及力问题上,各国普遍采取从轻原则。我国刑法第十二条第一款规定了"从旧兼从轻"的原则:"中华人民共和国成立以后本法施行以前的行为,如果当时的法律不认为是犯罪的,适用当时的法律;如果当时的法律认为是犯罪的,依照本法总则第四章第八节的规定应当追诉的,按照当时的法律追究刑事责任,但是如果本法不认为是犯罪或者处刑较轻的,适用本法。"再如刑法修正案(八)取消了走私普通货物、物品罪的死刑,如果现在对在刑法修正案(八)施行前(2011 年 5 月 1 日前)的涉嫌该罪的被告人进行审判,即使他符合老条款判决死刑的条件,也不能对其适用死刑。

因此,本条规定,为了更好保护公民、法人和其他组织的权利和利益,法律规范可以有溯及力。这里的"公民、法人和其他组织"是指法律、法规、规章等在具体事件中所直接指向的个别公民、法人和其他组织,是法律、法规、规章等特定的调整对象,不是泛指,不是为了保护多数人的利益而使法律、法规、规章等具有溯及力。

第九十四条　法律之间对同一事项的新的一般规定与旧的特别规定不一致,不能确定如何适用时,由全国人民代表大会常务委员会裁决。

行政法规之间对同一事项的新的一般规定与旧的特别规定不一致,不能确定如何适用时,由国务院裁决。

【释义】 本条是关于解决法律之间、行政法规之间新的一般规定与旧的特别规定的冲突的规定。

同一机关制定的规范性文件,特别规定优于一般规定,新的规定优于旧的规定，这是本法第九十二条确立的两项适用规则。由于这两项规则是并列的，没有谁先谁后的关系，因而这两项规则会发生冲突，需要建立解决这种冲突的机制。因此，本条规定：法律之间对同一事项的新的一般规定与旧的特别规定不一致，不能确定如何适用时，由全国人大常委会裁决。裁决的程序本法没有规定，一般是由执法机关或司法机关逐级上报到全国人大常委会。如可以通过本系统，上报到国务院、中央军事委员会、最高人民法院、最高人民检察院和各省、自治区、直辖市人大常委会，由它们向全国人大常委会提出。全国人大常委会的裁决在性质上与法律解释相类似。因此，裁决程序原则上可以参照法律解释的程序。

行政法规之间对同一事项的新的一般规定与旧的特别规定不一致，不能确定如何适用时，由国务院裁决。国务院可以根据立法的原意，作出裁决。

第九十五条 地方性法规、规章之间不一致时，由有关机关依照下列规定的权限作出裁决：

（一）同一机关制定的新的一般规定与旧的特别规定不一致时，由制定机关裁决；

（二）地方性法规与部门规章之间对同一事项的规定不一致，不能确定如何适用时，由国务院提出意见，国务院认为应当适用地方性法规的，应当决定在该地方适用地方性法规的规定；认为应当适用部门规章的，应当提请全国人民代表大会常务委员会裁决；

（三）部门规章之间、部门规章与地方政府规章之间对同一事项的规定不一致时，由国务院裁决。

根据授权制定的法规与法律规定不一致，不能确定如何适

用时，由全国人民代表大会常务委员会裁决。

【释义】 本条是关于地方性法规、规章之间不一致时裁决机关的规定。

虽然本法确立了规范性文件之间的效力等级以及决定规范性文件冲突的适用规则，但仅此还不足以解决所有的规范性文件之间的冲突。如本法规定，部门规章之间，部门规章与地方政府规章之间具有同等效力，在各自的权限范围内施行。没有规定谁高谁低，发生冲突，该适用哪个规章，还是难以判断的。因此，有必要建立一种解决规范性文件之间冲突的机制。本条规定了几种规范性文件冲突时的裁决机关：

一、由制定机关裁决

同一机关制定的规范性文件具有同等效力，从理论上说，它们会协调一致，不会出现冲突。但是，由于不同的规范性文件调整社会关系的范围和角度不一样，制定规范性文件的时间有先有后，以及立法技术的缺陷等原因，同一机关制定的规范性文件不一致的现象还是存在的。因此，本条第一项规定，同一机关制定的新的一般规定与旧的特别规定不一致时，由制定机关裁决。制定机关可以根据立法的目的、原意作出裁决。

需要指出的是，由于设区的市、自治州地方性法规须报省、自治区人大常委会批准，省、自治区人大及其常委会制定的地方性法规，与其所辖的设区的市、自治州人大及其常委会制定的地方性法规的效力等级是一样的，它们之间发生冲突，应当由省、自治区人大常委会裁决。

二、由国务院决定或提请全国人大常委会裁决

地方性法规是由地方国家权力机关制定的，在其所辖行政区域内有效，部门规章是由国务院部门制定的，在全国范围内有效，在适用的地域范围上，部门规章大于地方性法规。但地方性

法规和部门规章不是一个效力层次,地方性法规可以作为人民法院的审判依据,规章在法院审判时只作为参照。因此,不好明确地方性法规和部门规章谁高谁低,发生冲突时,谁该优先适用。这就需要有个解决冲突的机制。本条第二项规定由国务院先提出意见,是因为国务院有权对规章是否合法或合理作出判断,如果是部门规章的问题,国务院可以行使改变或撤销权,但国务院无权改变或撤销地方性法规,因此,如果国务院认为地方性法规有问题,应当适用部门规章的,应当提请全国人大常委会作出裁决。

三、由国务院裁决

部门规章是国务院部门在其权限范围内制定的,由于管理权限划分不清或交叉,部门规章的规定会有冲突。同时,部门规章和地方政府规章之间调整的社会关系有时是重合的,部门规章在全国范围内施行,地方政府规章在其所辖区域内有效,因此,部门规章和地方政府规章也会发生冲突,由于部门规章之间、部门规章和地方政府规章之间具有同等效力,不好明确规定发生冲突时谁该优先适用。而国务院部门和地方政府,都归国务院统一领导。因此,本条第三项规定部门规章之间、部门规章与地方政府规章之间对同一事项规定不一致时,由国务院裁决。

四、由全国人大常委会裁决

经济特区法规根据授权,可以对法律作变通规定;根据全国人大及其常委会授权制定的行政法规也享有较大的立法权限,可以对全国人大及其常委会的部分专属立法事项作出规定。因此,当它们与法律不一致时,需要判断其对法律所作的变通是否合理,是不是违反授权规定,是不是违背法律的基本原则?如果没有违背法律的基本原则,没有违反授权规定,对法律所作的变通是合理的,就应当适用根据授权制定的法规;如果不能确定,就应当由全国人大常委会作出裁决。

第九十六条　法律、行政法规、地方性法规、自治条例和单行条例、规章有下列情形之一的，由有关机关依照本法第九十七条规定的权限予以改变或者撤销：

（一）超越权限的；

（二）下位法违反上位法规定的；

（三）规章之间对同一事项的规定不一致，经裁决应当改变或者撤销一方的规定的；

（四）规章的规定被认为不适当，应当予以改变或者撤销的；

（五）违背法定程序的。

【释义】　本条是关于应予改变或撤销法律、法规、自治条例和单行条例、规章的几种情形的规定。

一、超越权限的

立法权是国家主权的重要内容，根据我国宪法确立的立法体制，全国人大及其常委会是立法机关，统一行使国家立法权。但是为了更好地实现社会管理以及发挥地方的积极性、主动性，宪法和地方组织法又赋予国务院、地方人大及其常委会、国务院部门和地方政府等享有不同形式的立法权，由此形成了具有中国特色的统一的多层次的立法体制。因此，由不同国家机关制定的法律、行政法规、自治条例和单行条例、规章，都是具有法律效力的规范性文件，它们对调整社会关系，规范人们的行为，维护社会秩序都起着重要的作用。但它们的制定机关不同，立法权限也是不一样的，本法第七条、第八条、第九条、第六十五条、第七十二条、第七十三条、第七十四条、第七十五条、第八十条、第八十一条、第八十二条分别对全国人大及其常委会、国务院、自治地方的人大、地方人大及其常委会、国务院部门和地方政府的立法权限作了比较明确的划分，制定机关应当在自己的权限范围内行使权力。超越权限进行的立法，应属无效，应当由有关机关予以改变或者撤销。

二、下位法违反上位法规定的

法律的位阶是一个相对概念，它是在两个规范性文件之间作比较，效力等级高的，是上位法，效力等级低的，是下位法。本法第八十八条至第九十一条规定了不同规范性文件之间的效力等级。根据本法的规定，法律是上位法，行政法规、地方性法规和规章都是下位法；行政法规是上位法，地方性法规和规章是下位法；地方性法规是上位法，本级和下级地方政府规章是下位法；上级地方政府规章是上位法，下级地方政府规章是下位法。如果下位法与上位法相冲突，违反了上位法的规定，下位法就不能适用，就应当被改变或者撤销。

三、规章之间对同一事项的规定不一致，经裁决应当改变或者撤销一方的规定的

部门规章之间、部门规章与地方政府规章之间都有同等效力，它们在各自权限范围内施行。如果它们对同一事项的规定不一致，由国务院裁决，确定应当适用哪个规章。对违法或不适当的规章，国务院应当予以改变或者撤销。

四、规章的规定被认为不适当，应当予以改变或者撤销的

制定规章是一种抽象行政行为，它同时要遵循合法性和合理性的原则。合法性就是不与法律、行政法规等上位法冲突；合理性也就是适当性，即要符合客观规律。规章不合法的，要改变或者撤销；不适当的，也应当改变或者撤销。

五、违背法定程序的

立法是一项程序性很强的活动，它是通过一定的民主程序，

将符合多数人的利益和意志的行为规范上升为法律规范，让所有人遵守执行。因此，程序合法是规范性文件有效的一个前提条件。本法是“管法的法”，对制定法律、行政法规、地方性法规、自治条例和单行条例、规章的程序都作了规定。此外，国务院颁布了《行政法规制定程序条例》《规章制定程序条例》，多数地方制定了地方立法条例或者地方性法规制定程序，作为制定法规、规章的程序依据。制定机关应当严格依照本法以及其他法律规定的程序，否则，制定出来的规范性文件就是无效的。

需要注意的是，改变和撤销是有区别的，改变的只是规范性文件的部分条款，撤销的是整个规范性文件。

第九十七条　改变或者撤销法律、行政法规、地方性法规、自治条例和单行条例、规章的权限是：

（一）全国人民代表大会有权改变或者撤销它的常务委员会制定的不适当的法律，有权撤销全国人民代表大会常务委员会批准的违背宪法和本法第七十五条第二款规定的自治条例和单行条例；

（二）全国人民代表大会常务委员会有权撤销同宪法和法律相抵触的行政法规，有权撤销同宪法、法律和行政法规相抵触的地方性法规，有权撤销省、自治区、直辖市的人民代表大会常务委员会批准的违背宪法和本法第七十五条第二款规定的自治条例和单行条例；

（三）国务院有权改变或者撤销不适当的部门规章和地方政府规章；

（四）省、自治区、直辖市的人民代表大会有权改变或者撤销它的常务委员会制定的和批准的不适当的地方性法规；

（五）地方人民代表大会常务委员会有权撤销本级人民政

府制定的不适当的规章；

（六）省、自治区的人民政府有权改变或者撤销下一级人民政府制定的不适当的规章；

（七）授权机关有权撤销被授权机关制定的超越授权范围或者违背授权目的的法规，必要时可以撤销授权。

【释义】　本条是关于改变或撤销法律、法规、自治条例和单行条例、规章的权限的规定。

一、各机关的权限

（一）全国人民代表大会的权限

全国人民代表大会是最高国家权力机关，它享有监督宪法实施的权力。全国人大常委会是它的常设机关，根据宪法第六十二条的规定，全国人民代表大会有权改变或者撤销全国人大常委会不适当的决定。因此，如果全国人大常委会制定的法律不适当，全国人民代表大会有权予以改变或撤销。全国人大常委会除制定法律外，还批准自治区人大制定的自治条例和单行条例。根据本法第七十五条第二款的规定，“自治条例和单行条例可以根据当地民族的特点，对法律和行政法规的规定作出变通规定，但不得违背法律或者行政法规的基本原则，不得对宪法和民族区域自治法的规定以及其他有关法律、行政法规专门就民族自治地方所作的规定作出变通”。当然，自治条例和单行条例更不能违背宪法。如果全国人大常委会批准的自治条例和单行条例违背了上述规定，全国人民代表大会有权予以改变或者撤销。

（二）全国人大常委会的权限

全国人大常委会是全国人民代表大会的常设机关，它监督宪法的实施。根据宪法第六十七条的有关规定，它有权撤销国务院制定的同宪法、法律相抵触的行政法规、决定和命令；有权撤销省、自治区、直辖市国家权力机关制定的同宪法、法律和行政法规相抵触的地方性法规和决议。此外,全国人大常委会还有权撤销自治州、自治县的自治条例和单行条例。因为自治州、自治县的自治条例和单行条例是报省、自治区、直辖市的人大常委会批准后生效的,它反映了省、自治区、直辖市一级权力机关的意志,一般由省、自治区、直辖市人大以决议形式予以批准,其效力等级比较高,如果违反宪法和本法第七十五条第二款的规定,应由全国人大常委会予以改变或者撤销。

(三)国务院的权限

国务院是最高国家行政机关,它统一领导国务院各部门的工作,统一领导全国地方各级国家行政机关的工作。根据宪法第八十九条的规定,它有权改变或者撤销各部、各委员会发布的不适当的命令、指示和规章,改变或者撤销地方各级国家行政机关的不适当的决定和命令。本法进一步重申了宪法的这些规定。

(四)省、自治区、直辖市人民代表大会的权限

省、自治区、直辖市人民代表大会是地方国家权力机关,省、自治区、直辖市人大常委会是它的常设机构,人民代表大会有权监督其常委会的工作,因此对其常委会制定和批准的不适当的地方性法规,有权予以改变或者撤销。

(五)地方人大常委会的权限

地方人大及其常委会是地方国家权力机关,本级政府由它产生,向它负责。因此,地方人大常委会可以撤销本级人民政府制定的不适当的规章。这里的地方人大和地方人大常委会是指省、自治区、直辖市和设区的市、自治州人大常委会。

(六)省、自治区人民政府的权限

省、自治区人民政府领导下级政府的工作,它有权改变或者

撤销下级政府不适当的决定。因此,对下一级政府制定的不适当的规章,它有权予以改变或者撤销。下一级政府的规章包括设区的市、自治州人民政府制定的规章。

(七)授权机关的权限

本法规定的授权包括授权国务院制定行政法规和授权经济特区人大及其常委会制定特区法规。本法第十条规定,授权决定应当明确授权的目的、事项、范围、期限以及被授权机关实施授权决定应当遵循的原则等。第十二条规定,被授权机关应当严格按照授权决定行使被授予的权力,不得将被授予的权力转授给其他机关。如果被授权机关制定的法规超越授权的事项、范围、期限,或者违背授权目的和授权决定规定的原则的,授权机关应当有权予以撤销,必要时可以撤销授权。

二、关于抵触和不适当

以下几种情况应当属于与上位法相抵触:(1)上位法有明确的规定,与上位法的规定相反的;(2)虽然不是与上位法的规定相反,但旨在抵消上位法的规定的,即搞"上有政策下有对策"的;(3)上位法没有明确规定,与上位法的立法目的和立法精神相反的;(4)违反了本法关于立法权限的规定,越权立法的;(5)下位法超出上位法规定的行政处罚的种类和幅度的,下位法超越权限设定行政许可的,下位法超越权限设定行政强制措施种类的。

关于什么是"不适当",本条没有明确规定,一般认为,不适当就是不合理、不公平。以下几种情况可以视为不适当:(1)要求公民、法人和其他组织执行的标准或者遵守的措施明显脱离实际的;(2)要求公民、法人和其他组织履行的义务与其所享有的权利明显不平衡的;(3)赋予国家机关的权力与要求其承担的义务明显不平衡的;(4)对某种行为的处罚与该行为所应承担的责任明显不平衡,违反比例原则的。

需要注意的是,设区的市、自治州人大常委会制定的地方性法规,不能由同级人大改变或者撤销,只能由省级人大改变或者撤销。这是因为,设区的市、自治州人大常委会制定的地方性法规,须报省级人大常委会批准。对于上级人大常委会批准的法规,下级人大当然无权改变或者撤销。此外,全国人大对于全国人大常委会批准的自治条例和单行条例,只能适用"撤销"而不能"改变"。

第九十八条　行政法规、地方性法规、自治条例和单行条例、规章应当在公布后的三十日内依照下列规定报有关机关备案:

(一)行政法规报全国人民代表大会常务委员会备案;

(二)省、自治区、直辖市的人民代表大会及其常务委员会制定的地方性法规,报全国人民代表大会常务委员会和国务院备案;设区的市、自治州的人民代表大会及其常务委员会制定的地方性法规,由省、自治区的人民代表大会常务委员会报全国人民代表大会常务委员会和国务院备案;

(三)自治州、自治县的人民代表大会制定的自治条例和单行条例,由省、自治区、直辖市的人民代表大会常务委员会报全国人民代表大会常务委员会和国务院备案;自治条例、单行条例报送备案时,应当说明对法律、行政法规、地方性法规作出变通的情况;

(四)部门规章和地方政府规章报国务院备案;地方政府规章应当同时报本级人民代表大会常务委员会备案;设区的市、自治州的人民政府制定的规章应当同时报省、自治区的人民代表大会常务委员会和人民政府备案;

（五）根据授权制定的法规应当报授权决定规定的机关备案；经济特区法规报送备案时，应当说明对法律、行政法规、地方性法规作出变通的情况。

【释义】 本条是关于法规、自治条例和单行条例、规章备案的规定。

一、什么是备案

在实际工作中，对于什么是备案有不同的理解。有的认为，备案就是要进行审查；有的认为，备案并不一定要主动进行审查，只是根据需要才进行审查。对备案的理解不同，因而实际做法也有所不同。一般认为备案就是存档备查。行政法规、地方性法规、自治条例和单行条例、规章应当在公布后一定期间内，由其制定或批准机关报送上级立法机关或者行政机关存档，以备审查。备案的目的是为了全面了解立法情况，加强对立法的监督，便于备案机关进行审查，消除规范性文件之间的冲突。因此，备案是立法监督制度的一个重要环节，是备案机关行使立法监督权的基础。

全国人大常委会的法规备案工作最早始于1979年，备案的范围仅限于地方性法规、自治条例和单行条例。当时这项工作由全国人大常委会办公厅政法室承担，主要任务是对报备的法规、自治条例和单行条例登记、存档，并对其进行违宪、违法审查。1982年8月，全国人大常委会办公厅对自1979年11月起至1982年6月底收到的地方性法规进行统计，并将审查发现的问题和意见印发第五届全国人大常委会第二十四次会议。1984年，全国人大常委会的法规备案工作由办公厅联络局承担。1987年，全国人大常委会办公厅和国务院办公厅联合发出《关于地方性法规备案工作的通知》，对地方性法规、自治条例和单行条例报备案的时间、内容、方式作出规定。1990年国务院制定了《法规规章备案规定》，对报国务院备案的法规、规章的报送范围、期限、程序以及审查、处理程序等作出了较为具体的规定。

2000年立法法通过后，全国人大常委会委员长会议通过了《行政法规、地方性法规、自治条例和单行条例、经济特区法规备案审查工作程序》，国务院颁布了《法规规章备案条例》，对报送范围、期限、程序及审查处理程序作了规定。现在全国人大常委会的备案工作由办公厅秘书局承担，主要任务是对备案的法规、自治条例和单行条例进行登记、存档，并按各专门委员会和常委会法制工作委员会的职责分工，分送各专门委员会、法制工作委员会进行审查；对审查出有异议的法规，及时与地方立法机关沟通。

全国人大常委会和国务院日益重视法规备案工作，不断加强对法规备案工作的管理力度，全国人大常委会法制工作委员会于2004年成立了法规备案审查室，负责行政法规、地方性法规的备案，并审查其是否与上位法有冲突、抵触；国务院法制办也成立了政府法制协调司（法规规章备案审查司），承办地方性法规、地方政府规章和国务院部门规章的备案审查工作。但由于备案制度还不够完善，法规、规章与法律相抵触或不一致，法规与法规之间、法规与规章之间、规章与规章之间互相矛盾和不一致的现象，尚难以得到完全的解决，与党的十八届四中全会提出的"加强备案审查制度和能力建设"的要求还有距离。因此，在地方立法主体扩大到设区的市和自治州的人大及其常委会，并增加了市、州地方立法的权限范围的限制之后，更有必要健全备案制度，增强备案力量，加强对行政法规、地方性法规、自治条例和单行条例、规章的监督。

二、备案的范围

备案的范围包括:行政法规、地方性法规、自治条例和单行条例、规章。

(一)行政法规

在立法法制定以前,宪法和有关的法律并没有规定国务院制定的行政法规应当报全国人大常委会备案,只是在 1985 年 4 月六届全国人大三次会议上通过的《关于授权国务院在经济体制改革和对外开放方面可以制定暂行规定或者条例的决定》中,规定国务院根据该授权决定制定的暂行规定或者条例要报全国人民代表大会常务委员会备案。但这项制度并没有得到落实,国务院依授权决定制定的规定或暂行条例并没有报全国人大常委会备案。

国务院是国家的最高行政机关,是国家最高立法机关的执行机关,其制定的行政法规主要涉及为执行法律的规定需要制定行政法规的事项和属于国务院职权中的行政管理事项。随着经济体制改革和对外开放的深入,国务院立法活动日益活跃,由于其立法数量较多、层次较高、影响面较大,具有一定的权威性,为了加强对行政法规的监督审查,维护国家法制的权威和统一,立法法明确将行政法规纳入全国人大常委会的备案范围。

(二)地方性法规

地方性法规是省、自治区、直辖市人大及其常委会和设区的市人大及其常委会制定的适用于本行政区域的规范性文件。制定地方性法规是为了执行法律和行政法规的规定或者管理本行政区域内的社会事务,并且不得同法律、行政法规相抵触。为了便于全国人大常委会、国务院对地方性法规进行审查监督,立法法规定,地方性法规应当报全国人大常委会和国务院备案。在这次立法法修改过程中,有意见认为,设区的市一级的立法不需省级人大常委会批准。但考虑到此次赋予设区的市和自治州地方立法权的范围广，并且增加了设区的市和自治州立法权限范围的限制性规定，同时考虑到与宪法相关规定相一致，立法法仍然规定了设区的市、自治州制定的地方性法规应当经省级人大常委会批准，报全国人大常委会和国务院备案。

（三）自治条例和单行条例

自治条例和单行条例是民族自治地方立法机关制定的适用于本民族区域的规范性文件。制定自治条例和单行条例是为了执行法律和行政法规的规定或者管理自治区域的社会事务；自治条例和单行条例对法律、行政法规的变通是否合法，需要有监督机制，因此，根据监督权限，法律规定自治州、自治县的自治条例和单行条例应当报全国人大常委会和国务院备案。自治区制定的自治条例和单行条例因其需要经过全国人大常委会批准，这实际是比备案还要严格的审查程序，故不需要报全国人大常委会备案。由全国人大常委会批准的自治条例和单行条例，不需要报国务院备案。自治州、自治县制定的自治条例和单行条例必须经省、自治区人大常委会批准，不需要再向省、自治区、直辖市人大常委会报备案，但需要由省、自治区、直辖市人大常委会报全国人大常委会和国务院备案。

这次立法法修改，新增加规定，自治州、自治县制定的自治条例和单行条例报送备案时，应当说明对法律、行政法规、地方性法规作出变通的情况。根据本法第七十五条第二款的规定，自治条例和单行条例可以依照当地民族的特点，对法律和行政法规的规定作出变通规定，但不得违背法律或者行政法规的基本原则，不得对宪法和民族区域自治法的规定以及其他有关法律、行政法规专门就民族自治地方所作的规定作出变通规定。自治条例、单行条例往往条款较多，其中某些条款对法律和行政法规作出的变通规定“隐藏”在其中，备案审查机关不易发现、比对和审查。为了提高备案审查工作的效率和精确度，立法法专门对自治条例、单行条例的报送备案提出了说明变通规定的要求。

（四）规章

规章包括部门规章和地方政府规章。部门规章是指国务院各部、委员会、中国人民银行、审计署和具有行政管理职能的直属机构，根据法律和国务院的行政法规、决定、命令，在本部门的权限范围内，制定的规范性文件。地方政府规章是指省、自治区、直辖市和设区的市、自治州的人民政府，根据法律、行政法规和本省、自治区、直辖市的地方性法规，制定的规范性文件。根据我国的立法监督体制，部门规章只需报国务院备案。地方政府规章的备案则相对复杂，需要向四个机关报送备案：（1）报国务院备案。因为根据宪法和地方组织法的规定，全国地方各级人民政府都是国务院统一领导下的国家行政机关，都服从国务院。地方人民政府制定的规章，当然应当报国务院备案。（2）报本级人大常委会备案。根据宪法和地方组织法，地方各级人民政府是地方各级人民代表大会的执行机关，对本级人民代表大会负责并报告工作。地方政府规章的制定依据也包括地方性法规，因此地方政府规章应当报本级人大常委会备案。（3）报上一级（本省、自治区）人大常委会备案。（4）报上一级（本省、自治区）人民政府备案。根据宪法和地方组织法，地方各级人民政府对上一级国家行政机关负责并报告工作，因此设区的市、自治州的地方政府规章，应当报本省、自治区人民政府备案。

应当注意，国务院、国务院各部门和地方人民政府发布的有关内部的具体工作制度、文件，对具体事项的布告、公告以及行政处理决定等，不属于规章范畴，不需要向有关的备案机关报送备案。

（五）根据授权制定的法规

根据授权制定的法规可分为行政法规和经济特区法规，行政法规必须报全国人大常委会备案，这在本法已有规定，这里不再赘述。经济特区法规经全国人大或其常委会授权，由经济特区所在省、市的人民代表大会及其常务委员会制定。本条规定经济特区的法规应当按照授权决定的规定备案。根据全国人大授权经济特区立法的规定，深圳、汕头、珠海、厦门等市制定的经济特区法规应分别报全国人大常委会、国务院、广东省人大常委会和福建省人大常委会备案，海南、广东和福建等省的人大及其常委会根据授权制定的经济特区法规应当报全国人大常委会和国务院备案。

这次立法法修改，新增加规定，经济特区法规报送备案时，应当说明对法律、行政法规、地方性法规作出变通的情况。根据全国人大及其常委会作出的一系列关于经济特区立法的授权决定，经济特区根据具体情况和实际需要，遵循宪法的规定以及法律和行政法规的基本原则，制定法规。这就说明经济特区法规可以对法律、行政法规和本省的地方性法规进行变通。为了提高备案审查工作的效率和精确度，立法法特地对经济特区法规的报送备案提出了说明变通规定的要求。

三、备案的期限

立法法制定以前，关于法规、自治条例和单行条例、规章的备案时间，法律没有明确的规定，全国人大常委会和国务院联合发出的《关于地方性法规备案工作的通知》要求，地方性法规、自治条例和单行条例应当于批准之日起三十日内，报全国人大常委会和国务院备案。国务院制定的《法规规章备案规定》规定，规章应当于发布之日起三十日内报国务院备案。在实际的备案工作中，上述通知和规定没有得到很好的落实，有些省级人大常委会超过了这一时限的规定，个别的地方在一年之后才将法规报备案机关。其原因有些与当地的立法程序有关，如有个别地方人大常委会在通过或批准地方性法规后，在法规公布之前，对法规的部分文字做修改，这样就延长了备案时间。实际上，我国对法规等规范性文件的审查制度采取事后审查，也就是在法规等规范性文件的制定过程中，监督机关并不介入，等到立法程序结束后，监督机关才开始行使监督权。在立法程序中，"批准"只是其中的一个步骤，只有经过"公布"，立法程序才算结束，如果一部法规或规章只经过批准程序，就要求报备案，这样做是不合适的。立法法统一将报备案的时间规定为"公布后的三十日内"，这样一方面使备案工作更加规范化，另一方面可以解决延迟报备案的问题。

四、报备机关和备案机关

（一）报备机关

确定报备机关的基本原则是谁制定谁报送备案。也就是说，有完整立法权的制定机关可以依照立法法的规定直接向其上一级国家权力机关和行政机关报送备案：（1）国务院制定行政法规，应当由国务院直接向全国人大常委会报送备案，具体由国务院办公厅负责报送。（2）省级人大常委会制定地方性法规，由其直接向全国人大常委会和国务院报送备案，具体由省级人大常委会办公厅负责报送。（3）省、自治区、直辖市人民政府规章由省、自治区、直辖市人民政府报送备案。

但也存在例外情况：（1）经上一级立法机关批准才能生效的法规，必须由批准机关报送备案，如设区的市、自治州的人大及其常委会制定的地方性法规，需经省一级人大常委会批准，那么省一级人大常委会就是报备单位，具体由省级人大常委会办公厅负责报送。(2)依据授权制定的法规,则应当根据授权决定的规定来确定报送备案的单位,如深圳、厦门、珠海、汕头四个城市的人大及其常委会制定的经济特区法规,按授权规定应当由这四个城市的人大常委会负责报送备案,具体由其办公厅(室)负责报送。(3)对于两个或者两个以上部门联合制定的规章,则由主办部门负责报送备案,不需要几个部门同时报送备案。

(二)备案机关

备案机关是指接受法规、自治条例和单行条例、规章等备案的机关。根据我国立法监督体制,全国人大常委会、国务院、省级人大常委会及人民政府、设区的市和自治州人大常委会是备案机关。具体接受备案的范围如下:(1)全国人大常委会接受行政法规、地方性法规、自治条例和单行条例的备案,报送备案的法规、条例由全国人大常委会办公厅秘书局负责接收、登记、存档。(2)国务院接受地方性法规、自治条例和单行条例、规章的备案,报送国务院备案的法规、规章,径送国务院法制机构。(3)省级人大常委会接受本级地方政府规章,设区的市、自治州地方政府规章的备案。(4)省级政府接受设区的市、自治州人民政府规章的备案。(5)设区的市、自治州人大常委会接受本级人民政府规章的备案。(6)按照授权决定的规定,全国人大常委会、国务院接受海南省人大常委会以及深圳、汕头、珠海、厦门市人大常委会制定的经济特区法规的备案;广东省人大常委会接受深圳、汕头、珠海市人大常委会制定的经济特区法规的备案;福建省人大常委会还应当接受厦门市人大常委会制定的经济特区法规的备案。

五、报备要求和处理程序

(一)向全国人大常委会报备

根据《行政法规、地方性法规、自治条例和单行条例、经济特区法规备案审查工作程序》第五条的规定，有关机关在将行政法规、地方性法规、自治条例和单行条例、经济特区法规报送全国人大常委会备案时，报送内容包括：备案报告，国务院令或公告，有关修改、废止或批准的决定，法规文本、说明及审议结果报告等有关文件，装订成册，一式十份。

每年1月底前，各报送机关应将其上一年度制定的法规的目录报全国人大常委会办公厅备查。常委会办公厅秘书局定期将法规的备案情况和审查工作的进展情况编辑成《法规备案审查简报》，及时提供给常委会组成人员、各专门委员会、常委会办公厅和法制工作委员会各局（室）及报送机关。

（二）向国务院报备

根据《法规规章备案条例》第六条的规定，向国务院报送规章备案，应当提交备案报告、规章文本和说明，并按照规定的格式装订成册，一式十份；向国务院报送法规备案，按照全国人民代表大会常务委员会关于法规备案的有关规定执行（即备案报告，地方人大常委会公告，有关修改、废止或批准的决定，法规文本、说明及审议结果报告等有关文件，装订成册，一式十份）。向国务院报送法规、规章备案具备条件的，应当同时报送法规、规章的电子文本。

报送法规、规章备案符合《法规规章备案条例》第二条（关于法规规章的法定权限和制定程序）和第六条第二款、第三款（关于报备形式要件）规定的，国务院法制机构予以备案登记；不符合第二条规定的，不予备案登记；符合第二条规定但不符合第六条第二款、第三款规定的，暂缓办理备案登记。对暂缓办理备案登记的，由国务院法制机构通知制定机关补充报送备案或者重新报送备案；补充或者重新报送备案符合规定的，予以备案登记。经备案登记的法规、规章，应当及时公布法规、规章的目录。

法规、规章的制定机关应当于每年1月底前将上一年所制定的法规、规章目录报国务院法制机构。

对于不报送规章备案或者不按时报送规章备案的，应当通知制定机关，限期报送；拒不报送的，给予通报批评，并责令限期改正。

第九十九条　国务院、中央军事委员会、最高人民法院、最高人民检察院和各省、自治区、直辖市的人民代表大会常务委员会认为行政法规、地方性法规、自治条例和单行条例同宪法或者法律相抵触的，可以向全国人民代表大会常务委员会书面提出进行审查的要求，由常务委员会工作机构分送有关的专门委员会进行审查、提出意见。

前款规定以外的其他国家机关和社会团体、企业事业组织以及公民认为行政法规、地方性法规、自治条例和单行条例同宪法或者法律相抵触的，可以向全国人民代表大会常务委员会书面提出进行审查的建议，由常务委员会工作机构进行研究，必要时，送有关的专门委员会进行审查、提出意见。

有关的专门委员会和常务委员会工作机构可以对报送备案的规范性文件进行主动审查。

【释义】　本条是关于根据审查要求或者审查建议对法规进行被动审查和对规范性文件进行主动审查的规定。

备案审查制度是一项重要的宪法监督制度，是宪法监督的重要形式。从审查程序启动的不同形式来划分，法规审查方式包括被动审查和主动审查。本条第三款对报送备案的规范性文件进行主动审查的规定是这次立法法修改新增加的内容。自2004年全国人大常委会在法制工作委员会设立法规备案审查工作机构以来，一直采取被动审查与主动审查相结合的方式开展法规审查工作，积累了工作经验，取得了较好效果。

一、关于被动审查

根据本条第一款、第二款规定，公民、组织认为行政法规、地方性法规、自治条例和单行条例与宪法或者法律相抵触，可以通过提出审查要求和提出审查建议的方式来启动审查程序。提出审查要求是国务院、中央军事委员会、最高人民法院、最高人民检察院和省级人大常委会的权力，除此之外的其他国家机关、社会团体、企事业组织以及公民可以提出审查建议。提出审查要求是一种正式的审查启动程序，一旦有权机关提出了审查要求，就要进入正式审查程序。而提出审查建议，能否进行正式审查程序，还要经常委会工作机构进行研究，看是否有必要。目前，每年由公民、组织提出审查建议的数量都比较多，如果对每一件审查建议都启动正式的审查程序，没有必要也不太现实。实际工作中，常委会法规备案审查工作机构对公民、组织提出的每一件审查建议都进行认真接收、登记和审查研究，对发现的问题作妥善处理，这样做既符合实际工作要求，也是有效的。

（一）审查要求的提出和处理

常委会工作机构收到审查要求后，应当分送有关的专门委员会进行审查，专门委员会承担具体的审查任务。这样规定的主要考虑是，全国人大常委会每两个月召开一次会议，会期较短，立法任务又比较重，而专门委员会是代表大会的常设性专门机构，在大会闭会期间受常委会的领导，其日常工作主要就是研究、审议和拟订有关议案。因此，本法规定有关机关提出审查要求的，由专门委员会进行审查，提出意见。

（二）审查建议的提出和处理

对公民、组织提出的审查建议如何处理呢？根据本条第二款的规定,对提出的审查建议,应当由常委会的工作机构先进行审查研究,并予以妥善处理。如果认为确有必要,如审查建议提出的问题重大、关注度比较高、涉及面比较广,应当送有关的专门委员会进行审查、提出意见。从实际工作情况来看,对公民、组织提出的审查建议进行审查研究,是法规备案审查工作机构的一项重要日常工作。自法规备案审查工作机构成立以来,对公民、组织提出的每一件审查建议,都严格按照有关工作程序进行接收、登记、研究、提出意见,根据不同情况作出相应处理。截至目前,已接收各类审查建议一千余件。对审查建议进行研究后,通过及时与制定机关进行沟通协商,妥善处理了一些明显存在与法律规定不一致的规范性文件,有效维护了法律的尊严,保证了法制统一。

二、关于主动审查

实践证明,对法规开展主动审查工作,是备案审查的一种有效方式,与被动审查互为补充,并行不悖。根据本条第三款的规定,专门委员会可以对报送备案的规范性文件进行主动审查,常委会备案审查工作机构也可以对报送备案的规范性文件进行主动审查。本款规定的"报送备案的规范性文件",不仅包括行政法规、地方性法规、自治条例和单行条例,还包括本法附则规定的最高人民法院、最高人民检察院作出的司法解释。本款之所以规定专门委员会和常委会工作机构"可以"对报送备案的规范性文件进行主动审查,而非"应当"进行主动审查,主要是考虑到实际工作中,每年报送全国人大常委会备案的法规特别是地方性法规数量比较多,这次立法法修改赋予设区的市地方立法权后数量还会大量增加,而从事备案审查工作的人员力量又很有限,要求对报送备案的每一件法规都进行主动审查,是不现实的。

为了加强立法监督实效，全国人大常委会法规备案审查工作机构一直以来积极工作，不断加强对新制定的法规、司法解释的主动审查研究。从2006年起，法规备案审查工作机构对最高人民法院和最高人民检察院报送备案的司法解释进行逐件审查研究；从2010年起，对国务院报送备案的行政法规进行逐件审查研究。经审查研究，对每一件行政法规、司法解释，无论是否存在与法律不一致的问题，都提出明确的审查研究意见。对审查研究中发现的明显与法律不一致的问题，积极与制定机关沟通协商，妥善解决。同时，还围绕常委会工作重点和立法工作情况，有重点地对大量地方性法规开展主动审查。

第一百条　全国人民代表大会专门委员会、常务委员会工作机构在审查、研究中认为行政法规、地方性法规、自治条例和单行条例同宪法或者法律相抵触的，可以向制定机关提出书面审查意见、研究意见；也可以由法律委员会与有关的专门委员会、常务委员会工作机构召开联合审查会议，要求制定机关到会说明情况，再向制定机关提出书面审查意见。制定机关应当在两个月内研究提出是否修改的意见，并向全国人民代表大会法律委员会和有关的专门委员会或者常务委员会工作机构反馈。

全国人民代表大会法律委员会、有关的专门委员会、常务委员会工作机构根据前款规定，向制定机关提出审查意见、研究意见，制定机关按照所提意见对行政法规、地方性法规、自治条例和单行条例进行修改或者废止的，审查终止。

全国人民代表大会法律委员会、有关的专门委员会、常务委员会工作机构经审查、研究认为行政法规、地方性法规、自治条例和单行条例同宪法或者法律相抵触而制定机关不予修改的，应当向委员长会议提出予以撤销的议案、建议，由委员长会议决

定提请常务委员会会议审议决定。

【释义】 本条是关于法规审查程序的规定。

本条第一款中常委会工作机构发现违法问题可以向制定机关提出书面研究意见和第三款中常委会工作机构可以向委员长会议提出撤销法规建议的规定,是这次立法法修改新增加的内容,这两处修改强化了常委会工作机构的备案审查工作职责。2004 年,全国人大常委会在法制工作机构下设法规备案审查工作机构,专门负责法规备案审查的具体工作。十多年来,备案审查工作机构做了大量工作,承担了法规备案审查的主要工作职责。但是,根据原有法律规定,只有全国人大专门委员会有权对有关国家机关、公民、组织提出的审查意见或者审查建议进行审查,提出审查意见。常委会工作机构只能进行审查研究,发现法规、司法解释存在违宪违法问题也无权提出书面意见,只能与制定机关进行口头沟通。而专门委员会因机构设置、人员配备等原因,较少提出审查意见。这种做法已经不适应开展备案审查工作的实际需要,不利于及时有效纠正违宪违法行为。因此,强化常委会工作机构的备案审查工作职责,对于推进备案审查工作,十分必要。审查法规、司法解释是否违宪违法是常委会的法定职权,常委会可以将审查工作交由有关专门委员会承担,也可以将具体工作交工作机构承担,并要求其提出书面意见。专门委员会或者常委会工作机构的审查、研究意见不是常委会的决定,不具有强制执行力,应当允许常委会工作机构向制定机关提出书面意见,及时纠正违宪违法行为。同时,常委会工作机构向制定机关提出书面意见后,制定机关不予纠正的,应当允许常委会工作机构向委员长会议提出撤销法规的建议,启动常委会的撤销程序。这次修改极大地强化了常委会工作机构的备案审查工作职责,将有力推动备案审查工作的进一步开展。

同时,本条第二款关于审查自动终止的规定也是这次立法法修改新增加的内容。

根据本条规定,对行政法规、地方性法规、自治条例和单行条例的审查程序如下。

一、提出审查、研究意见

全国人民代表大会专门委员会、常委会工作机构经过主动审查或者被动审查,如果没有发现行政法规、地方性法规、自治条例和单行条例与宪法、法律相抵触的,审查程序就告结束;如果发现有抵触,可以由专门委员会以书面方式直接向制定机关提出审查意见,也可以由常委会工作机构向制定机关提出书面研究意见;还可以由法律委员会和有关的专门委员会、常委会工作机构联合召开会议,要求制定机关到会,就存在的有关问题作出说明,经过审查机关与制定机关沟通后,再由审查机关向制定机关提出审查意见。要求制定机关到会说明情况,主要是为了便于审查机关全面、准确地了解制定机关的立法目的与立法依据、理由,相互沟通,以便于准确判断是否存在违法问题,提高审查效率。

为了加强审查的力度,保证审查、研究意见落到实处,本条第一款还规定了审查、研究意见的反馈制度,即制定机关在收到审查、研究意见后,无论修改与否,都必须在两个月内对审查机构提出的审查、研究意见及时进行反馈。规定两个月的反馈期限,主要是考虑地方人大常委会一般每两个月召开一次会议,两个月的时间期限能够保证地方人大常委会开会对审查意见进行研究,并作出决定。

如果全国人大法律委员会、有关的专门委员会、常务委员会工作机构依法向制定机关提出审查意见、研究意见,要求制定机关自行纠正违法问题,而制定机关按照所提意见对行政法规、地方性法规、自治条例和单行条例进行修改或者废止的，由于违法问题已经得到解决，已经没有必要再进行审查了，审查将自动终止。

二、提出撤销议案的建议

根据本条第三款的规定，法律委员会、有关专门委员会、常委会工作机构审查、研究后，如果认为行政法规确与宪法或者法律相抵触，或者认为地方性法规、自治条例和单行条例与宪法、法律或者行政法规相抵触，而制定机关不予修改的，为了切实纠正违法问题，维护国家法制统一，法律委员会、有关的专门委员会应当向委员长会议提出予以撤销的议案，常委会工作机构应当向委员长会议提出予以撤销的建议，由委员长会议决定提请常务委员会会议审议决定。虽然到目前为止，全国人大常委会还没有启动过撤销程序，但随着法规备案审查工作的深入开展和有序推进，以及社会各方面宪法监督意识的不断加强，这一规定必将发挥其应有的重要作用。

第一百零一条　全国人民代表大会有关的专门委员会和常务委员会工作机构应当按照规定要求，将审查、研究情况向提出审查建议的国家机关、社会团体、企业事业组织以及公民反馈，并可以向社会公开。

【释义】　本条是关于向审查建议人反馈审查、研究情况并向社会公开的规定。

本条规定是这次立法法修改新增加的内容，为全国人大常委会建立法规备案审查反馈机制提供了法律依据。

根据本法规定，国家机关和社会团体、企业事业组织以及公民认为行政法规、地方性法规、自治条例和单行条例同宪法或者法律相抵触的，可以向全国人大常委会书面提出审查建议，由常委会工作机构进行研究，必要时，送有关的专门委员会进行审查、提出意见。自 2004 年以来，法规备案审查工作机构已接收公民、组织提出的各类审查建议一千多件。对收到的审查建议，法规备案审查工作机构逐件进行研究，对其中属于全国人大常委会审查范围的审查建议，逐件提出研究意见并予妥善处理。

那么，对于审查研究情况，是否应当向提出审查建议的当事人进行反馈呢？对此，社会各方面比较关注，有关公民、组织也多次反映，希望全国人大常委会备案审查工作机构向审查建议人反馈审查研究情况和处理结果，让他们了解审查工作的进展情况，避免发生审查建议“石沉大海”的现象。为了很好地解决这个问题，近年来，法规备案审查工作机构按照工作要求，进行了建立反馈机制的探索，尝试向部分审查建议人进行反馈，取得了一定成效。从备案审查工作的实际需要来看，建立、健全审查建议反馈机制，十分必要，既回应了社会关切，保障了审查建议人的知情权，也有利于增强公民、组织提出审查建议的积极性，提高社会公众对备案审查工作的关注度与参与度，同时还会督促制定机关尽早纠正违法问题，发挥备案审查制度的实效，有效维护国家法制统一。

根据本条规定，对审查建议的反馈遵循“谁审查，谁反馈”的原则，国家机关、社会团体、企业事业组织以及公民提出的审查建议，由全国人大有关的专门委员会进行审查的，专门委员会负责向审查建议人反馈审查情况；由常委会工作机构进行审查研究的，常委会工作机构负责向审查建议人反馈研究情况。

本条规定全国人大专门委员会和常委会工作机构应当“按照规定要求”向审查建议人进行反馈，按照这一规定，反馈的时间、条件、反馈的内容、形式等都需要根据今后的工作需要予以明确和规范，建立健全反馈工作机制。需要注意的是，对提出审查建议的公民、组织既要积极反馈,体现对公众参与权的尊重,又要慎重稳妥,把握社会公众参与立法和监督活动的尺度。一般来说,对公民、组织提出的审查建议,应当根据下列情况向审查建议人进行反馈:一是经审查认为建议审查的法规不存在与法律相抵触问题的,在审查结束后进行反馈,对有关情况予以说明;二是经审查认为建议审查的法规存在与法律相抵触问题的,在对相关问题审查处理后进行反馈,告知审查情况及处理结果。反馈的形式可以区分不同情况,采取书面形式或者口头形式。

为了回应社会关切,增强备案审查工作的公开与透明,本条还规定,对法规审查、研究的情况可以向社会公开。根据这一规定,常委会工作机构可以定期或者不定期将收到审查建议的情况和对审查建议审查处理的情况,以适当方式向社会公开。例如,可以通过中国人大网等网站定期发布审查处理情况,也可以通过召开媒体发布会向社会公布典型审查案例,等等。

第一百零二条　其他接受备案的机关对报送备案的地方性法规、自治条例和单行条例、规章的审查程序,按照维护法制统一的原则,由接受备案的机关规定。

【释义】 本条是关于其他备案机关的审查程序由其自行规定的规定。

根据本法和各级人民代表大会常务委员会监督法确立的备案审查制度,享有备案审查权的机关除全国人大常委会外,还有国务院、省级人大常委会和政府以及设区的市的人大常委会。本法第九十九条、第一百条和第一百零一条只规定了全国人大常委会对行政法规和地方性法规的审查程序,对其他接受备案的机关的审查程序没有作出明确规定。根据本条规定,其他接受备案的机关,包括国务院、省级人大常委会和政府以及设区的市的人大常委会，对报送备案的地方性法规、自治条例和单行条例、规章的审查程序，按照维护法制统一的原则，由接受备案的机关自行规定。

1990 年 2 月 18 日，国务院发布《法规规章备案规定》，对地方性法规、国务院部门规章和地方人民政府规章报送国务院备案的程序，以及对法规、规章审查的内容和程序作了规定。立法法颁布后，国务院参照立法法对该行政法规进行了修改，并于 2001 年 12 月 14 日公布了《法规规章备案条例》，进一步完善了法规、规章备案审查程序，如明确了审查内容，细化了审查程序以及审查结果的处理程序。

近年来，地方各级人大常委会积极稳妥地推进规范性文件备案审查工作，目前，绝大多数省级人大常委会都根据立法法和各级人民代表大会常务委员会监督法的规定，制定了有关规范性文件备案审查的地方性法规，对规章以及其他规范性文件的审查程序、审查标准、纠错机制、责任机制等内容作出了具体规定。除省级人大常委会外，长春、济南、银川等不少较大市的人大常委会也制定了关于规范性文件备案审查的地方性法规。各地通过建章立制，形成了比较完善的备案审查工作程序。立法法修改后，其他依法享有地方立法权的设区市也要逐步建立健全规范性文件备案审查制度和工作程序。

需要注意的是，这次修改立法法对全国人大常委会审查程序的有关规定作了几处重要修改，一是增加了专门委员会和常委会工作机构对报送备案的规范性文件进行主动审查的规定；二是赋予常委会工作机构向制定机关提出书面审查意见和向委员长会议提出撤销法规建议的规定；三是增加了向审查建议人反馈审查情况的规定。这几处修改虽然只是针对全国人大常委会开展备案审查工作而言的，但对其他备案审查机关特别是地方人大常委会进一步完善备案审查制度具有重要的参考和借鉴意义,值得深入研究。

第一,关于主动审查。在这次立法法修改之前,已经有不少地方人大常委会在有关备案审查的地方性法规中规定备案审查机构可以对报送备案的规范性文件进行主动审查,并在实际工作中积极开展主动审查工作。但是,仍有一些同志对开展主动审查的必要性以及应当在多大力度上开展主动审查工作持有不同意见,一些地方囿于机构设置不健全、人员配备不到位等原因较少进行主动审查,出现"只备不审"的现象,致使备案审查工作长期停滞不前,没有发挥应有的作用。实践证明,主动审查是一种有效的审查方式,与被动审查互为补充,相得益彰,对于及时发现并纠正违宪违法行为十分必要,特别是在备案审查工作开展初期,仅仅依靠公民、组织提出审查建议的方式来启动审查程序的做法是不够的,必须根据实际情况不遗余力地加大主动审查的力度,发挥备案审查工作的实效,切实维护国家法制统一。

第二,关于强化备案审查机构工作职责,加大违法问题纠错力度。立法法修改之前,只有全国人大专门委员会有权对有关国家机关、公民、组织提出的审查要求或者审查建议进行审查,提出审查意见。常委会工作机构只能进行审查研究,发现法规、司法解释存在违宪违法问题也无权提出书面意见,只能与制定机关进行口头沟通。这次立法法修改根据实际工作需要,强化了常委会工作机构的备案审查工作职责,允许常委会工作机构审查后向制定机关提出书面意见,同时还规定向制定机关提出书面意见后,制定机关不予纠正的,常委会工作机构应当向委员长会议提出撤销法规的建议。目前,各地有关备案审查工作职责的规定与做法不尽一致,有的地方规定有关专门委员会、法制委员会和常委会工作机构都有审查权；有的地方规定由专门委员会进行审查，常委会工作机构只负责事务性工作；有的地方规定审查主体为法制委员会；有的地方规定常委会工作机构承担审查工作，并向制定机关提出书面审查意见；等等。这次立法法修改后，地方人大常委会可以参照全国人大常委会的做法，进一步强化备案审查机构的工作职责，加大违法问题纠错力度。

第三，关于建立健全反馈机制。实践中，一些地方已经开展了审查情况的反馈工作，有的地方在审查结束后将审查情况和处理结果及时反馈给审查建议人；有的地方在审查过程中就邀请有关公民、组织参加审查工作，了解情况，沟通信息。这次立法法增加全国人大专门委员会和常委会工作机构向审查建议人反馈审查情况以及向社会公开的规定，对于回应社会关切，提高社会公众对备案审查工作的关注度和参与度，具有积极意义，各地可以根据实际情况逐步建立健全备案审查反馈机制。

第六章　附　　则

附则一般是一部法律的附属部分，也是一部法律的最后一部分，通常是一部法律应当明确而又不便在总则或者分则中规定的内容。从颁布的多数法律规定来看，主要包括对法律中的名词、术语的解释，与本法有关但未列入法律适用范围的问题的处理，授权其他机关制定实施办法，施行日期以及过去有关法律、法规的废止等。本章共有三条，是关于军事法规和军事规章、司法解释以及施行时间的规定。

第一百零三条　中央军事委员会根据宪法和法律，制定军事法规。

中央军事委员会各总部、军兵种、军区、中国人民武装警察部队，可以根据法律和中央军事委员会的军事法规、决定、命令，在其权限范围内，制定军事规章。

军事法规、军事规章在武装力量内部实施。

军事法规、军事规章的制定、修改和废止办法，由中央军事委员会依照本法规定的原则规定。

【释义】　本条是关于军事法规和军事规章的规定。

中央军事委员会制定军事法规，中央军事委员会各总部、军兵种、军区、中国人民武装警察部队制定军事规章，是我们党和国家领导武装力量的成功实践，是由宪法确立的国防建设和武装力量领导体制所决定的，是中央军事委员会领导全国武装力量职权的体现，是实现依法治军、从严治军的需要，是推进军队全面建设的重要保障。

1997年制定的国防法规定了中央军事委员会根据宪法和法律，制定军事法规。2000年制定立法法时，增加了关于军事规章的规定。此次修改立法法，又增加了中国人民武装警察部队制定军事规章的规定。武警部队是国家武装力量的组成部分，在国务院、中央军事委员会的领导指挥下，担负国家赋予的安全保卫任务以及防卫作战、抢险救灾、参加国家经济建设等任务。由于武警部队履行职责任务的需要和自身的特殊性，实践中武警部队制定了一些武警规章，如《中国人民武装警察部队执勤规定》《中国人民武装警察部队战备工作规定》《中国人民武装警察部队飞行人员管理规定》等。中央军事委员会《军事法规军事规章条例》规定，武警部队的规章与军兵种、军区规章具有同等效力。

一、军事法规

军事法规的制定主体是中央军事委员会。宪法第九十三条规定"中华人民共和国中央军事委员会领导全国武装力量"。中央军事委员会是国家的最高军事机关，中央军事委员会根据宪法和法律制定军事法规，是实现其领导武装力量职能的重要手段。制定军事法规的依据是宪法和法律，在我国现行的有关立法中，对于军队的一些特殊问题，通常授权中央军委另行规定。如审计法规定，中国人民解放军审计工作的规定，由中央军事委员会根据审计法制定。中央军委根据这些授权，可以制定军事法规。一些法律还授权国务院和中央军委联合制定有关规定，如律师法规定，对军队律师的具体管理办法，由国务院和中央军事委员会另行制定。

二、军事规章

制定军事规章的主体是中央军事委员会各总部、军兵种、军区、中国人民武装警察部队。中央军事委员会各总部现有总参谋部、总政治部、总后勤部、总装备部，军兵种有海军、空军、第二炮兵，大军区有北京、沈阳、济南、南京、广州、成都、兰州。

三、军事法规和军事规章在武装力量内部实施

军事法规和军事规章的适用范围是武装力量内部，因此，军事法规和军事规章只能在武装力量内部施行。对人的效力，主要是军人、武装警察和武装力量内工作的职员；其空间效力，主要是军事禁区、军事管理区和其他军队管理的场所。如果调整的事项涉及地方，需要地方遵守和执行，应当由国务院制定行政法规。按照本法第七十条第二款的规定，有关国防建设的行政法规，可以由国务院总理、中央军事委员会主席共同签署国务院、中央军事委员会令公布。同样，如果军事规章涉及地方内容，需要地方遵守和执行，也应当由军委各总部会同国务院有关部门联合制定规章。

四、制定军事法规和军事规章的程序由中央军事委员会规定

为了规范军事法规、军事规章的制定、修改和废止活动，保证军事法规、军事规章质量，推进依法治军，中央军事委员会于2003 年 4 月 3 日制定发布了《军事法规军事规章条例》。该条例分为总则、权限、计划、起草、审查、决定与发布、备案、修改与废止、适用与解释、体例规范、附则等共十一章六十九条，明确了军事法规、军事规章在军队建设中的地位和作用，确立了制定、修改和废止军事法规、军事规章的原则，划分了中央军委制定军事法规和总部、军兵种、军区、武警部队制定军事规章的权限，并遵循军事立法科学性、民主性的要求，进一步完善了军事法规、

军事规章的制定程序，对起草、审查、决定与发布、修改与废止、适用与解释等作出规定，并统一了军事法规、军事规章的体例规范和发布命令的格式。该条例还规定，中国人民武装警察部队制定、修改和废止军事规章的活动，适用该条例。

第一百零四条 最高人民法院、最高人民检察院作出的属于审判、检察工作中具体应用法律的解释，应当主要针对具体的法律条文，并符合立法的目的、原则和原意。遇有本法第四十五条第二款规定情况的，应当向全国人民代表大会常务委员会提出法律解释的要求或者提出制定、修改有关法律的议案。

最高人民法院、最高人民检察院作出的属于审判、检察工作中具体应用法律的解释，应当自公布之日起三十日内报全国人民代表大会常务委员会备案。

最高人民法院、最高人民检察院以外的审判机关和检察机关，不得作出具体应用法律的解释。

【释义】 本条是关于司法解释制定原则、司法解释报送备案以及地方人民法院、人民检察院不得制定司法解释性质文件的规定。

一、司法解释的制定原则

1979 年的人民法院组织法和 1981 年《全国人民代表大会常务委员会关于加强法律解释工作的决议》授权最高人民法院、最高人民检察院对属于法院审判工作和检察院检察工作中“具体应用法律、法令的问题”进行解释。为了保证国家法律正确实施，适应司法实践需要，三十多年来，最高人民法院、最高人民检察院发布了大量司法解释和司法解释性质的文件，经过 2011 年、2012 年集中清理后，现行有效的约有三千余件。随着形势的发展变化和时间的推移，司法解释中也出现了一些问题，如有的司法解释内容与法律规定不尽一致,不同司法解释之间不够衔接和协调,司法解释的形式和制定程序不够规范,司法解释出现“立法化”倾向等。根据规定,最高人民法院、最高人民检察院可以对“具体应用法律、法令的问题”进行解释,但对什么是“具体应用法律、法令的问题”有不同的理解。由于司法解释的范围、程序、界限等问题在法律上不明确,使得司法解释在制定过程中具有较大的空间和随意性,司法解释规定的事项范围也越来越大,一些司法解释的条文数量大大超过法律,具有明显的“立法化”倾向。这些问题引起了社会关注和反映,每年的“两会”上都有一些人大代表和政协委员提出意见和建议。在中国特色社会主义法律体系不断完善的新形势下,在立法法中明确规定司法解释的制定原则,规范司法解释制定工作,对于维护法律的权威和尊严,维护国家法制统一,保证法律正确实施,促进司法公正,十分必要。

根据本条第一款的规定,司法解释应当主要针对具体的法律条文进行解释,着重解决法律条文在审判、检察工作中如何具体适用的问题,不必像立法那样追求体例完整,内容全面,法律规定已经具体、明确的,司法解释没有必要再作重复规定,要避免司法解释的“立法化”倾向,让“臃肿”的司法解释“瘦身”。同时,司法解释的规定应当符合立法的目的、原则和原意,不得同法律规定相抵触。凡是法律有明确规定的,司法解释必须在法律规定的范围内进行,不得随意对法律规定作扩大或者限缩性解释;法律只有原则性规定的,司法解释必须符合立法的目的、法律确定的原则和立法原意;法律已经修改的,司法解释应当及时作出调整。司法解释之间应当协调衔接,不得互相矛盾;司法解释的制定程序和形式应当规范。

本条第一款还规定,最高人民法院、最高人民检察院遇有本法第四十五条第二款规定情况，即“法律制定后出现新的情况，需要明确适用法律依据”的，应当向全国人大常委会提出法律解释的要求或者提出制定、修改有关法律的议案。这是因为，“法律制定后出现新的情况，需要明确适用法律依据”的，属于法律条文本身需要进一步明确界限的问题，属于法律解释的内容，应当由全国人大常委会作出法律解释，而不宜由司法解释作出规定。如果实践中出现的新情况在现有法律规定中难以找到依据，需要制定新的法律或者对现行法律作补充规定的，最高人民法院、最高人民检察院应当向全国人大常委会提出法律案，由全国人大常委会通过制定、修改有关法律予以解决。

二、司法解释报送备案

在我国法律制度中，对司法解释的监督主要是备案审查制度。各级人民代表大会常务委员会监督法第三十一条规定“最高人民法院、最高人民检察院作出的属于审判、检察工作中具体应用法律的解释，应当自公布之日起三十日内报全国人民代表大会常务委员会备案”，并对司法解释的审查程序作了专门规定。建立对司法解释的备案审查制度，主要考虑是，法律是稳定的，而实际生活是变化的，法律要适应社会生活的复杂性、多变性，就要给法律适用一定裁量空间。这就需要赋予最高人民法院、最高人民检察院具体应用法律问题的解释权，需要留裁量空间。同时，也要对司法解释进行监督，防止其脱离立法原意，以保证法律的有效实施，维护法制统一。本条重申各级人民代表大会常务委员会监督法的规定，对于进一步加强和完善司法解释备案审查制度，具有积极意义。

三、地方人民法院、人民检察院不得制定司法解释性质文件

本条第三款规定的“最高人民法院、最高人民检察院以外的审判机关和检察机关”，主要是指地方人民法院、人民检察

院。在立法法中明确规定地方人民法院、人民检察院不得作出具体应用法律的解释，规范其文件制定工作，对于维护法制统一，确保司法公正，具有重要的现实意义。

近年来，地方人民法院、人民检察院制定了大量用以指导审判、检察工作的文件，对于正确适用法律、规范司法行为、公正处理案件，发挥了重要作用。但是，其中有很多属于具有司法解释性质的规范性文件。据了解，这些文件大多是高级法院制定的，也有少部分由中级法院或者基层法院制定，内容大多是对法院如何具体开展审判工作、如何具体应用法律或司法解释的规定，主要包括：对刑事、民事、行政诉讼中的案件受理范围、管辖、强制措施、执行等程序性规定；对某一类案件具体适用法律提出指导性意见；对贯彻实施某一法律或者司法解释的具体意见；对下级法院就某一具体案件如何处理的请示所作的具有普遍适用性质的答复等。这类文件涉及的内容非常广泛，在当地司法实践中普遍适用，对当事人的权利义务产生实质性影响，造成国家法制不统一，已引起了社会的广泛关注。一些人大代表、政协委员、法学专家通过不同渠道提出意见。全国人大常委会法规备案审查工作机构陆续收到了一些公民、组织针对地方人民法院、人民检察院制定的规范性文件提出的审查建议。

从各方面反映的意见来看，地方人民法院、人民检察院制定规范性文件主要存在以下问题：一是制定此类文件没有法律依据；二是有的文件内容与法律、法规以及司法解释的规定相抵触；三是有的文件缺乏透明度和公开性；四是对此类文件缺乏有效的监督机制。

全国人大常委会、最高人民法院、最高人民检察院对这些问题非常重视，最高人民法院、最高人民检察院曾多次发文进行规范。2012 年 1 月 18 日，按照司法解释集中清理工作安排，最高人民法院、最高人民检察院联合发布《关于地方人民法院、人民检察院不得制定司法解释性质文件的通知》,重申地方人民法院、人民检察院一律不得制定在本辖区内普遍适用的、涉及具体应用法律问题的"指导意见"、"规定"等司法解释性质文件,制定的其他规范性文件不得在法律文书中援引,要求地方人民法院、人民检察院对已制定的司法解释性质文件进行自行清理。

地方人民法院、人民检察院制定司法解释性质的规范性文件,与我国现行法律制度不符。1981 年《全国人民代表大会常务委员会关于加强法律解释工作的决议》明确规定,"凡属于法院审判工作中具体应用法律、法令的问题,由最高人民法院进行解释";"凡属于检察院检察工作中具体应用法律、法令的问题,由最高人民检察院进行解释"。上述规定是必须坚持的法律原则,地方各级人民法院、人民检察院应当严格遵守。根据我国的立法体制和司法体制,地方人民法院、人民检察院不得制定涉及行政管理、社会公共事务和公民权利义务等对具体应用法律的问题进行解释的规范性文件。地方人民法院、人民检察院可以就自身建设和内部工作规范作出规定,也可以在总结审判、检察工作经验的基础上,制定相应的规范性文件,规范司法行为,指导审判、检察工作。但这些文件不是司法解释,不具有法律效力,不得作为裁判依据,不得在裁判文书中援引。地方各级人民法院、人民检察院在审判、检察工作中遇到需要对具体应用法律进行解释的问题,应当报请最高人民法院、最高人民检察院依法进行解释或者对法律应用问题进行请示。

第一百零五条 本法自 2000 年 7 月 1 日起施行。

【释义】 本条是关于立法法施行时间的规定。

一、法律施行时间的含义

法律施行时间,即法律的生效时间,是指法律何时开始生效、何时终止效力,以及法律对于其生效前的事件或者行为是否具有溯及力的问题,是一部法律的重要组成部分。立法法第五十七条规定:“法律应当明确规定施行日期。”一般情况下,法律没有溯及力,法律不溯及既往的原则是各国立法通例。本法也适用这一原则。

二、我国法律对施行时间规定的方式

法律的施行日期,一般根据该法律的性质和实际需要来确定。我国法律对施行时间的规定主要有以下三种方式:一是法律条文中明确规定自公布之日起施行。这种方式在我国立法中曾较多地运用,主要适用于法律、法规的修订或者法律、法规较少涉及公民权利义务的情形。二是法律中明确规定施行日期,法律公布后并不立即生效实施,而是经过一定准备时期后才开始施行。这是近年来我国在制定新法时采取的主要方式。三是法律生效的条件,如规定法律公布后先予试行或者暂行,而后由立法部门加以补充完善,再通过为正式法律,但在试行期间,该法律也具有约束力。本法采用的是第二种方式,即第九届全国人民代表大会第三次会议于2000年3月15日通过,于2000年7月1日起生效施行。这是因为本法的实施,需要一段时间的宣传和准备工作。

三、修改后法律的生效时间

修改后的法律的生效时间一般由修改法律的形式决定。目前,我国立法实践中修改法律的形式主要有以下两种:一是以修订的方式对法律条文进行全面修改,重新公布法律文本以替代原法律文本。二是以修正的方式对法律的部分条文予以修改,并以修改决定的形式公布,具体形式是修改决定之后附修正文本,将原法律根据这一决定作相应的修改并重新公布,这是我国法律修改最重要的形式。本法亦采取这种形式。采取修订形式修改的法律,由于修改的内容较多,涉及法律原则、制度的修改,一般是重新规定法律施行日期;以修正形式修改的法律,只规定修改决定的施行日期,该施行日期对没有修改的部分不适用,未修改的部分仍然适用原法规定的生效日期。立法法于 2000 年 3 月 15 日由第九届全国人民代表大会第三次会议审议通过,并于当日由国家主席江泽民发布主席令公布,自公布之日起施行。2015 年 3 月 15 日第十二届全国人民代表大会第三次会议通过了《全国人民代表大会关于修改〈中华人民共和国立法法〉的决定》,国家主席习近平于同日发布主席令公布该决定,该决定自公布之日起施行。所以,本法的实施时间仍然是 2000 年 3 月 15 日,经过修改的条文生效时间则为 2015 年 3 月 15 日。

我国现行立法法自 2000 年颁布施行以来,对规范立法活动,推动形成和完善中国特色社会主义法律体系,推进社会主义法治建设,发挥了重要作用。修改立法法的决定自公布之日起施行,能够使细化完善了的新法条尽快得到贯彻执行。这对于完善立法体制,提高立法质量和立法效率,维护国家法制统一,形成完备的法律规范体系,推进国家治理体系和治理能力现代化,建设社会主义法治国家,具有重要的现实意义和长远意义。

第二部分 附 录

中华人民共和国立法法

（2000年3月15日第九届全国人民代表大会第三次会议通过 根据2015年3月15日第十二届全国人民代表大会第三次会议《关于修改〈中华人民共和国立法法〉的决定》修正）

目 录

第一章 总 则

第一条 为了规范立法活动，健全国家立法制度，提高立法质量，完善中国特色社会主义法律体系，发挥立法的引领和推动作用，保障和发展社会主义民主，全面推进依法治国，建设社会主义法治国家，根据宪法，制定本法。

第二条 法律、行政法规、地方性法规、自治条例和单行条例的制定、修改和废止，适用本法。

国务院部门规章和地方政府规章的制定、修改和废止，依照本法的有关规定执行。

第三条 立法应当遵循宪法的基本原则，以经济建设为中心，坚持社会主义道路、坚持人民民主专政、坚持中国共产党的领导、坚持马克思列宁主义毛泽东思想邓小平理论，坚持改革开放。

第四条 立法应当依照法定的权限和程序，从国家整体利益出发，维护社会主义法制的统一和尊严。

第五条 立法应当体现人民的意志，发扬社会主义民主，坚持立法公开，保障人民通过多种途径参与立法活动。

第六条 立法应当从实际出发，适应经济社会发展和全面深化改革的要求，科学合理地规定公民、法人和其他组织的权利与义务、国家机关的权力与责任。

法律规范应当明确、具体，具有针对性和可执行性。

第二章 法 律

第一节 立法权限

第七条 全国人民代表大会和全国人民代表大会常务委员会

行使国家立法权。

全国人民代表大会制定和修改刑事、民事、国家机构的和其他的基本法律。

全国人民代表大会常务委员会制定和修改除应当由全国人民代表大会制定的法律以外的其他法律；在全国人民代表大会闭会期间，对全国人民代表大会制定的法律进行部分补充和修改，但是不得同该法律的基本原则相抵触。

第八条 下列事项只能制定法律：

（一）国家主权的事项；

（二）各级人民代表大会、人民政府、人民法院和人民检察院的产生、组织和职权；

（三）民族区域自治制度、特别行政区制度、基层群众自治制度；

（四）犯罪和刑罚；

（五）对公民政治权利的剥夺、限制人身自由的强制措施和处罚；

（六）税种的设立、税率的确定和税收征收管理等税收基本制度；

（七）对非国有财产的征收、征用；

（八）民事基本制度；

（九）基本经济制度以及财政、海关、金融和外贸的基本制度；

（十）诉讼和仲裁制度；

（十一）必须由全国人民代表大会及其常务委员会制定法律的其他事项。

第九条 本法第八条规定的事项尚未制定法律的，全国人民代表大会及其常务委员会有权作出决定，授权国务院可以根据实际需要，对其中的部分事项先制定行政法规，但是有关犯罪和刑罚、对公民政治权利的剥夺和限制人身自由的强制措施和处罚、司法制度等事项除外。

第十条 授权决定应当明确授权的目的、事项、范围、期限以及被授权机关实施授权决定应当遵循的原则等。

授权的期限不得超过五年,但是授权决定另有规定的除外。

被授权机关应当在授权期限届满的六个月以前,向授权机关报告授权决定实施的情况,并提出是否需要制定有关法律的意见;需要继续授权的,可以提出相关意见,由全国人民代表大会及其常务委员会决定。

第十一条 授权立法事项,经过实践检验,制定法律的条件成熟时,由全国人民代表大会及其常务委员会及时制定法律。法律制定后,相应立法事项的授权终止。

第十二条 被授权机关应当严格按照授权决定行使被授予的权力。

被授权机关不得将被授予的权力转授给其他机关。

第十三条 全国人民代表大会及其常务委员会可以根据改革发展的需要,决定就行政管理等领域的特定事项授权在一定期限内在部分地方暂时调整或者暂时停止适用法律的部分规定。

第二节 全国人民代表大会立法程序

第十四条 全国人民代表大会主席团可以向全国人民代表大会提出法律案,由全国人民代表大会会议审议。

全国人民代表大会常务委员会、国务院、中央军事委员会、最高人民法院、最高人民检察院、全国人民代表大会各专门委员会,可以向全国人民代表大会提出法律案,由主席团决定列入会议议程。

第十五条 一个代表团或者三十名以上的代表联名,可以向全国人民代表大会提出法律案,由主席团决定是否列入会议议程,或者先交有关的专门委员会审议、提出是否列入会议议程的意见,再决定是否列入会议议程。

专门委员会审议的时候，可以邀请提案人列席会议，发表意见。

第十六条 向全国人民代表大会提出的法律案，在全国人民代表大会闭会期间，可以先向常务委员会提出，经常务委员会会议依照本法第二章第三节规定的有关程序审议后，决定提请全国人民代表大会审议，由常务委员会向大会全体会议作说明，或者由提案人向大会全体会议作说明。

常务委员会依照前款规定审议法律案，应当通过多种形式征求全国人民代表大会代表的意见，并将有关情况予以反馈；专门委员会和常务委员会工作机构进行立法调研，可以邀请有关的全国人民代表大会代表参加。

第十七条 常务委员会决定提请全国人民代表大会会议审议的法律案，应当在会议举行的一个月前将法律草案发给代表。

第十八条 列入全国人民代表大会会议议程的法律案，大会全体会议听取提案人的说明后，由各代表团进行审议。

各代表团审议法律案时，提案人应当派人听取意见，回答询问。

各代表团审议法律案时，根据代表团的要求，有关机关、组织应当派人介绍情况。

第十九条 列入全国人民代表大会会议议程的法律案，由有关的专门委员会进行审议，向主席团提出审议意见，并印发会议。

第二十条 列入全国人民代表大会会议议程的法律案，由法律委员会根据各代表团和有关的专门委员会的审议意见，对法律案进行统一审议，向主席团提出审议结果报告和法律草案修改稿，对重要的不同意见应当在审议结果报告中予以说明，经主席团会议审议通过后，印发会议。

第二十一条 列入全国人民代表大会会议议程的法律案，必要时，主席团常务主席可以召开各代表团团长会议，就法律案中的重大问题听取各代表团的审议意见，进行讨论，并将讨论的情况和意见向主席团报告。

主席团常务主席也可以就法律案中的重大的专门性问题，召集代表团推选的有关代表进行讨论，并将讨论的情况和意见向主席团报告。

第二十二条　列入全国人民代表大会会议议程的法律案，在交付表决前，提案人要求撤回的，应当说明理由，经主席团同意，并向大会报告，对该法律案的审议即行终止。

第二十三条　法律案在审议中有重大问题需要进一步研究的，经主席团提出，由大会全体会议决定，可以授权常务委员会根据代表的意见进一步审议，作出决定，并将决定情况向全国人民代表大会下次会议报告；也可以授权常务委员会根据代表的意见进一步审议，提出修改方案，提请全国人民代表大会下次会议审议决定。

第二十四条　法律草案修改稿经各代表团审议，由法律委员会根据各代表团的审议意见进行修改，提出法律草案表决稿，由主席团提请大会全体会议表决，由全体代表的过半数通过。

第二十五条　全国人民代表大会通过的法律由国家主席签署主席令予以公布。

第三节　全国人民代表大会常务委员会立法程序

第二十六条　委员长会议可以向常务委员会提出法律案，由常务委员会会议审议。

国务院、中央军事委员会、最高人民法院、最高人民检察院、全国人民代表大会各专门委员会，可以向常务委员会提出法律案，由委员长会议决定列入常务委员会会议议程，或者先交有关的专门委员会审议、提出报告，再决定列入常务委员会会议议程。如果委员长会议认为法律案有重大问题需要进一步研究,可以建议提案人修改完善后再向常务委员会提出。

第二十七条 常务委员会组成人员十人以上联名,可以向常务委员会提出法律案,由委员长会议决定是否列入常务委员会会议议程,或者先交有关的专门委员会审议、提出是否列入会议议程的意见,再决定是否列入常务委员会会议议程。不列入常务委员会会议议程的,应当向常务委员会会议报告或者向提案人说明。

专门委员会审议的时候,可以邀请提案人列席会议,发表意见。

第二十八条 列入常务委员会会议议程的法律案,除特殊情况外,应当在会议举行的七日前将法律草案发给常务委员会组成人员。

常务委员会会议审议法律案时,应当邀请有关的全国人民代表大会代表列席会议。

第二十九条 列入常务委员会会议议程的法律案,一般应当经三次常务委员会会议审议后再交付表决。

常务委员会会议第一次审议法律案,在全体会议上听取提案人的说明,由分组会议进行初步审议。

常务委员会会议第二次审议法律案,在全体会议上听取法律委员会关于法律草案修改情况和主要问题的汇报,由分组会议进一步审议。

常务委员会会议第三次审议法律案,在全体会议上听取法律委员会关于法律草案审议结果的报告,由分组会议对法律草案修改稿进行审议。

常务委员会审议法律案时,根据需要,可以召开联组会议或者全体会议,对法律草案中的主要问题进行讨论。

第三十条 列入常务委员会会议议程的法律案,各方面意见比较一致的,可以经两次常务委员会会议审议后交付表决;调整事项较为单一或者部分修改的法律案,各方面的意见比较一致的,也可以经一次常务委员会会议审议即交付表决。

第三十一条 常务委员会分组会议审议法律案时,提案人应当派人听取意见,回答询问。

常务委员会分组会议审议法律案时,根据小组的要求,有关机关、组织应当派人介绍情况。

第三十二条 列入常务委员会会议议程的法律案,由有关的专门委员会进行审议,提出审议意见,印发常务委员会会议。

有关的专门委员会审议法律案时,可以邀请其他专门委员会的成员列席会议,发表意见。

第三十三条 列入常务委员会会议议程的法律案,由法律委员会根据常务委员会组成人员、有关的专门委员会的审议意见和各方面提出的意见,对法律案进行统一审议,提出修改情况的汇报或者审议结果报告和法律草案修改稿,对重要的不同意见应当在汇报或者审议结果报告中予以说明。对有关的专门委员会的审议意见没有采纳的,应当向有关的专门委员会反馈。

法律委员会审议法律案时,应当邀请有关的专门委员会的成员列席会议,发表意见。

第三十四条 专门委员会审议法律案时,应当召开全体会议审议,根据需要,可以要求有关机关、组织派有关负责人说明情况。

第三十五条 专门委员会之间对法律草案的重要问题意见不一致时,应当向委员长会议报告。

第三十六条 列入常务委员会会议议程的法律案,法律委员会、有关的专门委员会和常务委员会工作机构应当听取各方面的意见。听取意见可以采取座谈会、论证会、听证会等多种形式。

法律案有关问题专业性较强,需要进行可行性评价的,应当召开论证会,听取有关专家、部门和全国人民代表大会代表等方面的意见。论证情况应当向常务委员会报告。

法律案有关问题存在重大意见分歧或者涉及利益关系重大调整,需要进行听证的,应当召开听证会,听取有关基层和群体代表、部门、人民团体、专家、全国人民代表大会代表和社会有关方面的意见。听证情况应当向常务委员会报告。

常务委员会工作机构应当将法律草案发送相关领域的全国人民代表大会代表、地方人民代表大会常务委员会以及有关部门、组织和专家征求意见。

第三十七条 列入常务委员会会议议程的法律案,应当在常务委员会会议后将法律草案及其起草、修改的说明等向社会公布,征求意见,但是经委员长会议决定不公布的除外。向社会公布征求意见的时间一般不少于三十日。征求意见的情况应当向社会通报。

第三十八条 列入常务委员会会议议程的法律案,常务委员会工作机构应当收集整理分组审议的意见和各方面提出的意见以及其他有关资料,分送法律委员会和有关的专门委员会,并根据需要,印发常务委员会会议。

第三十九条 拟提请常务委员会会议审议通过的法律案,在法律委员会提出审议结果报告前,常务委员会工作机构可以对法律草案中主要制度规范的可行性、法律出台时机、法律实施的社会效果和可能出现的问题等进行评估。评估情况由法律委员会在审议结果报告中予以说明。

第四十条 列入常务委员会会议议程的法律案,在交付表决前,提案人要求撤回的,应当说明理由,经委员长会议同意,并向常务委员会报告,对该法律案的审议即行终止。

第四十一条 法律草案修改稿经常务委员会会议审议,由法律委员会根据常务委员会组成人员的审议意见进行修改,提出法律草案表决稿,由委员长会议提请常务委员会全体会议表决,由常务委员会全体组成人员的过半数通过。

法律草案表决稿交付常务委员会会议表决前，委员长会议根据常务委员会会议审议的情况，可以决定将个别意见分歧较大的重要条款提请常务委员会会议单独表决。

单独表决的条款经常务委员会会议表决后，委员长会议根据单独表决的情况，可以决定将法律草案表决稿交付表决，也可以决定暂不付表决，交法律委员会和有关的专门委员会进一步审议。

第四十二条 列入常务委员会会议审议的法律案，因各方面对制定该法律的必要性、可行性等重大问题存在较大意见分歧搁置审议满两年的，或者因暂不付表决经过两年没有再次列入常务委员会会议议程审议的，由委员长会议向常务委员会报告，该法律案终止审议。

第四十三条 对多部法律中涉及同类事项的个别条款进行修改，一并提出法律案的，经委员长会议决定，可以合并表决，也可以分别表决。

第四十四条 常务委员会通过的法律由国家主席签署主席令予以公布。

第四节 法律解释

第四十五条 法律解释权属于全国人民代表大会常务委员会。

法律有以下情况之一的，由全国人民代表大会常务委员会解释：

（一）法律的规定需要进一步明确具体含义的；

（二）法律制定后出现新的情况，需要明确适用法律依据的。

第四十六条 国务院、中央军事委员会、最高人民法院、最高人民检察院和全国人民代表大会各专门委员会以及省、自治区、直辖市的人民代表大会常务委员会可以向全国人民代表大会常务委员会提出法律解释要求。

第四十七条 常务委员会工作机构研究拟订法律解释草案，由委员长会议决定列入常务委员会会议议程。

第四十八条 法律解释草案经常务委员会会议审议，由法律委员会根据常务委员会组成人员的审议意见进行审议、修改，提出法律解释草案表决稿。

第四十九条 法律解释草案表决稿由常务委员会全体组成人员的过半数通过，由常务委员会发布公告予以公布。

第五十条 全国人民代表大会常务委员会的法律解释同法律具有同等效力。

第五节 其他规定

第五十一条 全国人民代表大会及其常务委员会加强对立法工作的组织协调，发挥在立法工作中的主导作用。

第五十二条 全国人民代表大会常务委员会通过立法规划、年度立法计划等形式，加强对立法工作的统筹安排。编制立法规划和年度立法计划，应当认真研究代表议案和建议，广泛征集意见，科学论证评估，根据经济社会发展和民主法治建设的需要，确定立法项目，提高立法的及时性、针对性和系统性。立法规划和年度立法计划由委员长会议通过并向社会公布。

全国人民代表大会常务委员会工作机构负责编制立法规划和拟订年度立法计划，并按照全国人民代表大会常务委员会的要求，督促立法规划和年度立法计划的落实。

第五十三条 全国人民代表大会有关的专门委员会、常务委员会工作机构应当提前参与有关方面的法律草案起草工作；综合性、全局性、基础性的重要法律草案，可以由有关的专门委员会或者常务委员会工作机构组织起草。

专业性较强的法律草案，可以吸收相关领域的专家参与起草工作，或者委托有关专家、教学科研单位、社会组织起草。

第五十四条　提出法律案，应当同时提出法律草案文本及其说明，并提供必要的参阅资料。修改法律的，还应当提交修改前后的对照文本。法律草案的说明应当包括制定或者修改法律的必要性、可行性和主要内容，以及起草过程中对重大分歧意见的协调处理情况。

第五十五条　向全国人民代表大会及其常务委员会提出的法律案，在列入会议议程前，提案人有权撤回。

第五十六条　交付全国人民代表大会及其常务委员会全体会议表决未获得通过的法律案，如果提案人认为必须制定该法律，可以按照法律规定的程序重新提出，由主席团、委员长会议决定是否列入会议议程；其中，未获得全国人民代表大会通过的法律案，应当提请全国人民代表大会审议决定。

第五十七条　法律应当明确规定施行日期。

第五十八条　签署公布法律的主席令载明该法律的制定机关、通过和施行日期。

法律签署公布后，及时在全国人民代表大会常务委员会公报和中国人大网以及在全国范围内发行的报纸上刊载。

在常务委员会公报上刊登的法律文本为标准文本。

第五十九条　法律的修改和废止程序，适用本章的有关规定。

法律被修改的，应当公布新的法律文本。

法律被废止的，除由其他法律规定废止该法律的以外，由国家主席签署主席令予以公布。

第六十条　法律草案与其他法律相关规定不一致的，提案人应当予以说明并提出处理意见，必要时应当同时提出修改或者废止其他法律相关规定的议案。

法律委员会和有关的专门委员会审议法律案时，认为需要修改或者废止其他法律相关规定的，应当提出处理意见。

第六十一条　法律根据内容需要，可以分编、章、节、条、款、项、目。

编、章、节、条的序号用中文数字依次表述,款不编序号,项的序号用中文数字加括号依次表述,目的序号用阿拉伯数字依次表述。

法律标题的题注应当载明制定机关、通过日期。经过修改的法律,应当依次载明修改机关、修改日期。

第六十二条 法律规定明确要求有关国家机关对专门事项作出配套的具体规定的,有关国家机关应当自法律施行之日起一年内作出规定,法律对配套的具体规定制定期限另有规定的,从其规定。有关国家机关未能在期限内作出配套的具体规定的,应当向全国人民代表大会常务委员会说明情况。

第六十三条 全国人民代表大会有关的专门委员会、常务委员会工作机构可以组织对有关法律或者法律中有关规定进行立法后评估。评估情况应当向常务委员会报告。

第六十四条 全国人民代表大会常务委员会工作机构可以对有关具体问题的法律询问进行研究予以答复,并报常务委员会备案。

第三章 行 政 法 规

第六十五条 国务院根据宪法和法律,制定行政法规。

行政法规可以就下列事项作出规定:

(一)为执行法律的规定需要制定行政法规的事项;

(二)宪法第八十九条规定的国务院行政管理职权的事项。

应当由全国人民代表大会及其常务委员会制定法律的事项,国务院根据全国人民代表大会及其常务委员会的授权决定先制定的行政法规,经过实践检验,制定法律的条件成熟时,国务院应当及时提请全国人民代表大会及其常务委员会制定法律。

第六十六条 国务院法制机构应当根据国家总体工作部署拟

订国务院年度立法计划，报国务院审批。国务院年度立法计划中的法律项目应当与全国人民代表大会常务委员会的立法规划和年度立法计划相衔接。国务院法制机构应当及时跟踪了解国务院各部门落实立法计划的情况，加强组织协调和督促指导。

国务院有关部门认为需要制定行政法规的，应当向国务院报请立项。

第六十七条 行政法规由国务院有关部门或者国务院法制机构具体负责起草，重要行政管理的法律、行政法规草案由国务院法制机构组织起草。行政法规在起草过程中，应当广泛听取有关机关、组织、人民代表大会代表和社会公众的意见。听取意见可以采取座谈会、论证会、听证会等多种形式。

行政法规草案应当向社会公布，征求意见，但是经国务院决定不公布的除外。

第六十八条 行政法规起草工作完成后，起草单位应当将草案及其说明、各方面对草案主要问题的不同意见和其他有关资料送国务院法制机构进行审查。

国务院法制机构应当向国务院提出审查报告和草案修改稿，审查报告应当对草案主要问题作出说明。

第六十九条 行政法规的决定程序依照中华人民共和国国务院组织法的有关规定办理。

第七十条 行政法规由总理签署国务院令公布。

有关国防建设的行政法规，可以由国务院总理、中央军事委员会主席共同签署国务院、中央军事委员会令公布。

第七十一条 行政法规签署公布后，及时在国务院公报和中国政府法制信息网以及在全国范围内发行的报纸上刊载。

在国务院公报上刊登的行政法规文本为标准文本。

第四章　地方性法规、自治条例和单行条例、规章

第一节　地方性法规、自治条例和单行条例

第七十二条　省、自治区、直辖市的人民代表大会及其常务委员会根据本行政区域的具体情况和实际需要，在不同宪法、法律、行政法规相抵触的前提下，可以制定地方性法规。

设区的市的人民代表大会及其常务委员会根据本市的具体情况和实际需要，在不同宪法、法律、行政法规和本省、自治区的地方性法规相抵触的前提下，可以对城乡建设与管理、环境保护、历史文化保护等方面的事项制定地方性法规，法律对设区的市制定地方性法规的事项另有规定的，从其规定。设区的市的地方性法规须报省、自治区的人民代表大会常务委员会批准后施行。省、自治区的人民代表大会常务委员会对报请批准的地方性法规，应当对其合法性进行审查，同宪法、法律、行政法规和本省、自治区的地方性法规不抵触的，应当在四个月内予以批准。

省、自治区的人民代表大会常务委员会在对报请批准的设区的市的地方性法规进行审查时，发现其同本省、自治区的人民政府的规章相抵触的，应当作出处理决定。

除省、自治区的人民政府所在地的市，经济特区所在地的市和国务院已经批准的较大的市以外，其他设区的市开始制定地方性法规的具体步骤和时间，由省、自治区的人民代表大会常务委员会综合考虑本省、自治区所辖的设区的市的人口数量、地域面积、经济社会发展情况以及立法需求、立法能力等因素确定，并报全国人民代表大会常务委员会和国务院备案。

自治州的人民代表大会及其常务委员会可以依照本条第二款规定行使设区的市制定地方性法规的职权。自治州开始制定地方性法规的具体步骤和时间，依照前款规定确定。

省、自治区的人民政府所在地的市，经济特区所在地的市和国务院已经批准的较大的市已经制定的地方性法规，涉及本条第二款规定事项范围以外的，继续有效。

第七十三条　地方性法规可以就下列事项作出规定：

（一）为执行法律、行政法规的规定，需要根据本行政区域的实际情况作具体规定的事项；

（二）属于地方性事务需要制定地方性法规的事项。

除本法第八条规定的事项外，其他事项国家尚未制定法律或者行政法规的，省、自治区、直辖市和设区的市、自治州根据本地方的具体情况和实际需要，可以先制定地方性法规。在国家制定的法律或者行政法规生效后，地方性法规同法律或者行政法规相抵触的规定无效，制定机关应当及时予以修改或者废止。

设区的市、自治州根据本条第一款、第二款制定地方性法规，限于本法第七十二条第二款规定的事项。

制定地方性法规，对上位法已经明确规定的内容，一般不作重复性规定。

第七十四条　经济特区所在地的省、市的人民代表大会及其常务委员会根据全国人民代表大会的授权决定，制定法规，在经济特区范围内实施。

第七十五条　民族自治地方的人民代表大会有权依照当地民族的政治、经济和文化的特点，制定自治条例和单行条例。自治区的自治条例和单行条例，报全国人民代表大会常务委员会批准后生效。自治州、自治县的自治条例和单行条例，报省、自治区、直辖市的人民代表大会常务委员会批准后生效。

自治条例和单行条例可以依照当地民族的特点，对法律和行政法规的规定作出变通规定，但不得违背法律或者行政法规的基本原则，不得对宪法和民族区域自治法的规定以及其他有关法律、行政法规专门就民族自治地方所作的规定作出变通规定。

第七十六条 规定本行政区域特别重大事项的地方性法规，应当由人民代表大会通过。

第七十七条 地方性法规案、自治条例和单行条例案的提出、审议和表决程序，根据中华人民共和国地方各级人民代表大会和地方各级人民政府组织法，参照本法第二章第二节、第三节、第五节的规定，由本级人民代表大会规定。

地方性法规草案由负责统一审议的机构提出审议结果的报告和草案修改稿。

第七十八条 省、自治区、直辖市的人民代表大会制定的地方性法规由大会主席团发布公告予以公布。

省、自治区、直辖市的人民代表大会常务委员会制定的地方性法规由常务委员会发布公告予以公布。

设区的市、自治州的人民代表大会及其常务委员会制定的地方性法规报经批准后，由设区的市、自治州的人民代表大会常务委员会发布公告予以公布。

自治条例和单行条例报经批准后，分别由自治区、自治州、自治县的人民代表大会常务委员会发布公告予以公布。

第七十九条 地方性法规、自治区的自治条例和单行条例公布后，及时在本级人民代表大会常务委员会公报和中国人大网、本地方人民代表大会网站以及在本行政区域范围内发行的报纸上刊载。

在常务委员会公报上刊登的地方性法规、自治条例和单行条例文本为标准文本。

第二节 规　　章

第八十条 国务院各部、委员会、中国人民银行、审计署和具有行政管理职能的直属机构，可以根据法律和国务院的行政法规、决定、命令，在本部门的权限范围内，制定规章。

部门规章规定的事项应当属于执行法律或者国务院的行政法规、决定、命令的事项。没有法律或者国务院的行政法规、决定、命令的依据，部门规章不得设定减损公民、法人和其他组织权利或者增加其义务的规范，不得增加本部门的权力或者减少本部门的法定职责。

第八十一条 涉及两个以上国务院部门职权范围的事项，应当提请国务院制定行政法规或者由国务院有关部门联合制定规章。

第八十二条 省、自治区、直辖市和设区的市、自治州的人民政府，可以根据法律、行政法规和本省、自治区、直辖市的地方性法规，制定规章。

地方政府规章可以就下列事项作出规定：

（一）为执行法律、行政法规、地方性法规的规定需要制定规章的事项；

（二）属于本行政区域的具体行政管理事项。

设区的市、自治州的人民政府根据本条第一款、第二款制定地方政府规章，限于城乡建设与管理、环境保护、历史文化保护等方面的事项。已经制定的地方政府规章，涉及上述事项范围以外的，继续有效。

除省、自治区的人民政府所在地的市，经济特区所在地的市和国务院已经批准的较大的市以外，其他设区的市、自治州的人民政府开始制定规章的时间，与本省、自治区人民代表大会常务委员会确定的本市、自治州开始制定地方性法规的时间同步。

应当制定地方性法规但条件尚不成熟的，因行政管理迫切需要，可以先制定地方政府规章。规章实施满两年需要继续实施规章所规定的行政措施的，应当提请本级人民代表大会或者其常务委员会制定地方性法规。

没有法律、行政法规、地方性法规的依据，地方政府规章不得设定减损公民、法人和其他组织权利或者增加其义务的规范。

第八十三条 国务院部门规章和地方政府规章的制定程序，参照本法第三章的规定，由国务院规定。

第八十四条 部门规章应当经部务会议或者委员会会议决定。

地方政府规章应当经政府常务会议或者全体会议决定。

第八十五条 部门规章由部门首长签署命令予以公布。

地方政府规章由省长、自治区主席、市长或者自治州州长签署命令予以公布。

第八十六条 部门规章签署公布后，及时在国务院公报或者部门公报和中国政府法制信息网以及在全国范围内发行的报纸上刊载。

地方政府规章签署公布后，及时在本级人民政府公报和中国政府法制信息网以及在本行政区域范围内发行的报纸上刊载。

在国务院公报或者部门公报和地方人民政府公报上刊登的规章文本为标准文本。

第五章 适用与备案审查

第八十七条 宪法具有最高的法律效力，一切法律、行政法规、地方性法规、自治条例和单行条例、规章都不得同宪法相抵触。

第八十八条 法律的效力高于行政法规、地方性法规、规章。

行政法规的效力高于地方性法规、规章。

第八十九条 地方性法规的效力高于本级和下级地方政府规章。

省、自治区的人民政府制定的规章的效力高于本行政区域内的设区的市、自治州的人民政府制定的规章。

第九十条 自治条例和单行条例依法对法律、行政法规、地方性法规作变通规定的，在本自治地方适用自治条例和单行条例的规定。

经济特区法规根据授权对法律、行政法规、地方性法规作变通规定的，在本经济特区适用经济特区法规的规定。

第九十一条　部门规章之间、部门规章与地方政府规章之间具有同等效力，在各自的权限范围内施行。

第九十二条　同一机关制定的法律、行政法规、地方性法规、自治条例和单行条例、规章，特别规定与一般规定不一致的，适用特别规定；新的规定与旧的规定不一致的，适用新的规定。

第九十三条　法律、行政法规、地方性法规、自治条例和单行条例、规章不溯及既往，但为了更好地保护公民、法人和其他组织的权利和利益而作的特别规定除外。

第九十四条　法律之间对同一事项的新的一般规定与旧的特别规定不一致，不能确定如何适用时，由全国人民代表大会常务委员会裁决。

行政法规之间对同一事项的新的一般规定与旧的特别规定不一致，不能确定如何适用时，由国务院裁决。

第九十五条　地方性法规、规章之间不一致时，由有关机关依照下列规定的权限作出裁决：

（一）同一机关制定的新的一般规定与旧的特别规定不一致时，由制定机关裁决；

（二）地方性法规与部门规章之间对同一事项的规定不一致，不能确定如何适用时，由国务院提出意见，国务院认为应当适用地方性法规的，应当决定在该地方适用地方性法规的规定；认为应当适用部门规章的，应当提请全国人民代表大会常务委员会裁决；

（三）部门规章之间、部门规章与地方政府规章之间对同一事项的规定不一致时，由国务院裁决。

根据授权制定的法规与法律规定不一致，不能确定如何适用时，由全国人民代表大会常务委员会裁决。

第九十六条 法律、行政法规、地方性法规、自治条例和单行条例、规章有下列情形之一的，由有关机关依照本法第九十七条规定的权限予以改变或者撤销：

（一）超越权限的；

（二）下位法违反上位法规定的；

（三）规章之间对同一事项的规定不一致，经裁决应当改变或者撤销一方的规定的；

（四）规章的规定被认为不适当，应当予以改变或者撤销的；

（五）违背法定程序的。

第九十七条 改变或者撤销法律、行政法规、地方性法规、自治条例和单行条例、规章的权限是：

（一）全国人民代表大会有权改变或者撤销它的常务委员会制定的不适当的法律，有权撤销全国人民代表大会常务委员会批准的违背宪法和本法第七十五条第二款规定的自治条例和单行条例；

（二）全国人民代表大会常务委员会有权撤销同宪法和法律相抵触的行政法规，有权撤销同宪法、法律和行政法规相抵触的地方性法规，有权撤销省、自治区、直辖市的人民代表大会常务委员会批准的违背宪法和本法第七十五条第二款规定的自治条例和单行条例；

（三）国务院有权改变或者撤销不适当的部门规章和地方政府规章；

（四）省、自治区、直辖市的人民代表大会有权改变或者撤销它的常务委员会制定的和批准的不适当的地方性法规；

（五）地方人民代表大会常务委员会有权撤销本级人民政府制定的不适当的规章；

（六）省、自治区的人民政府有权改变或者撤销下一级人民政府制定的不适当的规章；

（七）授权机关有权撤销被授权机关制定的超越授权范围或者违背授权目的的法规，必要时可以撤销授权。

第九十八条　行政法规、地方性法规、自治条例和单行条例、规章应当在公布后的三十日内依照下列规定报有关机关备案：

（一）行政法规报全国人民代表大会常务委员会备案；

（二）省、自治区、直辖市的人民代表大会及其常务委员会制定的地方性法规，报全国人民代表大会常务委员会和国务院备案；设区的市、自治州的人民代表大会及其常务委员会制定的地方性法规，由省、自治区的人民代表大会常务委员会报全国人民代表大会常务委员会和国务院备案；

（三）自治州、自治县的人民代表大会制定的自治条例和单行条例，由省、自治区、直辖市的人民代表大会常务委员会报全国人民代表大会常务委员会和国务院备案；自治条例、单行条例报送备案时，应当说明对法律、行政法规、地方性法规作出变通的情况；

（四）部门规章和地方政府规章报国务院备案；地方政府规章应当同时报本级人民代表大会常务委员会备案；设区的市、自治州的人民政府制定的规章应当同时报省、自治区的人民代表大会常务委员会和人民政府备案；

（五）根据授权制定的法规应当报授权决定规定的机关备案；经济特区法规报送备案时，应当说明对法律、行政法规、地方性法规作出变通的情况。

第九十九条　国务院、中央军事委员会、最高人民法院、最高人民检察院和各省、自治区、直辖市的人民代表大会常务委员会认为行政法规、地方性法规、自治条例和单行条例同宪法或者法律相抵触的，可以向全国人民代表大会常务委员会书面提出进行审查的要求，由常务委员会工作机构分送有关的专门委员会进行审查、提出意见。

前款规定以外的其他国家机关和社会团体、企业事业组织以及公民认为行政法规、地方性法规、自治条例和单行条例同宪法或者法律相抵触的,可以向全国人民代表大会常务委员会书面提出进行审查的建议,由常务委员会工作机构进行研究,必要时,送有关的专门委员会进行审查、提出意见。

有关的专门委员会和常务委员会工作机构可以对报送备案的规范性文件进行主动审查。

第一百条 全国人民代表大会专门委员会、常务委员会工作机构在审查、研究中认为行政法规、地方性法规、自治条例和单行条例同宪法或者法律相抵触的,可以向制定机关提出书面审查意见、研究意见;也可以由法律委员会与有关的专门委员会、常务委员会工作机构召开联合审查会议,要求制定机关到会说明情况,再向制定机关提出书面审查意见。制定机关应当在两个月内研究提出是否修改的意见,并向全国人民代表大会法律委员会和有关的专门委员会或者常务委员会工作机构反馈。

全国人民代表大会法律委员会、有关的专门委员会、常务委员会工作机构根据前款规定,向制定机关提出审查意见、研究意见,制定机关按照所提意见对行政法规、地方性法规、自治条例和单行条例进行修改或者废止的,审查终止。

全国人民代表大会法律委员会、有关的专门委员会、常务委员会工作机构经审查、研究认为行政法规、地方性法规、自治条例和单行条例同宪法或者法律相抵触而制定机关不予修改的,应当向委员长会议提出予以撤销的议案、建议,由委员长会议决定提请常务委员会会议审议决定。

第一百零一条 全国人民代表大会有关的专门委员会和常务委员会工作机构应当按照规定要求,将审查、研究情况向提出审查建议的国家机关、社会团体、企业事业组织以及公民反馈,并可以向社会公开。

第一百零二条 其他接受备案的机关对报送备案的地方性法

规、自治条例和单行条例、规章的审查程序,按照维护法制统一的原则,由接受备案的机关规定。

第六章　附　　则

第一百零三条　中央军事委员会根据宪法和法律,制定军事法规。

中央军事委员会各总部、军兵种、军区、中国人民武装警察部队,可以根据法律和中央军事委员会的军事法规、决定、命令,在其权限范围内,制定军事规章。

军事法规、军事规章在武装力量内部实施。

军事法规、军事规章的制定、修改和废止办法,由中央军事委员会依照本法规定的原则规定。

第一百零四条　最高人民法院、最高人民检察院作出的属于审判、检察工作中具体应用法律的解释,应当主要针对具体的法律条文,并符合立法的目的、原则和原意。遇有本法第四十五条第二款规定情况的,应当向全国人民代表大会常务委员会提出法律解释的要求或者提出制定、修改有关法律的议案。

最高人民法院、最高人民检察院作出的属于审判、检察工作中具体应用法律的解释,应当自公布之日起三十日内报全国人民代表大会常务委员会备案。

最高人民法院、最高人民检察院以外的审判机关和检察机关,不得作出具体应用法律的解释。

第一百零五条　本法自 2000 年 7 月 1 日起施行。

附：

《中华人民共和国立法法》修改前后对照表

（条文中黑体部分为修改的内容）

修　改　前	修　改　后
第一章　总　则	**第一章　总　则**
第一条　为了规范立法活动，健全国家立法制度，建立和完善有中国特色社会主义法律体系，保障和发展社会主义民主，推进依法治国，建设社会主义法治国家，根据宪法，制定本法。	第一条　为了规范立法活动，健全国家立法制度，**提高立法质量，完善中国特色社会主义法律体系，发挥立法的引领和推动作用，**保障和发展社会主义民主，**全面**推进依法治国，建设社会主义法治国家，根据宪法，制定本法。
第二条　法律、行政法规、地方性法规、自治条例和单行条例的制定、修改和废止，适用本法。 国务院部门规章和地方政府规章的制定、修改和废止，依照本法的有关规定执行。	第二条　法律、行政法规、地方性法规、自治条例和单行条例的制定、修改和废止，适用本法。 国务院部门规章和地方政府规章的制定、修改和废止，依照本法的有关规定执行。
第三条　立法应当遵循宪法的基本原则，以经济建设为中心，坚持社会主义道路、坚持人民民主专政、坚持中国共产党的领导、坚持马克思列宁主义毛泽东思想邓小平理论，坚持改革开放。	第三条　立法应当遵循宪法的基本原则，以经济建设为中心，坚持社会主义道路、坚持人民民主专政、坚持中国共产党的领导、坚持马克思列宁主义毛泽东思想邓小平理论，坚持改革开放。

续表

修　改　前	修　改　后
第四条　立法应当依照法定的权限和程序，从国家整体利益出发，维护社会主义法制的统一和尊严。	第四条　立法应当依照法定的权限和程序，从国家整体利益出发，维护社会主义法制的统一和尊严。
第五条　立法应当体现人民的意志，发扬社会主义民主，保障人民通过多种途径参与立法活动。	第五条　立法应当体现人民的意志，发扬社会主义民主，**坚持立法公开**，保障人民通过多种途径参与立法活动。
第六条　立法应当从实际出发，科学合理地规定公民、法人和其他组织的权利与义务、国家机关的权力与责任。	第六条　立法应当从实际出发，**适应经济社会发展和全面深化改革的要求**，科学合理地规定公民、法人和其他组织的权利与义务、国家机关的权力与责任。 **法律规范应当明确、具体，具有针对性和可执行性。**
第二章　法　律	**第二章　法　律**
第一节　立法权限	第一节　立法权限
第七条　全国人民代表大会和全国人民代表大会常务委员会行使国家立法权。 全国人民代表大会制定和修改刑事、民事、国家机构的和其他的基本法律。 全国人民代表大会常务委员会制定和修改除应当由全国人民代表大会制定的法律以外的其他法律；在全国人民代表大会闭会期间，对全国人民代表大会制定的法律进行部分补充和修改，但是不得同该法律的基本原则相抵触。	第七条　全国人民代表大会和全国人民代表大会常务委员会行使国家立法权。 全国人民代表大会制定和修改刑事、民事、国家机构的和其他的基本法律。 全国人民代表大会常务委员会制定和修改除应当由全国人民代表大会制定的法律以外的其他法律；在全国人民代表大会闭会期间，对全国人民代表大会制定的法律进行部分补充和修改，但是不得同该法律的基本原则相抵触。

续表

修　改　前	修　改　后
第八条　下列事项只能制定法律： （一）国家主权的事项； （二）各级人民代表大会、人民政府、人民法院和人民检察院的产生、组织和职权； （三）民族区域自治制度、特别行政区制度、基层群众自治制度； （四）犯罪和刑罚； （五）对公民政治权利的剥夺、限制人身自由的强制措施和处罚； （六）对非国有财产的征收； （七）民事基本制度； （八）基本经济制度以及财政、**税收**、海关、金融和外贸的基本制度； （九）诉讼和仲裁制度； （十）必须由全国人民代表大会及其常务委员会制定法律的其他事项。	第八条　下列事项只能制定法律： （一）国家主权的事项； （二）各级人民代表大会、人民政府、人民法院和人民检察院的产生、组织和职权； （三）民族区域自治制度、特别行政区制度、基层群众自治制度； （四）犯罪和刑罚； （五）对公民政治权利的剥夺、限制人身自由的强制措施和处罚； **（六）税种的设立、税率的确定和税收征收管理等税收基本制度；** （**七**）对非国有财产的征收**、征用**； （**八**）民事基本制度； （**九**）基本经济制度以及财政、海关、金融和外贸的基本制度； （**十**）诉讼和仲裁制度； （**十一**）必须由全国人民代表大会及其常务委员会制定法律的其他事项。
第九条　本法第八条规定的事项尚未制定法律的，全国人民代表大会及其常务委员会有权作出决定，授权国务院可以根据实际需要，对其中的部分事项先制定行政法规，但是有关犯罪和刑罚、对公民政治权利的剥夺和限制人身自由的强制措施和处罚、司法制度等事项除外。	第九条　本法第八条规定的事项尚未制定法律的，全国人民代表大会及其常务委员会有权作出决定，授权国务院可以根据实际需要，对其中的部分事项先制定行政法规，但是有关犯罪和刑罚、对公民政治权利的剥夺和限制人身自由的强制措施和处罚、司法制度等事项除外。

续表

修 改 前	修 改 后
第十条 授权决定应当明确授权的目的、范围。 被授权机关应当严格按照授权目的和范围行使该项权力。 被授权机关不得将该项权力转授给其他机关。	第十条 授权决定应当明确授权的目的、**事项**、范围、**期限以及被授权机关实施授权决定应当遵循的原则等。** **授权的期限不得超过五年，但是授权决定另有规定的除外。** **被授权机关应当在授权期限届满的六个月以前，向授权机关报告授权决定实施的情况，并提出是否需要制定有关法律的意见；需要继续授权的，可以提出相关意见，由全国人民代表大会及其常务委员会决定。**
第十一条 授权立法事项，经过实践检验，制定法律的条件成熟时，由全国人民代表大会及其常务委员会及时制定法律。法律制定后，相应立法事项的授权终止。	第十一条 授权立法事项，经过实践检验，制定法律的条件成熟时，由全国人民代表大会及其常务委员会及时制定法律。法律制定后，相应立法事项的授权终止。
	第十二条 被授权机关应当严格按照授权**决定**行使**被授予的**权力。 被授权机关不得将**被授予的**权力转授给其他机关。 （第十条第二款、第三款移此）
	第十三条 **全国人民代表大会及其常务委员会可以根据改革发展的需要，决定就行政管理等领域的特定事项授权在一定期限内在部分地方暂时调整或者暂时停止适用法律的部分规定。**

续表

修改前	修改后
第二节　全国人民代表大会立法程序	第二节　全国人民代表大会立法程序
第十二条　全国人民代表大会主席团可以向全国人民代表大会提出法律案，由全国人民代表大会会议审议。 全国人民代表大会常务委员会、国务院、中央军事委员会、最高人民法院、最高人民检察院、全国人民代表大会各专门委员会，可以向全国人民代表大会提出法律案，由主席团决定列入会议议程。	第十四条　全国人民代表大会主席团可以向全国人民代表大会提出法律案，由全国人民代表大会会议审议。 全国人民代表大会常务委员会、国务院、中央军事委员会、最高人民法院、最高人民检察院、全国人民代表大会各专门委员会，可以向全国人民代表大会提出法律案，由主席团决定列入会议议程。
第十三条　一个代表团或者三十名以上的代表联名，可以向全国人民代表大会提出法律案，由主席团决定是否列入会议议程，或者先交有关的专门委员会审议、提出是否列入会议议程的意见，再决定是否列入会议议程。 专门委员会审议的时候，可以邀请提案人列席会议，发表意见。	第十五条　一个代表团或者三十名以上的代表联名，可以向全国人民代表大会提出法律案，由主席团决定是否列入会议议程，或者先交有关的专门委员会审议、提出是否列入会议议程的意见，再决定是否列入会议议程。 专门委员会审议的时候，可以邀请提案人列席会议，发表意见。
第十四条　向全国人民代表大会提出的法律案，在全国人民代表大会闭会期间，可以先向常务委员会提出，经常务委员会会议依照本法第二章第三节规定的有关程序审议后，决定提请全国人民代表大会审议，由常务委员会向大会全体会议作说明，或者由提案人向大会全体会议作说明。	第十六条　向全国人民代表大会提出的法律案，在全国人民代表大会闭会期间，可以先向常务委员会提出，经常务委员会会议依照本法第二章第三节规定的有关程序审议后，决定提请全国人民代表大会审议，由常务委员会向大会全体会议作说明，或者由提案人向大会全体会议作说明。

续表

修 改 前	修 改 后
	常务委员会依照前款规定审议法律案，应当通过多种形式征求全国人民代表大会代表的意见，并将有关情况予以反馈；专门委员会和常务委员会工作机构进行立法调研，可以邀请有关的全国人民代表大会代表参加。
第十五条 常务委员会决定提请全国人民代表大会会议审议的法律案，应当在会议举行的一个月前将法律草案发给代表。	第十七条 常务委员会决定提请全国人民代表大会会议审议的法律案，应当在会议举行的一个月前将法律草案发给代表。
第十六条 列入全国人民代表大会会议议程的法律案，大会全体会议听取提案人的说明后，由各代表团进行审议。 各代表团审议法律案时，提案人应当派人听取意见，回答询问。 各代表团审议法律案时，根据代表团的要求，有关机关、组织应当派人介绍情况。	第十八条 列入全国人民代表大会会议议程的法律案，大会全体会议听取提案人的说明后，由各代表团进行审议。 各代表团审议法律案时，提案人应当派人听取意见，回答询问。 各代表团审议法律案时，根据代表团的要求，有关机关、组织应当派人介绍情况。
第十七条 列入全国人民代表大会会议议程的法律案，由有关的专门委员会进行审议，向主席团提出审议意见，并印发会议。	第十九条 列入全国人民代表大会会议议程的法律案，由有关的专门委员会进行审议，向主席团提出审议意见，并印发会议。
第十八条 列入全国人民代表大会会议议程的法律案，由法律委员会根据各代表团和有关的专门委员会的审议意见，对法律案进行统一审议，向主席团提出审议结果报告和法律草案修改稿，对重要的不同	第二十条 列入全国人民代表大会会议议程的法律案，由法律委员会根据各代表团和有关的专门委员会的审议意见，对法律案进行统一审议，向主席团提出审议结果报告和法律草案修改稿，对重要的不同

续表

修 改 前	修 改 后
意见应当在审议结果报告中予以说明，经主席团会议审议通过后，印发会议。	意见应当在审议结果报告中予以说明，经主席团会议审议通过后，印发会议。
第十九条　列入全国人民代表大会会议议程的法律案，必要时，主席团常务主席可以召开各代表团团长会议，就法律案中的重大问题听取各代表团的审议意见，进行讨论，并将讨论的情况和意见向主席团报告。 主席团常务主席也可以就法律案中的重大的专门性问题，召集代表团推选的有关代表进行讨论，并将讨论的情况和意见向主席团报告。	第二十一条　列入全国人民代表大会会议议程的法律案，必要时，主席团常务主席可以召开各代表团团长会议，就法律案中的重大问题听取各代表团的审议意见，进行讨论，并将讨论的情况和意见向主席团报告。 主席团常务主席也可以就法律案中的重大的专门性问题，召集代表团推选的有关代表进行讨论，并将讨论的情况和意见向主席团报告。
第二十条　列入全国人民代表大会会议议程的法律案，在交付表决前，提案人要求撤回的，应当说明理由，经主席团同意，并向大会报告，对该法律案的审议即行终止。	第二十二条　列入全国人民代表大会会议议程的法律案，在交付表决前，提案人要求撤回的，应当说明理由，经主席团同意，并向大会报告，对该法律案的审议即行终止。
第二十一条　法律案在审议中有重大问题需要进一步研究的，经主席团提出，由大会全体会议决定，可以授权常务委员会根据代表的意见进一步审议，作出决定，并将决定情况向全国人民代表大会下次会议报告；也可以授权常务委员会根据代表的意见进一步审议，提出修改方案，提请全国人民代表大会下次会议审议决定。	第二十三条　法律案在审议中有重大问题需要进一步研究的，经主席团提出，由大会全体会议决定，可以授权常务委员会根据代表的意见进一步审议，作出决定，并将决定情况向全国人民代表大会下次会议报告；也可以授权常务委员会根据代表的意见进一步审议，提出修改方案，提请全国人民代表大会下次会议审议决定。

续表

修　改　前	修　改　后
第二十二条　法律草案修改稿经各代表团审议，由法律委员会根据各代表团的审议意见进行修改，提出法律草案表决稿，由主席团提请大会全体会议表决，由全体代表的过半数通过。	第二十四条　法律草案修改稿经各代表团审议，由法律委员会根据各代表团的审议意见进行修改，提出法律草案表决稿，由主席团提请大会全体会议表决，由全体代表的过半数通过。
第二十三条　全国人民代表大会通过的法律由国家主席签署主席令予以公布。	第二十五条　全国人民代表大会通过的法律由国家主席签署主席令予以公布。
第三节　全国人民代表大会常务委员会立法程序	第三节　全国人民代表大会常务委员会立法程序
第二十四条　委员长会议可以向常务委员会提出法律案，由常务委员会会议审议。 国务院、中央军事委员会、最高人民法院、最高人民检察院、全国人民代表大会各专门委员会，可以向常务委员会提出法律案，由委员长会议决定列入常务委员会会议议程，或者先交有关的专门委员会审议、提出报告，再决定列入常务委员会会议议程。如果委员长会议认为法律案有重大问题需要进一步研究，可以建议提案人修改完善后再向常务委员会提出。	第二十六条　委员长会议可以向常务委员会提出法律案，由常务委员会会议审议。 国务院、中央军事委员会、最高人民法院、最高人民检察院、全国人民代表大会各专门委员会，可以向常务委员会提出法律案，由委员长会议决定列入常务委员会会议议程，或者先交有关的专门委员会审议、提出报告，再决定列入常务委员会会议议程。如果委员长会议认为法律案有重大问题需要进一步研究，可以建议提案人修改完善后再向常务委员会提出。

续表

修　改　前	修　改　后
第二十五条　常务委员会组成人员十人以上联名，可以向常务委员会提出法律案，由委员长会议决定是否列入常务委员会会议议程，或者先交有关的专门委员会审议、提出是否列入会议议程的意见，再决定是否列入常务委员会会议议程。不列入常务委员会会议议程的，应当向常务委员会会议报告或者向提案人说明。 专门委员会审议的时候，可以邀请提案人列席会议，发表意见。	第二十七条　常务委员会组成人员十人以上联名，可以向常务委员会提出法律案，由委员长会议决定是否列入常务委员会会议议程，或者先交有关的专门委员会审议、提出是否列入会议议程的意见，再决定是否列入常务委员会会议议程。不列入常务委员会会议议程的，应当向常务委员会会议报告或者向提案人说明。 专门委员会审议的时候，可以邀请提案人列席会议，发表意见。
第二十六条　列入常务委员会会议议程的法律案，除特殊情况外，应当在会议举行的七日前将法律草案发给常务委员会组成人员。	第二十八条　列入常务委员会会议议程的法律案，除特殊情况外，应当在会议举行的七日前将法律草案发给常务委员会组成人员。 **常务委员会会议审议法律案时，应当邀请有关的全国人民代表大会代表列席会议。**
第二十七条　列入常务委员会会议议程的法律案，一般应当经三次常务委员会会议审议后再交付表决。 常务委员会会议第一次审议法律案，在全体会议上听取提案人的说明，由分组会议进行初步审议。 常务委员会会议第二次审议法律案，在全体会议上听取法律委员会关于法律草案修改情况和主要问题的汇报，由分组会议进一步审议。	第二十九条　列入常务委员会会议议程的法律案，一般应当经三次常务委员会会议审议后再交付表决。 常务委员会会议第一次审议法律案，在全体会议上听取提案人的说明，由分组会议进行初步审议。 常务委员会会议第二次审议法律案，在全体会议上听取法律委员会关于法律草案修改情况和主要问题的汇报，由分组会议进一步审议。

续表

修　改　前	修　改　后
常务委员会会议第三次审议法律案，在全体会议上听取法律委员会关于法律草案审议结果的报告，由分组会议对法律草案修改稿进行审议。 常务委员会审议法律案时，根据需要，可以召开联组会议或者全体会议，对法律草案中的主要问题进行讨论。	常务委员会会议第三次审议法律案，在全体会议上听取法律委员会关于法律草案审议结果的报告，由分组会议对法律草案修改稿进行审议。 常务委员会审议法律案时，根据需要，可以召开联组会议或者全体会议，对法律草案中的主要问题进行讨论。
第二十八条　列入常务委员会会议议程的法律案，各方面意见比较一致的，可以经两次常务委员会会议审议后交付表决；部分修改的法律案，各方面的意见比较一致的，也可以经一次常务委员会会议审议即交付表决。	第三十条　列入常务委员会会议议程的法律案，各方面意见比较一致的，可以经两次常务委员会会议审议后交付表决；**调整事项较为单一或者**部分修改的法律案，各方面的意见比较一致的，也可以经一次常务委员会会议审议即交付表决。
第二十九条　常务委员会分组会议审议法律案时，提案人应当派人听取意见，回答询问。 常务委员会分组会议审议法律案时，根据小组的要求，有关机关、组织应当派人介绍情况。	第三十一条　常务委员会分组会议审议法律案时，提案人应当派人听取意见，回答询问。 常务委员会分组会议审议法律案时，根据小组的要求，有关机关、组织应当派人介绍情况。
第三十条　列入常务委员会会议议程的法律案，由有关的专门委员会进行审议，提出审议意见，印发常务委员会会议。 有关的专门委员会审议法律案时，可以邀请其他专门委员会的成员列席会议，发表意见。	第三十二条　列入常务委员会会议议程的法律案，由有关的专门委员会进行审议，提出审议意见，印发常务委员会会议。 有关的专门委员会审议法律案时，可以邀请其他专门委员会的成员列席会议，发表意见。

续表

修改前	修改后
第三十一条　列入常务委员会会议议程的法律案，由法律委员会根据常务委员会组成人员、有关的专门委员会的审议意见和各方面提出的意见，对法律案进行统一审议，提出修改情况的汇报或者审议结果报告和法律草案修改稿，对重要的不同意见应当在汇报或者审议结果报告中予以说明。对有关的专门委员会的**重要**审议意见没有采纳的，应当向有关的专门委员会反馈。 法律委员会审议法律案时，可以邀请有关的专门委员会的成员列席会议，发表意见。	第三十三条　列入常务委员会会议议程的法律案，由法律委员会根据常务委员会组成人员、有关的专门委员会的审议意见和各方面提出的意见，对法律案进行统一审议，提出修改情况的汇报或者审议结果报告和法律草案修改稿，对重要的不同意见应当在汇报或者审议结果报告中予以说明。对有关的专门委员会的审议意见没有采纳的，应当向有关的专门委员会反馈。 法律委员会审议法律案时，**应当**邀请有关的专门委员会的成员列席会议，发表意见。
第三十二条　专门委员会审议法律案时，应当召开全体会议审议，根据需要，可以要求有关机关、组织派有关负责人说明情况。	第三十四条　专门委员会审议法律案时，应当召开全体会议审议，根据需要，可以要求有关机关、组织派有关负责人说明情况。
第三十三条　专门委员会之间对法律草案的重要问题意见不一致时，应当向委员长会议报告。	第三十五条　专门委员会之间对法律草案的重要问题意见不一致时，应当向委员长会议报告。
第三十四条　列入常务委员会会议议程的法律案，法律委员会、有关的专门委员会和常务委员会工作机构应当听取各方面的意见。听取意见可以采取座谈会、论证会、听证会等多种形式。 常务委员会工作机构应当将法律草案发送有关机关、组织和专家征求意见，将意见整理后送法律委员	第三十六条　列入常务委员会会议议程的法律案，法律委员会、有关的专门委员会和常务委员会工作机构应当听取各方面的意见。听取意见可以采取座谈会、论证会、听证会等多种形式。 **法律案有关问题专业性较强，需要进行可行性评价的，应当召开论证会，听取有关专家、部门和全国**

续表

修　改　前	修　改　后
会和有关的专门委员会，并根据需要，印发常务委员会会议。	**人民代表大会代表等方面的意见。论证情况应当向常务委员会报告。** **法律案有关问题存在重大意见分歧或者涉及利益关系重大调整，需要进行听证的，应当召开听证会，听取有关基层和群体代表、部门、人民团体、专家、全国人民代表大会代表和社会有关方面的意见。听证情况应当向常务委员会报告。** 常务委员会工作机构应当将法律草案发送**相关领域的全国人民代表大会代表、地方人民代表大会常务委员会以及有关部门**、组织和专家征求意见。
第三十五条　列入常务委员会会议议程的**重要的**法律案，经委员长会议决定，可以将法律草案公布，征求意见。各机关、组织和公民提出的意见送常务委员会工作机构。	第三十七条　列入常务委员会会议议程的法律案，**应当在常务委员会会议后将法律草案及其起草、修改的说明等向社会公布，征求意见，但是经委员长会议决定不公布的除外。向社会公布征求意见的时间一般不少于三十日。征求意见的情况应当向社会通报。**
第三十六条　列入常务委员会会议议程的法律案，常务委员会工作机构应当收集整理分组审议的意见和各方面提出的意见以及其他有关资料，分送法律委员会和有关的专门委员会，并根据需要，印发常务委员会会议。	第三十八条　列入常务委员会会议议程的法律案，常务委员会工作机构应当收集整理分组审议的意见和各方面提出的意见以及其他有关资料，分送法律委员会和有关的专门委员会，并根据需要，印发常务委员会会议。

续表

修　改　前	修　改　后
	第三十九条　**拟提请常务委员会会议审议通过的法律案，在法律委员会提出审议结果报告前，常务委员会工作机构可以对法律草案中主要制度规范的可行性、法律出台时机、法律实施的社会效果和可能出现的问题等进行评估。评估情况由法律委员会在审议结果报告中予以说明。**
第三十七条　列入常务委员会会议议程的法律案，在交付表决前，提案人要求撤回的，应当说明理由，经委员长会议同意，并向常务委员会报告，对该法律案的审议即行终止。	第四十条　列入常务委员会会议议程的法律案，在交付表决前，提案人要求撤回的，应当说明理由，经委员长会议同意，并向常务委员会报告，对该法律案的审议即行终止。
第三十八条　法律案经常务委员会三次会议审议后，仍有重大问题需要进一步研究的，由委员长会议提出，经联组会议或者全体会议同意，可以暂不付表决，交法律委员会和有关的专门委员会进一步审议。	
第三十九条　列入常务委员会会议审议的法律案，因各方面对制定该法律的必要性、可行性等重大问题存在较大意见分歧搁置审议满两年的，或者因暂不付表决经过两年没有再次列入常务委员会会议议程审议的，由委员长会议向常务委员会报告，该法律案终止审议。	第四十二条　列入常务委员会会议审议的法律案，因各方面对制定该法律的必要性、可行性等重大问题存在较大意见分歧搁置审议满两年的，或者因暂不付表决经过两年没有再次列入常务委员会会议议程审议的，由委员长会议向常务委员会报告，该法律案终止审议。

续表

修　改　前	修　改　后
第四十条　法律草案修改稿经常务委员会会议审议，由法律委员会根据常务委员会组成人员的审议意见进行修改，提出法律草案表决稿，由委员长会议提请常务委员会全体会议表决，由常务委员会全体组成人员的过半数通过。	第四十一条　法律草案修改稿经常务委员会会议审议，由法律委员会根据常务委员会组成人员的审议意见进行修改，提出法律草案表决稿，由委员长会议提请常务委员会全体会议表决，由常务委员会全体组成人员的过半数通过。 **法律草案表决稿交付常务委员会会议表决前，委员长会议根据常务委员会会议审议的情况，可以决定将个别意见分歧较大的重要条款提请常务委员会会议单独表决。** **单独表决的条款经常务委员会会议表决后，委员长会议根据单独表决的情况，可以决定将法律草案表决稿交付表决，也可以决定暂不付表决，交法律委员会和有关的专门委员会进一步审议。**
	第四十三条　**对多部法律中涉及同类事项的个别条款进行修改，一并提出法律案的，经委员长会议决定，可以合并表决，也可以分别表决。**
第四十一条　常务委员会通过的法律由国家主席签署主席令予以公布。	第四十四条　常务委员会通过的法律由国家主席签署主席令予以公布。

续表

修　改　前	修　改　后
第四节　法律解释	第四节　法律解释
第四十二条　法律解释权属于全国人民代表大会常务委员会。 法律有以下情况之一的，由全国人民代表大会常务委员会解释： （一）法律的规定需要进一步明确具体含义的； （二）法律制定后出现新的情况，需要明确适用法律依据的。	第四十五条　法律解释权属于全国人民代表大会常务委员会。 法律有以下情况之一的，由全国人民代表大会常务委员会解释： （一）法律的规定需要进一步明确具体含义的； （二）法律制定后出现新的情况，需要明确适用法律依据的。
第四十三条　国务院、中央军事委员会、最高人民法院、最高人民检察院和全国人民代表大会各专门委员会以及省、自治区、直辖市的人民代表大会常务委员会可以向全国人民代表大会常务委员会提出法律解释要求。	第四十六条　国务院、中央军事委员会、最高人民法院、最高人民检察院和全国人民代表大会各专门委员会以及省、自治区、直辖市的人民代表大会常务委员会可以向全国人民代表大会常务委员会提出法律解释要求。
第四十四条　常务委员会工作机构研究拟订法律解释草案，由委员长会议决定列入常务委员会会议议程。	第四十七条　常务委员会工作机构研究拟订法律解释草案，由委员长会议决定列入常务委员会会议议程。
第四十五条　法律解释草案经常务委员会会议审议，由法律委员会根据常务委员会组成人员的审议意见进行审议、修改，提出法律解释草案表决稿。	第四十八条　法律解释草案经常务委员会会议审议，由法律委员会根据常务委员会组成人员的审议意见进行审议、修改，提出法律解释草案表决稿。
第四十六条　法律解释草案表决稿由常务委员会全体组成人员的过半数通过，由常务委员会发布公告予以公布。	第四十九条　法律解释草案表决稿由常务委员会全体组成人员的过半数通过，由常务委员会发布公告予以公布。

续表

修　改　前	修　改　后
第四十七条　全国人民代表大会常务委员会的法律解释同法律具有同等效力。	第五十条　全国人民代表大会常务委员会的法律解释同法律具有同等效力。
第五节　其他规定	第五节　其他规定
	第五十一条　**全国人民代表大会及其常务委员会加强对立法工作的组织协调，发挥在立法工作中的主导作用。**
	第五十二条　**全国人民代表大会常务委员会通过立法规划、年度立法计划等形式，加强对立法工作的统筹安排。编制立法规划和年度立法计划，应当认真研究代表议案和建议，广泛征集意见，科学论证评估，根据经济社会发展和民主法治建设的需要，确定立法项目，提高立法的及时性、针对性和系统性。立法规划和年度立法计划由委员长会议通过并向社会公布。** **全国人民代表大会常务委员会工作机构负责编制立法规划和拟订年度立法计划，并按照全国人民代表大会常务委员会的要求，督促立法规划和年度立法计划的落实。**
	第五十三条　**全国人民代表大会有关的专门委员会、常务委员会工作机构应当提前参与有关方面的法律草案起草工作；综合性、全局性、基础性的重要法律草案，可以由有关的专门委员会或者常务委员会**

续表

修　改　前	修　改　后
	工作机构组织起草。 **专业性较强的法律草案，可以吸收相关领域的专家参与起草工作，或者委托有关专家、教学科研单位、社会组织起草。**
第四十八条　提出法律案，应当同时提出法律草案文本及其说明，并提供必要的资料。法律草案的说明应当包括制定该法律的必要性和主要内容。	第五十四条　提出法律案，应当同时提出法律草案文本及其说明，并提供必要的**参阅**资料。**修改法律的，还应当提交修改前后的对照文本。**法律草案的说明应当包括制定**或者修改**法律的必要性、**可行性**和主要内容，**以及起草过程中对重大分歧意见的协调处理情况。**
第四十九条　向全国人民代表大会及其常务委员会提出的法律案，在列入会议议程前，提案人有权撤回。	第五十五条　向全国人民代表大会及其常务委员会提出的法律案，在列入会议议程前，提案人有权撤回。
第五十条　交付全国人民代表大会及其常务委员会全体会议表决未获得通过的法律案，如果提案人认为必须制定该法律，可以按照法律规定的程序重新提出，由主席团、委员长会议决定是否列入会议议程；其中，未获得全国人民代表大会通过的法律案，应当提请全国人民代表大会审议决定。	第五十六条　交付全国人民代表大会及其常务委员会全体会议表决未获得通过的法律案，如果提案人认为必须制定该法律，可以按照法律规定的程序重新提出，由主席团、委员长会议决定是否列入会议议程；其中，未获得全国人民代表大会通过的法律案，应当提请全国人民代表大会审议决定。
第五十一条　法律应当明确规定施行日期。	第五十七条　法律应当明确规定施行日期。

续表

修　改　前	修　改　后
第五十二条　签署公布法律的主席令载明该法律的制定机关、通过和施行日期。 法律签署公布后，及时在全国人民代表大会常务委员会公报和在全国范围内发行的报纸上刊登。 在常务委员会公报上刊登的法律文本为标准文本。	第五十八条　签署公布法律的主席令载明该法律的制定机关、通过和施行日期。 法律签署公布后，及时在全国人民代表大会常务委员会公报和**中国人大网以及**在全国范围内发行的报纸上刊**载**。 在常务委员会公报上刊登的法律文本为标准文本。
第五十三条　法律的修改和废止程序，适用本章的有关规定。 法律部分条文被修改或者废止的，必须公布新的法律文本。	第五十九条　法律的修改和废止程序，适用本章的有关规定。 **法律被修改的，应当公布新的法律文本。** **法律被废止的，除由其他法律规定废止该法律的以外，由国家主席签署主席令予以公布。**
	第六十条　**法律草案与其他法律相关规定不一致的，提案人应当予以说明并提出处理意见，必要时应当同时提出修改或者废止其他法律相关规定的议案。** **法律委员会和有关的专门委员会审议法律案时，认为需要修改或者废止其他法律相关规定的，应当提出处理意见。**
第五十四条　法律根据内容需要，可以分编、章、节、条、款、项、目。 编、章、节、条的序号用中文数字依次表述，款不编序号，项的序号用中文数字加括号依次表述，目的序号用阿拉伯数字依次表述。	第六十一条　法律根据内容需要，可以分编、章、节、条、款、项、目。 编、章、节、条的序号用中文数字依次表述，款不编序号，项的序号用中文数字加括号依次表述，目的序号用阿拉伯数字依次表述。

续表

修改前	修改后
法律标题的题注应当载明制定机关、通过日期。	法律标题的题注应当载明制定机关、通过日期。**经过修改的法律，应当依次载明修改机关、修改日期。**
	第六十二条 **法律规定明确要求有关国家机关对专门事项作出配套的具体规定的，有关国家机关应当自法律施行之日起一年内作出规定，法律对配套的具体规定制定期限另有规定的，从其规定。有关国家机关未能在期限内作出配套的具体规定的，应当向全国人民代表大会常务委员会说明情况。**
	第六十三条 **全国人民代表大会有关的专门委员会、常务委员会工作机构可以组织对有关法律或者法律中有关规定进行立法后评估。评估情况应当向常务委员会报告。**
第五十五条 全国人民代表大会常务委员会工作机构可以对有关具体问题的法律询问进行研究予以答复，并报常务委员会备案。	第六十四条 全国人民代表大会常务委员会工作机构可以对有关具体问题的法律询问进行研究予以答复，并报常务委员会备案。
第三章 行政法规	**第三章 行政法规**
第五十六条 国务院根据宪法和法律，制定行政法规。 行政法规可以就下列事项作出规定： （一）为执行法律的规定需要制定行政法规的事项； （二）宪法第八十九条规定的国务院行政管理职权的事项。	第六十五条 国务院根据宪法和法律，制定行政法规。 行政法规可以就下列事项作出规定： （一）为执行法律的规定需要制定行政法规的事项； （二）宪法第八十九条规定的国务院行政管理职权的事项。

续表

修　改　前	修　改　后
应当由全国人民代表大会及其常务委员会制定法律的事项，国务院根据全国人民代表大会及其常务委员会的授权决定先制定的行政法规，经过实践检验，制定法律的条件成熟时，国务院应当及时提请全国人民代表大会及其常务委员会制定法律。	应当由全国人民代表大会及其常务委员会制定法律的事项，国务院根据全国人民代表大会及其常务委员会的授权决定先制定的行政法规，经过实践检验，制定法律的条件成熟时，国务院应当及时提请全国人民代表大会及其常务委员会制定法律。
第五十七条　行政法规由国务院组织起草。国务院有关部门认为需要制定行政法规的，应当向国务院报请立项。	第六十六条　**国务院法制机构应当根据国家总体工作部署拟订国务院年度立法计划，报国务院审批。国务院年度立法计划中的法律项目应当与全国人民代表大会常务委员会的立法规划和年度立法计划相衔接。国务院法制机构应当及时跟踪了解国务院各部门落实立法计划的情况，加强组织协调和督促指导。** 国务院有关部门认为需要制定行政法规的，应当向国务院报请立项。
第五十八条　行政法规在起草过程中，应当广泛听取有关机关、组织和公民的意见。听取意见可以采取座谈会、论证会、听证会等多种形式。	第六十七条　**行政法规由国务院有关部门或者国务院法制机构具体负责起草，重要行政管理的法律、行政法规草案由国务院法制机构组织起草。**行政法规在起草过程中，应当广泛听取有关机关、组织、**人民代表大会代表**和**社会公众**的意见。听取意见可以采取座谈会、论证会、听证会等多种形式。 **行政法规草案应当向社会公布，征求意见，但是经国务院决定不公布的除外。**

续表

修 改 前	修 改 后
第五十九条 行政法规起草工作完成后,起草单位应当将草案及其说明、各方面对草案主要问题的不同意见和其他有关资料送国务院法制机构进行审查。 国务院法制机构应当向国务院提出审查报告和草案修改稿,审查报告应当对草案主要问题作出说明。	第六十八条 行政法规起草工作完成后,起草单位应当将草案及其说明、各方面对草案主要问题的不同意见和其他有关资料送国务院法制机构进行审查。 国务院法制机构应当向国务院提出审查报告和草案修改稿,审查报告应当对草案主要问题作出说明。
第六十条 行政法规的决定程序依照中华人民共和国国务院组织法的有关规定办理。	第六十九条 行政法规的决定程序依照中华人民共和国国务院组织法的有关规定办理。
第六十一条 行政法规由总理签署国务院令公布。	第七十条 行政法规由总理签署国务院令公布。 **有关国防建设的行政法规,可以由国务院总理、中央军事委员会主席共同签署国务院、中央军事委员会令公布。**
第六十二条 行政法规签署公布后,及时在国务院公报和在全国范围内发行的报纸上刊登。 在国务院公报上刊登的行政法规文本为标准文本。	第七十一条 行政法规签署公布后,及时在国务院公报和**中国政府法制信息网以及**在全国范围内发行的报纸上刊**载**。 在国务院公报上刊登的行政法规文本为标准文本。

续表

修 改 前	修 改 后
第四章 地方性法规、自治条例和单行条例、规章	**第四章 地方性法规、自治条例和单行条例、规章**
第一节 地方性法规、自治条例和单行条例	第一节 地方性法规、自治条例和单行条例
第六十三条 省、自治区、直辖市的人民代表大会及其常务委员会根据本行政区域的具体情况和实际需要，在不同宪法、法律、行政法规相抵触的前提下，可以制定地方性法规。 较大的市的人民代表大会及其常务委员会根据本市的具体情况和实际需要，在不同宪法、法律、行政法规和本省、自治区的地方性法规相抵触的前提下，可以制定地方性法规，报省、自治区的人民代表大会常务委员会批准后施行。省、自治区的人民代表大会常务委员会对报请批准的地方性法规，应当对其合法性进行审查，同宪法、法律、行政法规和本省、自治区的地方性法规不抵触的，应当在四个月内予以批准。 省、自治区的人民代表大会常务委员会在对报请批准的较大的市的地方性法规进行审查时，发现其同本省、自治区的人民政府的规章相抵触的，应当作出处理决定。 本法所称较大的市是指省、自治区的人民政府所在地的市，经济特区所在地的市和经国务院批准的较大的市。	第七十二条 省、自治区、直辖市的人民代表大会及其常务委员会根据本行政区域的具体情况和实际需要，在不同宪法、法律、行政法规相抵触的前提下，可以制定地方性法规。 **设区**的市的人民代表大会及其常务委员会根据本市的具体情况和实际需要，在不同宪法、法律、行政法规和本省、自治区的地方性法规相抵触的前提下，可以**对城乡建设与管理、环境保护、历史文化保护等方面的事项**制定地方性法规，**法律对设区的市制定地方性法规的事项另有规定的，从其规定。设区的市的地方性法规须**报省、自治区的人民代表大会常务委员会批准后施行。省、自治区的人民代表大会常务委员会对报请批准的地方性法规，应当对其合法性进行审查，同宪法、法律、行政法规和本省、自治区的地方性法规不抵触的，应当在四个月内予以批准。 省、自治区的人民代表大会常务委员会在对报请批准的**设区**的市的地方性法规进行审查时，发现其同本省、自治区的人民政府的规章

续表

修　改　前	修　改　后
	相抵触的,应当作出处理决定。 　　**除省、自治区的人民政府所在地的市,经济特区所在地的市和国务院已经批准的较大的市以外,其他设区的市开始制定地方性法规的具体步骤和时间,由省、自治区的人民代表大会常务委员会综合考虑本省、自治区所辖的设区的市的人口数量、地域面积、经济社会发展情况以及立法需求、立法能力等因素确定,并报全国人民代表大会常务委员会和国务院备案。** 　　**自治州的人民代表大会及其常务委员会可以依照本条第二款规定行使设区的市制定地方性法规的职权。自治州开始制定地方性法规的具体步骤和时间,依照前款规定确定。** 　　**省、自治区的人民政府所在地的市,经济特区所在地的市和国务院已经批准的较大的市已经制定的地方性法规,涉及本条第二款规定事项范围以外的,继续有效。**
第六十四条　地方性法规可以就下列事项作出规定: 　　(一)为执行法律、行政法规的规定,需要根据本行政区域的实际情况作具体规定的事项; 　　(二)属于地方性事务需要制定地方性法规的事项。 　　除本法第八条规定的事项外,	第七十三条　地方性法规可以就下列事项作出规定: 　　(一)为执行法律、行政法规的规定,需要根据本行政区域的实际情况作具体规定的事项; 　　(二)属于地方性事务需要制定地方性法规的事项。 　　除本法第八条规定的事项外,

续表

修 改 前	修 改 后
其他事项国家尚未制定法律或者行政法规的，省、自治区、直辖市和较大的市根据本地方的具体情况和实际需要，可以先制定地方性法规。在国家制定的法律或者行政法规生效后，地方性法规同法律或者行政法规相抵触的规定无效，制定机关应当及时予以修改或者废止。	其他事项国家尚未制定法律或者行政法规的，省、自治区、直辖市和**设区的市、自治州**根据本地方的具体情况和实际需要，可以先制定地方性法规。在国家制定的法律或者行政法规生效后，地方性法规同法律或者行政法规相抵触的规定无效，制定机关应当及时予以修改或者废止。 **设区的市、自治州根据本条第一款、第二款制定地方性法规，限于本法第七十二条第二款规定的事项。** **制定地方性法规，对上位法已经明确规定的内容，一般不作重复性规定。**
第六十五条　经济特区所在地的省、市的人民代表大会及其常务委员会根据全国人民代表大会的授权决定，制定法规，在经济特区范围内实施。	第七十四条　经济特区所在地的省、市的人民代表大会及其常务委员会根据全国人民代表大会的授权决定，制定法规，在经济特区范围内实施。
第六十六条　民族自治地方的人民代表大会有权依照当地民族的政治、经济和文化的特点，制定自治条例和单行条例。自治区的自治条例和单行条例，报全国人民代表大会常务委员会批准后生效。自治州、自治县的自治条例和单行条例，报省、自治区、直辖市的人民代表大会常务委员会批准后生效。 自治条例和单行条例可以依照	第七十五条　民族自治地方的人民代表大会有权依照当地民族的政治、经济和文化的特点，制定自治条例和单行条例。自治区的自治条例和单行条例，报全国人民代表大会常务委员会批准后生效。自治州、自治县的自治条例和单行条例，报省、自治区、直辖市的人民代表大会常务委员会批准后生效。 自治条例和单行条例可以依照

续表

修　改　前	修　改　后
当地民族的特点，对法律和行政法规的规定作出变通规定，但不得违背法律或者行政法规的基本原则，不得对宪法和民族区域自治法的规定以及其他有关法律、行政法规专门就民族自治地方所作的规定作出变通规定。	当地民族的特点，对法律和行政法规的规定作出变通规定，但不得违背法律或者行政法规的基本原则，不得对宪法和民族区域自治法的规定以及其他有关法律、行政法规专门就民族自治地方所作的规定作出变通规定。
第六十七条　规定本行政区域特别重大事项的地方性法规，应当由人民代表大会通过。	第七十六条　规定本行政区域特别重大事项的地方性法规，应当由人民代表大会通过。
第六十八条　地方性法规案、自治条例和单行条例案的提出、审议和表决程序，根据中华人民共和国地方各级人民代表大会和地方各级人民政府组织法，参照本法第二章第二节、第三节、第五节的规定，由本级人民代表大会规定。 地方性法规草案由负责统一审议的机构提出审议结果的报告和草案修改稿。	第七十七条　地方性法规案、自治条例和单行条例案的提出、审议和表决程序，根据中华人民共和国地方各级人民代表大会和地方各级人民政府组织法，参照本法第二章第二节、第三节、第五节的规定，由本级人民代表大会规定。 地方性法规草案由负责统一审议的机构提出审议结果的报告和草案修改稿。
第六十九条　省、自治区、直辖市的人民代表大会制定的地方性法规由大会主席团发布公告予以公布。 省、自治区、直辖市的人民代表大会常务委员会制定的地方性法规由常务委员会发布公告予以公布。 较大的市的人民代表大会及其常务委员会制定的地方性法规报经批准后，由较大的市的人民代表大会	第七十八条　省、自治区、直辖市的人民代表大会制定的地方性法规由大会主席团发布公告予以公布。 省、自治区、直辖市的人民代表大会常务委员会制定的地方性法规由常务委员会发布公告予以公布。 **设区**的市**、自治州**的人民代表大会及其常务委员会制定的地方性法规报经批准后，由**设区**的市**、自治**

续表

修 改 前	修 改 后
常务委员会发布公告予以公布。 自治条例和单行条例报经批准后，分别由自治区、自治州、自治县的人民代表大会常务委员会发布公告予以公布。	**州**的人民代表大会常务委员会发布公告予以公布。 自治条例和单行条例报经批准后，分别由自治区、自治州、自治县的人民代表大会常务委员会发布公告予以公布。
第七十条 地方性法规、自治区的自治条例和单行条例公布后，及时在本级人民代表大会常务委员会公报和在本行政区域范围内发行的报纸上刊登。 在常务委员会公报上刊登的地方性法规、自治条例和单行条例文本为标准文本。	第七十九条 地方性法规、自治区的自治条例和单行条例公布后，及时在本级人民代表大会常务委员会公报和**中国人大网、本地方人民代表大会网站以及**在本行政区域范围内发行的报纸上刊**载**。 在常务委员会公报上刊登的地方性法规、自治条例和单行条例文本为标准文本。
第二节 规 章	第二节 规 章
第七十一条 国务院各部、委员会、中国人民银行、审计署和具有行政管理职能的直属机构，可以根据法律和国务院的行政法规、决定、命令，在本部门的权限范围内，制定规章。 部门规章规定的事项应当属于执行法律或者国务院的行政法规、决定、命令的事项。	第八十条 国务院各部、委员会、中国人民银行、审计署和具有行政管理职能的直属机构，可以根据法律和国务院的行政法规、决定、命令，在本部门的权限范围内，制定规章。 部门规章规定的事项应当属于执行法律或者国务院的行政法规、决定、命令的事项。**没有法律或者国务院的行政法规、决定、命令的依据，部门规章不得设定减损公民、法人和其他组织权利或者增加其义务的规范，不得增加本部门的权力或者减少本部门的法定职责。**

续表

修　改　前	修　改　后
第七十二条　涉及两个以上国务院部门职权范围的事项，应当提请国务院制定行政法规或者由国务院有关部门联合制定规章。	第八十一条　涉及两个以上国务院部门职权范围的事项，应当提请国务院制定行政法规或者由国务院有关部门联合制定规章。
第七十三条　省、自治区、直辖市和较大的市的人民政府，可以根据法律、行政法规和本省、自治区、直辖市的地方性法规，制定规章。 地方政府规章可以就下列事项作出规定： （一）为执行法律、行政法规、地方性法规的规定需要制定规章的事项； （二）属于本行政区域的具体行政管理事项。	第八十二条　省、自治区、直辖市和**设区**的市、**自治州**的人民政府，可以根据法律、行政法规和本省、自治区、直辖市的地方性法规，制定规章。 地方政府规章可以就下列事项作出规定： （一）为执行法律、行政法规、地方性法规的规定需要制定规章的事项； （二）属于本行政区域的具体行政管理事项。 **设区的市、自治州的人民政府根据本条第一款、第二款制定地方政府规章，限于城乡建设与管理、环境保护、历史文化保护等方面的事项。已经制定的地方政府规章，涉及上述事项范围以外的，继续有效。** **除省、自治区的人民政府所在地的市，经济特区所在地的市和国务院已经批准的较大的市以外，其他设区的市、自治州的人民政府开始制定规章的时间，与本省、自治区人民代表大会常务委员会确定的本市、自治州开始制定地方性法规的时间同步。** **应当制定地方性法规但条件尚**

续表

修 改 前	修 改 后
	不成熟的，因行政管理迫切需要，可以先制定地方政府规章。规章实施满两年需要继续实施规章所规定的行政措施的，应当提请本级人民代表大会或者其常务委员会制定地方性法规。 **没有法律、行政法规、地方性法规的依据，地方政府规章不得设定减损公民、法人和其他组织权利或者增加其义务的规范。**
第七十四条 国务院部门规章和地方政府规章的制定程序，参照本法第三章的规定，由国务院规定。	第八十三条 国务院部门规章和地方政府规章的制定程序，参照本法第三章的规定，由国务院规定。
第七十五条 部门规章应当经部务会议或者委员会会议决定。 地方政府规章应当经政府常务会议或者全体会议决定。	第八十四条 部门规章应当经部务会议或者委员会会议决定。 地方政府规章应当经政府常务会议或者全体会议决定。
第七十六条 部门规章由部门首长签署命令予以公布。 地方政府规章由省长或者自治区主席或者市长签署命令予以公布。	第八十五条 部门规章由部门首长签署命令予以公布。 地方政府规章由省长、自治区主席、市长**或者自治州州长**签署命令予以公布。
第七十七条 部门规章签署公布后，及时在国务院公报或者部门公报和在全国范围内发行的报纸上刊登。 地方政府规章签署公布后，及时在本级人民政府公报和在本行政区域范围内发行的报纸上刊登。 在国务院公报或者部门公报和	第八十六条 部门规章签署公布后，及时在国务院公报或者部门公报和**中国政府法制信息网以及**在全国范围内发行的报纸上刊**载**。 地方政府规章签署公布后，及时在本级人民政府公报和**中国政府法制信息网以及**在本行政区域范围内发行的报纸上刊**载**。

续表

修　改　前	修　改　后
地方人民政府公报上刊登的规章文本为标准文本。	在国务院公报或者部门公报和地方人民政府公报上刊登的规章文本为标准文本。
第五章　适用与备案	**第五章　适用与备案审查**
第七十八条　宪法具有最高的法律效力，一切法律、行政法规、地方性法规、自治条例和单行条例、规章都不得同宪法相抵触。	第八十七条　宪法具有最高的法律效力，一切法律、行政法规、地方性法规、自治条例和单行条例、规章都不得同宪法相抵触。
第七十九条　法律的效力高于行政法规、地方性法规、规章。 行政法规的效力高于地方性法规、规章。	第八十八条　法律的效力高于行政法规、地方性法规、规章。 行政法规的效力高于地方性法规、规章。
第八十条　地方性法规的效力高于本级和下级地方政府规章。 省、自治区的人民政府制定的规章的效力高于本行政区域内的较大的市的人民政府制定的规章。	第八十九条　地方性法规的效力高于本级和下级地方政府规章。 省、自治区的人民政府制定的规章的效力高于本行政区域内的**设区**的市**、自治州**的人民政府制定的规章。
第八十一条　自治条例和单行条例依法对法律、行政法规、地方性法规作变通规定的，在本自治地方适用自治条例和单行条例的规定。 经济特区法规根据授权对法律、行政法规、地方性法规作变通规定的，在本经济特区适用经济特区法规的规定。	第九十条　自治条例和单行条例依法对法律、行政法规、地方性法规作变通规定的，在本自治地方适用自治条例和单行条例的规定。 经济特区法规根据授权对法律、行政法规、地方性法规作变通规定的，在本经济特区适用经济特区法规的规定。
第八十二条　部门规章之间、部门规章与地方政府规章之间具有同等效力，在各自的权限范围内施行。	第九十一条　部门规章之间、部门规章与地方政府规章之间具有同等效力，在各自的权限范围内施行。

续表

修 改 前	修 改 后
第八十三条 同一机关制定的法律、行政法规、地方性法规、自治条例和单行条例、规章,特别规定与一般规定不一致的,适用特别规定;新的规定与旧的规定不一致的,适用新的规定。	第九十二条 同一机关制定的法律、行政法规、地方性法规、自治条例和单行条例、规章,特别规定与一般规定不一致的,适用特别规定;新的规定与旧的规定不一致的,适用新的规定。
第八十四条 法律、行政法规、地方性法规、自治条例和单行条例、规章不溯及既往,但为了更好地保护公民、法人和其他组织的权利和利益而作的特别规定除外。	第九十三条 法律、行政法规、地方性法规、自治条例和单行条例、规章不溯及既往,但为了更好地保护公民、法人和其他组织的权利和利益而作的特别规定除外。
第八十五条 法律之间对同一事项的新的一般规定与旧的特别规定不一致,不能确定如何适用时,由全国人民代表大会常务委员会裁决。 行政法规之间对同一事项的新的一般规定与旧的特别规定不一致,不能确定如何适用时,由国务院裁决。	第九十四条 法律之间对同一事项的新的一般规定与旧的特别规定不一致,不能确定如何适用时,由全国人民代表大会常务委员会裁决。 行政法规之间对同一事项的新的一般规定与旧的特别规定不一致,不能确定如何适用时,由国务院裁决。
第八十六条 地方性法规、规章之间不一致时,由有关机关依照下列规定的权限作出裁决: (一)同一机关制定的新的一般规定与旧的特别规定不一致时,由制定机关裁决; (二)地方性法规与部门规章之间对同一事项的规定不一致,不能确定如何适用时,由国务院提出意见,国务院认为应当适用地方性法	第九十五条 地方性法规、规章之间不一致时,由有关机关依照下列规定的权限作出裁决: (一)同一机关制定的新的一般规定与旧的特别规定不一致时,由制定机关裁决; (二)地方性法规与部门规章之间对同一事项的规定不一致,不能确定如何适用时,由国务院提出意见,国务院认为应当适用地方性法

续表

修　改　前	修　改　后
规的,应当决定在该地方适用地方性法规的规定;认为应当适用部门规章的,应当提请全国人民代表大会常务委员会裁决; （三）部门规章之间、部门规章与地方政府规章之间对同一事项的规定不一致时,由国务院裁决。 根据授权制定的法规与法律规定不一致,不能确定如何适用时,由全国人民代表大会常务委员会裁决。	规的,应当决定在该地方适用地方性法规的规定;认为应当适用部门规章的,应当提请全国人民代表大会常务委员会裁决; （三）部门规章之间、部门规章与地方政府规章之间对同一事项的规定不一致时,由国务院裁决。 根据授权制定的法规与法律规定不一致,不能确定如何适用时,由全国人民代表大会常务委员会裁决。
第八十七条　法律、行政法规、地方性法规、自治条例和单行条例、规章有下列情形之一的,由有关机关依照本法第八十八条规定的权限予以改变或者撤销: （一）超越权限的; （二）下位法违反上位法规定的; （三）规章之间对同一事项的规定不一致,经裁决应当改变或者撤销一方的规定的; （四）规章的规定被认为不适当,应当予以改变或者撤销的; （五）违背法定程序的。	第九十六条　法律、行政法规、地方性法规、自治条例和单行条例、规章有下列情形之一的,由有关机关依照本法第**九十七**条规定的权限予以改变或者撤销: （一）超越权限的; （二）下位法违反上位法规定的; （三）规章之间对同一事项的规定不一致,经裁决应当改变或者撤销一方的规定的; （四）规章的规定被认为不适当,应当予以改变或者撤销的; （五）违背法定程序的。
第八十八条　改变或者撤销法律、行政法规、地方性法规、自治条例和单行条例、规章的权限是: （一）全国人民代表大会有权改变或者撤销它的常务委员会制定的不适当的法律,有权撤销全国人	第九十七条　改变或者撤销法律、行政法规、地方性法规、自治条例和单行条例、规章的权限是: （一）全国人民代表大会有权改变或者撤销它的常务委员会制定的不适当的法律,有权撤销全国人

续表

修　改　前	修　改　后
民代表大会常务委员会批准的违背宪法和本法第六十六条第二款规定的自治条例和单行条例； （二）全国人民代表大会常务委员会有权撤销同宪法和法律相抵触的行政法规，有权撤销同宪法、法律和行政法规相抵触的地方性法规，有权撤销省、自治区、直辖市的人民代表大会常务委员会批准的违背宪法和本法第六十六条第二款规定的自治条例和单行条例； （三）国务院有权改变或者撤销不适当的部门规章和地方政府规章； （四）省、自治区、直辖市的人民代表大会有权改变或者撤销它的常务委员会制定的和批准的不适当的地方性法规； （五）地方人民代表大会常务委员会有权撤销本级人民政府制定的不适当的规章； （六）省、自治区的人民政府有权改变或者撤销下一级人民政府制定的不适当的规章； （七）授权机关有权撤销被授权机关制定的超越授权范围或者违背授权目的的法规，必要时可以撤销授权。	民代表大会常务委员会批准的违背宪法和本法第**七十五**条第二款规定的自治条例和单行条例； （二）全国人民代表大会常务委员会有权撤销同宪法和法律相抵触的行政法规，有权撤销同宪法、法律和行政法规相抵触的地方性法规，有权撤销省、自治区、直辖市的人民代表大会常务委员会批准的违背宪法和本法第**七十五**条第二款规定的自治条例和单行条例； （三）国务院有权改变或者撤销不适当的部门规章和地方政府规章； （四）省、自治区、直辖市的人民代表大会有权改变或者撤销它的常务委员会制定的和批准的不适当的地方性法规； （五）地方人民代表大会常务委员会有权撤销本级人民政府制定的不适当的规章； （六）省、自治区的人民政府有权改变或者撤销下一级人民政府制定的不适当的规章； （七）授权机关有权撤销被授权机关制定的超越授权范围或者违背授权目的的法规，必要时可以撤销授权。
第八十九条　行政法规、地方性法规、自治条例和单行条例、规章应当在公布后的三十日内依照下列规定报有关机关备案：	第九十八条　行政法规、地方性法规、自治条例和单行条例、规章应当在公布后的三十日内依照下列规定报有关机关备案：

续表

修　改　前	修　改　后
（一）行政法规报全国人民代表大会常务委员会备案； （二）省、自治区、直辖市的人民代表大会及其常务委员会制定的地方性法规，报全国人民代表大会常务委员会和国务院备案；较大的市的人民代表大会及其常务委员会制定的地方性法规，由省、自治区的人民代表大会常务委员会报全国人民代表大会常务委员会和国务院备案； （三）自治州、自治县制定的自治条例和单行条例，由省、自治区、直辖市的人民代表大会常务委员会报全国人民代表大会常务委员会和国务院备案； （四）部门规章和地方政府规章报国务院备案；地方政府规章应当同时报本级人民代表大会常务委员会备案；较大的市的人民政府制定的规章应当同时报省、自治区的人民代表大会常务委员会和人民政府备案； （五）根据授权制定的法规应当报授权决定规定的机关备案。	（一）行政法规报全国人民代表大会常务委员会备案； （二）省、自治区、直辖市的人民代表大会及其常务委员会制定的地方性法规，报全国人民代表大会常务委员会和国务院备案；**设区**的市、**自治州**的人民代表大会及其常务委员会制定的地方性法规，由省、自治区的人民代表大会常务委员会报全国人民代表大会常务委员会和国务院备案； （三）自治州、自治县的**人民代表大会**制定的自治条例和单行条例，由省、自治区、直辖市的人民代表大会常务委员会报全国人民代表大会常务委员会和国务院备案；**自治条例、单行条例报送备案时，应当说明对法律、行政法规、地方性法规作出变通的情况；** （四）部门规章和地方政府规章报国务院备案；地方政府规章应当同时报本级人民代表大会常务委员会备案；**设区**的市、**自治州**的人民政府制定的规章应当同时报省、自治区的人民代表大会常务委员会和人民政府备案； （五）根据授权制定的法规应当报授权决定规定的机关备案；**经济特区法规报送备案时，应当说明对法律、行政法规、地方性法规作出变通的情况。**

续表

修　改　前	修　改　后
第九十条　国务院、中央军事委员会、最高人民法院、最高人民检察院和各省、自治区、直辖市的人民代表大会常务委员会认为行政法规、地方性法规、自治条例和单行条例同宪法或者法律相抵触的，可以向全国人民代表大会常务委员会书面提出进行审查的要求，由常务委员会工作机构分送有关的专门委员会进行审查、提出意见。 前款规定以外的其他国家机关和社会团体、企业事业组织以及公民认为行政法规、地方性法规、自治条例和单行条例同宪法或者法律相抵触的，可以向全国人民代表大会常务委员会书面提出进行审查的建议，由常务委员会工作机构进行研究，必要时，送有关的专门委员会进行审查、提出意见。	第九十九条　国务院、中央军事委员会、最高人民法院、最高人民检察院和各省、自治区、直辖市的人民代表大会常务委员会认为行政法规、地方性法规、自治条例和单行条例同宪法或者法律相抵触的，可以向全国人民代表大会常务委员会书面提出进行审查的要求，由常务委员会工作机构分送有关的专门委员会进行审查、提出意见。 前款规定以外的其他国家机关和社会团体、企业事业组织以及公民认为行政法规、地方性法规、自治条例和单行条例同宪法或者法律相抵触的，可以向全国人民代表大会常务委员会书面提出进行审查的建议，由常务委员会工作机构进行研究，必要时，送有关的专门委员会进行审查、提出意见。 **有关的专门委员会和常务委员会工作机构可以对报送备案的规范性文件进行主动审查。**
第九十一条　全国人民代表大会专门委员会在审查中认为行政法规、地方性法规、自治条例和单行条例同宪法或者法律相抵触的，可以向制定机关提出书面审查意见；也可以由法律委员会与有关的专门委员会召开联合审查会议，要求制定机关到会说明情况，再向制定机关提出书面审查意见。制定机关应当	第一百条　全国人民代表大会专门委员会、**常务委员会工作机构**在审查、**研究**中认为行政法规、地方性法规、自治条例和单行条例同宪法或者法律相抵触的，可以向制定机关提出书面审查意见、**研究意见**；也可以由法律委员会与有关的专门委员会、**常务委员会工作机构**召开联合审查会议，要求制定机关到会

续表

修　改　前	修　改　后
在两个月内研究提出是否修改的意见,并向全国人民代表大会法律委员会和有关的专门委员会反馈。 全国人民代表大会法律委员会和有关的专门委员会审查认为行政法规、地方性法规、自治条例和单行条例同宪法或者法律相抵触而制定机关不予修改的,可以向委员长会议提出**书面审查意见和**予以撤销的议案,由委员长会议决定**是否**提请常务委员会会议审议决定。	说明情况,再向制定机关提出书面审查意见。制定机关应当在两个月内研究提出是否修改的意见,并向全国人民代表大会法律委员会和有关的专门委员会**或者常务委员会工作机构**反馈。 **全国人民代表大会法律委员会、有关的专门委员会、常务委员会工作机构根据前款规定,向制定机关提出审查意见、研究意见,制定机关按照所提意见对行政法规、地方性法规、自治条例和单行条例进行修改或者废止的,审查终止。** 全国人民代表大会法律委员会、有关的专门委员会、**常务委员会工作机构经**审查、**研究**认为行政法规、地方性法规、自治条例和单行条例同宪法或者法律相抵触而制定机关不予修改的,**应当**向委员长会议提出予以撤销的议案、**建议**,由委员长会议决定提请常务委员会会议审议决定。
	第一百零一条　**全国人民代表大会有关的专门委员会和常务委员会工作机构应当按照规定要求,将审查、研究情况向提出审查建议的国家机关、社会团体、企业事业组织以及公民反馈,并可以向社会公开。**

续表

修　改　前	修　改　后
第九十二条　其他接受备案的机关对报送备案的地方性法规、自治条例和单行条例、规章的审查程序，按照维护法制统一的原则，由接受备案的机关规定。	第一百零二条　其他接受备案的机关对报送备案的地方性法规、自治条例和单行条例、规章的审查程序，按照维护法制统一的原则，由接受备案的机关规定。
第六章　附　则	**第六章　附　则**
第九十三条　中央军事委员会根据宪法和法律，制定军事法规。 中央军事委员会各总部、军兵种、军区，可以根据法律和中央军事委员会的军事法规、决定、命令，在其权限范围内，制定军事规章。 军事法规、军事规章在武装力量内部实施。 军事法规、军事规章的制定、修改和废止办法，由中央军事委员会依照本法规定的原则规定。	第一百零三条　中央军事委员会根据宪法和法律，制定军事法规。 中央军事委员会各总部、军兵种、军区、**中国人民武装警察部队**，可以根据法律和中央军事委员会的军事法规、决定、命令，在其权限范围内，制定军事规章。 军事法规、军事规章在武装力量内部实施。 军事法规、军事规章的制定、修改和废止办法，由中央军事委员会依照本法规定的原则规定。
	第一百零四条　**最高人民法院、最高人民检察院作出的属于审判、检察工作中具体应用法律的解释，应当主要针对具体的法律条文，并符合立法的目的、原则和原意。遇有本法第四十五条第二款规定情况的，应当向全国人民代表大会常务委员会提出法律解释的要求或者提出制定、修改有关法律的议案。** **最高人民法院、最高人民检察院作出的属于审判、检察工作中具体应用法律的解释，应当自公布之日起三十日内报全国人民代表大会**

续表

修　改　前	修　改　后
	常务委员会备案。 　　**最高人民法院、最高人民检察院以外的审判机关和检察机关，不得作出具体应用法律的解释。**
第九十四条　本法自 2000 年 7 月 1 日起施行。	第一百零五条　本法自 2000 年 7 月 1 日起施行。

一、2015 年修改立法法有关文件

关于《中华人民共和国立法法修正案（草案）》的说明

——2015 年 3 月 8 日在第十二届全国人民代表大会第三次会议上

全国人民代表大会常务委员会副委员长　李建国

各位代表：

我受全国人大常委会委托，现对《中华人民共和国立法法修正案（草案）》作说明。

一、修改立法法的必要性和指导思想

立法是国家的重要政治活动，立法法是关于国家立法制度的重要法律。我国现行立法法自 2000 年颁布施行以来，对规范立法活动，推动形成和完善中国特色社会主义法律体系，推进社会主义法治建设，发挥了重要作用。实践证明，立法法确立的立法制度总体是符合国情、行之有效的。但是，随着我国经济社会的发展和改革的不断深化，人民群众对加强和改进立法工作有许多新期盼，以习近平同志为总书记的党中央提出了新要求，立法工作面临不少需要研究解决的新情况、新问题。立法工作关系党和国家事业发

展全局，在全面建成小康社会、全面深化改革、全面依法治国、全面从严治党的战略布局中，将发挥越来越重要的作用。为了适应立法工作新形势新任务的需要，贯彻落实党的十八大和十八届三中、四中全会精神，总结立法法施行以来推进科学立法、民主立法的实践经验，适时修改立法法，是十分必要的。这对于完善立法体制，提高立法质量和立法效率，维护国家法制统一，形成完备的法律规范体系，推进国家治理体系和治理能力现代化，建设社会主义法治国家，具有重要的现实意义和长远意义。

修改立法法的指导思想是，贯彻落实党的十八大和十八届三中、四中全会精神，高举中国特色社会主义伟大旗帜，以马克思列宁主义、毛泽东思想、邓小平理论、“三个代表”重要思想、科学发展观为指导，深入学习贯彻习近平总书记系列重要讲话精神，坚持党的领导、人民当家做主、依法治国有机统一，以提高立法质量为重点，深入推进科学立法、民主立法，更好地发挥立法的引领和推动作用，发挥人大及其常委会在立法工作中的主导作用，完善以宪法为核心的中国特色社会主义法律体系，全面推进依法治国，建设社会主义法治国家。

在修改立法法工作中，注意把握了以下几点：一是，认真贯彻落实党中央决策部署。按照中央全面深化改革领导小组关于贯彻实施党的十八届三中、四中全会两个决定的重要举措分工方案，凡涉及立法法修改的举措和要求，都通过修改立法法予以落实。通过修改立法法，完善立法体制，做到立法决策和改革决策相统一、相衔接，重大改革于法有据，立法主动适应改革需要，改革和法治同步推进。二是，突出重点，着力围绕提高立法质量完善制度。发挥立法的引领和推动作用，提高立法质量是关键。要认真总结多年来全国人大及其常委会和地方人大及其常委会在推进科学立法、民主立法方面的实践经验，将一些好的做法通过修改立法法提炼、固定下来。通过完善立法体制机制和程序，努力使制定和修改的法律能够准确体现党的主张和人民意愿的统一，有效地解决实际问题。三是，积极稳妥，分步推进。各方面对修改立法法提出的意见和建议不少。这一次修改立法法是部分修改，不是全面修改，对可改可不改的暂不改；对认识比较一致、条件成熟的，予以补充完善；对认识尚不统一的，继续深入研究；对属于工作机制和法律实施层面的问题，通过加强和改进相关工作予以解决。与此同时，需要强调的是，立法法的修改，要遵循宪法，并处理好与其他有关法律的关系。宪法是立法法制定的依据，修改立法法、完善立法体制也必须根据宪法。还要与全国人民代表大会组织法、全国人民代表大会议事规则、全国人大常委会议事规则、地方各级人民代表大会和地方各级人民政府组织法、各级人大常委会监督法等法律相衔接和相协调。

二、修改立法法的工作过程

按照全国人大常委会的工作部署，本届以来，全国人大常委会法工委着手立法法修改研究工作。通过收集整理代表议案和建议、赴地方调研、召开专题座谈会、邀请地方人大和政府法制机构有关负责同志共同研究等方式，广泛听取各方面意见。在充分沟通协商、深入研究论证的基础上，形成了立法法修正案草案，由全国人大常委会委员长会议提请2014 年8 月召开的十二届全国人大常委会第十次会议进行了初次审议。会后，全国人大法律委员会、全国人大常委会法工委广泛征求了中央有关部门、各地和有关方面的意见，并在中国人大网全文公布修正案草案，征求社会公众意见。根据全国人大常委会组成人员的审议意见和各方面的意见，对修正案草案进行了修改完善。2014 年 12 月，十二届全国人大常委会第十二次会议对立法法修正案草案进行了再次审议。全国人大常委会组成人员和列席人员普遍认为，修正案草案贯彻党的十八大和十八届三中、四中全会精神，总体吸收了常委会组成人员的审议意见和各方面的意见,已趋成熟。会议决定将立法法修正案草案提请十二届全国人大三次会议审议。全国人大常委会第十二次会议之后,中国人大网全文公布修正案草案,第二次征求社会公众意见。

全国人大常委会办公厅于今年1月将立法法修正案草案发送全国人大代表。代表们对修正案草案进行了认真研读讨论,总体赞成修正案草案,同时提出了一些修改意见。全国人大法律委员会召开会议,根据全国人大常委会组成人员的审议意见和代表们提出的意见,对修正案草案进行了审议,作了修改完善,并将修改情况向全国人大常委会委员长会议作了汇报。

党中央高度重视立法法的修改,将立法法修改列为需要党中央2015年研究的重大立法事项。2015年2月12日,习近平总书记主持召开中央政治局常委会会议,听取了全国人大常委会党组《关于〈中华人民共和国立法法修正案(草案)〉几个主要问题的请示》的汇报,原则同意全国人大常委会党组的请示,并就进一步修改完善立法法修正案草案作出重要指示。会后,根据党中央的重要指示精神,对修正案草案又作了进一步修改完善。在此基础上,形成了提请大会审议的《中华人民共和国立法法修正案(草案)》。

三、立法法修正案草案的主要内容

(一)关于完善立法体制

我国实行统一而又分层次的立法体制。党的十八届四中全会对完善立法体制提出了明确要求。落实这一要求,根据各方面的意见,修正案草案对立法体制的规定作了如下修改:

1. 实现立法和改革决策相衔接。党的十八届四中全会决定提出,实现立法和改革决策相衔接,做到重大改革于法有据、立法主动适应改革和经济社会发展需要。实践条件还不成熟、需要先行先试的，要按照法定程序作出授权。按照这一要求，总结近年来的实践，修正案草案增加规定，全国人大及其常委会可以根据改革发展的需要，决定就行政管理等领域的特定事项授权在部分地方暂停适用法律的部分规定。同时，针对现行授权立法规定比较原则，以往有些授权范围过于笼统、缺乏时限要求等问题，修正案草案增加规定，授权决定不仅应当明确授权的目的、范围，还要明确授权的事项、期限和被授权机关实施授权决定应当遵循的原则等；被授权机关应当在授权期限届满的六个月以前，向授权机关报告授权决定实施的情况。（修正案草案第五条、第四条）

2. 赋予设区的市地方立法权。党的十八届四中全会决定提出，明确地方立法权限和范围，依法赋予设区的市地方立法权。目前全国设区的市 284 个，按照现行立法法规定，享有地方立法权的有 49 个（包括 27 个省、自治区的人民政府所在地的市，4 个经济特区所在地的市和 18 个经国务院批准的较大的市），尚没有地方立法权的 235 个。为落实好党中央的精神，既要依法赋予所有设区的市地方立法权，以适应地方的实际需要，又要相应明确其地方立法权限和范围，避免重复立法，维护国家法制统一。为此，根据各方面的意见，修正案草案在依法赋予所有设区的市地方立法权的同时，明确设区的市可以对"城乡建设与管理、环境保护、历史文化保护等方面的事项"制定地方性法规，法律对较大的市制定地方性法规的事项另有规定的，从其规定。原有 49 个较大的市已经制定的地方性法规，涉及上述事项范围以外的，继续有效。同时，考虑到设区的市数量较多，地区差异较大，这一工作需要本着积极稳妥的精神予以推进，修正案草案规定，由省、自治区的人大常委会综合考虑本省、自治区所辖的设区的市的人口数量、地域面积、经济社会发展情况以及立法需求、立法能力等因素，确定其他设区的市开始制定地方性法规的具体步骤和时间，并报全国人大常委会和国务院备案。此外，修正案草案还规定，设区的市人民政府可以相

应制定地方政府规章。(修正案草案第二十八条、第三十二条)

根据民族区域自治法关于“自治州的自治机关行使下设区、县的市的地方国家机关的职权,同时行使自治权”的规定,在自治州人民代表大会可以依法制定自治条例、单行条例的基础上,建议相应赋予自治州人大及其常委会设区的市的地方立法权。(修正案草案第二十八条)

3. 落实税收法定原则。党的十八届三中全会决定提出了落实税收法定原则的明确要求。现行立法法第八条规定了只能制定法律的事项,“税收”是在该条第八项“基本经济制度以及财政、税收、海关、金融和外贸的基本制度”中规定的。一些常委会组成人员、代表和地方建议,应当对“税收法定”问题专设一项,作出明确规定。据此,修正案草案将“税收”专设一项作为第六项,明确“税种的开征、停征和税收征收管理的基本制度”只能由法律规定。(修正案草案第三条)

4. 对部门规章和地方政府规章权限进行规范。按照党的十八届四中全会决定要求,为进一步明确规章的制定权限范围,推进依法行政,修正案草案规定:一是制定部门规章,没有法律或者国务院的行政法规、决定、命令依据,不得设定减损公民、法人和其他组织权利或者增加其义务的规范,不得增加本部门的权力、减少本部门的法定职责(修正案草案第三十一条)。二是制定地方政府规章,没有法律、行政法规、地方性法规依据,不得设定减损公民、法人和其他组织权利或者增加其义务的规范。同时,考虑到地方实际工作的需要,修正案草案规定,应当制定地方性法规但条件尚不成熟的,因行政管理迫切需要,可以先制定地方政府规章,规章实施满两年需要继续实施规章所规定的行政措施的,应当提请本级人民代表大会或者其常务委员会制定地方性法规。(修正案草案第三十二条)

(二)关于发挥人大在立法工作中的主导作用

立法是宪法赋予人大及其常委会的一项重要职权。党的十八届四中全会决定提出，健全有立法权的人大主导立法工作的体制机制。根据各方面的意见，修正案草案从以下几个方面加以补充和完善：一是全国人大及其常委会通过立法规划、年度立法计划等形式，加强对立法工作的统筹安排（修正案草案第十六条、第十七条）。二是加强和改进法律起草机制，修正案草案规定，全国人大有关的专门委员会、常委会工作机构可以提前参与有关方面的法律草案起草工作；涉及综合性、全局性、基础性等事项的法律草案，可以由全国人大有关的专门委员会或者常委会工作机构组织起草（修正案草案第十八条）。三是更多发挥人大代表在立法中的作用。修正案草案规定，编制立法规划和年度立法计划，应当认真研究代表议案和建议；全国人大常委会审议法律案，应当通过多种形式征求代表的意见，并将有关情况予以反馈；全国人大专门委员会和常委会工作机构进行立法调研可以邀请有关的代表参加；全国人大常委会会议审议法律案，应当邀请有关的全国人大代表列席。（修正案草案第十七条、第六条、第七条）

（三）关于深入推进科学立法、民主立法

深入推进科学立法、民主立法是提高立法质量的根本途径。党的十八届三中、四中全会对深入推进科学立法、民主立法提出了一系列要求，常委会组成人员、代表、专家和社会公众也提出了许多好的意见和建议。据此，修正案草案规定：一是将提高立法质量明确为立法的一项基本要求，在总则中作出规定（修正案草案第一条）。二是拓宽公民有序参与立法的途径，开展立法协商，完善立法论证、听证、法律草案公开征求意见等制度（修正案草案第十条、第十一条、第十八条）。三是健全审议和表决机制。修正案草案规定，调整事项较为单一，各方面的意见比较一致的法律案，可以经一次人大常委会会议审议通过；对审议中个别意见分歧较大的重要条款设立单独表决制度；对多部法律中涉及同类事项的个别条款进行修改，一并提出法律案的，可以合并表决，也可以逐个表决

(修正案草案第八条、第十四条、第十五条)。四是增加法律通过前评估、法律清理、制定配套规定、立法后评估等一系列推进科学立法的措施。(修正案草案第十二条、第二十一条、第二十三条、第二十四条)

(四)关于完善制定行政法规的程序

一些代表、部门和地方提出,行政法规是中国特色社会主义法律体系的重要组成部分,建议按照党的十八届四中全会决定精神,对制定行政法规的程序作进一步完善。据此,修正案草案增加规定:一是对国务院编制年度立法计划提出要求,国务院年度立法计划中的法律项目应当与全国人大常委会的立法规划和年度立法计划相衔接。国务院法制机构对国务院各部门落实立法计划的情况,应当及时跟踪了解,加强组织协调和督促指导(修正案草案第二十五条)。二是对行政法规的起草提出要求,行政法规在起草过程中,应当广泛听取有关机关、组织、人大代表和公民的意见。重要行政管理的法律、行政法规草案由国务院法制机构组织起草。行政法规草案应当向社会公布,征求意见,但是经国务院决定不予公布的除外。(修正案草案第二十六条)

(五)关于加强备案审查

规范性文件备案审查是保证宪法法律有效实施、维护国家法制统一的重要制度。一些代表、地方和专家建议加强备案审查工作,加大备案审查力度。按照党的十八届四中全会决定关于加强备案审查制度和能力建设的要求,根据各方面的意见,修正案草案增加规定:一是全国人大有关的专门委员会和常委会工作机构可以对报送备案的规范性文件进行主动审查(修正案草案第三十七条)。二是全国人大有关的专门委员会和常委会工作机构可以将审查、研究情况向提出审查建议的国家机关、社会团体、企业事业组织以及公民反馈,并可以向社会公开(修正案草案第三十八条、第三十九条)。三是民族自治地方制定的自治条例、单行条例和经

济特区法规报送备案时，应当说明对法律、行政法规、地方性法规作出变通的情况。（修正案草案第三十六条）

（六）关于对司法解释的规范和监督

司法解释对于司法机关依法正确行使职权是必要的。按照党的十八届四中全会精神，针对目前实践中司法解释存在的问题，根据各方面的意见，修正案草案增加规定：一是最高人民法院、最高人民检察院对审判工作、检察工作中具体应用法律的解释，应当主要针对具体的法律条文，并符合立法的目的、原则和原意。二是最高人民法院、最高人民检察院在行使职权中遇有立法法规定情况的，应当向全国人大常委会提出法律解释的要求或者提出制定、修改有关法律的议案。三是最高人民法院、最高人民检察院作出具体应用法律的解释，应当报全国人大常委会备案。四是除最高人民法院、最高人民检察院外，其他审判机关和检察机关，不得作出具体应用法律的解释。（修正案草案第四十一条）

此外，修正案草案还对国务院和中央军委联合发布行政法规、武警部队制定军事规章等进行了修改补充和完善。

这里还有一个问题需要说明。这次修改立法法赋予所有设区的市地方立法权后，需要考虑是否对几个不设区的地级市赋予地方立法权的问题。广东省东莞市和中山市、甘肃省嘉峪关市属地级市，但不设区。按照赋予设区的市地方立法权的精神，建议在依法赋予设区的市地方立法权的同时，赋予广东省东莞市、中山市和甘肃省嘉峪关市设区的市地方立法权。

《中华人民共和国立法法修正案（草案）》和以上说明，请审议。

第十二届全国人民代表大会法律委员会关于《中华人民共和国立法法修正案（草案）》审议结果的报告

（2015 年 3 月 12 日第十二届全国人民代表大会第三次会议主席团第二次会议通过）

十二届全国人大三次会议主席团：

3 月 10 日，各代表团全体会议、小组会议审议了立法法修正案（草案）。代表们普遍认为，立法法修改全面贯彻落实党的十八大和十八届三中、四中全会精神，贯彻落实习近平总书记系列重要讲话精神，坚持党的领导、人民当家做主和依法治国有机统一，坚持立法决策与改革决策相衔接，为“四个全面”战略布局顺利推进提供有力法律保障，是非常必要和及时的。这次修改立法法，党中央高度重视，全国人大常委会周密部署，恪守立法为民理念，广泛征求各方面意见，重视发挥代表作用，是一次听民意、集民智的重要立法实践。修正案草案全面总结立法法施行十五年来的实践经验，坚持问题导向，进一步完善立法体制，强调发挥人大在立法工作中的主导作用，对立法程序的规定更加科学、具体，对司法解释和法规备案审查等进一步予以规范。修正案草案已经比较成熟，建议提请本次会议通过。代表们还对修正案草案提出了一些修改意见。与此同时,全国政协委员也对修正案草案提出了一些修改建议,法制工作委员会作了认真研究。法律委员会于 3 月 11 日召开会议,对修正案草案进行了审议,国务院法制办负责同志列席会议。经对代表提出的修改意见逐条认真研究,对修正案草案作了 63 处修改,其中带有实质性的修改 27 处。主要修改是:

一、有些代表建议在立法法中增加立法公开的原则。有些代表提出,向社会公布法律草案,是充分听取各方面意见的重要形式,建议将修正案草案中法律草案向社会公布征求意见的时间一般不得少于二十日的规定作适当延长。有的代表建议,法律法规和部门规章、地方政府规章应当统一刊载,便于社会各方面了解查询。法律委员会经研究认为,增强立法的公开性,适当延长法律草案向社会公布征求意见的时间,统一刊载法律法规,符合推进科学立法、民主立法的要求,建议对修正案草案作以下补充和修改:一是在立法法第五条中增加“坚持立法公开”的内容。二是将法律草案向社会公布征求意见的时间由“二十日”修改为“三十日”。三是增加规定法律、行政法规、地方性法规、自治条例和单行条例、部门规章和地方政府规章的文本,除在相应的公报和有关报纸上刊载外,法律、地方性法规、自治条例和单行条例统一由中国人大网刊载,行政法规、部门规章、地方政府规章统一由中国政府法制信息网刊载。(修改决定草案第二条、第十二条、第二十一条、第三十条、第三十四条、第三十八条)

二、修正案草案第三条中规定“税种的开征、停征和税收征收管理的基本制度”只能由法律规定。一些代表建议将税收要素中的“税率”予以明确列举。法律委员会经研究认为,税率是税种的基本要素,凡是单行税法都要对税率作出规定,比如企业所得税法,在设立这一税种的同时,规定税率为 25%;明确税率由法律规定,并不排除税收单行法律同时明确由国务院对具体税率作出调整,比如车船税法,在规定税目税额的同时,相应也规定了幅度,并授权国务院或者地方可以在幅度内确定具体税额或者调整。为此，按照落实税收法定原则的要求，根据代表们的意见，建议将这一项的表述修改为："税种的设立、税率的确定和税收征收管理等税收基本制度"。（修改决定草案第四条）

三、修正案草案第五条规定："全国人民代表大会及其常务委员会可以根据改革发展的需要，决定就行政管理等领域的特定事项授权在部分地方暂停适用法律的部分规定。"有的代表提出，近年来全国人大常委会通过的授权决定，既有"暂时调整实施"，也有"暂时停止适用"，应当将这两种情形都在立法法中予以规定，并明确授权应有期限。法律委员会经研究，赞成上述意见，建议在这一条中增加暂时调整适用法律的部分规定的情况以及应当明确关于授权期限的规定。（修改决定草案第六条）

四、修正案草案第二十三条规定："法律规定明确要求有关国家机关对专门事项作出配套的具体规定的，有关国家机关应当及时作出规定。"有些代表提出，为了确保法律的实施，应当对制定配套规定的时限提出明确要求。法律委员会经研究认为，制定配套规定涉及的情况各有不同，需要区分情况予以明确，建议将这一条修改为："法律规定明确要求有关国家机关对专门事项作出配套的具体规定的，有关国家机关应当自法律施行起一年内作出规定，法律对配套的具体规定制定期限另有规定的，从其规定。有关国家机关在前述期限内未作出配套的具体规定的，应当向全国人民代表大会常务委员会说明情况。"（修改决定草案第二十五条）

五、修正案草案第二十八条对较大的市的地方立法权作了规定，并明确："本法所称较大的市是指省、自治区的人民政府所在地的市，经济特区所在地的市，国务院已经批准的较大的市和其他设区的市。"有些代表提出，现行立法法中的"较大的市"具有特定涵义，只包括部分设区的市，赋予所有设区的市地方立法权后，直接使用"设区的市"的表述更加明了，也易于理解。法律委员会经研究,建议将修正案草案中关于“较大的市”的相关表述修改为“设区的市”。(修改决定草案第三十一条、第三十二条、第三十三条、第三十六条、第四十条、第四十一条)

六、修正案草案第十条对法律案审议中召开立法论证会、听证会的情形作了规定,第十八条对全国人大有关的专门委员会和常委会工作机构提前参与有关方面的法律草案起草工作作了规定,第三十九条对法规备案审查中专门委员会和常委会工作机构向提出审查建议的国家机关、社会团体、企业事业组织以及公民进行反馈作了规定。有些代表提出,这些规定是推进科学立法、民主立法的重要措施,但是,这些规定都使用“可以”的表述,缺乏刚性,建议将“可以”改为“应当”。法律委员会经研究,建议采纳这一意见,对修正案草案作出相应修改。同时,根据有的代表的意见,建议在修正案草案关于立法论证会和听证会的相关规定中,明确听取有关全国人大代表意见。(修改决定草案第十一条、第十九条、第四十四条)

七、关于几个不设区的地级市的地方立法权问题。修正案草案的说明建议在依法赋予设区的市地方立法权的同时,赋予广东省东莞市、中山市和甘肃省嘉峪关市设区的市地方立法权。在审议中,有的代表团和有的代表要求对 2012 年设立的海南省三沙市也赋予设区的市地方立法权。法律委员会经研究认为,赋予三沙市设区的市地方立法权是可以的,建议在修改决定中规定,广东省东莞市和中山市、甘肃省嘉峪关市、海南省三沙市,比照适用本决定有关赋予设区的市地方立法权的规定。

这里还有几个问题需要说明:

一是,关于设区的市地方立法的权限,修正案草案规定为“城乡建设与管理、环境保护、历史文化保护等方面的事项”。有的代表建议对设区的市的地方立法权限不作限制;有的代表建议增加一些事项,包括教育、城乡规划、社会管理、社会保障、经济发展、民生保障、生态建设、自然资源保护等；有的代表建议对已经享有地方立法权的49个较大的市的立法权限不作限制，实行“老城老办法、新城新办法”；也有的代表认为应当对所有设区的市一视同仁。法律委员会经研究认为，“城乡建设与管理、环境保护、历史文化保护等方面的事项”，范围是比较宽的。比如，从城乡建设与管理看，就包括城乡规划、基础设施建设、市政管理等；从环境保护看，按照环境保护法的规定，范围包括大气、水、海洋、土地、矿藏、森林、草原、湿地、野生生物、自然遗迹、人文遗迹等；从目前49个较大的市已制定的地方性法规涉及的领域看，修正案草案规定的范围基本上都可以涵盖。同时，草案规定还考虑了原有49个较大的市的情况，规定其已制定的地方性法规继续有效。总体上看，这样规定能够适应地方实际需要，建议维持修正案草案的规定。

二是，一些代表对有关法规和司法解释等规范性文件的备案审查的范围、程序提出了一些意见，建议加强备案审查工作。法律委员会认为，有关备案审查的制度，宪法、全国人民代表大会组织法、地方组织法和监督法中都有相应规定，法规和司法解释备案审查工作除依照立法法的有关规定外，还要依据上述法律的规定进行。因此，上述法律已作出明确规定的，可不在立法法中再作规定。

三是，许多代表对加强全国人大和地方人大的立法队伍建设提出了很多好的建议，特别对设区的市的立法专门机构设置、人员配备、队伍建设等提出了一些建议。法律委员会建议中央有关部门给予大力支持和帮助，采取有效措施，加大立法人才培养、法制工作机构设置、人员配备等力度。有关方面要对设区的市开展立法工作进行指导，积极稳妥地推进地方立法工作。

四是，有的代表对立法法的其他条款提出了一些修改意见，考虑到这次立法法修改采用的是修正案的方式，不是全面修改，因此对修正案以外的条款涉及文字表述的，这次可暂不作修改，建议继续予以研究。

根据有些代表的意见，还对修正案草案作了一些文字修改。此外，修改决定草案将“较大的市”的相关表述修改为“设区的市”，涉及地方组织法、行政处罚法、人口与计划生育法等法律的相应规定相衔接的问题，法律委员会建议，这次立法法修改后，要相应对这些法律的相关规定进行修改，以保证法律之间的衔接和统一。

法律委员会根据以上修改意见，提出了全国人民代表大会关于修改《中华人民共和国立法法》的决定（草案），建议经主席团审议通过后，印发各代表团审议。

修改决定草案和以上报告，请审议。

第十二届全国人民代表大会法律委员会

2015 年 3 月 12 日

第十二届全国人民代表大会法律委员会关于《全国人民代表大会关于修改〈中华人民共和国立法法〉的决定(草案)》修改意见的报告

(2015 年 3 月 14 日第十二届全国人民代表大会第三次会议主席团第三次会议通过)

十二届全国人大三次会议主席团：

3 月 12 日下午，各代表团对全国人民代表大会关于修改《中华人民共和国立法法》的决定(草案)进行了审议。普遍认为，修改决定草案充分吸纳了代表们的审议意见，作了许多重要修改；对未采纳的意见，都进行了认真研究，在审议结果的报告中作了积极回应，并向有关代表作了解释说明，充分体现了对代表主体地位的尊重。代表们对修改决定草案普遍表示满意，赞成将修改决定草案提请本次大会表决通过。同时，有的代表对修改决定草案还提出了一些修改意见。法律委员会于 3 月 13 日召开会议，对修改决定草案进行了审议，并对代表提出的修改意见逐条认真研究，国务院法制办负责同志列席会议。法律委员会认为，修改决定草案是可行的，同时，提出以下修改意见：

一、修改决定草案第十一条中规定，召开听证会应当“听取基层和有关群体代表、有关部门、人民团体、有关专家、有关全国人民代表大会代表和社会有关方面意见。”有的代表提出，这一规定中有几处“有关”的表述，过于重复，应当予以合并。法律委员会经研究，建议将这一规定修改为：召开听证会应当“听取有关基层和群体代表、部门、人民团体、专家、全国人民代表大会代表和社会有关方面的意见”。（修改决定草案建议表决稿第十一条）

二、修改决定草案第二十五条对有关国家机关制定配套的具体规定作了规定。有的代表提出，对这一条的文字再作更为准确的表述。法律委员会经研究，建议将这一条修改为：“法律规定明确要求有关国家机关对专门事项作出配套的具体规定的，有关国家机关应当自法律施行之日起一年内作出规定，法律对配套的具体规定制定期限另有规定的，从其规定。有关国家机关未能在期限内作出配套的具体规定的，应当向全国人民代表大会常务委员会说明情况。”（修改决定草案建议表决稿第二十五条）

此外，根据有的代表的意见，还对修改决定草案作了几处其他文字修改。

修改决定草案建议表决稿已按上述意见作了修改，建议经主席团审议通过后，提请本次会议表决。

修改决定草案建议表决稿和以上报告，请审议。

第十二届全国人民代表大会法律委员会

2015 年 3 月 14 日

全国人民代表大会关于修改《中华人民共和国立法法》的决定

（2015 年 3 月 15 日第十二届全国人民代表大会第三次会议通过）

第十二届全国人民代表大会第三次会议决定对《中华人民共和国立法法》作如下修改：

一、将第一条修改为："为了规范立法活动，健全国家立法制度，提高立法质量，完善中国特色社会主义法律体系，发挥立法的引领和推动作用，保障和发展社会主义民主，全面推进依法治国，建设社会主义法治国家，根据宪法，制定本法。"

二、将第五条修改为："立法应当体现人民的意志，发扬社会主义民主，坚持立法公开，保障人民通过多种途径参与立法活动。"

三、将第六条修改为："立法应当从实际出发，适应经济社会发展和全面深化改革的要求，科学合理地规定公民、法人和其他组织的权利与义务、国家机关的权力与责任。

"法律规范应当明确、具体，具有针对性和可执行性。"

四、第八条增加一项，作为第六项："（六）税种的设立、税率的确定和税收征收管理等税收基本制度"。

第六项改为第七项，修改为："（七）对非国有财产的征收、征用"。

第八项改为第九项,修改为:“(九)基本经济制度以及财政、海关、金融和外贸的基本制度”。

五、将第十条改为两条,作为第十条、第十二条,修改为:

“第十条　授权决定应当明确授权的目的、事项、范围、期限以及被授权机关实施授权决定应当遵循的原则等。

“授权的期限不得超过五年,但是授权决定另有规定的除外。

“被授权机关应当在授权期限届满的六个月以前,向授权机关报告授权决定实施的情况,并提出是否需要制定有关法律的意见;需要继续授权的,可以提出相关意见,由全国人民代表大会及其常务委员会决定。

“第十二条　被授权机关应当严格按照授权决定行使被授予的权力。

“被授权机关不得将被授予的权力转授给其他机关。”

六、增加一条,作为第十三条:“全国人民代表大会及其常务委员会可以根据改革发展的需要,决定就行政管理等领域的特定事项授权在一定期限内在部分地方暂时调整或者暂时停止适用法律的部分规定。”

七、将第十四条改为第十六条,增加一款,作为第二款:“常务委员会依照前款规定审议法律案,应当通过多种形式征求全国人民代表大会代表的意见,并将有关情况予以反馈;专门委员会和常务委员会工作机构进行立法调研,可以邀请有关的全国人民代表大会代表参加。”

八、将第二十六条改为第二十八条,增加一款,作为第二款:“常务委员会会议审议法律案时,应当邀请有关的全国人民代表大会代表列席会议。”

九、将第二十八条改为第三十条,修改为:“列入常务委员会会议议程的法律案,各方面意见比较一致的,可以经两次常务委员会会议审议后交付表决;调整事项较为单一或者部分修改的法律案,各方面的意见比较一致的,也可以经一次常务委员会会议审议即交付表决。”

十、将第三十一条改为第三十三条,修改为:“列入常务委员会会议议程的法律案,由法律委员会根据常务委员会组成人员、有关的专门委员会的审议意见和各方面提出的意见,对法律案进行统一审议,提出修改情况的汇报或者审议结果报告和法律草案修改稿,对重要的不同意见应当在汇报或者审议结果报告中予以说明。对有关的专门委员会的审议意见没有采纳的,应当向有关的专门委员会反馈。

“法律委员会审议法律案时,应当邀请有关的专门委员会的成员列席会议,发表意见。”

十一、将第三十四条改为第三十六条,增加两款,作为第二款、第三款:“法律案有关问题专业性较强,需要进行可行性评价的,应当召开论证会,听取有关专家、部门和全国人民代表大会代表等方面的意见。论证情况应当向常务委员会报告。

“法律案有关问题存在重大意见分歧或者涉及利益关系重大调整,需要进行听证的,应当召开听证会,听取有关基层和群体代表、部门、人民团体、专家、全国人民代表大会代表和社会有关方面的意见。听证情况应当向常务委员会报告。”

第二款改为第四款,修改为:“常务委员会工作机构应当将法律草案发送相关领域的全国人民代表大会代表、地方人民代表大会常务委员会以及有关部门、组织和专家征求意见。”

十二、将第三十五条改为第三十七条,修改为:“列入常务委员会会议议程的法律案,应当在常务委员会会议后将法律草案及其起草、修改的说明等向社会公布,征求意见,但是经委员长会议决定不公布的除外。向社会公布征求意见的时间一般不少于三十日。征求意见的情况应当向社会通报。”

十三、增加一条,作为第三十九条:“拟提请常务委员会会议审议通过的法律案，在法律委员会提出审议结果报告前，常务委员会工作机构可以对法律草案中主要制度规范的可行性、法律出台时机、法律实施的社会效果和可能出现的问题等进行评估。评估情况由法律委员会在审议结果报告中予以说明。”

十四、删除第三十八条。

十五、将第四十条改为第四十一条，增加两款，作为第二款、第三款：“法律草案表决稿交付常务委员会会议表决前，委员长会议根据常务委员会会议审议的情况，可以决定将个别意见分歧较大的重要条款提请常务委员会会议单独表决。

“单独表决的条款经常务委员会会议表决后，委员长会议根据单独表决的情况，可以决定将法律草案表决稿交付表决，也可以决定暂不付表决，交法律委员会和有关的专门委员会进一步审议。”

十六、增加一条，作为第四十三条：“对多部法律中涉及同类事项的个别条款进行修改，一并提出法律案的，经委员长会议决定，可以合并表决，也可以分别表决。”

十七、增加一条，作为第五十一条：“全国人民代表大会及其常务委员会加强对立法工作的组织协调，发挥在立法工作中的主导作用。”

十八、增加一条，作为第五十二条：“全国人民代表大会常务委员会通过立法规划、年度立法计划等形式，加强对立法工作的统筹安排。编制立法规划和年度立法计划，应当认真研究代表议案和建议，广泛征集意见，科学论证评估，根据经济社会发展和民主法治建设的需要，确定立法项目，提高立法的及时性、针对性和系统性。立法规划和年度立法计划由委员长会议通过并向社会公布。

“全国人民代表大会常务委员会工作机构负责编制立法规划和拟订年度立法计划，并按照全国人民代表大会常务委员会的要求，督促立法规划和年度立法计划的落实。”

十九、增加一条，作为第五十三条：“全国人民代表大会有关的专门委员会、常务委员会工作机构应当提前参与有关方面的法律草案起草工作;综合性、全局性、基础性的重要法律草案,可以由有关的专门委员会或者常务委员会工作机构组织起草。

“专业性较强的法律草案,可以吸收相关领域的专家参与起草工作,或者委托有关专家、教学科研单位、社会组织起草。”

二十、将第四十八条改为第五十四条,修改为:“提出法律案,应当同时提出法律草案文本及其说明,并提供必要的参阅资料。修改法律的,还应当提交修改前后的对照文本。法律草案的说明应当包括制定或者修改法律的必要性、可行性和主要内容,以及起草过程中对重大分歧意见的协调处理情况。”

二十一、将第五十二条改为第五十八条,第二款修改为:“法律签署公布后,及时在全国人民代表大会常务委员会公报和中国人大网以及在全国范围内发行的报纸上刊载。”

二十二、将第五十三条改为第五十九条,第二款改为两款,作为第二款、第三款,修改为:“法律被修改的,应当公布新的法律文本。

“法律被废止的,除由其他法律规定废止该法律的以外,由国家主席签署主席令予以公布。”

二十三、增加一条,作为第六十条:“法律草案与其他法律相关规定不一致的,提案人应当予以说明并提出处理意见,必要时应当同时提出修改或者废止其他法律相关规定的议案。

“法律委员会和有关的专门委员会审议法律案时,认为需要修改或者废止其他法律相关规定的,应当提出处理意见。”

二十四、将第五十四条改为第六十一条,第三款修改为:“法律标题的题注应当载明制定机关、通过日期。经过修改的法律,应当依次载明修改机关、修改日期。”

二十五、增加一条,作为第六十二条:“法律规定明确要求有关国家机关对专门事项作出配套的具体规定的,有关国家机关应当自法律施行之日起一年内作出规定,法律对配套的具体规定制定期限另有规定的,从其规定。有关国家机关未能在期限内作出配套的具体规定的,应当向全国人民代表大会常务委员会说明情况。”

二十六、增加一条,作为第六十三条:“全国人民代表大会有关的专门委员会、常务委员会工作机构可以组织对有关法律或者法律中有关规定进行立法后评估。评估情况应当向常务委员会报告。”

二十七、将第五十七条改为第六十六条,修改为:“国务院法制机构应当根据国家总体工作部署拟订国务院年度立法计划,报国务院审批。国务院年度立法计划中的法律项目应当与全国人民代表大会常务委员会的立法规划和年度立法计划相衔接。国务院法制机构应当及时跟踪了解国务院各部门落实立法计划的情况,加强组织协调和督促指导。

“国务院有关部门认为需要制定行政法规的,应当向国务院报请立项。”

二十八、将第五十八条改为第六十七条,修改为:“行政法规由国务院有关部门或者国务院法制机构具体负责起草,重要行政管理的法律、行政法规草案由国务院法制机构组织起草。行政法规在起草过程中,应当广泛听取有关机关、组织、人民代表大会代表和社会公众的意见。听取意见可以采取座谈会、论证会、听证会等多种形式。

“行政法规草案应当向社会公布,征求意见,但是经国务院决定不公布的除外。”

二十九、将第六十一条改为第七十条,增加一款,作为第二款:“有关国防建设的行政法规,可以由国务院总理、中央军事委员会主席共同签署国务院、中央军事委员会令公布。”

三十、将第六十二条改为第七十一条,第一款修改为:“行政法规签署公布后,及时在国务院公报和中国政府法制信息网以及在全国范围内发行的报纸上刊载。”

三十一、将第六十三条改为第七十二条,第二款修改为:“设区的市的人民代表大会及其常务委员会根据本市的具体情况和实际需要,在不同宪法、法律、行政法规和本省、自治区的地方性法规相抵触的前提下,可以对城乡建设与管理、环境保护、历史文化保护等方面的事项制定地方性法规,法律对设区的市制定地方性法规的事项另有规定的,从其规定。设区的市的地方性法规须报省、自治区的人民代表大会常务委员会批准后施行。省、自治区的人民代表大会常务委员会对报请批准的地方性法规,应当对其合法性进行审查,同宪法、法律、行政法规和本省、自治区的地方性法规不抵触的,应当在四个月内予以批准。”

第三款修改为:“省、自治区的人民代表大会常务委员会在对报请批准的设区的市的地方性法规进行审查时,发现其同本省、自治区的人民政府的规章相抵触的,应当作出处理决定。”

删除第四款。

增加三款,作为第四款、第五款、第六款:“除省、自治区的人民政府所在地的市,经济特区所在地的市和国务院已经批准的较大的市以外,其他设区的市开始制定地方性法规的具体步骤和时间,由省、自治区的人民代表大会常务委员会综合考虑本省、自治区所辖的设区的市的人口数量、地域面积、经济社会发展情况以及立法需求、立法能力等因素确定,并报全国人民代表大会常务委员会和国务院备案。

“自治州的人民代表大会及其常务委员会可以依照本条第二款规定行使设区的市制定地方性法规的职权。自治州开始制定地方性法规的具体步骤和时间,依照前款规定确定。

“省、自治区的人民政府所在地的市,经济特区所在地的市和国务院已经批准的较大的市已经制定的地方性法规,涉及本条第二款规定事项范围以外的,继续有效。”

三十二、将第六十四条改为第七十三条,第二款修改为:“除本法第八条规定的事项外,其他事项国家尚未制定法律或者行政法规的,省、自治区、直辖市和设区的市、自治州根据本地方的具体情况和实际需要,可以先制定地方性法规。在国家制定的法律或者行政法规生效后,地方性法规同法律或者行政法规相抵触的规定无效,制定机关应当及时予以修改或者废止。”

增加两款,作为第三款、第四款:“设区的市、自治州根据本条第一款、第二款制定地方性法规,限于本法第七十二条第二款规定的事项。

“制定地方性法规,对上位法已经明确规定的内容,一般不作重复性规定。”

三十三、将第六十九条改为第七十八条,第三款修改为:“设区的市、自治州的人民代表大会及其常务委员会制定的地方性法规报经批准后,由设区的市、自治州的人民代表大会常务委员会发布公告予以公布。”

三十四、将第七十条改为第七十九条,第一款修改为:“地方性法规、自治区的自治条例和单行条例公布后,及时在本级人民代表大会常务委员会公报和中国人大网、本地方人民代表大会网站以及在本行政区域范围内发行的报纸上刊载。”

三十五、将第七十一条改为第八十条,第二款修改为:“部门规章规定的事项应当属于执行法律或者国务院的行政法规、决定、命令的事项。没有法律或者国务院的行政法规、决定、命令的依据,部门规章不得设定减损公民、法人和其他组织权利或者增加其义务的规范,不得增加本部门的权力或者减少本部门的法定职责。”

三十六、将第七十三条改为第八十二条,第一款修改为:“省、自治区、直辖市和设区的市、自治州的人民政府,可以根据法律、行政法规和本省、自治区、直辖市的地方性法规,制定规章。”

增加四款,作为第三款、第四款、第五款、第六款:“设区的市、自治州的人民政府根据本条第一款、第二款制定地方政府规章,限于城乡建设与管理、环境保护、历史文化保护等方面的事项。已经制定的地方政府规章,涉及上述事项范围以外的,继续有效。

“除省、自治区的人民政府所在地的市,经济特区所在地的市和国务院已经批准的较大的市以外,其他设区的市、自治州的人民政府开始制定规章的时间,与本省、自治区人民代表大会常务委员会确定的本市、自治州开始制定地方性法规的时间同步。

“应当制定地方性法规但条件尚不成熟的,因行政管理迫切需要,可以先制定地方政府规章。规章实施满两年需要继续实施规章所规定的行政措施的,应当提请本级人民代表大会或者其常务委员会制定地方性法规。

“没有法律、行政法规、地方性法规的依据,地方政府规章不得设定减损公民、法人和其他组织权利或者增加其义务的规范。”

三十七、将第七十六条改为第八十五条,第二款修改为:“地方政府规章由省长、自治区主席、市长或者自治州州长签署命令予以公布。”

三十八、将第七十七条改为第八十六条,第一款修改为:“部门规章签署公布后,及时在国务院公报或者部门公报和中国政府法制信息网以及在全国范围内发行的报纸上刊载。”

第二款修改为:“地方政府规章签署公布后,及时在本级人民政府公报和中国政府法制信息网以及在本行政区域范围内发行的报纸上刊载。”

三十九、将第五章的章名修改为“适用与备案审查”。

四十、将第八十条改为第八十九条,第二款修改为:“省、自治区的人民政府制定的规章的效力高于本行政区域内的设区的市、自治州的人民政府制定的规章。”

四十一、将第八十九条改为第九十八条,第二项修改为:“(二)省、自治区、直辖市的人民代表大会及其常务委员会制定的地方性法规,报全国人民代表大会常务委员会和国务院备案;设区的市、自治州的人民代表大会及其常务委员会制定的地方性法规,由省、自治区的人民代表大会常务委员会报全国人民代表大会常务委员会和国务院备案”。

第三项修改为:“(三)自治州、自治县的人民代表大会制定的自治条例和单行条例,由省、自治区、直辖市的人民代表大会常务委员会报全国人民代表大会常务委员会和国务院备案;自治条例、单行条例报送备案时,应当说明对法律、行政法规、地方性法规作出变通的情况”。

第四项修改为:“(四)部门规章和地方政府规章报国务院备案;地方政府规章应当同时报本级人民代表大会常务委员会备案;设区的市、自治州的人民政府制定的规章应当同时报省、自治区的人民代表大会常务委员会和人民政府备案”。

第五项修改为:“(五)根据授权制定的法规应当报授权决定规定的机关备案;经济特区法规报送备案时,应当说明对法律、行政法规、地方性法规作出变通的情况”。

四十二、将第九十条改为第九十九条,增加一款,作为第三款:“有关的专门委员会和常务委员会工作机构可以对报送备案的规范性文件进行主动审查。”

四十三、将第九十一条改为第一百条,第一款修改为:“全国人民代表大会专门委员会、常务委员会工作机构在审查、研究中认为行政法规、地方性法规、自治条例和单行条例同宪法或者法律相抵触的,可以向制定机关提出书面审查意见、研究意见;也可以由法律委员会与有关的专门委员会、常务委员会工作机构召开联合审查会议,要求制定机关到会说明情况,再向制定机关提出书面审查意见。制定机关应当在两个月内研究提出是否修改的意见,并向全国人民代表大会法律委员会和有关的专门委员会或者常务委员会工作机构反馈。”

增加一款，作为第二款：“全国人民代表大会法律委员会、有关的专门委员会、常务委员会工作机构根据前款规定，向制定机关提出审查意见、研究意见，制定机关按照所提意见对行政法规、地方性法规、自治条例和单行条例进行修改或者废止的，审查终止。”

第二款改为第三款，修改为：“全国人民代表大会法律委员会、有关的专门委员会、常务委员会工作机构经审查、研究认为行政法规、地方性法规、自治条例和单行条例同宪法或者法律相抵触而制定机关不予修改的，应当向委员长会议提出予以撤销的议案、建议，由委员长会议决定提请常务委员会会议审议决定。”

四十四、增加一条，作为第一百零一条：“全国人民代表大会有关的专门委员会和常务委员会工作机构应当按照规定要求，将审查、研究情况向提出审查建议的国家机关、社会团体、企业事业组织以及公民反馈，并可以向社会公开。”

四十五、将第九十三条改为第一百零三条，第二款修改为：“中央军事委员会各总部、军兵种、军区、中国人民武装警察部队，可以根据法律和中央军事委员会的军事法规、决定、命令，在其权限范围内，制定军事规章。”

四十六、增加一条，作为第一百零四条：“最高人民法院、最高人民检察院作出的属于审判、检察工作中具体应用法律的解释，应当主要针对具体的法律条文，并符合立法的目的、原则和原意。遇有本法第四十五条第二款规定情况的，应当向全国人民代表大会常务委员会提出法律解释的要求或者提出制定、修改有关法律的议案。

“最高人民法院、最高人民检察院作出的属于审判、检察工作中具体应用法律的解释，应当自公布之日起三十日内报全国人民代表大会常务委员会备案。

“最高人民法院、最高人民检察院以外的审判机关和检察机关,不得作出具体应用法律的解释。”

广东省东莞市和中山市、甘肃省嘉峪关市、海南省三沙市,比照适用本决定有关赋予设区的市地方立法权的规定。

本决定自公布之日起施行。

《中华人民共和国立法法》根据本决定作相应修改,重新公布。

二、2000 年制定立法法有关文件

关于《中华人民共和国立法法（草案）》的说明

——2000 年 3 月 9 日在第九届全国人民代表大会第三次会议上

全国人民代表大会常务委员会法制工作委员会主任 顾昂然

各位代表：

根据全国人大常委会的决定，我向大会作关于《中华人民共和国立法法（草案）》的说明。

立法法是关于国家立法制度的重要法律。根据中共十一届三中全会关于发展社会主义民主、健全社会主义法制的精神，一九八二年宪法对我国立法体制进行了改革。宪法、全国人大组织法、地方组织法对立法权限的划分、立法程序、法律解释等问题作了基本规定，全国人大及其常委会的议事规则对法律的制定程序又进一步作了具体规定。实践表明，这些规定是正确的、可行的。1979 年以来，我国的立法工作取得了显著成就，积累了不少经验。但在实际工作中也存在着一些问题，主要是：有些法规、规章规定的内容超越了权限；有些法规、规章的规定同法律相抵触或者法规之间、规章之间、法规与规章之间存在着相互矛盾、冲突的现象；有的质量不高,在起草、制定过程中,有的部门、地方存在着不从国家整体利益考虑而为部门、地方争局部利益的倾向。这些问题在一定程度上损害了国家法制的统一和尊严,也给执法造成困难。因此,需要根据宪法制定立法法,对法律、法规以及规章的制定作出统一规定,使之更加规范化、制度化,以维护国家法制的统一,建立和完善有中国特色社会主义法律体系,这对推进依法治国,建设社会主义法治国家,有着十分重要的意义。

全国人大常委会法制工作委员会根据全国人大常委会立法规划,受委员长会议委托,从 1993 年下半年着手进行立法法的起草工作,多次召开各有关方面和法律专家参加的座谈会,进行讨论研究,三次将立法法草案征求意见稿印发中央有关机关和各省、自治区、直辖市的人大常委会广泛征求意见,反复修改,形成了立法法草案。九届全国人大常委会第十二、十三次会议对立法法草案进行了审议,根据人大常委会组成人员的审议意见和各方面的意见,对立法法草案进一步作了修改完善。

立法法草案以宪法为依据,总结二十年来的立法经验,对立法工作应当遵循的基本原则,法律、行政法规、地方性法规、自治条例和单行条例、规章各自的权限范围,制定程序和适用规则等问题,作了比较具体的规定。现对草案的几个主要问题说明如下:

一、关于适用范围

立法法是规范立法活动的法律。根据宪法确定的立法体制,立法法草案规定:法律、行政法规、地方性法规、自治条例和单行条例的制定、修改和废止,适用本法。国务院部门规章和地方政府规章的制定、修改和废止程序,依照本法的有关规定执行。中央军事委员会根据宪法和法律制定的军事法规,只在军队内部施行,其制定、修改和废止的程序与法律、行政法规、地方性法规有所不同,因此,草案规定:军事法规的制定、修改和废止程序,由中央军事委员会规定。

关于宪法的修改,宪法规定了特殊的程序,与一般立法程序不同。宪法第六十四条规定:“宪法的修改,由全国人民代表大会常务委员会或者五分之一以上的全国人民代表大会代表提议,并由全国人民代表大会以全体代表的三分之二以上的多数通过。”宪法的修改应当按照宪法规定的程序执行,本法对此未做规定。

根据宪法第三十一条制定的香港特别行政区基本法、澳门特别行政区基本法,对其修改和解释程序都作了特别规定,这两个法律的修改和解释应当分别按照这两个基本法的规定执行。

二、关于立法活动应当遵循的基本原则

根据宪法,总结二十年来立法工作经验,立法法草案明确规定了立法活动应当遵循的基本原则:第一,应当遵循宪法的基本原则。宪法的基本原则是指以经济建设为中心,坚持四项基本原则,坚持改革开放。坚持四项基本原则,就是多年来一贯强调的坚持社会主义道路,坚持人民民主专政,坚持中国共产党的领导,坚持马列主义、毛泽东思想、邓小平理论。这是立法工作坚持正确的政治方向,维护人民利益的根本保证,立法必须坚持和维护宪法的基本原则。第二,维护社会主义法制的统一和尊严。法制统一,是维护国家统一和建立国内统一市场的重要保证。不论是中央还是地方,不论是权力机关还是行政机关,都必须从国家整体利益出发,防止通过立法搞地方保护主义和部门保护主义。第三,立法应当体现人民的意志,维护人民的利益。因此,在立法工作中,应当发扬社会主义民主,保障人民通过多种途径参与立法活动。第四,坚持从实际出发的指导思想。从实际出发,实事求是,是我们的思想路线,立法应当从我国的国情出发,符合我国的实际,科学、合理地规定公民、法人和其他组织的权利与义务、国家机关的权力与责

任，坚持权利与义务、权力与责任相统一的原则。第五，立法法对立法活动进行了规范，立法应当依照法定的权限和程序进行。

三、关于立法权限的划分

宪法规定：全国人大及其常委会行使国家立法权，制定法律；国务院根据宪法和法律制定行政法规；省级人大及其常委会在不同宪法、法律、行政法规相抵触的前提下制定地方性法规；民族自治地方包括自治区、自治州、自治县的人大有权制定自治条例和单行条例，分别报有关上级人大常委会批准。宪法对这些国家机关的立法权限从大的原则上作了规定，立法法草案对全国人大及其常委会与国务院、中央与地方之间，在立法事项方面的具体划分作了规定。

根据宪法规定，总结实践经验，草案着重对只能由全国人大及其常委会立法的事项作了进一步明确，即：(1)国家主权的事项；(2)各级人民代表大会、人民政府、人民法院和人民检察院的产生、组织和职权；(3)民族区域自治制度、特别行政区制度、基层群众自治制度；(4)犯罪与刑罚；(5)对公民政治权利的剥夺、限制人身自由的强制措施和处罚；(6)对非国有财产的征收；(7)民事基本制度；(8)基本经济制度以及财政、税收、海关、金融和外贸的基本制度；(9)诉讼和仲裁制度；(10)必须由全国人大及其常委会制定法律的其他事项。上述事项，都是关系国家基本的政治制度、经济制度和民事刑事等法律制度的重大事项。至于哪些事项应由全国人大立法，哪些可以由全国人大常委会立法，按宪法的规定，全国人大制定和修改刑事、民事、国家机构的和其他的基本法律，全国人大常委会制定和修改除基本法律以外的其他法律。

草案对行政法规、地方性法规、自治条例和单行条例的权限范围作了大致规定。除以上只能由全国人大及其常委会制定法律的事项外，对其他事项，尚未制定法律的，原则上行政法规、地方性法规可以先作规定,如果需要对只能由法律规定的事项作出规定,则需经全国人大及其常委会授权。自治条例和单行条例可以根据当地民族的特点,对法律、行政法规作变通规定,但不得违背法律、行政法规的基本原则,不得对法律、行政法规专门就民族自治地方所作的规定作出变通规定。此外,草案对国务院各部、委员会规章和省级政府、较大市政府规章的权限范围也作出规定,主要是为执行法律、法规需要作出具体规定的事项。

四、关于授权立法

八十年代,全国人大及其常委会先后两次对国务院作出授权立法决定,一是在 1984 年,授权国务院就改革工商税制发布有关税收条例试行;二是在 1985 年,授权国务院在经济体制改革和对外开放方面可以制定暂行的规定或者条例。这两次授权,为促进经济建设和改革开放,加快立法步伐,起到了积极作用,各方面的反映也是好的。

建立和完善社会主义市场经济体制,制定与之相配套的法律,需要有一个过程。到 2010 年形成有中国特色社会主义法律体系之前,还有一些问题,制定法律的条件尚不成熟,需要由国务院先制定行政法规,待条件成熟后再上升为法律。因此,保留授权立法是必要的,同时也应对授权立法进一步予以规范和完善。为此,立法法草案对授权立法制度作了必要的规定:一是,全国人大及其常委会有权作出决定,授权国务院可以根据实际需要,就应当由法律规定的部分事项先制定行政法规,但有关犯罪与刑罚、对公民政治权利的剥夺、限制人身自由的强制措施和处罚、司法制度等不能授权;二是,授权决定应当明确授权的目的、范围,被授权机关应当严格按照授权目的和范围行使这项权力;三是,经过实践积累经验,制定法律条件成熟时,应当及时由全国人大及其常委会制定法律,法律制定后,相应立法事项的授权终止;四是,根据授权制定的法规应当报授权决定规定的机关备案。今后,随着法律的日渐完善,逐步形成比较完备的法律体系,授权立法的范围自然逐渐缩小。

五、关于立法程序

立法程序一般包括法律案的提出、审议、表决和公布四个环节。全国人大组织法、全国人大及其常委会的议事规则对立法程序做了规定。实践表明,这些规定是正确的、适当的。立法法草案根据法律已有的规定,着重把多年来实践证明体现民主集中制原则并行之有效的一些基本经验,加以法律化、制度化。增加或强调的主要是:第一,常委会审议法律案一般实行三审制。第二,坚持统一审议,充分发挥各专门委员会在法律案审议中的作用。法律案由有关的专门委员会进行审议,提出审议意见,印发会议。法律委员会根据代表或常委会组成人员、有关专门委员会的审议意见和各方面的意见,对法律案进行统一审议,提出修改情况和主要问题的汇报或审议结果的报告及草案修改稿。法律委员会对有关专门委员会的重要审议意见没有采纳的,应向有关专门委员会反馈。各专门委员会之间对法律案的重要问题意见不一致时,应当向委员长会议报告。第三,进一步在立法过程中发扬民主,走群众路线。法律委员会、有关的专门委员会和常委会工作机构应当听取各方面的意见,听取意见可以采取座谈会、论证会、听证会等多种形式。一些重要的法律草案,经委员长会议决定,向全民公布,广泛征求意见。第四,为了集思广益,对法律案进行深入审议,常委会在分组会议审议的基础上,可以召开联组会议或全体会议,对主要问题进行讨论。第五,法律案在审议中如果有重大问题需要进一步研究的,可以暂不付表决。法律案因各方面对制定该法律的必要性、可行性等重大问题存在较大意见分歧,搁置审议满两年的,或者因暂不付表决经过两年没有再次列入常委会会议议程审议的,由委员长会议向常委会报告,对该法律案终止审议。

同时,草案还对行政法规、地方性法规和规章的制定程序作了原则规定。其中,在地方性法规的制定程序中,参照全国人大及其常委会的作法,规定要有统一审议的环节,以进一步提高地方性法规的质量,保证法制统一。

六、关于法律解释

法律解释是宪法赋予全国人大常委会的职权。为了加强法律解释工作,保证法律的正确执行,立法法草案规定,以下两种情况应由全国人大常委会进行法律解释:一是,法律规定需要进一步明确具体含义的;二是,法律制定后出现新的情况,需要明确适用法律依据的。草案还对法律解释案的提出、草拟、审议、表决和公布程序,作了相应的规定。

七、关于适用规则

现在,各种法律、行政法规、地方性法规、自治条例和单行条例、规章愈来愈多,执行中提出了许多问题,需要确定适用规则,明确它们相互间的效力等级。根据宪法和有关法律的规定,立法法草案进一步明确了法律、行政法规、地方性法规、自治条例和单行条例、规章的适用规则。基本原则是:第一,上位法的效力高于下位法。第二,同位法中特别规定与一般规定不一致的,适用特别规定。第三,同位法中新的规定与旧的规定不一致的,适用新的规定。第四,不溯及既往的原则,但为了更好地保护公民、法人和其他组织的权利和利益而作的特别规定除外。同时,草案还规定,法律、行政法规、地方性法规、自治条例和单行条例、规章之间不一致,执行机关不能根据效力高低确定如何适用时,应由有关机关对如何适用作出裁决。

八、关于法规、规章的备案

为了维护法制的统一,根据立法权限的划分,解决实践中存在的法规、规章与法律相抵触，法规与规章之间互相矛盾的问题，需要加强对法规、规章的备案工作。根据实践作法，立法法草案规定了行政法规、地方性法规、规章的备案审查程序。有关国家机关、社会团体、企业事业组织和公民认为行政法规、地方性法规、自治条例和单行条例同宪法和法律相抵触时，可以向全国人大常委会书面提出进行审查的要求或建议，由常委会工作机构分送有关专门委员会和法律委员会审查。有关专门委员会和法律委员会经审查，认为同宪法、法律相抵触的，可以向制定机关提出书面审查意见，制定机关应当在两个月内研究提出是否修改的意见；制定机关不予修改，有关专门委员会和法律委员会认为同宪法、法律相抵触的，可以提请全国人大常委会决定是否予以撤销。

《中华人民共和国立法法（草案）》和以上说明是否妥当，请大会审议。

第九届全国人民代表大会法律委员会关于《中华人民共和国立法法(草案)》审议结果的报告

(2000 年 3 月 14 日第九届全国人民代表大会第三次会议主席团第三次会议通过)

全国人大法律委员会主任委员　王维澄

在本次全国人大会议上,各代表团于 3 月 9 日、10 日、11 日审议了《中华人民共和国立法法(草案)》。代表们认为,制定立法法,对于规范立法活动,健全国家立法制度,加强立法工作,提高立法质量,保障和发展社会主义民主,推进依法治国,建设社会主义法治国家,具有重要意义。草案经过长时间的研究起草,又经全国人大常委会两次会议审议修改,比较成熟,内容可行,建议本次会议予以通过。同时也提出了一些修改意见。法律委员会于 3 月 11 日下午召开会议,根据各代表团的审议意见,对立法法草案进行了审议,提出以下修改意见:

一、草案第一条规定:“为了规范立法活动,建立和完善有中国特色社会主义法律体系,保障和发展社会主义民主,推进依法治国,建设社会主义法治国家,根据宪法,制定本法。”有的代表提出,立法法的主要任务是健全国家的立法制度,应当在立法宗旨中明确。因此,法律委员会建议将这一条修改为:“为了规范立法活动,健全国家立法制度,建立和完善有中国特色社会主义法律体系,保障和发展社会主义民主,推进依法治国,建设社会主义法治国家,根据宪法,制定本法。”

二、草案第二条第三款规定:“军事法规的制定、修改和废止程序,由中央军事委员会规定。”根据一些代表的意见和中央军委法制局的意见,法律委员会建议将这一内容移入附则,修改为:“中央军事委员会根据宪法和法律,制定军事法规。”“中央军事委员会各总部、军兵种、军区,可以根据法律和中央军事委员会的军事法规、决定、命令,在其权限范围内,制定军事规章。”“军事法规、军事规章在武装力量内部实施。”“军事法规、军事规章的制定、修改和废止办法,由中央军事委员会依照本法规定的原则规定。”

三、草案第五条规定:“立法应当从实际出发,科学、合理地规范公民的权利与义务、国家机关的权力与责任。”有的代表提出,立法也需要正确地规范企业事业单位和其他组织的权利与义务,因此,法律委员会建议将这一条修改为:“立法应当从实际出发,科学合理地规定公民、法人和其他组织的权利与义务、国家机关的权力与责任。”

四、草案第七条第五项规定:“对公民政治权利的剥夺、限制人身自由的处罚”只能由法律规定。一些代表提出,限制公民人身自由的强制措施,也只能由法律规定。因此,法律委员会建议将这一项修改为:“对公民政治权利的剥夺、限制人身自由的强制措施和处罚”。

五、一些代表建议对法律解释的效力作出规定。因此,法律委员会建议增加一条,作为第四十七条:“全国人民代表大会常务委员会的法律解释同法律具有同等效力。”

六、一些代表提出,宪法是国家的根本大法,具有最高的法律效力,应当明确法律、法规都不得同宪法相抵触。因此,法律委员会建议增加一条,作为第七十八条:“宪法具有最高的法律效力,一切法律、行政法规、地方性法规、自治条例和单行条例、规章都不得同宪法相抵触。”

七、草案第八十七条第一款规定,国务院、中央军委、最高人民法院、最高人民检察院和省级人大常委会,第二款规定社会团体、企业事业组织和公民,认为法规、自治条例和单行条例同宪法和法律相抵触的,可以向全国人大常务委员会提出审查的要求或者建议。有些代表提出,除第一款规定以外的其他国家机关也应有权提出对法规的审查建议。因此,法律委员会建议将这一条第二款中的有关规定修改为:“前款规定以外的其他国家机关和社会团体、企业事业组织以及公民认为行政法规、地方性法规、自治条例和单行条例同宪法或者法律相抵触的,可以向全国人民代表大会常务委员会书面提出进行审查的建议”。

八、一些代表提出,本法的实施,需要一段时间作宣传和准备工作,因此,法律委员会建议将本法自公布之日起施行,修改为自2000年7月1日起施行。

此外,还根据代表意见,对草案作了一些文字修改。

法律委员会已按上述意见对立法法草案进行了修改。

在审议过程中,有些代表还提出了其他一些积极的意见和建议。由于有些问题目前还缺少经验,需要在实践中探索,逐步加以完善;有些问题还有不同意见,需要进一步研究;有些问题在其他法律中已有规定或者通过其他方式解决,可以不在本法中加以规定。因此,没有完全吸收到草案中来。

法律委员会建议主席团审议决定,将立法法草案修改稿提请大会审议通过。

以上意见是否妥当,请主席团审议。

格非 著

江南·第二部·

山河入梦

北京出版集团
北京十月文艺出版社

新经典文化股份有限公司
www.readinglife.com
出　品

目录

第一章 县长的婚事

1

一九五六年四月的一天，梅城县县长谭功达乘坐一辆吉普车，行驶在通往普济水库的煤屑公路上。道路的左侧是一条湍急的河流，岸边长着茂密的苇丛和菖蒲，成群的鹭鸶掠水而飞；在公路的右侧，大片的麦田和棉花地像织锦一样铺向远处的地平线。一畦畦的芜菁、蚕豆和紫云英点缀其间，开着白色、紫色和幽蓝色的花。

谭功达神情阴郁，心事重重。他的膝盖上摊着一张破烂不堪的地图，那是一张手绘的梅城县行政区域规划图。他不时地用一支红铅笔在地图上圈圈点点。地图下面，秘书姚佩佩的小腿随着汽车的颠簸，有节奏地磕碰着他的神经。他不由得抬起头来看了她一眼。姚佩佩穿着一身咔叽布列宁装，原先的蓝色布料早已褪了色。她梳着羊角辫，长长的脖子上有一条深红色的围巾，正和坐在前排的副县长白庭禹说着什么。她吃吃地笑着，柔软的腰肢扭来扭去，还不时朝窗外指指点点。

“怎么会有那么多的仙鹤？它们往哪里飞？”姚佩佩问道。

“傻孩子，那可不是什么仙鹤！那是鹭鸶和江鸥。”白庭禹纠正道。

“那是什么？怎么还在动？”姚佩佩趴在白庭禹的肩头，伸手朝远处指了指。

“噢，那是长江中的帆船。船身让高高的江堤挡住了，你只能看见帆尖在走。”

“快看，花！哇，这么多的野花……太美了！天蓝得就像要滴下染料来……简直，简直就像世外桃源……”姚佩佩不住地赞叹道。

“怎么样？这一趟没白跑吧？昨天通知你下乡，你还不愿意呢！”白庭禹得意地转过身来，笑了笑。

“要照我说，风景虽好，毕竟美中不足。总觉得缺了点什么。”谭功达若有所思，插话道。

“您快说，还缺什么？”姚佩佩眨巴着她那漂亮的大眼睛，认真地看着县长。

“比如说，烟囱……”

“烟囱？”

“对，烟囱。”谭功达叹了一口气，道，“车开出梅城之后，我就没看到一个烟囱。这说明，我们县，还很落后！我去年参观苏联的集体农庄，那儿到处都是烟囱和高压输电线，真是壮观……”

谭功达这一说，白庭禹和姚佩佩也都没有了刚才的兴致。佩佩的脸色也变得阴郁起来。除了单调的引擎声之外，吉普车内忽然变得一片沉寂。*怎么搞的？他们一路上欢声笑语，怎么我一插话，他们全都不吭气了？*谭功达只得将目光重新移向那张被他的铅笔戳得千疮百孔的地图。

这一看，他自己也吓了一跳。原来，在地图边沿的空白处，他用红铅笔写下了这样几个算术等式：

$$44-19=25$$

$$44-23=21$$

$$21-19=2$$

这几个等式，是刚才他在不知不觉中写下的。可为什么要写这些等式？每一个数字又表示什么意思呢？他自己也记不清了。他一动不动地盯着这几个数字，仿佛不是他经过一番深思熟虑写下的，而是另外一个人希望通过这几个数字给他什么重要的启示。他的脑子里乱七八糟的。他盯着这组数字看了半天，眼前忽然猛地一亮，微微红了脸，自己笑了起来。荒唐！我这脑子，想到哪儿去了？他摇摇头，不禁回头瞥了佩佩一眼。车厢内有一股好闻的汽油味，当然，谭功达也不难从中嗅到姚秘书身上雪花膏静静的香气。这时，他看见姚佩佩用手扳了扳白庭禹的肩膀，问了这样一句话：

“入、入……入什么呀？”

顺着姚秘书手指的方向，谭功达看见窗外不远处一户农舍的墙上，贴着这样一幅标语：

现在不入，更待何时？

白庭禹正要回答，谭功达早已很不耐烦地抢在前面，瓮声瓮气地答道：“还能入什么呀？当然是高级社喽。”

县长的语调颇有几分愠怒的火气。姚佩佩吓得吐了吐舌头，立刻不吱声了。接下来出现的一幅标语印证了县长的判断。它贴在一户农家猪圈的门上：

单干可耻，入社光荣。

抗美援朝，保家卫国。

还有一幅标语，用白石灰刷在一排行将坍塌的土墙上，读起来多少有一点令人费解：

农民有了钱，不去修犁头，却去买留声机，就会资产阶级化。

“佩佩，你知道这个标语是谁的话吗？”白庭禹笑道。

“是毛主席？”

“不，是斯大林同志。”

噢，原来是斯大林。我还以为是毛主席呢！看来，只要一天不学习，思想就会生锈，就会落后于滚滚向前的时代洪流。谭功达将那张地图折叠起来，这才发现，原来一直在磕碰他小腿肚子的并不是姚秘书的腿，而是当年他从日本人手里缴获的一只公文包。他小心地将地图放入公文包，然后嘟囔了一句：

“车到哪儿了？”

“前面不远，就到普济。”白庭禹道，“要不要停一下，回家看看？”

白庭禹这一说，司机小王就知趣地放慢了车速。

“我看就不必了吧。”谭功达身体倚在靠背上，闭上了眼睛，“水库那边，事情闹得正急，我们还是加紧赶路吧。”

听他这么一说，姚佩佩就侧过身来，笑嘻嘻地抓过谭县长的一只胳膊，摇了摇，嗲声嗲气地说：“县长不回家倒也罢了，走了这么远的路，水也不曾喝一口，人家的肚子早就饿得直泛酸水了……”

这个姚佩佩，平常在县里做事，倒是细致周到、样样在行，只是说起话来莺莺燕燕、娇娇滴滴，还常喜欢在人身上拉拉扯扯、推推搡搡，即便是对一县之长的谭功达也是如此，弄得他一腔浩然正气找不到个地方发泄。他曾多次严加训斥，可惜这傻孩子不仅毫不收敛，反而变本加厉，常常弄得他哭笑不得。要是提拔她当个科长什么的，倒也合适。佩佩呀佩佩，只是你那一嘴吴侬软语，一身千娇百媚，自己还像个孩子似的，如何去约束下属？

“我看这样吧，”白庭禹接话道，“谭县长要学大禹治水，过家门而不入，可我们的肚子也实在饿得不行了。一路上尽嚼些压缩饼干，就像啃了黄沙煤屑一般。不如就在普济的烈士陵园那儿停一下，一来算是祭拜了先烈，二来也好找个地方吃口饭。”

“要说这辆破车，不停也不行了。一路上老熄火，气缸烧得直冒白烟。”司机小王一边附和，一边通过反光镜察看谭功达的脸色。他见县长未表示反对，就开始减速刹车。

吉普车停稳之后，小王从车上抄起一只铅桶，到路旁的沟渠里打水去了。白庭禹和姚佩佩也早已跳下车来。姚秘书一手揉着她那细细的腰肢，在马路边蹲了下来，看了看路边那一丛幽蓝色的花朵，随手摘下一朵，一边嗅着，一边走到白庭禹跟前，问他道：“这是什么花？这么漂亮！”

“嗨！你看你，又在作孽！”白庭禹笑道，“这可不是什么野花，这是蚕豆！”

等到谭功达从车上下来，三个人就一同穿过马路，朝对面的一间店铺走去。即便马路上没有过往的车辆，姚秘书还是用她那柔软的小手带住了谭功达的胳膊，惟恐他被车撞着。谭功达呼吸着山野里清新的空气和她身上令人沉醉的芳香，心里默念着她的名字。等到第一个五年计划完成，普济水库大坝建成发电，就给她安排个去处让她独当一面。团县委早已人满为患……妇联呢？那里倒是有一个副主任的位置空着，不过赵副县长几天前向自己推荐了县广播站的小朱。不如去县文工团！她肚子里倒也有些墨水，平时又爱唱唱跳跳，没准儿正合适。不过，白小娴也在文工团……一想起白小娴，县长不由得脸红气喘，心里一下子就乱了。

这样想着，他已随着白、姚二人走到了这家店铺的门口。

门外的路槛边坐着一老一少两个卖唱的。老人是个瞎子，坐在一张竹凳上，拉着胡琴，嘴里胡乱地唱着普济一带流行的旧戏文。那女孩挨着他坐在地上，乌黑的大眼睛怯怯地打量着眼前的这几个陌生人。脚边搁着一只破铁罐，内有硬币数枚。店内光线阴暗，一张四仙桌靠墙放着，板凳上一个白发老者，正伏在桌上酣睡。桌上放着一溜盛满茶水的玻璃杯，几只蜜蜂不知在什么地方嗡嗡地叫着。白庭禹推了那老头好几下，才把他唤醒。

“老伯，你这里有什么吃的？弄点出来充饥，吃完了我们还要赶路。”

老人懒懒地睁开眼，瞅了瞅眼前的这几个人，道：“我这里只卖茶水，不卖吃的。”说完仍旧伏下要睡。

“那就给我们下几碗面条也行，我们多付你钱。”姚佩佩说。

没想到她一提起面条，老头忽然来了气，抓过桌上的一块抹布，擦了擦眼屎，冲着姚佩佩怒道：“面条？呸！面条！姑娘，你是哪路神仙光降，这时候还想吃面条？你去外面看看，树上的树皮恨不得都叫人剥下来吃光了，你倒还要吃面条？这都是合作化闹的，还他娘的要修水库！麦子长在地里，还没抽穗呢！”

“那你说，”姚佩佩被他抢白了几句，也有点急了，“那你们这儿有什么呢？”

“什么也没有。”老人说着就咳嗽起来，咳嗽半天，就憋出一口浓痰来，只听得啪的一声，那口痰不偏不倚，正好吐在姚佩佩的脚边，害得姚秘书跳起脚来躲闪。

“那你们平常都吃些什么？”司机小王这会儿也来了，他扶着门框问道。

“屌！”老头拍了拍自己的裤裆，吼道。

一句话把白庭禹和小王都逗得笑了起来。姚佩佩脸上红一阵、白一阵，只装听不见，转过身去，看墙上的那幅年画去了。

“老郭，”谭功达皱起眉头，冷冷地说，“你也觉得这水库不该修吗？”

听到有人叫他老郭，这老头吓了一跳。他转过身朝谭功达看了一眼，脸色立即就发了灰，怔了半晌，满脸堆下笑来，大嘴一咧，连声道：“该修，该修，谁他娘的说不该修？这大坝一修，家家户户通了电灯，那该多好！我活了这把年纪，什么事没见过？可就是没见过电灯。大坝好！谭县长好！我怎么就没认出你来呢？合作化好！谭县长，原来是你们！你们几位先坐一会儿，我去去就来。”老头说完，就挪板凳、擦桌子，招呼这几个人坐下，一掀门帘，立即消失不见了。

时候不大，老郭从蓝布帘子后面倒退着走了出来，手里端着一盆热气腾腾的白面馒头，还有一碟红糖，外加一碟小菜。

“你们四个人，可我只有三个馒头。”老郭嘿嘿地笑着，“不瞒你们说，这馒头还是上个月我做七十大寿时剩下的，一直没舍得吃，你们将就着分了吧。”

谭功达拉过老郭一块儿坐下，边吃边聊。他问了问水库上的事，又问他一个人照看烈士陵园是不是忙得过来。老郭眨巴着他的小眼睛，字斟句酌地做了回答。两人正说着，只见姚佩佩指着那碟小菜道：“老伯，这是什么菜？怎么这么香？”

老郭笑道：“姑娘，你这是笑话我穷呀！这哪是什么菜，这是我腌的柳芽。”说完仍是嘿嘿地笑。

过了半晌，老郭突然想起一件什么事情来，在谭功达的手背上拍了拍，郑重其事地问道：“谭县长，毛主席他老人家，近来身体可好？”

一句话，问得四个人面面相觑，不知如何回答。姚秘书紧抿着双唇，强忍着不让自己笑出声来。偏偏司机小王煞有介事地接话道：“怎么不好？每天早上都去园子里打太极拳，吃饭香，睡觉甜，好着呢！”他这一说，害得姚佩佩再也忍不住了，噗的一声，将嘴里的柳芽喷得满桌都是。一向不苟言笑的谭功达也跟着笑了起来。佩佩很少看见他笑。

吃完了饭，白庭禹从口袋里摸出两元钱，递给老人：“这就算是饭钱吧，你可不要嫌少啊。”老头嘴里嚷嚷着，死活不要，可一只手就是捏着那钱不放，最后趁人不备赶紧塞到了裤子口袋里。

一行人告辞而去。谭功达因听见门口那瞎子的戏文中唱到了母亲的名字，出门时不由得止住了脚步侧耳细听，心中颇有不悦。

母亲秀米的生平事迹，在普济一带无人不知。省县的各级剧团早已将它改编成了三四个剧种，走村串巷，四处巡演，去年还被编入了小学课本。可这些事迹到了卖艺的瞎子口中，不知不觉就变了味，令人有麦秀黍离之感。那瞎子所唱，文辞考究，曲调悲切婉转，想必另有所本，却不能不涉虚妄。谭功达站在那儿听了一会儿，渐渐地，心中一股无名火起，却又不便发作。那四五岁的女孩，骨瘦如柴，头发蓬乱，和着曲调的节拍，用一支筷子敲着破铁罐，那一溜清鼻涕，吸进去又流出来。瞎子旁若无人地拉着胡琴，慢悠悠地唱道：

见过你罗裳金簪，日月高华
见过你豆蔻二八俊模样
见过你白马高船走东洋
见过你宴宾客，见过你办学堂
到头来，风云黯淡人去楼空凄惨惨天地无光
早知道，闺阁高卧好春景
又何必，六出祁山枉断肠
如今我，负得盲翁琴和鼓
说不尽，空梁燕泥梦一场

谭功达心中凛然一震，鼻子发酸，竟然流下泪来。如同突然坠入深不可测的梦境之中，怎么也挪不开步子。他抬头看了看那个瞎子，又看了看那女孩。他的目光越过烈士陵园的森森翠柏和高耸的纪念塔，看见瓦蓝瓦蓝的天空中白云堆积，一群小学生正排着队，在纪念塔下唱歌。那歌声随着微风一阵阵地飘过来，他的眼泪怎么也止不住了。

司机小王在马路对面不停地按着喇叭。谭功达一边过马路，一边玩味着瞎子戏文中“闺阁高卧”和“六出祁山”的出典和寓意，心里七上八下。这戏文仿佛是特地为他写的，让人意气顿消，萎靡不振。

到了车前，他听见姚秘书和白庭禹两人还在谈论着刚才的事，姚秘书笑得直喘气：“那老头，还以为我们和毛主席住在一个大院里呢！”

白庭禹正色道：“小姚，你可别笑老郭傻。那老头，精着呢！他前面说了一大通儿合作化的坏话，心里不踏实，就找个法子逗我们开开心罢了。”

谭功达接话道：“你们这些从大上海来的知识分子，可比不得我们这些苦出身。那些农民，看似木讷呆板，实则是天生的哲学家和外交家。他们肚子里的花花肠子一点也不比你我少。什么时候我们小看了农民，什么时候我们就要犯大错误。”

“可不是！”白庭禹笑着转过身来，对谭功达道，“老谭，你要是喜欢听戏，明天回到梅城，让文工团的白小娴专门给您演一场不就得了。”

姚秘书道：“白县长，老听你小娴小娴的，这个白小娴是谁呀？”

白庭禹明显地犹豫了一下。他白了她一眼，又看了看谭功达，对小王吩咐道：“时候不早了，开车。”

那吉普车就开足了马力，卷起一股漫天的尘土和煤屑，朝水库大坝的方向疾驶而去。

2

普济水库是谭功达提议修建的。一九三五年，燕京大学水利工程系的几个学生和他们的教授美国人罗伯特来到普济，做过一年多的水文调查和地质勘探，画出了详细的施工图纸，并在两年后给南京的国民政府提交了一份修建普济水库的可行性论证报告。后因卢沟桥事件爆发，此事遂被搁置起来。

自从谭功达提出这个议案之后，大会小会开过十多次，响应的人寥寥无几。所有的人都认为他是在异想天开。尤其是主管工业和水利的副县长赵焕章，第一个跳出来反对。他的理由是：眼下连年饥荒，县财政入不敷出。刚刚上马的铜管厂、水泥厂都濒临倒闭，河道要疏浚，灾民要救济，军烈属要抚恤，学校要新建，教师要工资。这大坝一修，少不得要淹掉几个村庄，移民安置费从哪里来？他这么一说，县政府大小官员同声响应，把谭功达脸都气歪了。

他私下里还问过姚秘书。不赞成倒也罢了，这小妞还尽拿一些不着边际的风凉话来打趣他：“哟，谭县长，您随农业代表团去了一趟高加索，见识了斯大林集体农庄的电灯电话，回来就逼着我们修大坝发电，您若是去了莫斯科，还不得让我们去修克里姆林宫呀。”

谭功达被她的一番话噎得咬牙切齿，恨不得立刻扑上去，掐住她那娇嫩细长的脖子来解气。不过，转念一想，又隐隐觉得这个小妮子颇不平常。毕竟是从大上海来的有文化的青年，她竟然知道克里姆林宫在莫斯科，看起来她似乎并不像自己想象的那么傻。

他又去把那通讯员出身、现任县办公室主任的钱大钧找来问话。钱大钧过去常年跟着他打游击，一直伴随左右，人前叫他谭县长，人后叫他谭大哥，是谭功达唯一可以无话不谈的心腹知己。不料，谭功达说起建筑大坝之事，钱大钧略一沉吟，便用那“掏心窝子的话”好心规劝道：

“旧社会做官的人，只图地方太平无事。若遇紧急，能拖就拖，能混则混；不求无功，但求无过。如果硬是蒙混不过去了，火烧到眉毛，也只是拆那东墙补这西墙，移那桃花接这梨木，引那北江之水灭这南山之火，只为保住头上的乌纱。为官一任，白银千两，任期一满，自顾升迁。管他冬夏春秋，冷热温凉。现如今，解放不久，百废待兴。就眼前这些鸡零狗碎、焦头烂额之事都不遑应付，何苦无风兴浪，做那吃力不讨好的事？水库大坝我是外行，却也知道那不是一个便宜的买卖。伤筋动骨，吉凶难测，万一弄出个三长两短，只怕是不好收场……”

一席话说得谭功达站起来又坐下去，坐下去又站起来，欲申斥，又无言。没等大钧把话说完，他就把桌子一拍，一声不吭，径自走了。出了门，这才在走廊里骂道：“呸！我还当你是个智囊，却原来也是一个獐头鼠目之辈。”

最后，他只得向他的老上级、住在鹤壁的老虎求援。老虎原名聂竹风，家在庆港，曾跟着他父亲宝琛，在陆家帮佣多年。谭功达刚参加新四军的时候，老虎已经是挺进中队的一个团长了。一九二六年，席卷梅城一带的大饥荒中，老虎扛着一袋大米，踏着深深的积雪，星夜来到普济，救了一村人的性命。这件事，老虎多少年来一直津津乐道：“你母亲直到去世之前，也没有弄清楚那袋大米究竟是哪儿来的。”

对于在普济修建大坝一事，聂竹风起先也极感踌躇，禁不住谭功达的软磨硬泡，最后只得说：“你要的钱，地委只能替你出一半，剩下的你自己想办法。工程技术方面我也可以助你一臂之力。不过老弟，这长江之水可不是闹着玩的，凡事可缓不可急。万一弄他个坝塌堤崩，水淹七军，咱们先小人后君子，你可不能指望我再来帮你擦这烂屁股。”

吉普车驰进水库大坝，山路也变得陡峭险峻起来。山上的猕猴跳下来挡道，司机小王左躲右闪，颠得姚佩佩一路大呼小叫。可白庭禹照样一路呼呼大睡，鼾声如雷。汽车进入一片茂密的山林，谭功达看着身边直呕酸水、脸色惨白的姚佩佩，又看了看村舍上空那一轮恹恹西沉的红日，眼前突然浮现出家家户户花放千树、灯火通明的美好蓝图来。想着社会主义新农村的桃源盛景，他的目光飘忽不定，渐渐地游离出一片恍恍惚惚的虚光来。

姚佩佩嗔道：“县长，我的头上被撞出了好几个大包，不信你摸摸。”说着就歪过头来，让县长查验。可谭功达根本没听见她说什么。佩佩见县长目光痴呆，与那《红楼梦》中着了魔的贾宝玉一个模样，知道他又在犯傻做美梦了，就推了推他，低声说：“县长，你听，这是什么声音？”

谭功达经她这么一推，就听得前面隐隐约约传来一片哭喊之声。

吉普车刚刚在地上停稳，一伙披麻戴孝的农民呼啦一下围了过来。他们不顾民兵的阻拦，像潮水一般把吉普车围得水泄不通。谭功达他们几个人好不容易才打开车门，刚一下车，吉普车前面的挡风玻璃就被数不清的扁担和竹竿敲得粉碎。当地的几个乡干部眼见着县长驾到，想控制一下局面，却被人群冲散。幸亏几个身背钢枪的武装民兵拉出一道人墙，谭功达才得到片刻的喘息之机。

他早晨在电话中只听说大坝出了事，可没想到聚集了这么多人。谭功达对夏庄一带剽悍的民风早有耳闻，但没料到居民如此蛮横。他打了那么多年的仗，可这样的场面，倒是第一次遇到。他的脑子里一片空白。

那姚秘书，起先手里拎着一只红色的皮鞋，还满地去找另一只，被人群一冲，连手里的一只也顿时不见了踪影。她使劲地抬起脖子，而谭功达的一只胳膊正抵着她的后脊梁。他的骨头还真硬！不知不觉中，她的双脚也已离开了地，随着人潮漂移沉浮。正在这时，她突然看见脑袋上出现了一个黑黢黢的家伙，不知是什么玩意儿，可等它到了近处，就吓出一身冷汗。

原来是一口黑漆大棺材。姚佩佩躲躲闪闪，最后很自然地依偎在了谭功达的怀里。她的头晕乎乎的。忽然，她听得人群中有人高声叫喊："让那个狗日的县长出来说话！"心里不由得替谭功达捏了把汗。

她看见白庭禹副县长在司机小王的护卫之下，身先士卒，已成功地爬到了吉普车的顶盖上。他不知从哪里弄来了一只铁皮喇叭，要对百姓们训话，来它一个长坂坡一吼，喝退百万雄兵："大家不要闹，我是……”

他一句话没说完，只听得啪的一声，一枚石头打中了他手里的喇叭。白庭禹干笑了一声，似乎不以为意，清了清喉咙，高声叫道：“大家不要闹，我是白副县长……”

人群中有人高叫：“打的就是你个狗县长！”话音刚落，第二块石头疾飞而来，不偏不倚，正中白庭禹的下颏。白县长只得丢了喇叭来护他的下巴，双腿一软，从吉普车上滑了下来，捂着嘴嗷嗷地怪叫着，吐出一口鲜血来。

这时姚佩佩已经无可奈何地蜷缩在谭功达的怀里。谭功达感到佩佩一头秀发已经拂到了他的脸。佩佩。佩佩。我可不是故意的。她脖子里的汗味竟然也是香的。她的唇齿间水果糖橐橐有声。难道她在吃糖吗？佩佩，都什么时候了，难道你还有心思吃糖吗？谭功达拼命地试图与他的下属保持一点距离，折腾了半天，最后只得放弃，听之任之了。她的身体竟然这么柔软！浓浓的糖果的芳香似乎不是来自于糖块本身，而是直接来源于她的唇齿，她的发丛，她的身体……不远处一个武装民兵，手抱一杆枪被人群挤得在原地打转。谭功达的心怦怦地跳着，汗水早已将衬衫浸得透湿。眼看局面就要失去控制，谭功达忽然怪笑了一下，低声对那个民兵说：

“你他娘的手里拿的是什么？”

“报告首长，是枪。”

“废话！”谭功达骂道，“枪里有子弹没有？”

“有。”

“那你会不会放枪？”

“会。”

“那你他妈的还愣着干什么？打呀！”

“朝朝朝，朝哪儿打……”

“这个我不管。”

那个民兵脸色惨白，他艰难地转过身来，似乎想弄清楚首长的真正意图，可哪里还找得到谭功达的半个影子？那民兵也顾不得许多了，只见他刷的一声拉开了枪栓，举起那支半自动，朝天就是一枪。

枪声一响，空气似乎一下子被收紧了，四下里顿时鸦雀无声。那民兵一看这一招果然有用，索性将手中的枪横着端了起来。其他的民兵也朝他聚拢过来，枪口向外，子弹上膛。人群开始有了些松动，推推搡搡的，向四周缓缓退却。百姓中有一个胆大的，直着嗓子叫道：“大家不用怕，共产党的枪不杀老百姓……”他这一叫，人群退得更快。不一会儿的工夫，棺材前就腾出了一大块空地。谭功达见时机已到，一猫腰，从人群中钻了出来。

他整了整衣领，人们以为他要说话，谁知他竟然皱着眉头绕着那口棺材，踱起步来。差不多走了两个来回，这才慢条斯理地说道：

“夏庄乡乡长孙长虹在哪里？”

半晌，一个披麻戴孝的中年汉子躬着身子走到近前，垂手而立。谭功达看也不看他，大手一挥，对身边的几个民兵道：“绑了！”

随后，他又问：“普济乡乡长高麻子在哪里？”

一个五短身材的人快步走到谭功达面前，抬头对谭功达挤眉弄眼：“哎哎哎，伙计，不关我的事，你不能不分青红皂白……”谭功达没等他把话说完，照例喝道：“绑了。”

姚佩佩仔细一看，这个姓高的乡长脸上果然布满了密密麻麻的小坑坑。

“谁家死了人？”

人群中立刻走出四五个人来，身上披着白洋布和麻袋片，为首的一个长者走到谭功达身边，一个劲地作起揖来。

“老人家，死者是你们家什么人？”谭功达问他。

这时，站在老头身后的一个年轻妇女突然一把推开老头，将脖子一扭，大声道：“那死鬼是我短命的丈夫，怎么着？”

姚佩佩与这个女人一打照面，就知道她是个厉害的角色。谭功达打量了她一眼，语调明显地变得温和起来：“怎么死的？”

“人都死了，你还问这些鸟事干什么？”那妇人说。人群中一阵哄笑。旁边的一个老婆子手里牵着一个三四岁的孩子，上前道：“死者是我的儿子，名叫王德彪。前日里大坝闹事，争执不下，人群推挤，我的儿脚底一个不留神，跌下山崖，摔死了。”

“你们几个人留下说话，其他的都散了吧。”谭功达说。

“大家都散了吧。”白庭禹跟着嚷嚷道。他的腮帮子早已肿起了一个大鼓包。

谭功达这才回过头来，看了看刚才那个鸣枪示警的民兵，拍了拍他的肩膀，低声道：“干得好！小伙子，你叫什么名字？”

3

白庭禹的老家就在离水库不远的夏庄，第二天又是清明节，在处理完水库大坝的械斗事件之后，他就提出回老家待几天。

此前，在大坝附近的工棚里开了一个干部会。在如何发落孙长虹、高麻子这件事上谭功达的态度十分坚决。他说：“水库上的事情闹得这么大，完全是当地乡干部采取绥靖政策，姑息迁就的结果。高麻子倒也罢了，这个孙长虹应当就地免职。他本来就对修水库一事阳奉阴违，因为死者是他的外甥，他就蓄意偏袒，甚至带头闹事，故意制造事端，其险恶用心路人皆知……”

白庭禹表示，他完全赞同谭县长的意见。可说到后来，却是完全的不同意，至少在姚佩佩看来是如此。“这么点小事，夏庄、普济两乡的干部，本来完全有能力平息，根本用不着惊动县委。死个把人算什么？你们就惊慌失措，应对失当，终于酿成事端。若不是谭县长巧施苦肉计，挥泪斩马谡，这事如何收场？谭县长这么做，是基于丰富的革命斗争经验，不得已而为之，并不是当真要撤你们的职！哪天不死人？死个把人，慌什么？你二人只有吸取教训，戴罪立功，方不辜负谭县长的一番苦心。”他这么一番话，当地乡、村大小干部立即随声附和，事情最终不了了之。谭功达正要发作，只见坐在一旁的姚佩佩不断地给他使眼色。他转念一想，在县委各级领导班子中，只有这个白庭禹还时常支持他，因此只能强忍下这口恶气，铁青着脸，一声不吭。

听说白副县长要回家看看，孙长虹立即让手下套上一辆驴车，在车座上铺了一床锦缎棉被，亲自赶车护送白庭禹回夏庄去了。谭功达他们几个仍旧坐上吉普车连夜赶回县城。

高麻子嬉皮笑脸，坐在副驾驶的位子上，一路与谭功达说笑。佩佩本能地觉得，这个满脸大麻子的乡长与县长的关系颇不一般。一直将他们送出了十多里，高麻子这才下车作别。最后，又将一大篓子新摘的杨梅悄悄地交代给司机小王。

高麻子刚走，天空滚过几道闷雷，大树晃动，忽然下起雨来。谭功达满脸不高兴地对坐在身边的姚秘书道："哎，刚才开会时，你怎么老是朝我使眼色？什么意思？"

"我？"姚佩佩一脸无辜，吃惊道，"我何曾对您使眼色？要说眨巴几下眼睛，或许是有的，您误会了。要么是困了，要么是眼里进了灰……"

天已经完全黑下来了，他们彼此看不到对方的脸。雨水落在路边的棉花地里，沙沙的雨声连成了一片。小王抱怨说，吉普车的挡风玻璃碎了，雨水淋得他几乎睁不开眼睛，加上车灯又暗，车窗外黑黢黢的，什么也看不清……这辆车在电闪雷鸣中老是熄火，走走停停，弄得谭功达心绪极坏。白天活蹦乱跳的姚佩佩这会儿也有点发蔫。谭功达故意找出一些话来逗她，她也假装没听见，不予理睬。

谭功达没话找话道："我说要修大坝，你们还都不赞成。要是有了电，这公路两边都装了电线杆，再安上路灯，我们还用得着这么抓瞎吗？"

姚佩佩仍然没有接话。可我觉得黑暗挺好。只有在黑暗中，我才觉得自己是个人。谭功达颇觉无趣，最后，他只得直截了当地问道："姚秘书，你睡着了吗？"

"没有。"黑暗中，姚秘书答道。

"你嘴里是不是在吃什么东西？"

"糖。"

姚佩佩张开嘴，露出两排雪白的牙齿，用舌尖托出一片扁扁的水果糖片来。可惜，谭功达什么也看不见。

“您要不要吃一块？”姚秘书问他。

谭功达没说要，也没说不要。佩佩从衣兜里摸出一只小锡盒，打开它，碰了碰县长的胳膊。谭功达犹豫了一下，将手在灯芯绒坐垫上用力擦了擦，从锡盒里捡出一枚糖块，塞到了嘴里。姚佩佩说，这糖果是她姨妈托人带给她的。

“听你说过，你的姨妈好像在上海，是吧？”

“不，她在香港。”

“你爹妈也在香港吗？”

“不在。”

“他们在……”

“他们哪儿都不在。”

姚佩佩嗓子暗哑地说。一道闪电划破天空，照亮了她的脸。谭功达吃惊地发现姚佩佩那惨白的脸上竟然满是泪水。在黑暗中，姚佩佩齉着鼻子道：“这车的帆布顶棚漏雨，弄得我满脸满头都是水。”

他用舌头裹动着那枚糖果，听着它在牙齿间留下的清脆的声响，一时不知道说什么。

这个佩佩，到了晚上，完全就变了一个人。她就像传说中的两条青白巨蟒，到了中秋之夜，喝了雄黄酒，立即就现了原形，幻化出两条肥胖的蛇来。

“在梅城的这个亲戚是你什么人？”

“姑妈。”

“没想到，”谭功达想了想说，“你的社会关系还挺复杂的嘛！”

就在这时，司机小王一个急刹车，只听吱的一声，吉普车在马路上横了过来，差一点翻在路边的水沟里。借着微弱的车灯，谭功达看见不远处的马路中间，停着几辆三轮摩托车，拦住了他们的去路。一个黑影正朝他们挥着手，另外几个人手里拿着电筒，身披雨衣，正快步朝他们走来。一个身背卡宾枪的人面容忧郁，将脑袋从车窗外伸进来，举起手电筒，朝他们晃了晃，低声命令道：

“证件！”

谭功达将自己的证件掏出来递给姚秘书，姚佩佩将它交给那个人。他用手电照着看了看，嘴里道：“嗬，还是个县长呢！”随后，他大概是看见了前车座上的那一篓子杨梅，随手捡起一粒，放在嘴里，一边吃，一边怪笑着，眼睛直勾勾地盯着姚佩佩看，末了道：“我们是省公安机关的，正在奉命抓捕一名重要的案犯。你，为什么哭？”

姚秘书吓了一跳，嘟囔着解释说，是吉普车的顶棚漏雨。为了证明自己刚才没有哭，她还勉强咧开嘴笑了一下。那人又用手电筒照了照谭功达的脸，似乎完全不把这个县长放在眼里：

“你知不知道这附近有一个叫做界牌的地方？”

“不知道！”

谭功达的声音表明，他的忍耐已经到了极限。他满脸发红，眼睛布满了血丝，伸手在腰间乱摸起来，就摸到了姚佩佩的一只手。*他在乱摸什么？难道是摸枪吗？*佩佩赶紧悄悄地拉了拉他的袖子，还抓住他的手使劲地捏了一下，暗示他不要激动。

姚佩佩和小王都赶紧发誓赌咒，说他们从未听说过“界牌”这个地方。那人肩上的卡宾枪管碰在吉普车的车门上铛铛直响。

“那好吧，再见。”那人笑了一下，伸手从竹篓里抓了一把杨梅，将门嘭的一声关上了。

吉普车开出去很远了，姚佩佩还是哆哆嗦嗦地浑身发抖，她的牙齿咬得咯咯响。谭功达关切地问她，是打摆子了，还是什么地方不舒服？佩佩缩了缩身体，心烦意乱地说："我挺好，没什么事。"谭功达用手背碰了碰她的前额，凉阴阴的，没见有什么热度，也就放了心。她不时地回过身去，朝身后张望。她的神经系统太脆弱了。得找个机会和她好好谈谈。在上海的时候，她或许受过什么刺激……说起父母她就忍不住流泪，不知是什么缘故？刚才那几个陌生人怎么会把她吓成这样？我得找个时间和她好好谈谈。为了松弛一下她的神经，谭功达竟然一反常态，与佩佩开起玩笑来："我说你在工地上朝我挤眉弄眼，你还不承认，可刚才是谁拽我袖子来着？"

姚佩佩没有吱声。车厢里弥漫着一股呛鼻的汽油味。窗外的雨变小了，司机小王显然在加速赶路。半晌，姚佩佩用胳膊碰了碰他，低声道："刚才那个人打开车门查你证件的时候，你注意到他的脸了吗？"

"没怎么留意，"谭功达道，"他的脸怎么了？"

"他没眉毛。"姚佩佩说。

谭功达知道她又在疑神疑鬼了。

"他的嘴唇上好像涂着厚厚的口红，脸上还抹了一层胭脂和粉霜，让雨一淋，一塌糊涂……"过了一会儿，姚佩佩又说道。

"好端端的一个大男人，怎么会在脸上涂脂抹粉？那不成了唱戏的了？"谭功达笑道。

“要我说，刚才我们遇见的那几位，根本不是人。”

“那他们是什么？”

“鬼呀。”

司机小王听她这么说，也吓得浑身一激灵，侧过头来，对佩佩道：“姚秘书，你可不要吓我，把我吓得肝胆相照。我这个人什么都不怕，就是怕鬼。”

“昨天晚上我做了一个梦，”姚佩佩自语道，“梦见阎王爷在清明节派鬼来捉我，为首的小鬼和刚才那人长得一模一样。界牌那个地方遍地丘壑，似乎也是梦中见过。”

谭功达哈哈大笑道：“你没听那人说吗？他们正在奉命追捕一名重要的案犯。”

“他们该不会就是来抓我的吧？”

“你又没犯什么罪，人家抓你做什么？你不要再胡思乱想了。”

“你怎么知道我没有犯罪？”

谭功达苦笑了一下，忽然想起一件什么事情来。他浑身上下乱摸了一气，似乎在找什么重要的东西。随后，他又从脚边拿过那只公文包来，在里边乱翻了一通。姚佩佩问他找什么东西，他也不说话，过了半天，他一面吩咐小王停车，一面对姚佩佩道：“佩佩，你身上可带着纸？”

“这会儿你要纸干什么？黑灯瞎火的。”

谭功达嘿嘿地干笑了几声，不好意思地说：“我说的是草纸……”

小王和姚秘书全都明白了，原来县长是要解手。

“前面不远就是梅城了，谭县长，您是不是先忍一忍。”小王建议道。

“这离县城还有多长时间？”

“最多也就是二十来分钟吧。”

“不行不行，”谭功达脸都红了，“二十多分钟，怕是憋不住……”

小王只得停下车来，对姚佩佩说：“姚秘书，你身上有纸吗？”

这时的姚秘书已经将身上的口袋都翻了个遍，最后她从衣兜里掏出一块绣花的手帕来，两边看了看，递给谭功达，笑道：“县长，实话跟您说吧，我不是舍不得这块手帕……是我用过的，您要是不嫌脏，就凑合着使吧。”谭功达一把从佩佩手中夺过手帕，推开车门，说了句“我去去就来”，就窜下车去，立刻不见了踪影。姚秘书将手伸出窗外试了试，外面的雨已经停了。

司机小王从怀里掏出一支卷烟来，点着了火，胳膊靠在方向盘上，悠悠地吸着，与姚秘书有一搭没一搭地聊起天来。小王是安徽滁州人，原来是华野的一名汽车兵，大军渡江之后，就留在了江南。姚秘书听到滁州这两个字，就说起了那一带的掌故风物，可惜小王既不知道欧阳修，也没听说过醉翁亭。姚秘书问他想不想家，为何不调回老家去工作。小王说：“要说梅城这地界，离滁州倒也不远，假如铁路修通了，也就是三四个小时的路程。”

她又问他成亲了没有。小王就有些不好意思起来：“你看县长都四十出头了，还没成家，我哪好意思强人所难啊？”

姚秘书见小王用的成语全都不对头，不由得咯咯地笑了起来，弄得小王莫名其妙。她又问：“谭县长既然已这么大年纪，怎么也没说个人家？他倒是一点也不着急嘛！”

“嗨，怎么不急？你知道县长为什么不肯在普济过夜，连夜赶回梅城？就是为了明天一大早要去相亲呢！”小王道。

两个人正说着，谭功达就回来了，嘴里自言自语道："这下好了，这下好了。小王，开车。"

走了不多久，谭功达将一块软绵绵的东西悄悄地塞到姚秘书的手上。姚佩佩一看，是自己送给他的那块绣花手绢。

"怎么，你没用？"姚佩佩一脸不解地问道。

"这么好的东西，我想来想去还是有些舍不得。"

他们几个人回到县委大院的时候，已经是夜里一点多了。厨子老张和县办公室主任钱大钧都在食堂等着。钱大钧嘴里叼着一只烟斗，也帮着替他们打水洗脸。他说，听说县长要回来，老张早已把饭菜准备了。热了凉，凉了热，一直忙到现在。厨子也不说话，只是呵呵地笑着，招呼大家赶紧吃饭。谭功达与钱大钧一见面，两人就站在墙角边说起大坝的事来。末了，姚佩佩听见钱大钧附在县长耳边小声说：

"我这回又给你弄了个人来……"

姚秘书端坐在餐桌前，看着那一大盆白菜炖肉，明明肚子饿得咕咕叫，可嘴里一点胃口也没有。她又朝谭功达看了一眼，脑子里一直在盘算着这样一个问题：既然他把手帕还给了我，那么他刚才在外面解手，用什么来擦屁股呢？

这的确是一个问题。

4

三四年前一个冬天的晚上，谭功达记得那是除夕的前一天，他和白庭禹去棋盘街的梅城公共澡堂洗澡。天空抛抛洒洒地落着雪珠，浴室门外的队排得很长。好不容易排到窗口，里面坐着一个十六七岁的女孩，看也不看他们一眼，冷冷地喊道："饺子煮不下了，你们等会儿吧。"那扇小木门啪的一声就关上了。

"什么饺子煮不下了……"谭功达不解地问。

白庭禹笑道："在公共浴池里洗澡，就好比下饺子。她的意思是说，浴池里人满了。不要紧，我去想想办法。"

说完，白庭禹赶紧从边门绕进去，找浴室的负责人通融去了。时候不大，那扇窗户又开了。谭功达看见那女孩梳着羊角辫，脸上稚气未脱，脖子上围着一条深绿色的围巾。她从谭功达手里一把抓过钱去，很不耐烦地将两枚系着红穗带的竹筹朝他扔了过来。有一枚筹子在窗沿上蹦了两蹦就落在了雪地上，谭功达只得弯下腰满地去找。他娘的！这小妮子岁数不大，脾气倒也不小！谭功达又朝她看了一眼，可小木门已经关上了。

一看浴池满了，排队的人群立刻就骚动不安，秩序大乱。好几只手从谭功达的头顶伸了过去，用力拍打着木门，嘴里骂骂咧咧。那梳着羊角辫的女孩也不含糊，呼啦一下又将门打开，冲着窗口的众人叫道："你们敲什么敲？要实在等不及，隔壁的女宾部人倒是不多，你们去那儿一锅煮吧。"她这一叫，人群中就爆发出一阵喧笑。谭功达见这个女孩如此张狂，不由得怒火中烧，正待教训她几句，却隐隐瞅见这姑娘长长的睫毛湿漉漉的，似有泪珠抛落。就在这时，白庭禹已经回来了，道："老谭，你还愣着干什么，走啊！"

两个人洗完澡，从浴室里出来，就听到门口一片吵嚷之声。一个胖胖的汉子跳着脚，在售票口高声叫骂。围观的群众笼着袖子，远远地站在一旁观望。浴室的经理，一个中年女人正在那儿好言劝解："这位同志，我们的员工态度不好，自然要严肃处理，可您也不能张口就骂人呀！"那大胖子道："骂人怎么了？我骂她一句，她也不能用梳子来划我的脸呀，你瞧瞧我，好好的这张脸，划出这么长的齿印，破了相，落了疤，叫我到哪儿去找媳妇？不行！得叫她赔。"

围观的人群中，不知是谁喊了一声："胖子，你也别闹了。二一添作五，干脆，就让那姑娘嫁给你做老婆，这不就结了嘛！"又是一阵大笑。谭功达听说那姑娘用梳子划伤了人家的脸，就想凑上前去问个究竟。白庭禹拽了拽他，道："这种鸡毛蒜皮的小事，也是你县长该管的？咱们找地儿喝两盅去。"

这是谭功达和姚佩佩的第一次照面。不过，他很快就把她忘了。

这年春末的一天，谭功达坐在办公室里，百无聊赖之中，随手翻看着桌上的那本《唐诗三百首》。说来也奇怪，他一翻就翻到了这样的句子：

但见泪痕湿，
不知心恨谁。

眼前忽然又浮现出那张愤怒、悲伤而又充满稚气的脸来。窗外蜂飞蝶舞，柳絮满天。街上的梧桐早已绿了，风一吹，桐花伴着柳絮，飘飘荡荡，依依而飞。谭功达呆呆地望着那两句诗，可那姑娘的样子，他已经一点都记不起来了。眼下天气一天天转暖，梅城浴室眼看就要关门歇业，不如趁此闲暇去那儿好好洗个澡。想到这儿，就一个人走下楼来，骑上一辆自行车，朝棋盘街一路而去。

浴室门口空空荡荡。卖筹子的窗口坐着一个白发苍苍的老头，正在那儿打盹。谭功达左看右看，已不见那姑娘的人影。那老头还认得他是县长，当即堆下笑来，忙不迭地从桌上抓起一包烟来，双手递了过去。谭功达打开自己的烟盒，递给老头一支烟，自己也点上一支，两个人就隔着窗户说起话来。

老头道："那小妮子叫个啥名字，我一时也想不起来了，只知道她是从上海来的。这孩子说起来也挺可怜的，大概是刚解放的那一年吧，不知怎么，小小年纪，一个人从上海来到梅城，来投奔她的一个什么亲戚。是姑妈，还是姨妈，我就说不准了。这孩子疯起来，没大没小；可一旦不高兴了，能几天不理人。待人倒也厚道有礼。没事的时候，常见她一个人缩在墙角发呆。我们经理老想套她话，可她什么也不说。据说她在梅城的那个亲戚起先对她也挺好，后来不知怎的，那亲戚就嫌恶起她来了。这也难怪，这些年粮食这么紧张，多个人口吃饭，搁在谁身上谁都不愿意。到了去年冬天，那姑妈还是姨妈的就渐渐不愿意让她住了。说得好听是让她自食其力，说得难听一点，就是要扫地出门了。那姑娘年前就提着一个包裹，从亲戚家出来，找到我们经理说，她能不能不要工资，只求浴室让她有个落脚的地方，经理看她是个临时工，连户口也没落上，如何能让她落脚？就硬起心肠把她辞退了。"

"那女孩后来回上海去了吗？"谭功达问道。

"不曾。"老头将嘴里的烟丝吐出来，又喝了口水，接着说，"她没走，还在梅城。我听说，她又找了一份工作，好像是在西津渡的红星旅社当清洁工。那个旅社，生意虽不太好，可有的是空床位，可以管她住。”

谭功达一听见“红星旅社”这几个字，心头猛地一紧。这西津渡一带，原来是梅城妓院的集中之地。大小妓馆二十多家，红星旅社的前身正是赫赫有名的“西津渡四大肉铺”之一的秀枕楼。虽说解放后妓院的老板和为首的几个鸨母都被抓了起来，妓女们也大都被送去改造了，可那些梳头女、娘姨、跟班、仆役地痞、流氓打手蚁聚一处，那里暗娼出没，风化案时有所闻，秽腥肮脏之气尚未褪尽。前不久，县保卫部还在那儿破获了一宗私贩烟土的大案。那姑娘人生地疏，落到那样一个龌龊之地，谭功达不免有些替她担忧。心里这样想着，忽听得那老头道：“县长要不要先到池子里泡一泡？待会儿我来替你修脚搓背。”

谭功达从梅城浴室出来，回到县委大院，就派人将县委办公室主任钱大钧叫了来。谭功达将这个女孩的事对他约略说了说，吩咐他赶紧带几个人去西津渡的红星旅社查访一番。末了，又特地嘱咐道：“这女孩是我的一个亲戚。你不要惊动他们，只需了解一下大致的情况，我们再作计较。”

“好说好说。我这就去办。”钱大钧呵呵地笑着，领命而去，心里却道：这老谭，怎么忽然也怜香惜玉起来了？正如老话所说，一洼死水全无浪，也有春风摆动时……

天快黑的时候，钱大钧才从西津渡回来，道：“嗨，什么红星旅社！我把那旅社的各色人等喊到一起问话，问了半天都说没这个人。我只能沿着那西津古街一路明察暗访，最后在一个卖绒线的铺子里找到了她。”

谭功达听说那女孩去了绒线铺，心里倒也踏实了不少，问：“她在那里怎样？”

“我已经给你弄来了。就在外面走廊上站着呢。不如，你直接去问她？”

这个钱大钧，做起事情来就是容易过火，你交代他三分事，他不做出十分来是不会善罢甘休的。他常常错误地理解领导的意图，还自以为得意。赵副县长为此还给他起了一个绰号，叫做“过犹不及”，看来一点都不错。听他说已经把人给“弄”了来，谭功达的心里暗暗叫苦，只得让他把人领进来。

姚佩佩这一回脖子上换了一条红围巾。时令已是春末，她还穿着厚厚的棉衣棉裤，进了门，就满屋子东瞅西看，手里还拎着一个花布包袱。谭功达问她，包袱里装的是什么，姚佩佩这才瞥了他一眼，道：“行李呀！”

“你，你怎么把行李都拿来了？”

姚佩佩诧异道：“钱大哥叫我带上的呀，他让我收拾收拾东西，跟他走，其余一概不要问。我还以为出了什么事！在绒线铺做了一个月的工，连工钱还没来得及跟他们算呢。”

谭功达怔怔地看着钱大钧。当着这女孩的面，又不便责怪他。那钱大钧正坐在办公桌前，跷着二郎腿，用一把裁纸刀削着指甲，笑道：“谭县长，这姑娘大老远来到咱们梅城县，姑妈又不愿意收留，我想她人生地不熟，窝在西津渡那么一个烂地方，时间一长，也不是事儿，我就自作主张把她给带来了，咱不妨替她在县里谋个出身，日后彼此也好有个照应……”

谭功达气得脸色发白，心中后悔这事不该让钱大钧插手。不过事已至此，只得硬着头皮来和姚佩佩说话。谭功达照例问了问她的姓名、年龄、乡籍、识不识字，对方出于礼貌，一一作答。话语简洁，绝不多吐露半个字。谭功达又问起她父母，姚佩佩紧抿双唇，一声不吭。末了，谭功达对钱大钧道：“大钧，今天晚上你打算将她安顿在哪儿？”

“这好办，就先住我家。”钱大钧满不在乎地说，“我家有一间屋子空着，刚才已经托人给我老婆带了信，让她收拾床铺去了。”

第二天快下班的时候，钱大钧满头大汗地跑来了。一进门就将谭功达的茶杯端起来，咕嘟咕嘟喝了个精光。他摸了一下嘴唇，气喘吁吁地对谭功达道：“事情不太妙。”

谭功达知道他说话爱夸张，倒也不怎么着急，便问他什么事情不太妙。钱大钧说，他今天一大早就去和县里的各个部门商量落实姚佩佩工作一事，他去了民政局、民政科、工业办、妇联、学校、医院、幼儿园，甚至是机关的食堂，可都推说不缺人，“你说这事该怎么办？”

“人是你带来的，这个我不管。”谭功达气呼呼地站起来，收拾起桌上凌乱的文件，准备下班回家。

“我倒有个主意……”

谭功达正色道：“钱主任，谁不知道你主意多，凡事大包大揽？”

钱大钧道：“我琢磨着，既然一时也找不到个合适的地方，不如干脆就让她跟您当秘书得了。”

“我可不用她伺候！”谭功达一听火就上来了，“你要是需要秘书，只管自己安排，不用拐弯抹角。”钱大钧一看谭功达果然生了气，立刻满脸带笑，劝道：“要说您公务繁忙，还真需要一个帮手。

那么多的文件来不及看，平时连个端茶倒水的人都没有。”

“我屋子里不是有个小杨吗？”

“可小杨不是开刀住院去了吗？”钱大钧道，“不妨你先让姚佩佩顶一阵，待小杨从医院回来，再另作安排。”

“这秘书的事她能做得了吗？”

“没问题，”钱大钧道，“我昨天晚上跟她聊了聊，这孩子要说还真不简单，上知天文下知地理，能写、能画、能掐、会算。”

“这么说她还会算命？”谭功达冷笑道。

“你可别说，没准她还真……”

“行了行了。”谭功达很不耐烦地打断了他的话，“我看这么办吧，你还是先把她安排在你的办公室，干一段时间再说。我这里小杨不在，倒也落得清静几天。”

事情就这样定下来了。

姚佩佩来县里上班的第一天，见到谭功达，就“亚叔”、“亚叔”地叫个不停，那样子倒是怪亲热的，可叫得谭功达脸上火烧火燎，浑身上下不自在。办公室的几个工作人员，都趴在桌上暗自窃笑。中午吃饭的时候，钱大钧将她叫到一边，嘱咐说：“你不要成天亚叔长、亚叔短的，谭县长虽说四十多了，并不怎么显老！何况还未成家呢。再说了，你张口亚叔闭口亚叔，人家还以为谭县长是开了什么后门把你安插进来的呢。不要说他不是你的什么亚叔，他就算你嫡亲的亚叔，在公开场合你也不能乱叫，这里是县机关，不是绒线铺，凡事都得讲个规矩。”

一席话，说得姚佩佩脖子一缩，舌头一吐，赶紧跑了。到了第二天，姚佩佩果然不叫他亚叔，而改叫他老谭了。钱大钧白天听她老谭老谭地叫唤，强忍着没说什么，等到下了班回到家里，这才训斥道：“你是怎么搞的？嗯？怎么能叫他老谭？老谭是你叫的吗？”

“你不也叫他老谭吗？”姚佩佩一脸不解。

“嗨，我能叫，你却不能叫。我跟他在一起出生入死二十年，别说叫他老谭，就是直呼其名也没什么不可以。你呢？你才多大年龄？给人家当女儿恐怕还只嫌小！这么简单的人情世故还要我一点点地教你吗？”

姚佩佩照例缩了缩脖子，不吭气了。

大钧的老婆、在县农机公司当会计的田小凤在一旁冷笑了两声，兀自嗑着瓜子，故意扭过身去，不看他们。自从钱大钧不跟她商量就把这么一个小姑娘领到家里来之后，小凤还没有跟她说过话。钱大钧来到厨房，见水缸里的水没了，锅灶都是冷的，就知道田小凤赌气故意没给自己做饭。他似乎已经预感到，田小凤隐忍了这么些天，正准备全线反击，今夜说不定就会来个总爆发。正在这时，谭功达的电话就追过来了。县长约他去朱雀桥边的一家酒馆吃饭。钱大钧夹起公文包，正待出门，田小凤哎的一声就叫住了他：“哎，你可算有地方吃饭了，我怎么办？”

她没有说“我们”怎么办，钱大钧就知道在她心里，那个小丫头根本就不能算个人。

谭功达叫了几个菜，正在饭馆等他。一看到他眉头紧锁、愁云密布的样子，钱大钧以为县长又在为水库大坝的事发愁了，没想到是西裕乡出了事。

在整个梅城县，西裕乡是最后一个建立合作社的乡镇。县里派去一个工作组，好不容易将初级社建立起来，可没到两个月，那些村民一夜之间纷纷退了社。原先交给社里的农具、耕牛、猪羊、首饰和锡器，甚至还有棺材，都被一抢而空。有一个村子，农民担心县里再次强制他们入社，就将钢钉打入牛腿，先把牛弄瘫痪了，然后杀牛吃肉。生产资料和公共物品卖的卖、藏的藏，就连棺材都劈了当柴火烧了。为首的几个还煽动群众到祠堂集合，张贴反动标语，呼喊反动口号，说毛主席是李闯王，自己进城当了皇帝，立马就把农民给忘了。还说什么，毛主席从西裕乡赚去的粮食，早已用船连夜运到北京，堆在中南海他们家的炕头，二十年也吃不完。工作组的干部出于一时的义愤，上前批评了他们几句，谁知他们竟然把县干部抓了起来，关在村里的猪圈里。

“你打算怎么办？”钱大钧问他。

“还能怎么办？”谭功达道，“明天一早，我就派人下去，将那些带头闹事的统统抓起来。”

“恐怕抓不得。”钱大钧沉吟道，“那个西裕乡是个穷乡僻壤，山脚下的弹丸之地，与外界隔绝，民风自然与别处不同。那里的人都不好对付，四七年我们打游击的时候，也曾想到在那儿建一个地下交通站，可建一个坏一个，害得我差一点把性命丢在那里。你要直接派人下去弹压，我担心会闹出大事来。”

“那你说咋办？”

“不急，”钱大钧道，“明天我亲自下去一趟，先摸摸情况再说。”

接着他们就聊起了筹建梅城县医院和种子站的事情来，随后又说起了农民夜校的推广，不知不觉夜就深了。临走前，谭功达忽然问道：“大钧，那个叫姚佩佩的小丫头，户口给人家落下了吗？”

钱大钧没有回答县长的话，犹豫了半天，反过来问他："老谭，你说，这孩子是不是有点那个……"

"怎么呢？"

"有点缺心眼啊。"钱大钧用手指了指自己的脑袋，笑道，"她平时上班时没有一刻消停过，东瞅瞅，西看看。说话做事都不知道个规矩、场合。那天赵副县长来找我谈事，无意中说错了一个字，这丫头就当面给人家纠正了过来，弄得赵副县长闹了个大红脸。这事就不去说她了。她总是掐着嗓子说话，娇滴滴的，弄得人家浑身上下不舒服。还有一点，她喜欢动手动脚，也不分上下级关系，见了谁都是拍拍打打。不过你还别说，这姑娘人长得倒也没得说，可惜……"

"可惜什么？"

钱大钧暗暗朝谭功达瞥了一眼，挤了挤眼睛，嬉皮笑脸地说："可惜，年龄实在是小了点。"

谭功达假装没有听出钱大钧的弦外之音，嘴里道："这孩子，一看就不是普通人家出身，自小没受过管束。时间长了，没准那点小毛病能慢慢改过来。哎，她在梅城不是有个什么亲戚吗？你查过没有？"

"查了。"大钧说，"是她的姑妈。住在江边的大爸爸巷，过去是个唱戏的。"

"你抽空去走访走访，替他们调解一下。如有可能，还让她搬回去住。常年住在你家里，也不是个事。"

"这倒也是。"钱大钧道，"为她这件事，小凤已经一个多星期不搭理我了。"

还没等到钱大钧去大爸爸巷走访，姚佩佩的姑妈自己就找到县里来了。这女人，五六十岁了，穿一件大红的绸面夹袄，脸上涂着厚厚的脂粉，一进门就朝姚佩佩的办公桌猛扑过去，嘴里心肝心肝地叫个不停，吓得姚佩佩四处躲闪。最后，那女人终于在墙角将她逮住了，一把将她搂在怀里，呜呜地哭了起来。隔壁科室的人听到动静，都出来看热闹。姑妈一边哭，一边将佩佩的头强按在自己的胸前道："这个死丫头，怎么招呼也不打就离家出走？我和你那可怜的姑爹一个月来找遍了梅城的大街小巷，你姑爹还差点跳了江。这些日子，水米都不曾沾过嘴，也没睡过一个安稳觉。你要是有个好歹，我们也都活不成啦。这下好了，可算是找到你啦。你如今到了县里，高升了，也不知道前世里积了什么德……"

钱大钧见状，赶紧将他们让到隔壁的一间会议室里。姚佩佩的姑父在梅城中学当老师，看上去倒像是个读书人，脖子上中山装的纽扣扣得严严的，两鬓斑白，始终一言不发，只是不时朝钱大钧颔首微笑而已。按照她姑妈的意思，她让姚佩佩今晚就搬回去住。她说，如果佩佩嫌自己的卧室背阳阴湿，他们两口子可以将朝南的大房间腾出来；考虑到侄女有晚上读书的习惯，他们已经请木匠特地给她打了一个书桌，并且给她买了一个漂亮的台灯。钱大钧也在一旁帮劝，姚佩佩纵有一千个不情愿，事已至此，也只得应承下来。那老婆子将姚佩佩的手放在自己手心里拍了拍，站起身来，就要钱大钧带她去面见县长。她要当面拜谢这个大恩人。她特意带来了两只肥肥的大板鸭，外加一只熏火腿。钱大钧推说县长下乡去了，不过她送给县长的礼物他可以代为转交。那婆子这才千恩万谢，挽着老头子的胳膊，欢天喜地地走了。

这天傍晚，钱大钧下楼给谭功达送去板鸭和火腿，正遇上谭功达和赵焕章副县长为什么事吵得面红耳赤。仔细一听，还是为着西裕乡村民闹退社的事。赵副县长认为，事情到了这个地步，完全是县政府急功冒进、政策不当所致。初级社也好，高级社也罢，不能一刀切，更不能强制入社。那种一路小跑奔向共产主义的论调是极其荒谬的，是右倾机会主义。最后，他狠狠地瞪了钱大钧一眼，连招呼都不打，拂袖而去。

谭、赵二人在县里意见不合，县政府大院尽人皆知。两个人争吵怄气，也不是一回两回了。钱大钧本来就是谭功达的通讯兵，夹在两人当中，本想劝几句又不好开口，尤其是他手里还拎着板鸭和火腿，赵副县长一定会以为他是来给县长溜须拍马的，因此浑身不自在。谭功达脸皮紫胀，仰坐在沙发上，呼呼地喘着粗气。钱大钧免不了东拉西扯，插科打诨，半晌，谭功达的情绪才慢慢平复下来。他问钱大钧从哪里搞来的这两只肥鸭子。

钱大钧笑道："哪里是我弄来的，是你的闺女让我拿来，孝敬她干爹的。"

"什么闺女不闺女的？你这张嘴整天就知道胡说！"

"您没听说？县里上上下下的人都在议论，说县长最近认了个干闺女……"

谭功达知道他说的是姚佩佩，鼻子里哼了一声，冷冷地道："闺女？！我如今连老婆还不知道在哪儿呢。"

"会有的，会有的。面包会有的，老婆会有的。"钱大钧笑道，"我一定帮您加紧张罗，加紧张罗……"

"这鸭子，我又不会弄。你还是拎回去吧。正好给小凤赔个不是。"

5

这天深夜，谭功达从普济水库冒雨赶回县城，一进食堂，就看见钱大钧叼着一只烟斗，正在那儿等他。

"我又替你弄了个人来。"钱大钧附在他耳边道，"明天上午十点，你们在梅城公园的望江亭见面。"

谭功达看见姚佩佩一边弄她那双皮鞋的搭扣，一边歪着脑袋朝这里张望，就赶紧拉着钱大钧走到了外面的院子里，说："大钧，我跟你说过多少次了，你不用再替我操心！这种事还要看缘分，强求不得的。何况传出去，影响也不好。这个人，我还是不见了吧。"

"那怎么行？我都已经跟人家敲定了。"钱大钧道，"成与不成，就这一次。"

"眼下这一大摊事，弄得我焦头烂额，还哪有心思去相亲呀……"谭功达犹豫了一下，只得说，"她是什么地方人？多大年纪？读过书没有？"

"不知道。"钱大钧说，"真的不知道。这个人我没见过。实话跟您说吧，是你弟妹小凤给介绍的。好像是她们农机公司同事的远房表妹。你好歹给小凤个面子罢。据她说，人品、脾气，都是没得挑的。"

第二天一早，谭功达烧了一锅热水，坐在大木盆里洗了个澡，换上干净衣服，朝江边的梅城公园走去。这个梅城公园，当年也是谭功达提议修建的。在县办公会议上，他一提出这个设想，赵焕章照例马上反对。赵焕章说，梅城虽说是个县城，可这里的人大都靠种地、捕鱼为生。这些百姓比不得大城市的人，会变着法子玩。整天忙于生计，一天到晚骨头都累得散了架，哪还有什么心思去公园健身？后来，在谭功达的坚持下，公园还是建了起来。可除了剪彩，谭功达一次也没来过。

这天是清明节，天朗气清，温煦宜人。可公园里除了几个放风筝的小孩之外，还真的看不到什么游人。当年栽种的银杏和垂柳因无人照管大多枯死了，公园四周的围墙也早已被人拆了运回去盖房子了，就连望江亭的顶棚和木柱也不知被什么人拆走了，只留下了亭子中央的一个石墩。看到当年的一番苦心如今化作了一片荒芜，赵焕章那张脸似乎正从残花败柳、断墙残壁中浮现出来，朝他发出冷笑。谭功达不禁有些怏怏不乐，他抬头朝望江亭一看，那石墩旁果然有人在等他，便不由得加快了步子。

石墩边坐着三个人，两个老婆子都已上了年纪，中间坐着那一个穿绒线衣的，大概就是那相亲的姑娘了。看到谭功达走近，三个人忙不迭地站起来朝着他眯眯笑。她们是从一个名叫界牌的地方赶过来的，离梅城足有二十多里。她们天不亮就出发了，头上的露水还未干透。谭功达一听说“界牌”这个地方，心里就是一愣！他不由得想起昨天返回梅城的途中遇到的那伙骑摩托车的公安……这么说，还真有这么个地方。谭功达的心里空落落的。

他在石凳上坐下，两个老妇人仍然在笑眯眯地盯着他看。其中的一个，嘴里镶着大金牙，一边端详着他，嘴里还念念有词：“不老不老，一点都不老，大婶你说呢？”另一个婆子也笑道：“不老不老。看上去，就和我们家的春生一般年纪。”随后，两个人就将谭功达丢在一边，凑在一起嘀嘀咕咕的商量起什么事来，不时地朝谭功达瞟上一眼，弄得谭功达坐也不是，走也不是，一时不知所措。再看那姑娘，生得娇小、单薄、小头小脑、低眉垂眼，身体像筛糠似的兀自抖个不停。眼下已是清明，天气回暖，可那姑娘穿着绒线衣还在那儿抖抖索索，谭功达便猜测她患有某种不足之症。看模样倒也周正，只是畏畏葸葸，不敢朝谭功达看。

两个妇人耳语了半天，镶金牙的那一位，这才对谭功达道：“姑娘姓柳，小名就叫柳芽，自幼父母双亡，因此跟着伯伯叔叔过活。我是她大婶。”

谭功达见她自称大婶，另一位想必就是大娘了。

“小地方人，没见过什么世面，遇上生人就吓得什么似的。不过你们俩日后一个枕头上睡觉、一个桌子上吃饭，有的是说话的机会。她的话多着呢。”大婶笑道，“不知大侄子贵降在几时？”

谭功达因没听清她的话是什么意思，只得笑了笑，请对方再说一遍。那大娘便抢过话来道：“她大婶是问你今年多大。”

谭功达便说了自己的年龄。

“哦，这么说是属狗的，比我们家柳芽大了一十八岁。”大婶道。

随后，她又让谭功达报一报自己的生辰八字。因谭功达出生在梅城的大牢里，只听说是七八月份，自己也弄不清究竟是哪个时辰降生的。见那大婶催逼得紧，他就胡编了一个时辰敷衍她。那老妇人嘴里嘟囔着什么，眯缝着眼睛，扳起指头，替谭功达算起命来。见那老婆子神神道道的，谭功达心生厌恶，暗暗叫苦，心里便盘算着如何从这里尽快脱身。

正在这时，忽听得那大婶把手一拍，咯咯咯咯地笑了起来，道：“巧了！真是天作之合，天作之合！大侄子命相虽说有几分凶险，可只要娶了我们家柳芽，就能逢凶化吉，遇难呈祥！这十万个人中，保险还挑不出这么一对绝配。绝配，真是绝配！她大娘，我看这事就这么定了吧？”

大娘也笑呵呵的乐不可支，一个劲地点头道：“定下来好，定下来好。”

听他们这么一说，那姓柳的姑娘，心里一激动，就抖得更厉害了。谭功达见她双手、双脚、脑袋，甚至嘴唇都在瑟瑟发抖，连嘴角的一丝羞涩的笑容也在打战，就问她是不是觉得有点冷，还是身上哪儿不舒服。那姑娘也不答话，朝他浅浅一笑。

“看上去像是在打摆子，实际上什么病也没有，”大娘道，“她就好个抖。她没病，生下来就是这个样子，在我们乡下，这样的人多了去了。”

大婶也笑着说：“你要是带她给大夫瞧瞧，大夫没准会说出一大堆谁也听不懂的词来。其实，这很正常。吃饭、做事、睡觉一点都不碍事。抖得凶的时候，说起话来，牙齿有点打架。要是比划着手势，你也能明白，她要说的是什么。”

谭功达只得苦笑。心里一会儿大骂钱大钧王八蛋，一会儿责怪田小凤。你们他娘的给我弄来了一帮什么乱七八糟的人哪……

谭功达与她们一见面就处在被动的地位，被那两个老婆子忽悠来、忽悠去。谭功达清了清嗓子，想略微分辩几句，以便找个理由溜之大吉。不料，他还没来得及说话，那大娘笑盈盈地问他道：“大侄子在哪儿发财呀？”

谭功达听她这么问，就断定对方还不知道自己的县长身份，心里又暗暗地感激起田小凤来，看来她还没把我的这点老底漏给人家，便顺嘴胡编道：“我在一家工厂替人看大门。”

他这么一说，大婶哈哈大笑，把嘴里的一颗金牙连同黑黑的牙根都露了出来，“看大门的！哈哈……看大门的！大侄子你可真会说话！看大门的也有官大官小。要是说起来，毛主席也是看大门的。中国的地界这么大，全由他一个人看着呢。”

听着大婶的口气，话里的意思略带嘲讽，又仿佛是知道自己确切的身份的，只是没有点破。两个老妇人笑得什么似的，又交头接耳地议论开了。谭功达愣愣地坐在那儿，看上去就像一个傻瓜，由着她们在摆布，不知不觉早出了一身冷汗。别看这两个老婆子嘻嘻哈哈没一点正经，可要论智力，自己说不定还远远不是人家的对手，再这么纠缠下去，前景似乎有点不太妙。想到这儿，谭功达一脸严肃地站了起来，道：“难为两位老人家，大老远从乡下赶来，眼下时候不早了，不如去城里找个地方吃饭。至于婚事，还容我再考虑考虑。”

“哎哟，我说大侄子，还考虑什么呀，这事刚才不就定下来了吗？”大婶道，“吃饭呢，也用不着去城里下什么馆子，我们早就备下了。你们马上就要结婚了，钱要省着点花，俗话说得好，细水长流，恩爱白头，芽儿，你把昨晚亲手烙的那几个大饼子拿出来给人家尝尝。”

那柳芽一听大婶吩咐，就抖抖索索地从地上抓过一个帆布大挎包来，搁在膝上，抖抖索索地从里边取出一个铝制的饭盒来，揭开盖子，放在石墩上。又从包中摸索出一个搪瓷小茶缸，里边是腌制的泡菜，还有一只咸鸭蛋。她最后拿出的是几双筷子，一只军用水壶，一只空碗。柳芽将饭盒和茶缸推到谭功达的面前，又在那只空的白瓷碗里倒上水，端在他面前。随后，从那把筷子中挑出两根一样长的，架在碗上。忙完了这些事，她就抬起头来，大大方方地看着谭功达。

谭功达见这柳芽变戏法似的顷刻之间弄出这么一大堆东西，虽然手脚颤抖，倒也十分麻利。又见她器皿碗筷干干净净，不由得对这个姑娘心生了几分敬意。谭功达看她的绒线衣早已旧了，袖口的绒线脱了针，挂下几个线头来。又见她没穿外套——很显然，她家里也许已找不出比这更好的衣服来了，想到这个女孩年幼失去怙恃，这么多年跟着叔叔伯伯长大，也实在不易，鼻子一酸，心里就动了恻隐之心。姑娘见他怔在那里，就将那饭盒往他面前推了推，结巴道："吃吃吃，吃吧。"

她的声音湿湿的。这是她今天说过的第一句话。谭功达认真地打量起面前的这个姑娘来：阳光照在她脸上，皮肤白皙细致，长长的睫毛遮掩着一双乌黑的大眼睛，模样虽然平常，却也透出一股清秀动人之色，不禁心头一热。*就算婚事不成，权当萍水相逢，也不可辜负了人家的一片心意。*他拿起筷子，夹出一块饼来，就着那碗白开水，一个人大口吃了起来。可转念一想，又觉得有些滑稽。仿佛他特地起了个大早，沐浴更衣，就是为了这块烙饼而来。

谭功达正想着，忽听得大婶对大娘道："二十斤糖，你说够不够？"

大娘道："怎么不够？我看是够了。"

"那么酒席呢？咱们家的亲戚又多，依我看怎么也得摆上个十桌八桌的。”

“十桌酒席怎么够？不成不成，咱柳芽也挺可怜的，自打出生的那天起，命道就不顺。依我说，这一回得好好替她热闹热闹，去去晦气。”

随后她们就开始商量被面、床褥、桌椅、马桶等一应陪嫁的嫁妆来，两个人就像说相声似的，你一句我一句，说得谭功达倒像做贼一般，心里七上八下。她们看上去是在耳语，声音也不高，但每句话都故意要让谭功达听得明明白白，似乎她们说得越多，商量得越周全，这门婚事就越是万无一失。只因人家在“悄悄地”商议什么事，谭功达又不便插嘴。尤其糟糕的是，刚才人家叫他吃饭，他也没有什么迟疑和谦让，而是抓起来就吃。这一鲁莽的行为，多少也支持了老人家本来很脆弱的信心。

谭功达如坐针毡，满脸灼热，不禁求援似的朝柳芽望了一望，那柳芽似乎看穿了他的心思，朝他嫣然一笑，仿佛在说：你尽可以放宽心……谭功达定了定神，放下筷子，正要说话，两个老妇人突然站了起来，朝谭功达笑了笑。大婶说：“我们俩去园子里转转，你们两个正好说说话。”说完，拽了拽大娘的袖子。她们一路跳跃着，一眨眼的工夫，就双双消失在树木苇丛之中，不见了踪影。

四周变得十分静谧，天空湛蓝，没有一丝风。那几个放风筝的孩子吵吵嚷嚷，声音仿佛被中午静滞的空气压扁了，远远地传过来。从这儿可以一直看到滚滚东去的长江和江边大片的棉花地，看到江中打着补丁的帆船。谭功达吃着烙饼，不时抬头看一眼对面的柳芽，她也一动不动地看着自己，目光已不像早先那么慌乱，脸上挂着碎碎的笑。等到他吃完了那张大饼，柳芽忽然对他说：“走吧，您快走吧。”

她的声音灰灰的，听上去像是在叹气。谭功达呆呆地看着她。要是真的和这个姑娘结了婚，没准也没什么不好……

“你走吧，”柳芽低声说，“待会儿大婶她们回来了，你又走不脱了。”她随之站起身来，开始收拾桌上的碗筷。

想到自己相了半天的亲，竟连一句话也没和她说过，谭功达就问她，现在在做什么。他又说起县里很快要开办一个聋哑人学校，问她愿不愿意来梅城工作。柳芽不说话，额前的刘海耷拉下来，遮住了她的眉毛。她的手又开始抖得厉害。谭功达看着她那单薄的、不断颤抖的身体，大为伤感，眼睛里不觉又沁出泪来。人一过四十，就会为某些莫名其妙的事徒生伤悲，不知何故。

谭功达心事重重地走下了亭子，很快离开了那儿。

当他走到公园门口，他不禁又回过头来，望了一眼。那柳芽已不在那儿了。亭子里空空荡荡，白云的浮影正使它变得黯淡。

6

这天早上，姚佩佩像往常一样推着自行车，来县里上班。刚走进院子，就看见司机小王拎着一只铁皮铅桶，手里拿着一块抹布，正在擦车。那是一辆黑色的小轿车，车窗上遮着一层白色的纱幔。

“你又姗姗迟到了。”小王笑呵呵地对她说。

“你应该说姗姗来迟了。”姚佩佩替他纠正道，“你从哪儿弄来这么漂亮的小轿车？”

小王用手指了指办公大楼，说：“我哪有福气开这样的车？省里来人了呗。”

姚佩佩抬腕看了看表，今天迟到了足足二十分钟，待会儿，钱大钧大概又要啰嗦个不停了。姚佩佩上了楼，走廊里寂静无声，各个科室的门都开着，只是不见一个人影。她走到自己的办公室，发现里面也空无一人。她坐在桌前，拢了拢头发，倒了一杯开水，顺手拿起一本《灾情通报》翻了翻，怎么都觉得不对劲儿。她给县长办公室的杨福妹打了个电话，小杨的语调听上去也是怪怪的。

“你怎么总迟到？”杨福妹在电话中对她说，“人都在四楼会议室开会呢，你快去吧。”

“那你怎么不去？”姚佩佩问她。

“我？我得守着这部电话呀，我在值班。”小杨说完就把电话挂了。

姚佩佩懒懒地来到四楼的大会议室。还好，门是虚掩着的，一屋子的人都站在那儿唱歌呢。她松了一口气。会议似乎才刚刚开始，姚佩佩虽然不会歌词，也只得跟着那些人瞎唱了一通。等到那些人唱完了歌，姚佩佩心里猛地往下一沉，顿时觉得问题十分严重。原来，唱歌的人每人屁股底下都有一把椅子！歌声一停，所有的人都入了座，就只剩下姚佩佩一个人傻站在那儿了。她感到会议室里所有的人都把目光投向她，心里怦怦直跳。主持会议的谭功达冷冷地瞥了她一眼，静默了一会儿，宣布道：“现在，我们开会……”

好在民政科的小汤在朝她招手。姚佩佩的脸红到了脖子根，身上的汗一下子就出来了，她赶紧猫下腰，三步并着两步窜到小汤跟前，两个人并排挤在了一张椅子上。

由于会议的气氛十分严肃，汤碧云想跟她说话，也只能装作记录的样子在一张白纸上写了一句话，然后悄悄地捅捅她的胳膊，让姚佩佩自己去看。佩佩用眼角的余光朝那张纸扫了一眼，见上面写的是：

怎么谢我？

姚佩佩也学着汤碧云的样，眼睛直勾勾地看着主席台，装出一副认真听讲的样子，却在纸上飞快地写下了这样几个字：

请你喝羊杂汤怎么样？

碧云平常就爱吃个牛羊肉什么的，再加上她本来就姓汤，一张嘴成天喜欢胡说八道，因此他们科室的人都叫她羊杂汤，也有人叫她羊杂碎的，汤碧云也不以为意。小汤见佩佩取笑她，就偷偷地在她的腰上狠狠地掐了一把。当着这么多人的面，姚佩佩无法躲闪，只能装作没事人一般，忍痛不语。

正在主席台上说话的那个人，姚佩佩不认识。他身穿黑色的咔叽布中山装，神情肃穆，嘴角一颗大痦子。姚佩佩便在纸上向汤碧云问道：

正在讲话的这个人是谁？

碧云也在纸上回答她：

其外。

姚佩佩看着这“其外”两个字，心里直犯嘀咕，心想：这个人怎么叫这么个怪名字。姚佩佩随手翻了翻桌上的材料，终于在预先印发的与会者名单中找到了一个名叫“金玉”的人，想必他就是汤碧云所谓的“其外”了。她偷偷地笑了半天，又在纸上写道：

岂止是个“其外”，我看他分明是个“其中”。

汤碧云见了，略知其意，也在掩嘴而笑。

这个人说了一大段开场白，把那眼镜子取下来又戴上，戴上又取下，最后才慢条斯理地宣读省委的一个什么决定。按照省委的最新任命，鉴于原梅城县委潘晋仁书记一周前病故，由谭功达兼任梅城县委书记；钱大钧升任副书记兼主管文教的副县长；县长办公室的秘书杨福妹改任办公室主任。在长时间热烈的掌声中，小汤在姚佩佩的耳边悄声说道：“你们领导升官了，难怪他今天换了一件新衬衫。”

姚佩佩朝主席台上一看，见钱大钧坐在最边上，身上果然换了一件簇新的洋布衬衫，胸前的口袋里一下子插上了好几支钢笔。他的头发也梳成了“后倒式”，上面还似乎涂了一层油。

“可他怎么老皱着眉呀？”姚佩佩问道。

“他们都爱这样。升了官，心里头高兴，可又不能让旁人看出来，只能狠狠地皱眉头。”有了这句话，姚佩佩再仔细看了看钱大钧脸上的表情：可不？简直是哀痛得就要哭出来似的。突然，只听得呼啦一声，全场起立。嘈杂的掌声，忽然变得很有节奏起来。原来是省领导在宣布完决定之后就要离场了。那个名叫金玉的人，站起身来，笑容可掬地与主席台上的人一一握手，亲切话别。这个人因嘴角长着一个大痦子，再怎么笑，看上去还是有点凶。为什么所有的领导都有几分凶相？

当他走到钱大钧跟前的时候，两个人的胳膊就像被胶水黏在了一起，像荡秋千似的摇晃着，连姚佩佩都觉得手臂发酸。她看见金玉附在钱大钧耳边说了句什么，钱大钧就仰直了脖子，朝会场里张望，好像在寻找什么人。随后，钱大钧又趴在金玉的肩膀上又说又笑，那领导神秘地眨了眨眼睛，笑了笑，终于走下了主席台。可算是要走了！姚佩佩一直悬着的心终于放了下来。不料，这个人在谭功达、赵焕章等人的簇拥下刚走到门口，突然来了个急转身，向人群挥手致意。于是，急风暴雨式的掌声又一次响起。趁着这个工夫，汤碧云不知从什么地方给佩佩搬了一张椅子来，悄悄地说："看你的腰还挺细的，屁股却这么大！挤得我直往下掉。"

姚佩佩笑了笑，道："中午我请你去清真馆吃饭。"

"算了吧，"汤碧云道，"你就别逗我开心啦。"

"真的。不骗你。待会儿会议一结束我们就去。"姚佩佩一本正经地说，"我上个月发的工资还一分都没花呢。"

"去什么去？你忘啦，今天中午全体工作人员要在食堂集中吃忆苦饭。"

一听说忆苦饭三个字，姚佩佩的脑袋嗡的一下就炸了："这忆苦饭，半个多月前不是刚吃过一回吗？怎么又要吃了？"

这时，谭功达等几个人在送走省领导之后，已经回到了会议室，在白庭禹的主持下，会议继续进行。

姚佩佩在县里已经待了两年多，可对这里的工作极不适应。没完没了的会议、下乡、培训，数不清的表格、剪报和文件弄得她整天晕头转向的。姚佩佩最怕下乡了。有一次，她被派到梅城附近的一个村子里“闹双抢”，站在齐膝深的水田里学插秧，倒是觉得挺好玩的。可等到她走到田埂上，看见自己的小腿上竟然趴着五六只肥肥的蚂蟥，其中有一只居然一半身子已经钻到她肉里去了！当即两眼一黑，一头就栽倒在水田里……她不知道这个县到底有几个乡、几个镇、多少个自然村，就连县机关到底有几个下属单位都没有明确的概念。她常常因为送错了文件而受到钱大钧的严肃批评。

单单这些倒也罢了。可单位里的这些人，没有一个是她能看得顺眼的。就连办公室一个普通的秘书都显得神抖抖的。你要跟他说句话，或问点什么事，人家不眨巴着眼睛把你琢磨老半天，是不会轻易回答你一个字的。可自己的那只手的确也犯贱，跟人说话时总爱在人家肩上拍两下。有一次，她差一点没把管收发的老童拍得背过气去。钱大钧为这件事不知道跟她发过多少次脾气了。姚佩佩又发誓又赌咒，暗中不知把自己的祖宗骂了多少回，从此变得沉默少语，不像以前那样咋咋呼呼的了。可这样一来，钱大钧又说她看不起群众，独来独往，自命清高，小资产阶级倾向严重。弄得姚佩佩一生气，把手里的铅笔往桌子上一摔，像个疯子似的，冲着钱大钧哭叫道：

“反正我怎么做都是不对的了？是不是？！”

她这么一叫，把钱大钧也镇住了。看到她泪眼婆娑的样子，大钧只得拍了拍她的肩膀，好言好语来哄她，谁知佩佩不依不饶：

“你不是要我不要跟人拍拍打打的吗？可刚才是谁拍我来着？”

办公室里的人都哈哈大笑起来，钱大钧也只得讪讪地笑。姚佩佩就知道刚才那句话又说错了，却又不知错在什么地方，心里又气又羞，只是拼命地绞着自己的衣角来解恨。

经过这件事，姚佩佩谁也不爱搭理了。没事的时候就一个人托着腮帮子，看着窗外的一棵大杨树，呆呆地出神。她觉得自己在县机关还不如当初在澡堂子里卖筹子自在呢。她一个人闷坐在办公室里，在那儿想着不着边际的事，想着想着就终于想出了一件要紧的事情来了。有一回，姚佩佩在随钱大钧下乡的途中，向他提出了这样一个问题：

“别的县都有县长，有书记，为什么梅城县单有县长，没有书记呢？”

“书记是有的，”钱大钧道，“只不过他刚上任就病倒了，一直住在疗养院，因此你不曾见过。”

“既然他生了病，不管事，为什么上面不另外派个书记来？”

钱大钧想了想，脸上的表情渐渐地变得暧昧起来。他绕着弯告诫佩佩道：“假如我是你，不该问的事我就一个字也不会瞎问。”

姚佩佩赶紧冲他吐了吐舌头，扮了个鬼脸。

县里每过两个月，就会对全体工作人员进行一次民主考评。考评的成绩就张贴在走廊的布告栏里。自打她来县里上班的时候算起，姚佩佩的名字每次都排在最末一名，每次都是“差”，或者“较差”。她只得过一次“中”。那一次得“中”，也不是因为她表现好，而是因为她得盲肠炎住了一段时间的医院。

无论她怎样卖力地工作，无论她怎样不要脸地看到每个人都谄媚地微笑，她的名字永远都准时出现在布告栏的最后一位。到了后来，她索性懒懒散散，破罐子破摔，不去管它了。

终于等到一天，她在布告栏自己的名字下面看到了一个“垫底”：汤碧云。眼前不由得一亮，暗暗在心里笑了半天。心里那一阵畅快，就别提了。可笑完了以后，转念又想，在县机关，竟然有人比自己还差，这个人想必一定十分优秀。心里不禁暗暗地就崇拜起这个人来。这一次，姚佩佩多留了个心眼，没有咋咋呼呼地到处打听，免得人家看穿了她的心迹，说她搞小山头，自甘堕落。她利用往各个单位送文件的机会，明察暗访，费了九牛二虎之力，终于在一个被称做民政科的科室里将这个隐藏得很深的坏分子给挖了出来，顺带着还掌握了她的绰号：羊杂碎。

姚佩佩找到汤碧云的那天，羊杂碎恰好被她的一个顶头上司——据说是一个长着黑笃笃小胡子的老处女骂了个狗血淋头，正坐在办公桌前哭鼻子呢。姚佩佩把她叫了出来，把自己单位里的每一个人都骂了个遍，借此轻易赢得了汤碧云的信任。两个人就坐在大院里的一丛海棠花底下互吐衷肠。两个人没说几句话就一拍即合，彼此沆瀣一气，相见恨晚。

我们是坏蛋。哈哈哈哈……

我们是落后分子……

我们是没人要的小屁孩……

哈哈哈哈……

因此……

我们是朋友。

两个人都觉得从此以后生活有了盼头。她们着手做的第一件事，就是给她们单位所有的人都起了一个外号。最后，姚佩佩颇为动情地表白道，要是汤碧云是个男的，她就毫不犹豫地嫁给他。对方也表示，自己的心里也正是这么想的。

正这么胡思乱想，主持会议的白庭禹忽然叫起了姚佩佩的名字，把她吓了一跳。“正说你呢，”汤碧云笑着望着她，“恭喜恭喜，你也升官了……”

姚佩佩仔细听了听，原来是县里的人事做了微小的调整：鉴于杨福妹升任县办公室主任，姚佩佩就被调到了谭功达的办公室，担任县长秘书，接替杨福妹的位置。会议一直开到中午十二点才散。

在去食堂的路上，姚佩佩满腹忧虑、心事重重。怎么偏偏把我调到他屋里去？怎么这么倒霉！苦楝树和紫云英花地上的乌云不会移走……永远不会。汤碧云不停地跟她开玩笑，佩佩也不理不睬，汤碧云见她又在胡思乱想，就推了她一把，说：“你可别得了便宜还卖乖了。俗话说得好，官越大越好糊弄。”

“什么呀！他的脾气也够大的。还有，这个人不太爱讲卫生，老远就能闻着酸味。”佩佩道。

“这好办，”汤碧云一本正经地说，“你每天替他洗个澡。”

“放屁！”姚佩佩骂道，“你怎么能说出这么恶心的话来，呸呸呸，你干吗不去给你们小胡子大妈洗一洗，看她到底是男是女……”

两人正闹着，一扭头，看见谭功达和钱大钧两个人正朝这边走来。两个人正想溜，没想到钱大钧在身后叫住了她们。两人走到近前，谭功达目不斜视，连正眼都不瞧她们一眼，就走过去了。钱大钧眼睛盯着姚佩佩，却对汤碧云笑道："羊杂碎，下午上了班，你到我办公室来一下。我有话跟你说。"

说完，又朝姚佩佩看了一眼。那样子就像是第一次见到她似的。他的眼神怪怪的，似乎在给她使眼色，眉毛往上轻轻一扬，让人颇费思量。

所谓的忆苦饭，不过是由麸子、谷糠、豆渣等熬煮而成的稀饭。盛在一只大木桶里，清汤寡水的，用汤碧云的话来说，往那木桶上一趴，就能照出人影子来。姚佩佩硬着头皮，盛了一碗粥，和汤碧云两人找了一个僻静的角落，并排坐了下来。姚佩佩勉强喝了半碗，就再也喝不下去了。一阵阵的反胃，弄得她只想呕吐。

"豆渣是馊的。比猪食还难吃。"姚佩佩抱怨说。

"菜叶子也是黄的，像是在泥里沤过的。"汤碧云说。她在碗里搅了搅，挑出蚕豆来吃，等到她把为数不多的几粒蚕豆吃完，就将碗一推，筷子一丢，托着脑袋怏怏发愣。

"哎，你看钱副县长，倒是吃得挺欢的。我数过，他已经在喝第三碗了。"姚佩佩小声道。

汤碧云直着脖子，远远地瞅了钱大钧一眼，冷冷道："他呀，升了官，心里头美滋滋的。假如有人让他把一缸泔脚水喝下去，他保险比谁喝得都快。"

过了一会儿，汤碧云对姚佩佩说："上一回季度考评，你知道我的名字怎么会跑到你后面去的吗？"

"不就是思想落后，表现不好吗？"

"哪儿呀，就是那回吃忆苦饭，我没去，躲在女厕所吃饼干，被我们小胡子领导当场抓住了。”

“你们领导也吃得挺欢的。”

“她呀，你就快别提了。这人肥得像一只癞蛤蟆，脖子比脑袋还粗。咳嗽一下，身上的肥肉都要抖上半天。”汤碧云苦笑着摇摇头。

过了一会儿，姚佩佩道：“形式主义害死人。要说这时候，正是蔬菜上市的季节，又不是没有好青菜，干吗净往锅里放烂菜叶呀？”

“要不怎么叫忆苦饭呢？”

“这名堂也不知道是哪个王八蛋想出来的。”

“我现在一想到清真馆的生煎馒头，就受不了。”

“对呀，牛肉包子呀！”

“还有羊杂碎汤呀！”

“兰州拉面呀！”

“对呀，还有莲花酥呀！”

“荷叶饼呀！”

……

两个人正说得高兴，忽听得背后有人冷不丁接话道：“依我看——”

两个人回头一看，顿时吓得魂飞魄散。原来紧挨着她们身后靠墙的位置，还有一张小方桌。刚刚打饭的时候，姚佩佩还特地留意了一下，没人。不知什么时候，赵焕章副县长悄不溜声地坐在了那儿。

“依我看呀，清真馆最好吃的还要算是锭子锅盔，你们以为呢？”赵焕章道。

“是是是……”姚佩佩傻傻地笑着，拼命冲着赵副县长点头。

“好吃好吃，锅盔好吃，锅盔好吃……”汤碧云也连忙附和道。

看到两个女孩愣愣地望着自己，吓得面无人色，赵副县长用筷子指了指自己的脑袋道：“不用担心。你们俩刚才说的话，我一句也没听见。不过，以后说话可得留神。俗话说，隔墙有耳。”说完，端起饭碗，咕噜咕噜喝了个精光，站起身来，笑眯眯地走了。

7

第二天上午，姚佩佩和杨福妹办了交接，就搬到楼下办公去了。刚才，她忘了把茶杯带到楼下来了，只得上楼去取。钱大钧也正忙着挪窝呢，地上飘满了散落的纸页。姚佩佩取了杯子要走，听见钱大钧在背后说道：“小姚，你怎么把辫子给剪了？”仍然是似笑非笑，目光空洞。姚佩佩的脸一下就红了，“怎么样？好不好？”她拢了一下耳边的头发，问钱大钧道。

昨天晚上，她去理发店新做了头发，原来的羊角辫变成了现在的齐耳短发。姑妈一迭声地说不好，姑父说她不如以前好看了。早上上班时，她在门口碰到了汤碧云，羊杂碎似乎吓了一跳：“天哪！你一下子老了七八岁！”

“好啊好啊，这样显得更成熟。说真的，你搬到楼下去，我还真有点舍不得呢！”钱大钧笑道。

“谁知道是真是假！”姚佩佩笑呵呵地说了一句，转身就走了。

谭功达安静得像个熟睡的婴儿。一上班，他就把自己埋在一大堆文件和书籍之中，半天没有一丝动静。姚佩佩即便是伸长了脖子，也看不见他的脸。她从抽屉里取出那本《三国志》，胡乱地翻了几页，又读不下去。

今天早上，姚佩佩将新做好的一条裙子找出来，折腾了半天，最后还是没敢穿。窗外春已渐深，漫天的柳絮落在院中碧绿的草地上，让南风一吹，又飏起来，在窗前流连不去。不时有絮花飘到屋子里来，弄得她鼻子直痒痒。槭树和洋槐长出了新叶，阳光暖烘烘的，蒸发出雨后的湿气，带着泥土味，熏得人浑身倦怠，昏昏欲睡。

大约九点钟的时候，白庭禹摇头晃脑地走了进来。他是个好脾气的老头，永远都是笑呵呵的。他看见姚佩佩一个人坐在窗前打盹，就走了过去，把她手里的那本书拿过来翻了翻，道："怎么样，挺困的吧。这个季节人最容易犯困，泡杯浓茶喝喝就好了。"随后他转过身去，对谭功达说："小王已经在下面等着了。老谭，我们走吧。"

"就来就来。"谭功达支吾着，一边收拾着桌上的文件，一边站了起来。

白庭禹看了他一眼，一下子就乐了。他又扭过头来，看了看姚佩佩，笑道："哟嗬，你们两位是约好了的还是怎么的？怎么都把头发给理了？"

姚佩佩这才发现县长也理了发，而且人家理的是眼下颇为时髦的小分头。虽说看上去比原来年轻多了，可毕竟怪里怪气的，有点滑稽。姚佩佩抿着嘴只想笑，可又不敢笑出声来，赶紧扭过身去，假装看着窗外。这时，谭功达已经从那张巨大的办公桌后面绕了出来，径直走到姚佩佩的跟前，小声道："小姚，你这儿有梳子吗？借我用用。"

姚佩佩手忙脚乱地在提包里乱翻了一通，只找出一把篦子，问他要不要。谭功达也不管它是什么东西，一把夺过来，对着墙上的一面小方镜，像模像样地梳起头来。末了，又把篦子还给姚佩佩，嘴里狐疑道："咦，你这是什么梳子？怎么是滑的呢？"

姚佩佩终于忍不住，捂着嘴噗噗地笑了起来。

"这是篦子。"白庭禹道，"过去的女人不常洗头，用它来篦虱子。"

谭功达哦了一声，又对着镜子，半蹲着身子，整理起衣领来。

姚佩佩来到县里这么些日子，还从没见到过县长打扮得这样光鲜：藏青色的中山装，雪白的衬衣；裤缝烫得笔挺，皮鞋锃亮；胡子刮得干干净净，而且身上还有一股淡淡的樟脑丸的香味。别说，还挺好闻的！他的脸一定是用力洗过了，反正看上去比原先白了不少。

"县长莫非是要去相亲？"姚佩佩笑着问道。

"谁告诉你的？"谭功达诧异地转过身来，飞快地看了她一眼，"别胡说，我和白县长去粮管所办事。"说完，又像是想起了一件什么事，对姚佩佩交代说："噢，对了，我的桌上有一份刚刚签了字的文件，你待会儿替我送到民政科，交给罗主任。"

随后，两个人神秘兮兮一阵风似的走了。空空荡荡的楼梯间很快就传来了他们杂沓的脚步声。哼！这么急！就像是跑去救火似的。接着，她听见了吉普车马达的轰鸣，姚佩佩长长地吐了一口气，心里道：这也难怪，这人年过四十还找不到个老婆，这一回看起来真是有点发急了。谭功达一走，姚佩佩托着下巴，乱七八糟地想了一会儿心事，正想靠在椅子上小睡一会儿，电话铃突然响了起来。

电话是县文工团打来的。对方似乎是一个唱小生的，说起话来不男不女，听上去怪别扭的。那人问："县长出发了没有哇？"姚佩佩说：“走了。”那边的电话就挂断了。

这么说，县长刚才是去文工团。既然是去文工团，那刚才谭功达为什么要说去粮管所呢？可见这个人连说谎都不会。如此说来，县长的这个对象说不定就是文工团的某个女演员，说不定……这么一步一步地推想下去，姚佩佩忽然自己也烦了：嗨，人家去相亲，我在这儿瞎操什么心呢！

这时，她忽然听见有人在门上轻轻地敲了几下。姚佩佩一转身，看见一个瘦巴巴的老头正站在门口，讪讪地笑着，冲着她又点头又哈腰，还朝办公室探头探脑，四处张望。

“怎么，县长不在呀？”老头问道。

姚佩佩想了想，说：“县长到粮管所开会去了。”

老头哦哦了两声，转身要走。姚佩佩叫住了他，问他从哪里来，找县长有什么事。老头笑着自我介绍说，他是县信访办的主任，姓徐。他说，有一件棘手的事不知如何办理，因此特来向县长请示。姚佩佩一听说他有棘手之事，便赶紧请他到屋里，让他在靠墙的一张木椅上坐下。老人谢了半天，这才坐下说话。

“今天早上，也就是九点来钟吧，信访办来了一位乡下妇人，手里拎着一个青布包裹，怀里抱着一个三四岁大的孩子，一进门就嚷嚷着要见县长。我问她姓甚名谁，家在何处，因何事要见县长，妇人道：‘这个不消跟你说得，等见了县长我自与他说便了。’口气还挺硬，我反复盘问，方知她是夏庄人氏，头一天就已动身，到了天黑时分才赶到梅城。母子俩就在大街上露宿一晚，今天早上才一路问到县里来了。我再三问她有什么事，她也不说，只道是县长家亲戚。我又问她是县长家的什么亲戚，妇人冷冷道：‘这不关你的事，你带我见了县长，自有分晓。’我见她前言不搭后语，衣衫肮脏，蓬头垢面，便不敢贸然带她来见县长，但也不知如何发落。我说：‘你既是县长家亲戚，可知道县长姓什么？叫个什么名字？’妇人先说是姓张，又改口说姓朱……”

“这倒也不难，”姚佩佩笑道，“等会儿待县长回来了，您老让他们俩厮认一下不就得了？”

“使不得！使不得！”老徐一个劲儿地摆手道，“这年头，以各种名目到县上撒泼打滚的人可多了，无非是告状、要钱两件事。让县长见了反而不好办。再说了，这妇人一口咬定是县长的什么亲戚，恐怕是八竿子也打不着。不可能的呀！”

老徐说，自己虽说在信访办兼管收发，可闲来也去县志办公室帮忙，整理个材料什么的。县长家的事，说起来复杂，可他比谁都清楚：“他们家没有任何亲戚。县长家的人全都死光光了，一个都不剩了。”

听老徐这么一说，姚佩佩立即就来了精神。平常在县机关，有关县长家事的传说版本很多，错讹百出，大多离奇虚幻，极不可信。她曾经为这事问过钱大钧，他也是笑而不答。今见徐主任人老话多，谈兴正浓，便问道：“县长的身世到底是怎么回事？连我也还不太明白呢。”

“唉，你小小年纪哪里能知道？那些陈谷子烂芝麻的旧事，说来话长。”老徐道，“他娘在梅城监狱里生下孩子，是庚子年的仲夏，我记得是七月三日。天气又热，那孩子奶水不足，溽暑正烈，加上那监狱本是个肮脏污秽之地，一个名叫梅世光的狱卒……”

“哎，我听人说，他妈陆秀米可是这一带数一数二的大美人呢。”姚佩佩打断了老徐的话，好奇地问道。

“这个，各种文献中都没有记录。人家都这么说，反正我是没亲眼见过她。县志办还藏有她早年的一张小照，是当年她在日本穿着和服拍的。相片毕竟年代久远，已经看不太清楚了。不过，那眉眼长得跟县长一般无二，你要是想知道她长得什么样，瞅瞅谭县长也就八九不离十了。”

“我听说，县长原来不叫现在的名字，好像姓梅？”

“那狱卒名叫梅世光，也无妻室儿女，因见这个孩子眼看着气息微弱，奄奄待死，便动了恻隐慈悲之心，悄悄地将他带到狱外，请了一个奶妈，硬是把他给养大了。”

“那他，怎么又姓了谭呢？”

老徐顿了顿，笑道：“这里边另有一段缘故。在普济一带，有一对父子，做爹的名叫谭水金，儿子名唤谭四。两人在普济河上，靠摇船摆渡为生。陆秀米自日本回国，风云陡变，革命军兴，谭四便跟着秀米创办普济学堂，暗中联络同志，以图大举。因叛徒出卖，秀米兵败被俘，谭四亦死于清兵乱枪之下。待到秀米在狱中生下了孩子之后，普济人闻听，便都猜测这孩子是谭四的骨血。可事实究竟如何，现在已无从知晓。这些猜测，本是妄人耳食之谈，可谭水金却信以为真。你想呀，谭水金老年丧子，余下这点骨血，且不说真假，老谭家的香火，仅此一脉。到了那步境地，也由不得他不信了。他便四处查访，打听孩子下落。当他最后在浦口找到那孩子的时候，县长那会儿已经六岁了。谭水金执意要将孩子带回普济抚养，狱卒梅世光自是不让，两家争来争去，就闹着要打官司。最后经人从中调和，双方各退一步，那孩子姓了谭，但仍归梅世光抚养。从那以后，县长的名字就叫谭元宝。功达这个名字是解放那一年县长自己改的。要说元宝这名字在过去的乡下十分常见，可是到了今天，毕竟封建气息太浓。你想想，现如今这陆、谭、梅三家人都死绝了，除了县长本人再也没有旁人了，你说这会儿从哪儿冒出个亲戚来？”

“那您打算怎么办？”姚佩佩都听傻了，张着嘴看着老徐。

“信访办的几个同志商量着，替她凑几个钱，打发她回去便了。我想，为慎重起见，还是等县长回来再说。”说完，老徐就站起身来，告辞而去。

8

县文工团设在城西山坳中的一座花园洋房里。据说，这座围着黑铁栅栏和卫矛的建筑最早是一位英国女传教士出资修建的。后来，一度是梅城监狱的所在地。辛亥之后，陆秀米曾在这里被关押一年零六个月之久。花园四周，树木簇掩，山石拱卫，显得极为幽僻。如今，县文教局、文化馆和文工团都在这里办公。

谭功达的吉普车抵达那里的时候，文工团的团长已经在门口迎候多时了。他的身边还立着一位白发长者。

团长介绍说，这位老人当年在监狱的厨房当伙夫，已经七十多岁了，对这里的情况比较熟悉，“据他说，他曾见到过令堂大人。”团长这一介绍，那老头就不停地点头道：“见过的，见过的。”

这是一座三层楼的红砖建筑，园子很大，修建了中国式的水榭、曲廊和石砌小径。园子中间有一座喷泉，一尊铜制的天使雕像。地面由碎砖铺成，砖缝中长满了青草。由于刚刚下过一场雨，喷泉池中的水还是满的，只是漂浮着一层厚厚的绿锈。那座雕像有些歪斜，不远处钟楼的指针早已锈坏，永远停在了八点一刻。园中的一株合欢树下，花瓣落了一地。谭功达不喜欢这个地方，觉得到处都显得阴森森的。

三楼的一扇窗户开着，从里边传出手风琴的声音，反复演奏着同一个旋律；有一个老生演员正在吊嗓子，他唱的是《三家店》里的“打登州”。每唱一句，都会传出一片叫好之声，弄得谭功达心烦意乱。几个人一声不吭地沿着花园四周的回廊转了一圈，团长就请县长上楼参观，说：“我们，是不是去看看当年县长您出生的那个房间？”谭功达明显地犹豫了一下，皱了皱眉，对身边的白庭禹道：“不看了吧？”白庭禹赶紧道：“既然已到了这儿，还是看看吧。人家还专门请来了向导……”

二楼的走廊里光线阴暗，有一股淡淡的霉味。楼道里搁满了演戏用的道具和杂物，鼓、戟、枪、旗、锡箔刀、戏服和髯须堆得到处都是。白发老头侧着身子挤到谭功达身前，介绍说，当年陆秀米被关押期间，待遇优厚，除了不能出门之外，她基本上是自由的。这么大的房子，就关着她这么一个囚犯。食堂的厨子、伙夫、杂役，加在一起一共有十一个人，都来伺候她一个。梅城统领龙庆棠还隔三差五地派人给她送点心来，甚至他本人还专门到狱中来看过她几次。那时的监狱不像现在，他常常看见秀米在院子里的喷水池边晒太阳，坐在藤椅上读书。“我呢，那时还小。心里想，一个人要犯怎样的罪才能被送到这么好的地方来？龙庆棠毕竟是读过书的人，待人倒也和善，没有对她动过刑，从头到尾都待若上宾……”

团长见谭功达脸上渐有不豫之色，可这老头越说越不着调，团长赶紧拉了拉他的袖子，老头立即就不吱声了。

几个人走到走廊东头的一个房间门口停了下来。谭功达看见那扇平板木门是拱形的，门上缀着一条细麻绳，绳子的一端系着一个桃核，除此之外并无他物。

“这是圣芳济各会修道士的传统，”团长说，“一切都显得朴素简单。”

谭功达伸手拉了一下那桃核，门就开了。这是一个不到二十平方米的房间，地板有几处已经坍塌了，房子似乎有点漏雨，墙上的石灰都起了皮。靠窗的位置摆着一张小书桌、一把木制圈椅。紧挨着墙边的地上有一张木板，这大概就是母亲当年的卧床了。床头的墙上，有一个壁龛，里边有一盏小油灯。

“我记得墙旮旯里原先还有一个净桶，”白发老头补充说，“其余的，都是当年的样子，原封未动。”

看着这个陌生的房间，谭功达仿佛一下子就回到了四十年前。一个风雨之夜，母亲在这张木板床上生下了他。一个头戴簪花的老妇人从狱卒手里接过孩子，出了房门。他的母亲，仿佛仍然坐在窗前的圈椅上，回过头来，朝他寂然一笑。妈妈，妈妈。她的一生都像一个谜，她的形象由数不清的传说和文史资料堆砌出来，在他看来，却像流云一样易逝，像风一样无影，像正在融化的冰一样脆弱。妈妈。妈妈。除了“陆秀米”三个字，那个被戏文和高耸的纪念塔所固定的形象，跟你脸上碎碎的笑容到底有什么关系？那个教科书上登高一呼、应者云集的英雄豪杰与你的寂寞和忧伤又有什么关系？从时间上来推算，母亲去世时年龄与谭功达现在的年纪大致相仿。而她从梅城出狱回到普济的时候，最多也不过三十岁。她为何突然之间发了禁语誓，把自己变成了一个僧侣和哑巴？在蛰居普济长达十年的时间中，她每日只是侍弄园中的花草，几乎没有说过什么话。这个不合常情的举动在谭功达看来是不可思议的，其中一定隐藏着某种他现在仍不能知晓的秘密。他翻遍了所有的关于母亲的资料和回忆文章，却找不到任何答案。

母亲生前最后一个伴侣，名叫喜鹊，按理说应该知道更多的情况，可她也只留下了一本薄薄的《灯灰集》。这些诗虽然稚拙、不事雕饰，许多地方不合韵律，可也不是粗通文墨的谭功达所能轻易理解的。苦读这本诗稿，带给他的是一种强烈的不真实感。普济一带的风光景致、农事稼穑，到了她的笔下，也能含咀英华，绮怀伤情，让人生趣顿消。多少年来，谭功达一直有一种隐隐的恐惧：自己不管如何挣扎，终将回到母亲的老路上去，她所看到并理解的命运将会在自己身上重演。

谭功达轻轻地带上门，回到阴暗的走廊里。向导不知什么时候已被打发走了，团长和白庭禹正在小声地商量着什么。看到谭功达神情黯然，眼中飘出一缕如梦清光，白庭禹误以为他是为即将与白小娴的见面感到局促不安，就笑着安慰他道："老谭，都这么大年纪了，怎么还像个孩子似的紧张？不用担心，完全不用担心。这就好比说你要去参加一场考试，而你预先就偷看了答案。"

"答案？什么答案？"谭功达慌忙问道。

"你看看，你看看，我说老谭是一根筋，你还不相信。"白庭禹对文工团长打趣道。

团长也笑了起来，他解释说："白副县长的意思是说，您和白小娴之间的事是板上钉钉的。不管你们初次见面情形如何，有情人终成眷属。只要您看她顺眼，她就跑不掉。没有什么好担心的。您只管轻装上阵，就当是走个过场吧。”团长似乎是北方人，说起话来总是您您的。

“哦，原来你们说的是这回事！”谭功达勉强笑了笑，问道，“我们待会儿在哪儿见面？”

“就在我的办公室如何？虽说在一楼，可是拉上灯芯绒窗帘，外面的人看不到里边。”团长说，他看了一下手表，“不过，白小娴现在正在练功房上课，我们不妨先去办公室坐一会儿，让你先熟悉熟悉作战环境，待会儿一下课，我就派人把她叫来。”

“要不，我们先去练功房看看？”白庭禹建议说，“谭县长只见过相片，真人一回也没见过呢。”

“也好。”团长道，同时看了看谭功达，“那我们就去练功房看看吧。”

他们三人穿过走廊往西，走下楼梯，绕过一片小树林，来到后院的一幢简易的木板房前。透过敞开的大门，谭功达看见那些年轻的小伙子在一个秃头教练的指导下，正在练习空翻。而女孩们则一律在窗下的木杠上压腿。看到三个人走进门来，姑娘们全都扭过头来，好奇地朝这边张望，叽叽喳喳地议论起来。秃头教练见状赶紧气喘吁吁地跑过来。团长朝他摆了摆手，道：“你们继续练功，我带两个客人来观摩观摩。”教练冲着他们鞠了一个躬，又气喘吁吁地跑开了。

“条件是简陋了点儿，”团长对谭功达道，“不瞒您说，这地上的垫子都是草编的。在上面再铺上一层棉布就完事了。噢，对了，为了改善文工团的条件，我给县里是打过一个报告的，一直没见批下来。艰苦一点不算什么，可没有海绵垫子还真的不行。学员要是一个跟斗翻下来，闪了腰或是摔断了腿，那也不是闹着玩儿的。”

“好说好说。马上批，马上批。”白庭禹笑呵呵地答复说。

对于这个问题，谭功达显然有完全不同的理解。他飞快地瞥了团长一眼，似笑非笑地道：“你说没有海绵垫子就不能练功，这也太夸张了吧？哪一天等你的演员们到了真正的舞台上，难道还要在舞台上铺上垫子才能表演？嗯？”团长见谭功达话中有话，而且深知他平常就不喜欢文艺工作，只得讪讪地笑了笑，不再提报告的事了。他凑到谭功达跟前，朝窗口那边指了指，低声道：“那个穿黑色紧身衣，脑袋上打着红色蝴蝶结的女孩，就是白小娴。”谭功达点点头。

实际上，他早就注意到她了。她的个子比一般女学员要高一些。修长匀称，皮肤白皙。她汗涔涔的，正侧着身子，将脑袋往脚尖上压。初一看，一点都不像是从乡下来的姑娘。谭功达一看她的脸，立刻就吃了一惊，像是被锋利的锥子扎了一下，身体软软的，难以自持。古人说的倾国倾城之貌，虽有夸张之处，也不是完全没有道理。不然，何以我一看到她，身体就摇摇如醉？

白小娴的照片，白庭禹一个月前就送给他了，他不知道看了多少遍。每次看到她的照片，谭功达都有一种自惭形秽的感觉。可是一见到真人，比照片还是要漂亮不少。谭功达的汗顿时就下来了，心也快跳到了嗓子眼。作孽啊作孽，这真是作孽。天哪，太过分了。我的眼睛怎么一刻也舍不得离开她。谁家的孩子？竟能长成这个样子？这个时候，他再想起刚才在楼道里白庭禹跟他说过的考试和答案的一番话，心里就是一阵狂喜，也觉得是莫大的安慰。他转过身来，看了看白庭禹，而后者也得意地朝他微笑、颔首，似乎在说：“怎么样？”

不一会儿，秃头教练宣布下课，学员们各自收拾自己的衣物，准备离开。谭功达看见白小娴怀抱着一堆衣服，用一块毛巾一边擦汗，一边快速地朝门边走来。一看到白小娴朝自己走过来，谭功达笑也不是，不笑也不是，兀自愣在那里，一时不知如何是好。白小娴走到门边，见有几个人堵在门口，连眼皮都没抬一下，怒气冲冲地对谭功达道：

“让开！”

白庭禹看见白小娴怒目横眉的样子，就知道事情不好。他赶紧上前，一把将她拉住，压低了嗓门向她介绍说：“这位是谭县长。”

“我知道他是县长！”

白小娴一甩手，差点没把白庭禹带个跟头，她再次对谭功达吼道：“你让开！”

谭功达看见她嘴唇上布满了细细的小汗珠，额前的刘海也是湿漉漉的。空气中有一股好闻的汗味。他本能地往后靠了靠，白小娴一侧身，就钻出了门，大步流星地走了。白庭禹和谭功达面面相觑。对于这样的突发事件，团长显然也缺乏准备，等到他回过神来，再张罗人去把她拦住，哪里还有白小娴的人影？

秃头教练见状上前献计说：“白小娴一定回宿舍去了，要不要我去宿舍把她叫过来？”

白庭禹低声道：“不用了。”他转过身来，对愣在那儿的舞蹈演员喊道：“大家排练得很好！啊，很好！基本功很扎实，啊，很扎实。希望大家再接再厉，啊，再接再厉。”他总算硬着头皮，说完了这几句话，学员们也就散了。

等到练功房门口只剩下他们三个人的时候，团长说："不如先去吃饭，在鸿兴楼。吃完了饭，我亲自给小娴去做做思想工作，保管……"

"不必了，"谭功达道，"我们下午还有一个三级干部会。"

白庭禹见谭功达受了惊吓，一副心绪不宁的样子，也只得对团长说："要么这事就先这样了，以后再说。我这个侄女，样样都好，就是那臭脾气，跟我嫂子一模一样。我们告辞了。"

团长见白县长这么说，只好闷闷地把他们送到门外，挥手作别。吉普车扬起灰尘，不一会儿，在坑洼不平的巷子里消失不见了。

因县机关还没有举行大型会议的场所，下午开始的三级干部会被安排在梅城中学的大礼堂举行。时间已经过了中午十二点，谭功达让小王将车直接开到梅城中学，他和白庭禹就在马路对面随便找了个小饭馆吃饭。

白庭禹特地要了一瓶高粱酒，说是给谭县长压压惊。

"我看这事还要斟酌斟酌，"谭功达说，"别的且不论，这年龄的确是一个问题。"

"什么问题也没有。俗话说好事多磨，这么点小事你不必放在心上。"白庭禹劝慰道，"不瞒你说，我前些日子回老家，就是为了这事。我把这门亲事与哥哥嫂子三头六面都说清楚了。他们哪有不愿意的？虽说到了三十四五岁上，夫妇二人才有了这么个宝贝疙瘩，一味骄纵，百般疼爱，一听说这件事，我那嫂子顿时眉开眼笑，拍着手说道：'要是结成了这门亲，我们悬了五六年的心就可以放下了。’他们是被土改和镇反吓破了胆，哈哈，说起来也怪可怜的。”

“他们有什么好害怕的？莫非你们家是地、富、反、坏？”

“反、坏倒也说不上。不过我们私下说说，她家跟这个地、富略微还沾点边。”白庭禹道，“我们家祖上世代在长江淮河上贩盐，做的是一本万利的买卖，家中广有田产。我十八岁出去参加革命，自然与这个家庭划清了界线。可我的哥哥就不同了，他是长子，这么大的一个家私，虽经分家析产，临解放时，划在我哥哥名下的田产少说也有两百亩，不是地主是什么！到了五二年划定成分的时候，土改工作组顾念我革命多年，多方做工作，最后给他家定了个中农。成分虽说划定了，可我那哥嫂经过这么一折腾，就落下一个心病来，担心一旦翻出旧账，说不定还得来个人头落地。因此一有风吹草动，便风声鹤唳，肝胆俱颤。”

“你哥哥叫什么名字？”

“白慕尧。”

谭功达一听白慕尧这个名字，忽然想起来，他此前曾一连收到过三封匿名信，都是举报土改工作组徇私枉法，白慕尧划定成分不当的。在这件事情上，白庭禹虽然将自己摘得干干净净，可私底下做了多少手脚，也不难想见。不过事已至此，碍着白庭禹的情面，他也不便再说什么，只是道：“这么说，白小娴本人现在还不知道这件事？”

“怎么不知道？”白庭禹喝了几杯酒，脸红得像鸡冠似的，“我从夏庄老家回来的当晚，就去找她谈了话。”

“她当时怎么说？”

“嗨，这种事，”白庭禹支吾道，“这种事，哪有姑娘家一问，就愿意的？免不了要推三阻四一番。嘴上说不愿意，心里头没准乐开了花。这女人的心要是硬起来，简直就不能算人！可是再烈的马，你骑上它溜一圈，没有不驯服的。别想这么多了，这都是女人惯常的小心思，你哪懂这个！我这个侄女，脾气的确有一点，可心地纯良，天真无邪，你们结了婚，日子一长就好了。”

谭功达一个人喝着酒，心里闷闷不乐。揣测白庭禹话里的意思，可见小娴心里不情愿。不情愿倒也罢了，刚才她敢于当面顶撞自己，还不是嫌我老？想到这儿，他心里又莫名其妙地恼怒起来。他倒是想打退堂鼓，可他一想起白小娴那张桃花带雨、娇艳欲滴的脸来，心里又有点不甘心。半天呆在那儿，始终没有说话。正在踌躇间，忽听得白庭禹道：“你回家后，赶紧将屋里屋外收拾收拾，别弄得像个狗窝似的，让老人看了心里寒碜，后天一早我就带他们过来。”

谭功达不由得一愣，诧异道：“你，你带什么人过来？”

“怎么，钱大钧没跟你说吗？他怎么把这事也给忘了！我哥哥嫂子想来县城一趟，一来与你见个面，二来呢，也想在县城逛逛，买点东西。他们今天晚上到，这会儿已经在路上了。”

“这件事大钧倒是跟我提起过，是我没在意。”谭功达的神情有点恍惚。他想起来，前天中午，钱大钧来他办公室的时候，谭功达正在跟新成立的县科委的几个人谈沼气试点的事，他隐约记得钱大钧特地将他叫到门外，还问他要不要添点什么家具，等到他送走了科委的人，心里还一个劲儿地纳闷：大钧这小子，怎么忽然神秘兮兮地跟我说什么家具？

9

谭功达的家离县委大院不远，四周大树环绕，显得十分幽僻。这房子里原先住着一个寡妇，姓冯。丈夫常年出门在外，十多年没有音讯，不知死活。因冯寡妇长得颇有几分姿色，日子一久，就不免招蜂引蝶，做起那皮肉生意来。五二年的时候，梅城“三反”工作组派人将她传到街市口参加批斗会，这寡妇死活不依，最后几个年轻人用麻绳套住她的脖子，像牵着一条狗似的，死拖活拽把她弄到了门外的巷子里。围观的人把巷子围得水泄不通，场面渐渐有些失控，更有当地的几个泼皮无赖也混迹其中，跟着起哄。他们推推搡搡，骂骂咧咧，三下两下就把冯寡妇的衣裤扒得一干二净。那冯寡妇虽是个私娼，倒也颇有节操，回到家中，当晚就悬梁自尽了。

据住在隔壁的信访办的老徐说，那天早上他赶去帮着收尸的时候，这寡妇的桌上还留有半截没有烧完的蜡烛。旁边的毛边纸上写有小诗一首，只是不能断定是否就是自尽当晚所写。诗曰：

花开若有思，
花盛似欲燃。
一夕风雨至，
狼藉不可看。

因她窗下有一棵海棠树，咏的似乎就是海棠。老徐说，墙上有一帧小照，是冯寡妇年轻的时候拍的，鼻梁上还架着玳瑁眼镜，可见还是个读书人。这个冯寡妇是从外地来的，平常不跟人搭话，对她的来历，左右邻居一概不知。人倒也挺好，见到人总是笑嘻嘻的，一副胆小怕事的样子，不敢正眼瞧人。冯寡妇死后，她的这间屋子就作为无主房，划拨给县干部们住。本来这房子就阴森森的，再加上一个吊死鬼，干部家属都说这房子晦气，不吉利，挑到最后还是没人敢要。最后，谭功达只得自己搬了进去。

谭功达刚搬进去的时候，还记得院中的大刺槐树下，有一辆生了锈的儿童自行车。在那时的梅城，这辆自行车可说是稀罕之物，似乎在见证着这个寡妇的来历颇不一般。另外，她或许还有过孩子。那孩子是夭亡了？还是去了别处？也无从打听。槐树旁有一个井台，院中的竹篱已经朽坏，邻居家的鸡常到院子里来啄食，那畦小菜地也已荒芜了。一间灶房通过一个小天井与正房相接，一律是砖墙明瓦。房间不大，却也敞亮精致。客厅里有扇小木门，通往后面的小跨院，进深很窄，碎石板的地面中间有一簇天竺。四周砌有高墙，墙外遍地芦荻，一条大江。江面上过往船只的汽笛声，时时可闻。

这天晚上，谭功达开完了三级干部会，回到家中，夜已经很深了。忙碌了一整天，又困又乏，未及洗漱，便倒在床上，沉沉睡去。

半夜里突然下起雨来。雨点密密地打在瓦楞上，飒飒有声。朦胧中，他觉得雨从朝东的窗户里飘进来，落在他脸上。床上的帐子也被风吹得鼓起来，裹在头上，拂之不去。他想着要起床把窗户关上，可就是睁不开眼睛……

不知过了多久，忽听得窗外有女人的声音，嘿嘿地笑着。谭功达吓了一跳，心里道：莫非这房子真的闹鬼不成？这一吓，他立刻就醒了过来。等到他手忙脚乱地将脸上的帐子撸掉，睁开眼睛一看，原来天早就亮了。

田小凤站在窗外，笑得直喘气。

“谭县长，你晚上睡觉也不关窗，这床都要给雨水漂走了！”

谭功达一骨碌从床上爬起来，看见大床四周果然积了一地的水。他赶紧跳下床来，趿着鞋，跑去院中开门。

“睡得还真沉啊！”钱大钧手里托着一只烟斗，在门外冲着他微笑，“我们都快把这院门拍烂了，也没把你拍醒。”

他的身后还站着七八个年轻人，全是女的，都咧着嘴冲他笑。她们都是县机关各科室的职工，钱大钧带着她们给县长收拾屋子来了。

“我这破屋子，待会儿自己拾掇拾掇就行了，怎么能占用大家的休息时间？”谭功达揉了揉眼睛，打着哈欠道。

钱大钧道：“反正我们闲着也没事，就当作是义务劳动吧。”

这时，田小凤也已经绕到院门前来了。谭功达看见她腰间扎着一条花布围裙，腆着大肚子，走起路来像鸭子似的一摇一摆，便对钱大钧笑道：“怎么，小凤又有了？”

“可不，都六个多月了。”钱大钧笑了笑，“当初你要不挑三拣四，早早成了家，这孩子也该满院子乱跑了。”

田小凤接话道：“谭县长，我们家大钧给你介绍的对象，少说也有一打了。高不成低不就的，没有一个入得了你的法眼。可白县长头一回当红娘，你就忙着布置新房了。可见这姑娘人品相貌……”

钱大钧冲着老婆又摆手，又递眼色，小凤这才把说了一半的话噎了回去。谭功达讪讪地笑着：“八字还没一撇呢，八字……”

“这收拾屋子的事呢，就交给她们年轻人去干，由小凤统一指挥。我们进屋聊聊天。哎，对了，包子呢？”钱大钧回头看了看，问道。

一个身穿灯芯绒马夹的女孩赶紧过来，将手里的一个纸兜递给谭功达：“我们在路上买的，还是热的呢。钱副县长料到您还没吃早饭呢。”

“是啊，钱副县长一心惦记着谭县长没吃早饭，”另一个女孩子道，“至于我们有没有吃过早饭，他就不管了。”

本来想开个玩笑，可话一出口，她自己听着都觉得别扭，加上田小凤一连白了她好几眼，她脸一红，愣在那儿，有点发窘。

谭功达见状赶紧将手里的包子递给她：“那就一块吃，一块吃。”

“我已经吃过早饭了，刚才我是开玩笑的。”那女孩道。谭功达见她有些面熟，就问道：“你是哪个科的？叫什么名字？”

“羊杂碎。”钱大钧笑道，“就她嘴碎，有名的落后分子。”

他这一说，大伙全都笑了起来。

一进屋，钱大钧就踱着方步，几个房间来回乱窜。一会儿说这个该扔，一会儿说那个该换，哪面墙上应挂幅字画，哪个桌上应摆个花瓶，末了，他抬腕看了看表，嘴里嘀咕道：“这个姚佩佩，怎么这会儿还不来！”

“怎么，你把她也叫来了？”谭功达嘴里吃着包子，嘟哝道。

“叫了。昨天下班时恰巧遇见了她，她答应要来的。她这个人，成天懒懒散散，这会儿说不定还在床上睡大觉呢。”

“叫她来做什么？她是郭呆子帮忙，越帮越忙。”

“你可不要小瞧了她去，”钱大钧道，“人家是从上海来的，家里又是大资本家。是见过大世面的人。本来我让她来，是为了让她帮着看看这屋子的布置，要不要添点家具和摆设。”

“你怎么知道她家是大资本家？”

“嗨，也就一周前吧，从上海的市三女中来了两个干部，他们是来做外调的，想了解一下姚佩佩在梅城的情况。她家那摊子事，说起来话就长了。”

两人正说着，忽听得门外一阵欢声笑语。谭功达一愣，笑道：“说到曹操曹操到。恐怕是佩佩来了，我出去招呼她一声。”说完将吃了一半的包子搁在桌上，飞快地跑了出去。

谭功达来到院外一瞧，哪儿是什么姚佩佩？原来是信访办的老徐，手里捏着一团细麻绳，替他扎篱笆来了。那老徐年纪大了，刚一蹲下，身子往后一仰，便是一跤，逗得那几个女孩子笑翻了天。院外的大道上下了一夜的雨，地上落满了花瓣，风一吹满地乱飞。远处河滩上的青草地绿油油的，四下里空空荡荡，并不见一个人影。

钱大钧他们忙到天黑才走。

谭功达里里外外转悠了一遍，看到屋里屋外窗明几净，一尘不染，事事都停当，顿时觉得神清气爽。竹篱修补好了，杂草拔除了，井台冲洗得干干净净，院中的碎砖石在墙角堆着，就连那畦菜地，也新翻了泥土。老徐的妻子从家里匀了一点菜籽，替他种上了。她还对谭功达说：“等到下个三两场雨，到了麦收时分，新娘子过了门，你就可以吃上自己园子里的青菜了。”

屋子新糊了窗纸，有一股淡淡的尘土气和肥皂味。唯一遗憾的是帐子洗得晚了些，手一摸还是潮的，但田小凤走前还是张罗着给他挂上了。谭功达搬了一个小马扎，坐在院中的井台边，看着天空如洗，月上梢头，心里就有一种阒寂之感。耳畔似乎仍然回荡着那帮女孩的说话声，仿佛她们仍未离去，仍在他的屋子里，进进出出。女孩们成群结队，花枝招展，唧唧喳喳，又别是一番情趣。何等恬谧！何等安稳！何等美妙！等到她们一走，心里怎么忽然缺了一块？这又是什么缘故？

这的确是个问题。

第二天上午九时许，白庭禹就把他的哥哥嫂子给带来了。白慕尧夫妇满脸带笑，手里大包小包提着礼品。女人笑着说，不过是乡下的一点土产，他们第一次上门，也是个小意思。

白庭禹道："老谭，我还有点事，就不进去了，你们一家人好好聊吧！"说完转身要走，又回过头来对谭功达说："知道你不会生火做饭，我在鸿兴楼订了一桌饭，中午十二点我再来喊你们。"

谭功达将两人让到客厅的桌边坐下，就忙着摆杯子沏茶。那女人将头上的一块宝蓝方巾取下，攥在手里捏着，抬头满屋子乱看，一会儿便道："房子倒是挺宽敞的，收拾得也干净，一看就知道我们谭县长是个会过日子的人。就是，太素净了点。"说完，笑眯眯地望着他。谭功达从口袋里摸出一只烟匣子，用指甲弹开，递给白慕尧。白慕尧慌忙连连摆手，一迭声地说："不会。不会。"那女人瞥了丈夫一眼，对谭功达笑道："他平常是抽烟的，只是见到生人拘束。要让他多说一句话，也怕要咬到舌头根子。"随后她用胳膊碰了碰白慕尧道："往后咱们就是一家人了，既是县长让你抽，你就抽呗。"白慕尧嘿嘿地笑了两声，这才从烟匣中取出一根烟来，叼在嘴上。

白慕尧看上去不善言辞，五十好几的人了，可依然高大健壮。谭功达再将目光移向另一边，端详起那个妇人来。这一看，不觉暗自吃了一惊。这个女人与白小娴长得一模一样，竟然是用一个模子刻出来似的。难道白小娴以后也会变成这个样子？也像她一样眼袋松垂、红肿，双下巴，肥鼻梁，一笑起来满脸都是褶子？昨天在文工团见到白小娴时，那张脸带给他的超凡脱俗之感立即荡然无存。他在脑子里将白小娴衰老的过程飞速地盘算一遍，不禁悲从中来，大为伤感。那女人见谭功达两眼放出虚光，直勾勾地盯着自己看，不知是何缘故，开始还忍着，脸上浮着一丝僵冷的笑。到了后来，见县长那眼神越发的呆滞起来，不知不觉红了脸，心里暗想：他这样咧着嘴，一个劲地盯着我看，像笑不像笑的，究竟是什么意思？莫非他是个花痴？再一想，自己也是五十岁的人了，也不太可能……

凭着女人的直觉，她见这个未来的女婿虽说四十出头，可眉宇间依然有一股英武之气。目光如梦，勾人心魄。要是再年轻个几岁，不知道有多少女孩子要坏在他手里……就像昨晚小叔子反复提醒的，这人看起来的确有几分呆傻之气。不过，既然人家是个县长，呆傻一点倒也不碍事。

想到这儿，便对谭功达道："小娴这孩子，别的都好，就是脾气有点倔。听说前天在文工团，她还当面顶撞县长来着，实在不像话！不光是对你，她对我们也是一样的。只怪她爹，从小把她给宠坏了。"

谭功达忙道："这也难怪她。只是我与她年龄差得太大，怕是她心里不愿意。"

"愿意愿意，"女人道，"哪有不愿意的！我们昨天跟她磨了一天的嘴皮子，她嘴上没说什么，心思倒像是有几分活了。本来我们想今天把她一块带来，可她们团一大早下乡演出去了。”

过了一会儿，那女人又道：“等到过了年，小娴就二十岁了。我们已经商量过了，就在正月的年头上，替你们把婚事办了。”

谭功达未置可否地笑了笑。

女人接着道：“小娴在家里是老二。上头，她还有一个哥哥，原本跟着他爹做生意，上山西，下两广，倒也去过不少地方，人也忠厚可靠。可一解放，生意不让做了，只能在家里拽牛尾巴。那小的呢，今年也十六了，打得一手好算盘。在几个孩子当中，就数他最聪明伶俐。我们今天见了面，定了亲，往后就是一家人了。我们……我们也有话直说，看看县长能不能开开金口，发句话，给两个孩子在县里安排个工作。”

“恐怕不行。”谭功达说。

他还想跟她解释几句，忽见那女人把大腿一拍，说：“哎哟，这有什么不行的？一个是县长，一个是副县长，都是我们自己家人，你们俩发了话，哪个敢不依？这点小事，哪有个不成的道理！”

谭功达见她第一次登门，就自说自话，提出这样非分的要求，日后若是与小娴成了亲，仗着翁姑的权威，还不知道要闹出什么事来！因此心中颇有不快。又一想，这妇人话里话外，多多少少还有一点以白小娴作交换要挟的意思，心里顿时又添了几分厌恶，只得将脸上的笑容收敛，正色道：

“这个，不行。真的不行。”

“要是县长觉得一下子安排两个人有点为难，我看这样也行，”女人勉强笑道，“你不妨先替我那个大的找份工作，小的就等几年再说。退一万步说，若是县里有困难，就安排在乡里，做个乡长副乡长什么的，替你在下边跑跑腿，倒也还合适。”

“不论是县里还是乡里，都不行。这干部的任免，都有一定的规章和程序，不能由哪一个人说了算。”谭功达冷冷地回绝了她。

那女人见谭功达不依不饶，一味推托，竟然完全不通人情世故，心里即刻凉了半截，变了脸，气得说不出话来。心里又不免替女儿担心起来：这个人果然是个呆子！怎么让这种人做了县长？也真是天晓得。若是在有人的场合，你装装样子也就罢了，这里又没有外人，你他娘的装什么清正廉洁！想到这儿，又气又羞，心头一股无名火起，把白庭禹千叮咛万嘱咐“端端说不得”的告诫忘到了九霄云外，冷笑了两声，道：

“这也不行，那也不行，人家一个洗澡堂卖筹子的丫头算个什么东西？你怎么就没事找事，倒是巴巴地替她安排了工作，还给她落了户口？怎么到了自家人头上，却连个回旋的余地都不给！”

她这一嚷，让白慕尧和谭功达都吃了一惊。那女人也自觉把话说过了头，心中有了几分胆怯，便微微侧了侧身，脸涨得通红。

谭功达听她说出这样的话来，知道她本是个厉害难缠的角色，若是一时间闹起来，弄得街坊邻居知道，也是个笑话。再说，姚佩佩那档子事，她必定是从小叔子口中得知，如果一时发作起来，那就连带着白庭禹的脸面也不好看。愣了半天，将心头的火气压了压，赔着笑，低声道：“这事容我回头和白县长商量一下，怎么样？”

谭功达虽说松了口，那女人仍然火气未消，郁郁不乐。几个人一时无话，都觉得有点尴尬。

几个人说了一会儿闲话，谭功达就问起农村合作社的事来。他这一问，坐在那儿始终不怎么说话的白慕尧忽然开口道：“合作社？

不是已经停了吗？”

“停了？！”谭功达有点不敢相信自己的耳朵，不由得皱起了眉头，大声道，“谁让你们停的？”

“如今不是，不是又时兴单干了吗？”白慕尧也是满脸疑惑。

那女人道：“是这样的，归合作社的田又都重新分给了个人。我们家还分得了两亩水塘。今年初春刚刚下了五百多尾鱼苗，到过年的时候，就可以下网去捕了。到时候我们就给县长挑大的送些过来，让您尝尝鲜。”

谭功达的脸色顿时阴沉下来，再三压了压心头的火气，又问道：“是谁让你们这么做的？”

“听村里的干部说，好像上头又有了什么新的精神……”白慕尧道。

“哪个上头？是乡里，县里，还是省里？”

经谭功达一阵逼问，那女人才觉察到谭功达脸色不对，同时也听出了他的话外之音，赶紧拽了拽丈夫的袖子，笑道：“这个我们也不清楚。我们又不是当官的，哪里晓得这些事！”

“二位少陪，我去去就来。”谭功达冷冷地撂下这句话，腾地一下站起身来，去里屋打电话去了。

等到谭功达抓过话筒，才想起来今天是星期天，县机关没人上班。他往钱大钧家里打了个电话，电话是田小凤接的，她说，刚才白副县长把大钧叫出去了，不知道有什么事。随后，田小凤笑着问他：“相亲的事是否一举成功？岳母大人有没有夸我们屋子理得好？”谭功达没有心思与她开玩笑，就哼哼哈哈地支吾了几句，把电话挂了。

等到谭功达打完电话，从里屋出来，白慕尧夫妇已经离开多时了。

10

这天晚上，汤碧云请姚佩佩去清真馆吃饭。姚佩佩骑着自行车赶到饭馆，汤碧云已经找好了座位，在靠窗的一张小方桌前等她了。一见面，碧云就拉了拉她的袖子，神秘兮兮地冲着她道："快坐下，快坐下，我要告诉你一件稀罕事。"

"什么稀罕事？莫非是你找着对象了？"姚佩佩笑道。

"去你的，你才有对象了呢！跟你说真的，"汤碧云往她跟前凑了凑，低声说，"我告诉你，你干爹那边的事，黄了。"

"什么干爹湿爹的，你别胡说！"姚佩佩皱着眉头，过了半晌，道，"他不是乐不颠颠地跟丈母娘厮会去了吗？怎么这么快就黄了？"

"嗨，打起来了。"汤碧云掐着嗓子，接着说，"也不知道为个什么事。听说，县长那丈母娘可凶了，把咱白副县长的脸都给抓花花了。"

"究竟是谁跟谁打起来了？你把话说说清楚。"

"是县长的丈母娘跟白副县长打起来了。"她这一叫，站在她们身边等着点菜的服务员实在是忍不住了，扑哧一声笑了起来。

"那县长的丈母娘不是白副县长的嫂子吗？"

"对呀。"

姚佩佩朝服务员看了一眼说："我们俩先坐着说会儿话，一会儿再点菜。”

服务员朝她笑了笑，赶紧离开了。

汤碧云这才说起今天中午发生的事来。

“我下午陪妈妈去县医院看病，拿完药出来，碰巧看见给县长开吉普车的小王。我问他一个人坐在走廊的长椅上发什么呆，小王就说，他带白副县长来治伤。白副县长怎么了？我问道。小王说，叫人给打了呗。我就说，是谁吃了豹子胆，连县长也敢打。那小王就不说话了，只是坐在那儿一脸坏笑。后来被我逼问不过，只得将我带到楼梯口，悄悄地告诉我说，白副县长跟他嫂子打起来了。我心里说，这小叔子跟嫂子较什么劲啊，再说白副县长的嫂子不是去县长家相亲了吗？

“小王说，具体怎么个情况，他倒也不太清楚。反正一家人中午在鸿兴楼吃饭，吃着吃着就吵了起来。小王说，本来他是坐在外间的散席吃饭，听到房中吵骂声越来越高，只得硬着头皮进去劝解，就见那白庭禹正站在那儿发脾气呢！小王说，跟白副县长这么多年，还从没见他发这么大的火。他指着自己的哥哥嫂子骂道：‘你们俩算他妈的什么东西！啊？算他娘的什么狗东西！也不撒泡尿照照你们自己的样子，怎么能那么跟县长说话！你以为县长是你们家看门的吗？啊？怎么千叮咛万嘱咐都没用，难道我早上跟你们说的话都是放屁吗？’

“他这一骂，白副县长的哥哥倒还好说，那妇人哪里是个惹得起的角色？顿时就站了起来，操起桌上的一盆肉丝糊糊朝她的小叔子脸上狠命地掼了过去。白副县长一缩脖子，那菜盘嗖一声就打他脑袋顶上飞过去了，砸在门框上，摔了个粉碎。白副县长这会儿也不管什么嫂子不嫂子，指着那妇人的鼻子喝道：‘你要再敢在这里撒泼，我马上叫人把你抓起来，关到监牢里去！’那妇人一听，哇哇大哭，嘴里骂骂咧咧地喊着：‘反正老娘今天也不想活了！’说罢，横着身子朝白庭禹猛撞了过去，说要与他同归于尽，吓得那白庭禹绕着桌子打转，嘴里喊道：‘小王小王，你快替我拦住这个泼妇！’可哪里拦得住，等到饭馆里的人把他们俩拉开，白县长的脸早就花花了，满脸都是血印子。

“小王说，大概是白慕尧夫妇和谭县长说了什么不该说的话，本来白副县长安排谭县长中午和他们一家吃饭，可打了半天的电话，谭县长也没肯过来。所以我想，你干爹今天大概是出师不利。”

汤碧云绘声绘色地讲着那件“稀罕事”，可姚佩佩并没有表现出多大的兴趣，只是歪着头看着她，脸上没有什么特别的表情，倒是汤碧云本人呵呵呵呵地笑个不停。

“哎，你怎么一点也不笑？”碧云对佩佩说。

“我没觉得有什么好笑。”佩佩懒洋洋地托着下巴，似乎正在想她自己的心事。汤碧云尽管意犹未尽，见姚佩佩心情不佳，只得住了嘴，招手喊服务员来点菜吃饭。过了一会儿，汤碧云又说起昨天去给县长收拾房子的事来。她问道：“昨天上午你怎么没来？钱大钧和谭县长都追着我，问佩佩怎么不来，我还替你撒了个谎，说你病了。”

“你用不着替我说谎，我就是不想去。那钱大钧要给他的顶头上司拍马屁，我却犯不着。”

“你没去倒是对了。我们几个人屋里屋外忙了一整天，累得像狗屎一样，连水都没有喝上一口，到现在我的腰眼还一阵阵酸痛呢。”

“活该！人家打了个唿哨，你就屁颠屁颠地跑去了，活该！”姚佩佩笑道。

不过，汤碧云说，她虽然卖了一天的苦力，倒也不是一无所获。至少，她在无意中又发现了一个“重大秘密”。姚佩佩知道，羊杂碎这个人平常就是一惊一乍的，见了风就是雨，也没去追问她什么“重大秘密”，只是低头吃饭。汤碧云憋了半天，决定自己将这个秘密说出来。

“佩佩，你知道县长为什么四十好几还没有找到对象吗？”

“要么是没遇上合适的；要么是遇上了合适的，人家又觉得不合适。不外乎这两种可能。”佩佩道。

“瞎扯！”汤碧云说，“县长虽说四十多岁了，可人长得并不难看，也不怎么见老，看上去就像三十来岁。加上他的县长身份，还有钱大钧、白庭禹之流争先恐后地替他拉皮条，他要是成心想找，不要说一个，就是十个二十个也易如反掌。

“昨天上午，他请我吃包子时，我还仔细瞅了瞅他的脸，你别说，那张脸倒也有几分英俊，那皮肤倒也挺细致白嫩的呢。”说完就咕咕地笑了起来。

“那照你看，他到底是怎么回事？”姚佩佩笑道。

“这个人哪，百分之百是个花痴。”汤碧云煞有介事地说，“绝对是个花痴！”

“你怎么知道人家是花痴？”

“我们街上就有这么一个花痴，是个开豆腐店的。平常倒也挺正常，只是不能让他瞅见年轻漂亮的女孩。一见到女孩，他的眼珠立刻就不会转了。那眼神我记得最清楚，就跟你干爹一模一样。那天我们去了七个女孩，我们在院子里干活的时候，谭县长也会出来看看，和我们说说话。他有时候看看树啦，有时候看看天上的云啦，可眼睛一旦落到哪个女孩身上，立刻就发了呆，渐渐地就沁出一片青光来。这就是典型的花痴眼神。我小时候一直跟豆腐店的伙计在一块玩，绝对不会看错的。这种人不会专门喜欢某一个女孩，而是天底下所有的女孩他都喜欢。他四十多岁没娶上媳妇，原因就在这里。我妈妈说，就是天底下的男人都死光了，也千万不能嫁给这号人！”

她这一说，把姚佩佩笑得伏在桌子上喘不上气来。等她笑够了之后，便对汤碧云道：“这么说，那天他也盯着你看来着？”

“那当然。”汤碧云为了证明自己的花痴理论，只好连自己也牺牲了，“不过，他最喜欢的是县妇联的小曹，还有广播站的小朱，还有，对了，党办的小芹。小芹是个腼腆的姑娘，被他看得实在不好意思了，就对谭功达说：‘县长，你在看什么呢？’谭功达吓得一激灵，这才清醒过来了，笑道：‘噢，你吓我一跳，我在看老徐编篱笆呢。’小曹她们几个你捏我一把，我捏你一把，都在那儿偷着笑。谭功达还在那发愣呢，嘴里道：‘小曹，你们有什么好笑的事，说来我听听！’我们当时笑得腰都直不起来了，就连老徐也背过身去，掩口而笑。”

“你就爱胡说八道，”佩佩道，“编出这么一件事情来，逗我开心！按说，人家县长也没得罪你，你用不着这么刻毒吧！这话要是传到白小娴耳朵里，那岂不是坏了人家的好事？”

“你怎么反而替他说起好话来了？我妈妈说了，花痴是最不能同情的，你一同情他，就着了他的道了。”碧云认真地说。

“不过他平常在县里对待女下属倒是挺严厉的，不像你说的那么不堪吧。”

“嗨，那是装的。”汤碧云道，“你想想看，明明是个花痴，可非得装出一副正经样子来，可见他的心里承受了多么大的痛苦。据我所知，这花痴可有许多种……”

“好了好了，快别胡说了。”姚佩佩道，“我笑得连说话的力气都没有了。”

“怎么样？你现在开心了吧？我就不信不能把你逗乐。”

“原来你还真是逗我玩啊！”

“不是我成心逗你，你和他在一个办公室，时间长了，你自己就能看出来。”

两人吃完了饭，又说了一会儿闲话，汤碧云问她愿不愿意陪她在街上走走。随后从口袋里掏出两张戏票来，撕给佩佩一张，道：“明天晚上八点，在梅城中学礼堂。为了搞到这两张戏票，前天我和钱大钧磨了半天的嘴皮子。”

“什么戏？”佩佩问道。

“新排的《十五贯》。是省里来的剧团，只在梅城演三场。”

两个人说着话，沿着黑暗的街道，高高低低地往前走。街上空寂无人，没有一盏路灯。两边商铺的木排门都已关上，昏暗的灯光从狭长的门缝中挤出来，横铺在大街上，远远看上去，整条街就像一张放倒的梯子。她们走到供销社门口，姚佩佩忽然想起一件事情来，站住了，问她道：“碧云，那天在食堂门口碰到钱大钧，说有什么要紧的事，要跟你商量……”

“怪了，”汤碧云在黑暗中哆嗦了一下，长长地叹了一口气，喃喃道，“我正琢磨着要不要把这件事告诉你，你就来问我了。你说怪不怪？”

“他找你什么事？”

汤碧云半天没有吱声，尽管姚佩佩看不清她的脸，可仍能感觉到她的心慌意乱。有一条溪流不知在什么地方潺潺地流淌。更远一点的树林里，传来斑鸠的鸣叫。

“反正不是什么好事，”汤碧云说着，一个人朝前走了几步，又转过身来，对姚佩佩道，“你觉得钱大钧这个人怎么样？”

“到底是什么事？你这么吞吞吐吐的。”佩佩有点急了，抓住她的一只胳膊，用力摇了摇，似乎要把她想说而没有说出来的话摇出来，“你这个人，没边儿没影儿的事，你说起来就唠叨个没完，可到了节骨眼上，却又吞吞吐吐。不过，你要真的觉得不方便告诉我，也就算了。我不会逼你的。”

“唉，究竟是怎么一回事，我又何尝不想告诉你？说实在的，我心里也还没把握。告诉你，只是白白地让你担惊受怕罢了。”

“我害怕？”姚佩佩诧异道，“这事与我有什么关系？”

“算了，还是不说了吧，我对钱大钧，是发过誓的。”

犹豫了半天，汤碧云终于没有将这件事情说出来，两个人在梅城棉纺厂的门口恹恹地分了手。

第二天上午，在四楼会议室召开了干部会。县委办公室主任杨福妹特地把姚佩佩叫了去，让她担任会议记录。一进会议室，佩佩看见白庭禹的脸上果然涂满了紫药水，乍一看就像是个唱戏的刚刚化完妆。

会议由杨福妹主持，中心议题是讨论谭功达提出的关于在梅城县开凿大运河的建议。从白庭禹、钱大钧脸上错愕的表情来看，这个方案还是第一次提出来。除了杨福妹之外，谭县长并没有事先与干部们通气。

按照谭功达的设想，梅城地处江南，春夏两季雨量充沛，到了五六月间，往往河水暴涨，形成洪涝灾害。而入秋之后，雨水稀少，河底干涸，又往往赤地千里。常年来，农民饱受旱涝之苦，因此他“昨天想了一个晚上”，若能开凿一条人工运河，将梅城的各个乡村连接在一起，干旱时能引长江水灌溉良田，到了夏天洪水肆虐的季节，也可以排涝泄洪。这样一来，必能一劳永逸，确保连年丰收。而且，“假如这条河挖得足够宽的话，还能过往船只，水路交通势必大大改善。”

谭功达刚刚说完，赵焕章就将手里的红铅笔高高地举起来，要求发言。

他说，在梅城县，开挖这样一条劳民伤财的运河，不仅不可能，而且不必要。梅城一带，长年风调雨顺，旱涝之灾，并不像谭县长估计的那么严重。实际上他本人曾专门查阅了县志办的水文和气象资料。较为严重的洪灾历史上只发生过一次，是在二十年前的一九三六年，而且还是因长江决堤所致。而旱灾则更为罕见，有明确记载的旱灾要追溯到三十多年前的一九一九年。因此，在梅城开凿运河无疑是异想天开，痴人说梦。再说了，普济水库大坝的修建已经让县财政出现严重赤字，老百姓更是苦不堪言。而三四年后，发电机到底能不能打出几片火花来，眼下还说不准。任何一个方案的提出，都要考虑到方方面面的承受能力，经过科学的论证和决策，

“绝不是凭哪个人晚上做了一个梦，心血来潮、胡思乱想一通就可以决定的。”

他这么一说，会场上顿时鸦雀无声。姚佩佩看见谭功达脸色铁青，手里的一支笔不停地在纸上写写画画。赵焕章见没人吭气，便有几分得意，又接着道：“至于说到水上交通，那更是荒谬绝伦。我们又不要去扬州看琼花，干吗要学那隋炀帝！只要多翻翻史书，就能算出来，当年隋炀帝修建京杭大运河死了多少人？再说，梅城地处丘陵，虽无崇山峻岭，小山包倒是不少。本来人多地少，再去挖条大河，不知要坏掉多少良田。”

这时，钱大钧有点坐不住了，斜着眼睛看了赵焕章一眼，鼻子里哼哼了两声，冷笑道：“某些人，竟敢担保梅城不会出现旱涝灾害，如果明年就出现百年未遇的洪灾，谁能负得了这个责！谁是隋炀帝？有话就明说，不要仗着念过几本书，就含沙射影！”

钱大钧说完，白庭禹立即插话说：“功达同志的这个提案，我完全同意。有些人对此有顾虑、有抵触，甚至公然反对，这也很正常。可要把谭县长比作隋炀帝，那是不对的，不厚道。说隋炀帝挖大运河死了很多人，这恐怕也是事实。可哪天不死人呢？哪个人又能不死呢？关键要看死的是什么人，还有，这人是怎么死的。是重于泰山，还是轻于鸿毛。当年隋炀帝开凿大运河，留下好多废弃的旧河道，稍加疏浚，还是可以利用的。再加上梅城水网密布，沟壑纵横，这个工程也不像有些人想象的那么可怕。至于说人手不够，劳力缺乏，完全可以把挖河的时间安排在冬春之间的农闲季节。况且，县乡各级干部，都可以发动起来。我们的有些干部，啊，有些干部，成天坐在办公室里，四体不勤，五谷不分。肚子里长满了草，脑子里生满了锈，也真的应该出去见见阳光，活动活动筋骨啦！”

其他干部见状，纷纷表态支持。随后，杨福妹提议表决。姚佩佩在清点人数的时候，发现没有举手的就只剩下赵焕章一人了。他的眼睛红红的，僵坐在椅子上，嘴里还叼着一根烟，烟灰落了一身，也不去掸拂。

会议不到十一点就结束了。

干部们离开之后，姚佩佩开始收拾桌上的茶杯、烟缸和散落的文件，当她走到谭功达座位前时，看见县长的桌前搁着一张便条，上面压着半支铅笔。便笺上有几行算数公式，与她上周在谭功达办公室的桌子上看到的大致一样：

44 – 19 = 25

44 – 23 = 21

21 – 19 = 2

姚佩佩捏着这张纸，凑在窗前的阳光下，看了半天，也没看出个所以然来。她摇了摇头，笑了笑，将便笺揉成一团，顺手扔进了纸篓里。

11

谭功达来到梅城中学的礼堂，省锡剧团的《十五贯》已经快开演了。他很快就找到了自己的座位，竟然是礼堂最后一排的边上。没有比这更糟糕的座位了。谭功达使劲地伸长了脖子，也只能看见女报幕员盘在头上的高高的发髻。谭功达正在心里犯嘀咕，白庭禹怎么偏偏给他挑选了这么个位置，忽然发现自己的身边坐着一个身穿黑色连衣裙的女孩，同时他也闻到了一缕兰花的淡淡香气。

白小娴装着没有看见他的样子，也直着脖子朝舞台上张望。她手里托着一包瓜子，头发湿漉漉的，似乎刚刚洗过澡。即使是礼堂的灯灭了之后，他在黑暗中仍能瞥见她的脖子，那么白，那么长。谭功达贪婪地呼吸着那缕香气和发丛中的气味，喉咙里咸咸的，浑身的血直往脑袋上涌，不觉中有些微微的眩晕。这个白庭禹！事先怎么也不跟我通个气？他使劲地定了定神，环顾了一下剧场，正在不知所措的时候，白小娴就把手里的纸袋朝他递了过来，眼睛却不看着他，嘴里道："吃不吃？"

谭功达笑了笑，将满手的汗在裤子上擦了擦，从纸袋中抓过几粒瓜子。最初的尴尬总算过去了。他嗑了几粒瓜子，开始意识到白庭禹的巧妙安排和一番苦心。这是剧场里最为隐秘幽僻的处所：从白小娴往右，有五六个位子都空着，事先必然经过周到的考虑。而且由于紧挨着出口的太平门，如果他们对戏文没有兴趣（在这种场合，看戏通常并不是最重要的目的），他们可以随时选择离开……

果然，不一会儿，白小娴就自言自语道："唉，我最烦看戏了！坐在这种鬼地方，什么都看不见！"

虽然这话不是对着谭功达说的，可因为旁边没有第二个人，谭功达就很自然地低声问道："小娴，你喜欢锡剧吗？"

"不喜欢，"白小娴道，"你呢？"

“我？我也不喜欢。”谭功达嗫嚅道。

“走？”白小娴扭过头来，对他说。

“走！”谭功达根本不敢看她的眼睛，低声答道。

他们两个人几乎同时站了起来，走到太平门边，推了推，门是锁着的。旁边一位戴袖章的工作人员客气地对他们说：“这个门要到散场的时候才会打开。如果两位想离开的话，可以走正门。”

他们俩一前一后出了大门。刚从礼堂高高的台阶上下来，就看见姚佩佩和汤碧云两个人手拉手，正气喘吁吁地朝这边跑过来。一看见谭功达，两个人都站住了。

“谭县长。”羊杂碎甜甜地叫了他一声。

姚佩佩则一只手按着腰，扭着身子不停地喘息。

“你们怎么来得这么晚？”谭功达问。

“戏开演了吗？”碧云道，同时不住地拿眼睛朝白小娴身上看。

“开演了开演了，你们俩快进去吧！”

“那县长您，您怎么不看了？”姚佩佩一脸坏笑地问他。

“我觉得坐在里边，心里，嗯，有点发闷，就出来转转。”

“噢……”汤碧云仍盯着白小娴看，一直看到后者不好意思地背过身去，“那，那我们就进去了。”

说完拉着姚佩佩就跑。她们上台阶的时候，姚佩佩的一只鞋掉了下来，她又踮着脚，一级一级地跳下来捡。

“刚才的那两个人是谁？”白小娴问。

“嗨，我们机关的两个疯丫头！”谭功达说，不由得又回过头去朝礼堂门口看了看。门廊的顶灯已经熄灭，门外早已空无一人。

时间刚过八点，梅城街道上已经是黑黢黢的了。他们沿着大街朝北走了一段，谭功达就提出是不是去他家坐坐。白小娴想了想，道："都说你那屋子闹鬼，我可不敢去。"谭功达又说："那就去我的办公室怎么样？"小娴没有吱声。

他们两个人走到县委大院的门口，谭功达心里又有点后悔。这么晚了，黑灯瞎火的，自己却带着一个姑娘去办公室，倘若门房的常老头问起，他又怎样去解释呢？好在大门是开着的，看到谭功达和白小娴朝这边走过来，老常一缩头，假装没有看见，避免了他想象中的尴尬。

谭功达领着白小娴来到三楼的办公室。拉开灯，一眼就看见姚佩佩那件深蓝色的工作服挂在墙上，两只白色的袖套搭在椅背上。

白小娴不等他招呼，就坐在了靠墙的那条长椅上，仍旧嗑她的瓜子，同时抬起头来，好奇地打量着房间的一切。谭功达问她要不要喝点茶，小娴连声说要。她嗑了太多的瓜子，这会儿的确有点渴了。谭功达看了她一眼："那你还嗑！"

果然，白小娴立刻就不嗑了，朝他笑了笑，露出两排细小洁白的牙齿。

谭功达办公室里没有待客的茶杯。他走到办公桌前，拿过自己用的积满茶垢的玻璃瓶子看了看，上面隔热用的尼龙丝网已经脱了线。他看见姚佩佩桌上有一只白瓷杯，很精致，上面还有红色蜜蜂的印花图案，就把佩佩的杯子涮了涮，给白小娴沏了茶。热水瓶里的水已经有点凉了，茶叶泡不开，可白小娴说她并不在意。

她从谭功达手里接过杯子，在手里转了转，道："这是谁的杯子？怎么这么讲究？"

谭功达说："是办公室一位同事的。看上去稍微干净一点。"

白小娴笑道："我不忌讳这个。"说完一仰脖子，咕咕地把水喝了个精光，抹了抹嘴巴上的茶叶末。

谭功达一直悬着的心，终于放下来了。他觉得，自己一路上的担心都是多余的，白小娴并不像自己想象中的那么暴戾。在说了不多的几句话之后，两个人仿佛已经相识很久似的，一点都不生分和拘束。谭功达拉开椅子，坐在姚佩佩的办公桌前，手指轻轻地弹敲着桌子上的玻璃，对白小娴道："你父母，后来就回乡下去了？"

白小娴嗯了一声，随后道："他们只在乡下待了一天，第二天下午又连夜赶到县城来了。"

"他们又来做什么？"

"还不是给我叔叔吓的！"

白小娴说，父母跟叔叔吵完架，当天下午就赌气回夏庄去了。两个人在家里硬挺了一天，饭也不吃，觉也不睡，最后就雇了辆驴车，赶到县城来了。他们找到了白小娴文工团的时候，已经过了半夜。两个人也不敢叫醒门卫，就在门口的小树林里凑合着过了一夜。等到天亮，白小娴出来跑操的时候，才在操场边一棵杨树下看到了他们。母亲一见白小娴，当场就嚎啕大哭起来，口口声声说，我们这个家就算完了。她父亲的脸色也是黄黄的，站在一旁不吭声。文工团的学员们都围着他们看。白小娴只得将他们带回自己的宿舍，这才慢慢从父亲的口中了解了事情的原委。

母亲道："这下好了，我也是一时昏了头，一口气把两个县长都得罪了！你叔叔还口口声声说要派人来把我抓起来，虽说白副县长原是你嫡亲的叔叔，可眼下闹翻了脸，他那种人，扛枪打仗的出身，什么大义灭亲的事做不出来！”

父亲在一旁灰着脸，木讷道：“抓我们倒也不至于，可我就是担心我们家的那个成分，村子里的那些穷棒子、讨饭鬼，一天到晚都不给我们好脸色，昨天在村头碰见村长，我给他递上一支烟，他连说戒了、戒了，就远远地走开了，脸色难看不说，走了几步却又偏偏回过头来瞪了我一眼，你说怪不怪！”

母亲哭道：“我这张嘴就是狗改不了吃屎，就是该打！跟你叔叔处久了，眼睛里就不拿他当个县长看了，由着性子胡闹，这下可怎么办哪？”

白小娴看见父母两人为了这点事慌得六神无主，尤其是她那父亲，眼巴巴地看着自己，似乎在等着自己替他拿什么主意，心里也觉得十分凄惨，眼中不觉也落下泪来。

“我们两个老不死的，当真被他们抓了去，倒也罢了；可你这么小，好不容易有了这么好的前程，却眼看着又断送在我们手上。”母亲说，“如今我们这两张老脸也不好意思再去上他的门，求你叔叔了……”

母亲的话没说完，白小娴已经知道了她的意思。她胡乱宽慰了他们两句，将他们带到街上一个小旅馆住下，随后就去南道湾，找她叔叔去了。

白小娴一路琢磨着，叔叔这会儿也许正在县上办公，婶子是个慢性子的人，好脾气，要是先把婶子说活络了，事情就好办了。没想到那天白庭禹刚好发烧，躺在家中休息。一看见叔叔那张涂满紫药水的脸，她就明白父母为何那么担心了。

白庭禹一听小娴来了，赶紧从床上爬起来，没说她父母一个不字，倒先做起自我批评来了。他说那天自己太不冷静，冲撞了哥哥嫂子，这会儿后悔都来不及了。白小娴见叔叔的气已经消了，心就放了下来，把父母连夜来县城的事略略一说，白庭禹慌道：“你看你看，我发了点脾气，他们果然就吓成这样。你赶紧去将他们俩接到家里来住，我当面向他们赔罪。”后来，他又让婶子跟她一块去。

白小娴临走之时，白庭禹忽然想起一件事来，把小娴叫到里屋的书房里，跟她说了半天的话，最后把一张戏票塞给了她。

“你叔叔跟你说什么？”谭功达问道。

“还能说什么呀？”白小娴红了脸，“他，他让我嫁给你呗。”

她这么一说，脸一下子就涨得通红。谭功达连正眼都不敢瞧她，半天无话。这时候，我若冲上去一把将她抱住，死不松手，她会不会闹将起来呢？会，还是不会？

这的确是一个问题。

谭功达一直犹豫不决，心里盘算了好多遍，偷偷地看上对方一眼，小娴也在那儿捏着裙子的一角，低头沉思，若有所待。谭功达的心一下子就乱成了一锅粥。

在姚佩佩办公桌的玻璃板底下，压着一块墨绿色的绒布。在绒布上端，有一帧小照，照片有些发黄发旧，上面还有些茶渍。

相片上，一对夫妇抱着一个小女孩。女人穿着翻领裘皮大衣，男的西装笔挺，神采奕奕。照片上端有一行发白的小字，写着：

民国二十八年除夕姚佩菊周岁纪念

如果照片上那个胖嘟嘟的婴儿就是姚佩佩的话，谭功达不难算出，佩佩今年果然只有十九岁，与小娴一般大。原来她的本名叫姚佩菊，而且她竟然是除夕那天生的。

白小娴见对方盯着桌子发呆，便从椅子上站起来，道：“时候不早了，我该回去了，过了十一点，大门就进不去了。”

谭功达只得起身，送她下楼。两人走到门外，谭功达隐隐就见一个人怀里夹着文件包，正从四楼下来。走廊里灯光昏暗，他没有来得及看清那人是谁，那人一见到他们，冷不防也吃了一惊，赶紧脑袋一缩，又慌忙回到四楼去了。

第二章　桃夭李也秾

1

夫宇宙名物之于身心，犹饥寒之于衣食也。有切已者，虽铢锱不遗；有不切己者，虽泰山不顾。公主梅城县政，不思以布帛菽粟保暖其身，而欲汲汲于奇技淫巧、声光雷电，致使道有饿殍，家无隔夜之炊。民怨鼎沸，人心日坏。造大坝，凿运河，息商贾，兴公社，梅城历来富庶之地，终至于焦瘁殆尽。为公思之，每恻然无眠。须知梅城小县，非武陵桃源，不能以一人之偏私，弃十数万生灵于不顾。退社之风，盖有源于此。人事天道，自有分界。人事所不能，待以天道而已。夫人定胜天者，闻所未闻，非愚则妄，不待详辨。至若共产主义于一九六二年实现，则更是荒诞不经，痴人说梦。岂不闻六朝人语：欲持荷作柱，荷弱不胜梁，欲持荷作镜，荷暗本无光乎……公仰赖力大者护佑庇荫，遂一意孤行，胡作妄为，然而公独不闻宋人"荷尽已无擎雨盖"之言乎？

这是大年除夕的傍晚，天色阴晦，大雪飘飞。天气实在是太冷了，早晨泡的一杯茶，现已结了一层薄冰。谭功达坐在书房的桌前，将这封匿名信一连读了三遍。这封信一看就知道是个乡村学究所写，信中的话文绉绉的，却是骂人不带脏字。那首六朝人的小诗，明明是骂他禀赋黯弱，不堪重任，也含有劝退之意。而最后那句“荷尽已无擎雨盖”简直就有点刻毒了。从邮戳上来看，这封信竟然是从普济寄出的。此人身处乡野，竟然对县里的大小事务了如指掌，不仅知道自己背后有所谓“力大者护佑”，而且居然知道他给省里和中央打过的一个一九六二年提前实现共产主义的报告，可见此人来历非同一般。

信中所说的“力大者”，大概指的就是鹤壁的聂竹风了。差不多在一个小时之前，谭功达给他打电话拜年。聂竹风的声音听上去异常苍老、虚弱，他告诫谭功达，上面近来风声很紧，“山雨欲来风满楼”。地委各机关也很不太平，凡事都得处处谨慎，开挖大运河一事切不可操之过急：“我已经老了，地委的事情怎么都无所谓，可梅城是咱们的根据地，不能有任何闪失。不然的话，我可就连个养老的地方都没有了。”

聂竹风又说：“潘书记病故之后，省里几位领导都主张派一个新书记来梅城，我担心新书记来了以后你会觉得碍手碍脚，便提出书记一职由你兼任。不过，这不是长久之计，你做了书记，县长一职迟早得让出来。你的那个通讯员不是已经做了副县长了吗？这个人到底怎么样？嗯，靠不靠得住？”

最后，聂竹风笑着问他：“你跟文工团的那个小姑娘怎么样了？我看你还得往炉子里加点柴。就像国际歌里唱的，趁热打铁才能成功……”

白小娴回家过年去了，雪倒是越下越大。谭功达觉得胃部隐隐作痛，便走到厨房里找吃的。锅灶都是冷的，揭开锅盖，早晨煮的稀饭都已经结了一层冰碴子。厨房的地上搁着两棵大白菜、一把小葱、一块用旧报纸卷着的腊肉、一根冬笋，这些东西是普济的高麻子托人给他送来的年货。平时，谭功达一日三餐大多在县机关的食堂里吃，即便到了周末，他也难得在家生火做饭。可如今过年了，食堂和街面上的饭铺都关了门，谭功达只得眼睁睁地看着地上的这堆东西，不知如何下手。

天色渐渐地暗了，透过木格子的窗户，他看见家家户户屋顶上都升起了炊烟。屋外的空地上有几个孩子正在堆雪人，他们大声地笑着，叫着，在雪地里追逐奔跑，踢得雪片纷飞。一个穿红棉袄的小女孩正仰着脸在竹林边看着她的爷爷往门上贴春联；在更远一点的河道上，一个头戴皮帽的中年人手里拎着一只大猪头，嘴里哈着气雾，正急急地往家赶。他的妻子头上裹着方巾，一手拉着一个孩子，在身后紧紧地追赶着他。有人漏夜赶科场，有人风雪还故乡。男人也许走得太快了，每走一段，就停下来等他们。很快，这几个人就走出了他的视线，唯有北风在旷野里扬起阵阵雪霰，在光秃秃的树林上空，簌簌如雨。

谭功达吸了吸清鼻涕，回过头来看了看冰冷的厨房，不由得想起匿名信中“布帛菽粟保暖其身”这句话来，细细一琢磨，倒也不无道理。现在，他只剩下去钱大钧家蹭饭一条路了。按照梅城一带的风俗，除夕之夜不便去别人家吃饭，但听着肚子里咕咕乱叫，他也顾不得许多了。他走到卧室的写字台前，打通了钱大钧家的电话。

电话是田小凤接的，她说中午的时候白副县长就来电话把大钧叫走了，说是要开一个紧急会议。

“开什么会？”

“县长，您都不知道吗？”田小凤笑道，“干脆，您到我们家来包饺子吧，是羊肉馅的饺子，反正您也不会生火做饭。”

谭功达放下电话，心里直犯嘀咕。这大过年的，白庭禹和大钧他们却去开什么紧急会议！即便是开会，他作为一县之长，怎么一点也没听说呢？他又往白庭禹家打了个电话，那头没人接。最后，谭功达将电话打到了杨福妹家。接电话的是一个老太太，嘴里含着一口浓痰，说起话来颠三倒四：“她去哪里？我哪个晓得喽，不是说开会吗？一年到头的，哪天不能开会，偏偏挤到这么个时候，家里一大堆亲戚都等着她一个人。喂，你是哪位？”

真是怪事，都去开会了。难道说梅城发生了什么紧急的事情？他听见电话那头，老太太还在喂喂喂地乱叫，这才想起电话还没挂。

既然大钧不在家中，谭功达只得打消了去他家吃饭的念头，一个人回到厨房里，将早上没吃完的稀饭热了热，立在灶头，呼噜呼噜地喝了下去。随后，他去院中关上门，来到书房的写字台前，泡上一杯浓茶，拿过那本《沼气设计常识》，读了起来。可没读几页，就停电了。屋子里一片漆黑。大年三十竟然还会停电，谭功达的心里不由得再次暴怒起来。

两年前，谭功达给省里和地委一连打了六份报告，省电力厅才同意在通往省城的高压输电网上接出一条支线供梅城照明使用。可一旦电力供应紧张，梅城总是第一个被牺牲掉。普济的水库大坝虽然已经合龙，但发电机组一时还没有下文。本来南洋的两个侨眷愿意出钱购买发电机，还到普济实地看过两次，可报告打到省里，迟迟没有批复。一位省领导在电话中还勃然大怒：“这两个华商的政治背景你到底弄清楚没有？他们和台湾到底有没有关系？你的大坝修在长江的支流上，一旦出事，可不是闹着玩的……”

令人烦心的事还远远不止这一件。别的县连高级社都普及了，可在梅城，初级社的覆盖率也只有百分之六十，排在全省倒数第二。即便如此，竟然还有人暗中闹退社，将县委派下去的工作组扣留在猪圈里……那些退了社的社员担心县里让他们重新入社，便故意毁坏农具，将耕牛、毛驴都杀来吃了，将犁头敲下来换糖，一夜之间，山林里长了百十年的大树通通被砍光。地、县公安机关派人下去抓了一批人，事情还没平息，却有人偷偷地搞起单干的把戏来，把村里的山林和水塘都分给了个人。

粮食征收的状况也不容乐观。农民自留的口粮不够吃，到了青黄不接的春夏之交，竟然将孩子悄悄地送入县政府大院。县里只得办了一个托儿所，雇了十二名保姆。可这样一来，问题就更复杂了：那些从安徽、河南来的讨饭大军也将奄奄一息的孩子往县委大院一送了之。那些睡在襁褓中的婴儿又不能开口说话，要弄清楚他们的来历和身份，根本不可能。孩子们一天天长大，就学、户口都是问题。谭功达多次打电话向聂竹风诉苦，老虎却总是很不耐烦地对他说：“别的县都搞得挺好的，怎么就你们县出了这么多的乱子？你要多动动脑子。”

一年前他提出修造一条连接各乡村的运河。可土方包到各乡村，村民们只是在秋后的农闲季节面子上敷衍一下，就收工回家了。地上一旦结了冰，他们就说下不去锹，宁肯聚在家里打扑克。县里派了督察组下去，他们也根本不予理睬。心情烦闷的时候，谭功达坐在办公室里想着这一大堆焦头烂额的事，免不了要向秘书姚佩佩唠叨几句，可姚佩佩一听他诉苦，就笑着朝他直摆手道："县长，您别，您还是饶了我吧。您一说这个，我就脑仁儿疼。"然后就抱着脑袋向谭功达直翻白眼。她还说，当初就不该答应到县里来工作，还不如在西津渡卖绒线自在呢。这个姚佩佩，脾气阴晴不定，总是让人摸不透，高兴的时候见到谁都是笑嘻嘻的，可不高兴起来，她就一连几天不理人，要么干脆就赖在家里装病。

有的时候，谭功达也试着将县里的事跟白小娴说说，小娴倒是有耐心听，可根本没往脑子里去，听完了就说："你一个人管这么大一个县，那该有多好玩啊！"或者说："老谭，要不我们换一换，我来替你当县长，你去我们文工团跳舞得了。"可见，她也没把谭功达的话当一回事。

他坐在黑暗中，脑子里想着这些杂七杂八的事，两条腿都冻麻了，正想站起来活动活动筋骨，电话铃就响了。

话筒的那一端传来一个苍老沙哑的声音：

"猜猜看，我是谁？"

谭功达有点听出他是谁来了，心里又不敢确定。愣了半天，只得冷冷道："对不起，我猜不到。"

"我是赵焕章。"对方哈哈大笑。

谭功达诧异道："怎么，怎么是你？"

赵焕章反问道："难道我就不能给你打电话吗？"

赵焕章把电话打到他家，这还是第一次。而且这个人平常不苟言笑，今天却在电话里嘻嘻哈哈的，多少有点反常。没准是遇到了什么高兴的事。两个人互致新春问候，又寒暄了一会儿，赵焕章道：

“我给你打电话是为了跟你告个别。”

“怎么，这大过年的，你还要出差去吗？”

“不是出差，是出门。”

谭功达听出他话中有话，正想问个究竟，赵焕章忽然问他：

“老弟，你喜欢养花吗？”

谭功达有点摸不着头脑，不知他是什么意思，就赶紧说：“喜欢啊，怎么呢？”

“你是喜欢兰花呢，还是水仙？”

两种花谭功达都没见过，可既然对方问起，他出于礼貌，想了想，硬起头皮说：“水仙大概好一点吧。”

“那好吧，再见。”

对方没等他答话，就把电话给挂了。谭功达放下电话，站在桌边，半天回不过神来。没来由地打电话拜年，又没来由地挂断了电话，这赵焕章究竟是什么意思？他知道赵焕章是商务印书馆编字典的出身，肚子里颇有些墨水。平常邋里邋遢，连澡都懒得洗，可就是喜欢养个花花草草什么的，很有些小资产阶级情调。据同样喜欢养花的杨福妹说，他家的院子里摆满了各式各样的盆花，台阶上、院墙上、地上，到处都是。有一年她看中了一盆“美人”，实际上就是狗蝇梅，向赵焕章讨，赵焕章倒是给她了。可每过一段时间，他都要登门，去看看他的“美人”怎么样了，弄得杨福妹的老娘烦不胜烦。最后，小杨找了个借口推说这花自己养不活，让赵焕章又给抱回去了。有一句话赵焕章时常挂在嘴边，叫做“万事向衰无药起，一身躺倒任花埋”。话虽说得颓唐了些，可县机关的人都知道他惜花如命。

谭功达正在胡思乱想，忽听到屋外人声嘈杂，乱哄哄一片，他走到窗前，静静一听，原来是“移风易俗、破旧立新毛泽东思想宣传队”的队员们正在唱歌。在时断时续的歌声中，他听见一个女高音用铅皮喇叭向居民们喊话。那声音在寂静的晚上远远地传来，颇有几分凄厉。

雪还在纷纷扬扬地下着。

电还没有来。看来，梅城县的居民们要在黑暗中度过这个除夕之夜了。

2

正月初八上班的第一天，姚佩佩又迟到了。她推着自行车走进县委大院，看见司机小王手里拿着一把鸡毛掸子，低着头正在雪地上找着什么东西。

“小王，你在找什么呢？”姚佩佩笑着跟他打招呼。

小王抬头看了姚佩佩一眼，自语道：“咦，我的车钥匙怎么忽然无中生有了？”

佩佩被他逗得扑哧一声就笑了起来。

“怎么？我的这个成语又用得不对吗？”小王傻傻地看着她。

“不对不对。”姚佩佩笑道，“其实，说话不一定要用成语。你就说，我的车钥匙不见了就行了，多省事！”

“假如我一定要用成语，应该怎么说？”

“你就说——”姚佩佩想了想，道，“你可以说‘不翼而飞’。”

“那丢了什么东西才可以说‘无中生有’？”

“丢什么也不能说无中生有！这个词根本不是那个意思。”

小王噢噢了两声，又满地找他的钥匙去了。

姚佩佩抬腕看了看表，已经八点半了。那辆吉普车旁还停着一辆黑色的小轿车，她知道省里又来人了，说不定又在四楼大会议厅开会呢。她没有去自己的办公室，而是咚咚咚咚跑上楼梯，直接向四楼的会议室走去。

会议室的门关着，里面隐隐传来一个人的说话声，好像是白庭禹。他说话的嗓门很高，似乎在和什么人吵架。姚佩佩正要敲门，那扇大门忽然自己就开了，杨福妹手里拎着一只热水瓶，正好出来。

“你有什么事？”杨福妹道。她的语调和以前一样，冷冰冰的。

“我来开会呀。”姚佩佩道。说完，就要从门缝中挤进去。

杨福妹一把就把她给拽住了：“领导在开会，没你什么事。”

随后，她拉上门，丢下姚佩佩，一个人下楼打开水去了。姚佩佩闹了个大红脸，心里道，原来并不是每次上面有领导来，她都有资格去开会的，便满脸羞惭地下楼去了，一路上不住地在心里面骂自己“蠢货”。

一进办公室的大门，姚佩佩就闻到一股扑鼻的花香。再一看，原来自己的办公桌玻璃上搁着一盆墨兰。她还从来没看见过这么漂亮的墨兰，惊喜得差一点叫出声来了。还是在上海静安寺的时候，家里的佣人吴妈因老家就在天目山脚下，每次回家，总要带回几盆墨兰，在花园里养着。一到开花的时节，父亲就会从花园中挑出一盆，放到三楼的大书房里，作为消闲的清供。想不到在梅城这个地方，竟然也有这种花，而且养得这么好！

姚佩佩坐在写字台前，慢慢地转动着花盆，在阳光下细细观看。这盆墨兰花叶宽阔，秀丽挺拔，颜色黛中带绿，泛着一层油油的光亮。三四茎深紫色的花骨朵从花叶中挤出来，结满了花苞，有两朵已经开了。花朵的四周有一圈嫩黄色的镶边，凑上鼻子一闻，花香馥郁，令人沉醉。唯一美中不足的，是花盆过于普通，虽然颜色倒也配，只是有些残破，而且上面用小刀刻出来的“兰在幽谷亦自香”几个字，也稍微大了一些。

不过，更令她感到不解的，是花盆的底托满满地汪了一层水，都漫到玻璃板上来了。她知道兰花喜燥厌湿，这个人既然养得出这么好的墨兰，怎么还会给它浇这么多的水？心里觉得十分奇怪。

凭着她对花草的敏感，墨兰的香气中似乎还有一缕淡淡的香味混杂其中，循着这缕幽香，姚佩佩很快在谭功达的办公桌上看到一大盆水仙。那养水仙的盆子通体洁白，显得极为考究，一看就知道那不是一般的瓷胚。其中几枚圆圆的压花石，温润的石纹隐隐可见，宛若山水画的图案。水仙花的花茎高而壮，齐齐地开出一片明黄。盆壁上也有几个小字：嫣然幽谷。

姚佩佩心里道，这个养花人似乎很喜欢“幽谷”这两个字。不过，同样不幸的是，花盆里浇了太多的水，花梗上还散落着喝剩的茶叶，让用来包根的棉花都浮了起来。姚佩佩看了看谭功达的茶杯，杯沿上还残留着几片茶叶末子。她找来一块干抹布，将盆里的水洇干，一边暗自窃笑，心里暗暗骂道：这个傻瓜，好不容易逮着个机会，少不了要给这两盆花猛灌一次水。

果然，到了中午，谭功达开完会从楼上下来，看见姚佩佩趴在桌上欣赏那丛兰花，就冲着她得意地喊道："怎么样，好看吧？我给你的花也浇了水。"

"我就知道是您浇的水，"姚佩佩道，"把花都快淹死了。"

"怎么，不能浇水吗？"谭功达认真地看着她，问道。

姚佩佩笑道："怎么不能浇？只是一次不能浇这么多。"

谭功达噢了一声，凑到姚佩佩的跟前，道："你这一盆怎么只开了三四朵，这花叫什么名字？"

"墨兰。"姚佩佩道。随后就问起这花是谁送的，这么好的花怎么舍得送人。谭功达脸色凝重，习惯性地皱了皱眉头，叹了一口气，半天才说："是赵副县长，赵焕章同志送的。"

谭功达告诉她，刚才省里来的金秘书长传达了省委和地委的指示，赵焕章已经被解除了职务。他或许提前知道了这个决定，打算把家搬到老家的乡下去，在那儿的一个小学当语文老师。因要搬家，他院子里的花带不走，就分送给县机关的同事，留个纪念。

"赵副县长犯错误了？"姚佩佩一脸迷惑地问。

"不清楚。"谭功达道。

姚佩佩因见谭功达一只手始终捂着腮帮子，说起话来含混不清，嘴里还不时嘶嘶地往牙缝中吸气，便问他嘴怎么了。

"我的牙蛀了。"谭功达说，"昨天痛了一个晚上，腮帮子肿得老高。对了，你这儿有没有什么药？"

姚佩佩说，她那儿有牛黄解毒丸，不过放在家里了："要不要我回去取？"她见谭功达迟疑不决的样子，又补充道："我骑脚踏车，也挺快的，一会儿就回来了。"

“算了吧，我还是去医院叫大夫看看吧。”说完，他顺手抓过公文包，夹在腋下，捂着嘴，哼哼唧唧地走了。

姚佩佩坐在窗前，呆呆地看着那盆墨兰，心里惘然若失。她在县机关工作了这么些年，与赵焕章总共也没打过几个照面，可这个人在远赴他乡之前竟然还记得给自己留下一盆花来，她的心里暖融融的。

她还记得，有天下午会议结束后，开会的人都走光了，他却涨红了脸，木呆呆地坐在椅子上，嘴里叼着一支香烟。烟灰落了一身，掸也懒得掸。佩佩悄悄地走近他，生怕吓着他：“赵副县长，散会了……”

她又想起今年春节前赵焕章用小楷誊抄的那首临江仙词。小舟从此逝，江海寄余生。它贴在走廊的布告栏里，除了自己，没有人朝它多看一眼。看着那淡紫色的花朵在风中微微翕动，姚佩佩若有所思，若有所悟，鼻子一酸，眼中不觉落下泪来。

中午的时候，钱大钧打来了一个电话，约她去梅城旅社吃饭。佩佩道：“怎么忽然想得起来要请我吃饭？”钱大钧只是嘿嘿地笑。佩佩又问：“是单独请我一个，还是让我去陪别的什么人？”

“你来了就知道了。”大钧道。

姚佩佩骑上自行车，来到梅城旅社。一个胖乎乎的中年妇人领着她，由一条逼仄的木楼梯，上了二层。地上的毯子黝黑黝黑的，楼梯扶手也是滑腻腻的，手一碰，就有一种不洁之感。姚佩佩知道，在梅城地方，这已算是最好的旅馆了。二楼的食堂里空空荡荡，胖妇人领着她一直走到里面朝北的一个大房间门口。她看见钱大钧坐在靠窗的位置上，正朝她招手。

从省里来的金秘书长坐在主位，他的右边依次坐着白庭禹、杨福妹，还有信访办的老徐，另外还有几个人，她不认识。姚佩佩见门边的一张椅子还空着，就惴惴不安地坐了下来。钱大钧见人都到齐了，就招呼服务员上菜。

金秘书长看上去似乎五十来岁，身穿一件灰色中山装，口袋里插着两支钢笔，大敞着领口，露出了脖子上粗大的喉结。由于距离很近，他嘴角的那颗大痦子分外触目，似乎还缀着一撮黑毛，样子看上去更显阴鸷、凶悍。原来是陪省领导吃饭。可钱大钧为何偏偏要叫上我呢？由于姚佩佩恰好坐在金玉秘书长的对面，她的眼睛不知该朝哪儿看，只得低下头，心里感到无聊，后悔却是来不及了。

几道冷盆端上来之后，钱大钧就起身斟酒。杨福妹推说不会喝，向服务员要了一杯茶。姚佩佩也是要喝茶的，可看见杨福妹要了茶，忽然心生厌恶，连带着把怒气撒到茶上，紧抿着双唇，一声不吭。好在钱大钧善解人意，让服务员给她倒了一杯开水。

白庭禹端起酒杯，站起身来正要说话，金玉忽然道："谭功达县长怎么没有来？"

钱大钧正要解释，姚佩佩突然抢在前头，贸然说道："谭县长？他去医院看牙了。"

话一出口，自己听上去都觉得不对劲，似乎是在急于替县长分辩什么。而且这一分辩，反而使得谭功达的缺席，有故意推托之嫌，不觉脸一红，深深地低下头，心里怦怦乱跳。她偷偷地拿眼睛朝四周瞅了瞅，见房内餐桌周围并无空位。或许他们根本就没有通知谭功达，钱大钧在给她打电话的时候，也并未问起他。

白庭禹到底说了些什么，姚佩佩一句都没听清楚。白庭禹说完了话，金玉起身接口道："白县长太客气了。大年三十敝人临时决定来梅城过年，顺便做些调查研究，承蒙各位盛情款待，终日相陪左右，金某感激不尽。今日权借贵县宝地，略备薄酌，聊表心意，并谢叨扰之罪。"说完端起酒杯，一饮而尽。

原来是金玉的答谢酒筵。听他话中的意思，似乎春节前就已经来到了梅城，而眼下就要辞别回省城去了。金秘书长这么一说，白庭禹慌忙道："招待不周，招待不周，啊，招待不周。"

钱大钧也连声道："客气客气，金秘书长太客气了。"

杨福妹也夹在里面附和道："对对，招待不周。金秘书长看得起我们，选择在梅城过年，是我们全县十几万人民的福气，平时我们请都还请不动呢。"

倒是信访办的老徐，虽然职位卑贱，说起话来倒是从容坦然："细说起来，金秘书长恐怕还要算是半个梅城人吧？"

金玉道："那倒是。我当年在去延安抗日军政大学学习之前，在梅城住过七八年呢。"

"要不等会儿吃完了饭，我们几个陪着金秘书长去梅城老宅子里看看？"白庭禹建议道。

金玉略一沉吟，便说："那就不必了吧。兰芝这一死，房子早归了公了……我好像听说，那处房子，如今是谭县长住着不是？"

钱大钧点头道："五二年分房子的时候，女主人刚刚去世，没人敢住。谭县长就自己搬了进去，他是个不信邪的人。"说完微微一笑。

姚佩佩见他们把话题扯到别的事情上去，谈兴甚浓，没人注意到自己的存在，心里暗自庆幸，一直悬着的一颗心终于放了下来。可细细一听他们的谈话，又觉得他们说的话里大有文章。

原来金玉本来就住在梅城！他的旧宅怎么又成了谭功达的家呢？那个“兰芝”又是谁？会不会就是平日里同事们常常提及的冯寡妇？那金玉和这个冯寡妇到底又是什么关系？正这样想着，忽听得白庭禹道：“兰芝的死，我们也负有不可推托的责任，上面派来的工作组要揪她到街市口批斗，我们事先并不知情。镇子上的几个泼皮无赖趁乱一闹，事情就变得不可收拾了。等到我们的人赶去搭救，已经晚了一步。她当晚回家就悬梁自尽了，我们的确没想到，这是我们的工作没有做好，对不起金……”

“事情已经过去，也就算了。”金玉点上一支烟，缓缓道，“我和兰芝虽没有正式办理离婚手续，名分上还是夫妻，但思想感情上早已分道扬镳，没有任何联系了。她是她，我是我。她的死在某种程度上说，也是咎由自取，你们没有任何责任。只是，我还有些东西，主要是一些信件，还遗留在她那里……”

钱大钧道：“要说老宅子里的物品，当时是老徐负责登记处理的，这事他最清楚。”

老徐接话道：“首饰、银器，还有几件贵重的家具都作为无主物品归了公。书籍捐给了梅城图书馆。书信呢，我记得有四百多封，还有一些文稿什么的，都原封不动地保存在县档案室，我明天就派人去整理翻检。”

“还整理什么！”钱大钧大声道，“你不要让任何人插手。待会儿我和你一起把所有的信件打包封存，过两天我们派专人给金秘书长送去。”

老徐脸一红，憨笑道："这样最好，这样最好。"

金秘书长未置可否，微微一笑。姚佩佩心里想，金秘书长心心念念记挂着那些书信，就是担心信件内容外泄，可老徐偏偏还要回去"翻检"！他不把信胆抽出来看，又怎能知道哪些是金玉写的，真是迂腐得可以！与他相比，钱大钧的反应就要机敏得多了，难怪县里上上下下没有人不说他好的。正这样想着，忽然听见金玉在喊她的名字，"姚佩菊同志……"

他望着她笑。

开始姚佩佩还以为他是在叫别人。"佩菊"这个名字，是祖父给她取的，从出生到一九四九年解放，没有人感觉到这个名字有什么问题，可等到家中遭了大难，舅舅、姨妈、姑妈来上海奔丧，众口一词，一口咬定家中的诸多变故都是这个名字惹的祸。"佩者，戴也，什么人会把菊花佩戴在胸前？只有在死了人的时候。"舅舅说。而在姑妈的眼睛里，甚至连姚佩佩本人都有了祸水的嫌疑。刚来梅城投奔姑妈的那些年，姑妈成天说她满脸的阴晦之气，急了就骂她报丧鬼。后来，她虽然把自己的名字改成了姚佩佩，户口簿可是改不过来了。这个金玉怎么会知道她的原名呢？心中一慌，如同梦寐，只是怔怔地看着对方傻笑。

"姚佩菊同志，你吃菜。"金玉道。

*妈的，他怎么知道我叫姚佩菊！*心里狠狠地骂着，可脸上依然傻傻地笑。她的手也抖得厉害，更要命的是，金玉叫她吃菜，她很听话地立刻拿起筷子，夹了一片糟溜鱼。可还没等送入口中，就掉在了汤碗里，溅起点点汤汁，只得把筷子放在嘴里吮了吮。她知道当时她的样子一定傻得可以，恨不得找个地缝钻进去，好在钱大钧、

白庭禹已经站了起来，向金秘书长敬酒。老徐假装没看见，唯有杨福妹在一旁看着她，似笑非笑。

没等到酒筵结束，姚佩佩借口上厕所，从里边溜了出来。一个人沿着空空荡荡的街道朝前疾走。她走了好长一段路，这才想起自己是骑车来的，想要回去取，又怕再遇见那伙人。一个人站在街边，看着一座老虎灶嗤嗤地冒着热气，呆呆地发了会儿愣，只得硬着头皮往前走。

天上是明晃晃的大太阳。她怎么也摆脱不了做梦的感觉。自打她记事的时候起，就摆脱不掉这种怪怪的恍惚感。就好像没穿衣服在大街上走。在她身上发生的事，没有一件是有来由的，没有一件可以得到合理的解释。她看不清别人的面目，可别人只要瞥上她一眼，就能见其肺肝，轻而易举就掌握了她的一切。我不想活在这个世界上，真的不想。天道悠远，人世深险。我不配活在这个世界上……她似乎隐约可以窥见自己顺流而下的命运。就连自己可怜巴巴地藏着、掖着的那点心事，恐怕也要烂在心里。烂掉倒也罢了，最可怕的，说不定迟早有一天，那个躲在紫云英阴影里的秘密终将暴露于光天化日之下。唉，苦楝树和紫云英的阴影！

3

素有鱼米桑麻之乡美称的官塘，光今年一年，就饿死了三个人。除去种子和公粮，老百姓的自留粮只够吃两个多月。公共食堂关了门。榆树皮剥下来晒干，碾粉做成团子，可以充饥，但不消化，拉不出屎，得天天用手去抠；水草根晒干碾粉可以消化，但苦涩难咽。全村人脸部浮肿，看上去倒是胖乎乎的，可是风一吹就会倒下来。榆树皮早剥光了，现在已经有人吃观音土了。县长大人知道什么是观音土吗？是塘泥。村里的三个老人就是吃观音土死的。

村长陶国华贪污腐败，生活糜烂。他将去年食堂磨豆腐剩下的豆渣偷偷地运回家中，用盐腌起来，足足吃了四个多月，村民们气不过，将他从家里拖出来，暴打一顿，现已瘫痪在床。妇女主任丁秀英为了讨口饭吃，仗着自己生得漂亮，竟无耻地出卖肉体。怀了孕，又私下打胎，最终流血不止而死，真是大快人心……

这封长达七八页的匿名信，谭功达只看了个开头，就看见信访办的老徐笑眯眯地走进了他的办公室。老徐告诉他，去年冒充县长亲戚的那个妇人又到了县里，如今正在信访办大哭大闹。工作人员把好话说尽了，她就是赖着不走，口口声声闹着要见县长。

“你们给她两块钱，胡乱打发她回去就是了。”谭功达很不耐烦地道。

“我们给了她三块钱，都是毛票子，看起来倒有厚厚的一沓，可她蘸着唾沫，仔仔细细地数了一遍，就把钱往地上一撒，骂道：‘你们这是打发叫花子吗？’看来她这次来，胃口还不小呢。”

“那也不能由着她这样闹下去！没完没了！”谭功达把手里的那封信往桌上一丢，气呼呼地说。

“这次她是带了铺盖卷来的。见我们撵她走，就把铺盖往地上一铺，躺在墙角死活不动了。碰到这样的硬钉子，我们也不知道该咋办。”

谭功达想了想，站起身来，喝了一口杯中的凉茶，对老徐道：“行行行，我跟你走一趟。”

走到姚秘书的桌前，佩佩的眼神十分骇异。她先是盯着谭功达看，然后脸一红，就飞快地转过身去了，搞得谭功达莫名其妙。

下楼的时候，老徐嘿嘿地笑着，碰了碰他的胳膊：“县长，你裤子的纽扣！”谭功达一低头，原来是裤裆的纽子没扣上，秋裤的两根红红的裤带穗从里面钻了出来……

两个人来到信访办，谭功达一眼就看见墙角的花布被褥上坐着一个蓬头垢面的妇人。她手里拢着一个青布包裹，腿上扎着裤脚，脚蹬一双棉布鞋，鞋底穿了帮。旁边还坐着一个四五岁的小男孩。

这妇人见了老徐和谭功达两人进来，不起身，也不说话，索性架起二郎腿，将脸侧向一边。倒是那个小男孩，望见生人，有几分胆怯，紧紧地偎在他娘身上。谭功达在墙边的一张椅子上坐了下来，对妇人问道：“大嫂从哪里来？”

妇人用手一挡，低声道：“不敢当！民妇是夏庄人。”

谭功达笑道：“大嫂大老远从夏庄跑到县上来找我，可有什么事情？”

妇人冷冷地笑了两声：“不知县长大人果真记不得民妇了呢，还是在装糊涂？”

老徐一愣，心中暗想：瞧这架势，这个妇人和县长说不定还真有什么不可告人的勾当！若她是县长过去的一个相好，自己夹在当中倒有些不便，正想找个借口回避，忽听得那妇人道：“真是贵人多忘事！去年春上，在普济水库的工地上，民妇与县长是见过面的。”

谭功达刚才与她一打照面，就瞧着几分面熟，可要说起什么时候、在哪里见过她，倒也颇费思量。听妇人这么说，谭功达和老徐都松了一口气。谭功达很快就记起来：去年水库大坝因移民一事与村民发生争执，有个名叫王德彪的，不慎跌入山涧，摔死了。眼前这个妇人，想必就是王德彪的遗孀了。说起来，王德彪还是夏庄乡乡长孙长虹的外甥。这个孙长虹因死者是自己的亲眷，竟然第一个带头闹事，谭功达一肚子火气，到今天还没消呢。想到这里，谭功达把脸一沉，语调顿时变得严厉起来：“事情不都已经解决了吗？你还到县上来闹什么闹！”

“解决个屁！十八块钱的抚恤金，就能换条人命吗？连棺材钱都不够。这年头，到处闹饥荒，我们孤儿寡母，眼看着就活不下去了，不找县上，你让我找谁去呀？”妇人的口气也强硬了起来。她使劲地捏了一下鼻子，擤出一条长长的鼻涕来，不知道朝哪里甩，最后就抹在了旁边的墙上。

“生活上有困难，可以找乡里解决。再说了，那个孙长虹，不是你们家的什么亲戚吗？”谁知谭功达一提起孙长虹，那妇人一骨碌从地上站了起来，指着谭功达吼道：“他的乡长不是早给你们换了吗！他现在连自己都只有躺在床上等死的份儿了，怎么能管得了我！”

谭功达听出她话中有话，更不知道孙长虹被免职的事情从何说起，正想问问怎么回事，只见那妇人突然把手一拍，眼睛朝上一翻，嘴角一抽搐，忽然呼天抢地地大哭起来，双手捏成拳头，把自己的胸脯擂得咚咚直响。她那柔软的胸脯竟然能发出如此结实、坚硬的声音，令谭功达感到十分震惊。她一边哭叫，身体竟软绵绵地瘫了下去，就势在地上打起滚来，两只脚上的布鞋都踢掉了。那孩子受了惊吓，一双亮晶晶的小眼睛看了看谭功达，又看了看满地打滚的母亲，也跟着哇哇大哭。老徐费了半天的手脚，和信访办的几个人死拖活拖，才将那妇人弄到椅子上坐下，给她倒了一杯凉水端过去。

那妇人也不伸手去接，嘴里道："县长若不给我解决，我们母子俩今天就死在你这里。"

谭功达道："那么依你说，你要怎么解决？"

妇人见谭功达口气上让了步，立即止住了哭泣，低头想了半天，说道："要依我，你们先给我那死鬼弄个烈士当当。"

普济水库那件事，老徐也曾有所耳闻。妇人今天这一闹，总算是让他明白了事情的来龙去脉。他见妇人提出要评烈士，就笑着劝道："这烈士也不是随便评的。你丈夫并不是因公牺牲，而是失足掉下悬崖的，我说句你不爱听的话，你们就是闹到北京，他也当不成烈士。"

"那你们就在县机关给我安排个工作。夏庄那个晦气的地方反正我是不想回去了。"

老徐道："在县机关找工作，也没那么便当。机关里都是舞文弄墨的人，你来了，能做什么呀！"

"字我倒是一个不识，"妇人道，"不过什么事都会做，而且纺得一手好线……"

谭功达见这么纠缠下去也不是办法，就把老徐悄悄拉到一边，低声道："你手边有没有钱？"

"有。"

"多少？"

“刚刚领的工资，不到四十块。你要多少？”老徐问他。

“全给我。”

老徐打开抽屉，将用橡皮筋扎得整整齐齐的一叠钞票交给谭功达。谭功达又从自己的衣袋里找出一些钱来，凑成了五十块，递给那妇人，道：“这五十块钱，算是我个人送你的，你回去到集市上买点粮食，好好过日子，别没事就往县上跑，路也够远的。”

那妇人看见这么多钱，眼睛一亮，赶紧站起身来接。嘴里还嘟哝道：“我怎么好意思要你的钱，我这成什么人了？不行不行，我不能要你的钱。”可话没说完，她就一把从谭功达手里把钱抢过来，撩起褂子，将它藏到棉袄的口袋里，嘴里仍不住地说：“这叫我怎么好意思，这都成了什么人了。”脸上又是笑，又是哭，说完又拉过那孩子，要他给谭功达磕头。

她大概做梦也没想到，县长能给她这么多钱，浑身上下哆嗦个不停。谭功达见她面目憔悴，衣服脏乱，可她的那段脖子倒是白得发青，眉宇间隐约还有一些妩媚之色，推算她的年龄，也不过三十出头……看着她又哭又笑的样子，再看看那个皮包骨头的孩子，谭功达心里也不是滋味。

老徐把母子二人送出门外，又留谭功达喝茶。两人隔桌而坐，说了一会儿闲话。老徐忽然笑着问他，什么时候能吃到他的喜糖。他说这事在县机关传得沸沸扬扬，说什么的都有，不知是真是假。谭功达知道他所说的是他和白小娴的事，因老徐不是外人，谭功达笑了笑，说：“事情也不能说没有，只是双方年龄相差太大，八字还没一撇呢。”

“年龄差个十岁二十岁的不是问题，”老徐道，“你知道铁托吗？”

“怎么不知道？罗马尼亚的一个元帅。”

“不是罗马尼亚，是南斯拉夫。”老徐笑着纠正道，“他有个夫人，名叫万卡·布罗兹，她的年龄比铁托小了三十二岁，不也金玉良缘，琴瑟调和，革命夫妻，其乐融融嘛！”

见谭功达不吱声，老徐又问他，打算什么时候成亲。

谭功达道：“她父母倒是主张早一点把婚事办了。可小娴怎么也不答应，她说要等到第二个五年计划实现，才结婚。”

“第二个五年计划？”老徐扳起手指，算了算，“这么说，还得等个两三年。要依我说呀，这种事急不得，可也等不得。”

“您是说……”谭功达问道。

老徐把脑袋往这边凑了凑，神秘地干笑了两声，说道：“花须连夜发，莫待晓风吹。”

“这是谁的诗？”谭功达一脸茫然地看着老徐。

“武则天。”老徐说。

老徐觉得自己已经把话说得再明白不过了，可县长就是不懂他的意思，一时不知如何是好，这才蹦出一句话来：“你不打，它就不倒。扫帚不到，灰尘不会自己跑掉。你懂不懂？”

“这又是谁的话？”

“毛主席。我的意思……嗨，反正，这么跟您说吧，”老徐瞅了瞅四周，压低了声音，对他道，“这姑娘家害羞忸怩是免不了的，比方说你要拉她一下手，她都不让，可你要以为她真的不愿意，那就傻了。我这么说你明白了吗？”

谭功达的眼神里还是有点迷离，眉头倒是越蹙越紧了。

老徐见谭功达似乎对男女之事浑浑噩噩，浑然不懂，只得亮出了他的最后一招："谭县长，这花，你要不给她浇水，她能自己开吗……"

白小娴过完年，已经从乡下回来了。这天晚上，谭功达和白小娴约好在家中见面。这还是小娴第一次答应到他家里来约会。这是一个不错的预兆，至少可以说明，事情在不知不觉中有了很大的转机。

谭功达从信访办出来，一路上都在琢磨着老徐跟他说过的话，越想心跳得越厉害，步伐随之加快，到了最后，连气都接不上来了。这个老徐，别看他老实巴交的，没想到还有这一手。哈哈。

回到办公室，一看墙上的大挂钟，已经过了午饭时间。姚佩佩也没去食堂吃饭，正伏在桌子上就着白开水啃烧饼呢。谭功达就问她还有没有干粮，姚佩佩满嘴唇都是芝麻屑，嘟嘟囔囔地说："我只买了一块，要不我分你一点？"

谭功达想了想，说："好吧。"

姚佩佩就从没有吃过的那一头掰下一块递给他。随后，翻开桌上的一本工作日记，告诉县长上午都有哪些人打来电话，哪些人来访，说了哪些事情。谭功达根本就没有用心听，脑子里在盘算着别的什么事，因为他很快就打断了姚秘书的流水账，吩咐她道："姚秘书，下午你就不用上班了。你去一下图书馆，帮我查一下铁托的生平资料。"

"铁托？"

"对，铁托。"

姚佩佩噢了一声，将这件新任务记录在本子上，端起水杯，出门往盥洗室去了。

这天下午，谭功达也没在办公室待着。姚佩佩前脚出了门，他后脚就溜了出去，来到梅城供销社，想买件新衬衫。女售货员认得他是县长，态度热情得有点过分。不过她告诉谭功达，供销社还从来没有卖过衬衫，只卖布料。想要现成的衬衫，得买布料让裁缝去做。谭功达又去了一家百货公司和两三家布店，答复均是如此。偌大一个梅城县，竟然买不到一件新衬衫！看来明天得专门开个会，好好研究研究。

随后他去澡堂，痛痛快快地洗了个澡，让师傅替他搓了背、修了指甲。出了澡堂，见时间还早，又去剃头店理发修面。躺在理发馆的椅子上，满嘴涂满了凉凉的剃须膏，谭功达一会想着白小娴，一会想着老徐露骨的煽动，心里仿佛有了底气似的，渐渐地出了神。只要用水来灌溉，幸福的花蕊遍地开。你想知道梨子的滋味，就得亲口尝一尝。咚咚咚咚锵……

4

六点钟还不到，天就早早地黑下来了。谭功达和白小娴约好了在西津渡的牌楼底下见面。虽说昨天就开了春，天依旧冷得厉害。呼啸的西北风中，不时落下雪珠子，在石砌的地面上跳跃着。谭功达在那儿一直守到七点半，还是不见白小娴的人影。

西津渡这个地方是很容易找的。她到七点半还不来，恐怕是遇到了什么事。谭功达在那儿又等了半个多小时，直到附近一家水站的灯火都熄灭了，这才失魂落魄地往回走。

回家的路上，谭功达忽然想到，要是有一部电话机，能跟着人走，那该多好啊！可细细一琢磨，又觉得这个念头太过荒谬。这电话机跟着人走倒不难，可电话线怎么办呢？过去的战争年月，电话机总是跟着指挥部转，但也得有通讯兵去架线哪！钱大钧过去干的就是这个。假如将电话线埋在地底下呢？每隔五十米安一部电话机，这样一来，不论人在何处，都可以随时联络了……这样想着，谭功达不禁兴奋起来，白小娴的失约带给他的巨大痛苦顿时大为减轻。他从口袋里掏出一个小本子，打算将这个奇妙的想法记下来，明天拿到县常委会上去讨论，可他怎么也找不到钢笔。

他沿着河堤往前走了一段，很快又推翻了原先的设想。道理很简单：打电话的人固然可以随时找到电话机，但接电话的人是流动的，你根本无法确定对方的方位。即便是大街上布满了电话机，你也不知道究竟该拨哪个号码。很显然，这个设想是行不通的。那么，改成无线电通信呢？他在电影中看过，朝鲜战场上的士兵，背上都背着无线电报话机，上面还有一个“丫”字形的柔软的辫子……可你也不能要求人人上街都背着那么重那么大的一个铁匣子！等到他把自己的一个又一个设想逐一推翻之后，他已经快到家门口了。隔着光秃秃的树林，谭功达看见院门口的篱笆边上远远地站着一个人，他的心里漫过一阵惊喜的狂潮……

“我的耳朵都快冻掉了！”白小娴笼着袖子，跺着脚，口里吐出团团白气，对着他抱怨道。她的身边还有一个白布袋子，一个尼龙网兜。

“不是约好了在西津渡见面吗？”谭功达道。

“我在那等了两个小时，差不多快到七点了，还是没见你来接我，这才找到这儿来了。”白小娴气咻咻地说。

经她这么一说，谭功达才猛然想起来，西津渡东西两面都有牌楼，相隔差不多二里地呢。她一定是去了东牌楼，那儿有一个很大的露天集市。想到这儿，谭功达拍了拍自己的脑袋，笑道：“你怎么知道我住这儿？”

小娴道：“我一说冯寡妇的老屋，围着我拉活的三轮车夫没有人不知道的。”

谭功达掏出钥匙来开门，揶揄道：“看来，你还是蛮聪明的嘛！”

“听你的口气，你以前一直以为我是个傻子喽？”小娴提高了声音。

在黑暗中，谭功达判断不清她是在开玩笑还是真生气，便赶紧从她手里接过东西，对她道：“不傻不傻，一点都不傻。这包里是什么东西？怎么这么沉？”

小娴道：“是你丈母娘送给你的腊肠、花生、江米粉，还有别的什么东西，反正我也搞不清。”

听到小娴称她自己的母亲为“你的丈母娘”，谭功达不禁回过头去，偷偷地看了她一眼，心里觉得美滋滋的。

两人进了屋，把东西放下，谭功达就要带她去街上找馆子吃饭。“这么晚了，干脆我们在家里做点吧，对付着吃一顿就算了。”小娴不住地往手里哈着气，将头上的一块红色的方巾取下来，抖了抖雪粒，又扎在脖子上。

“我可是只会下挂面。”谭功达说，“小娴，你会做饭吗？”

“做饭我不会，”白小娴抬头朝屋子里四下打量，嘴里道，“不过，我会烧火。”

她说小时候一到寒冬腊月，她有事没事就爱往厨房里钻。灶膛里生着火，最暖和。她家有个长工，叫张妈的，常搂着她在灶下讲故事，时间长了，也会让她帮着烧把火。她妈妈一开始不愿意她跟那帮下人成天混在一起，可有时候过年，家里来了客人，厨房里忙不过来，母亲又会扯着嗓子叫她：“小娴小娴，去厨房帮张妈烧火去！”她絮絮叨叨地说着小时候的事，忽然抓过谭功达的一只手来，撸起他的袖子，看了看他的手表：“呀，这么晚了，赶紧去厨房弄点吃的，吃完了我就该走了。”

谭功达见小娴忽然抓他的手，心里着实抖了两抖。可一听说她吃完饭就要走，明显是不想留在这儿过夜的意思，又像是被泼了盆冷水，心里凉了半截。两个人来到灶堂，谭功达在锅里放了几瓢水，白小娴果然在灶下生起火来。很快，火光就照亮了她的脸。谭功达只有低下头来，才能透过放油灯的墙孔端详她那张好看的脸。小娴也透过方孔看他，朝他嫣然一笑。柴火在炉膛里劈劈啪啪地烧着，那张脸看上去就像一扇被落日映红的花窗。锅盖的四周已经有丝丝的热气冒出来了，他的心也像袅袅上升的热气一样，飘了起来。

“喂，你冷不冷？”小娴问他。

“不冷，不冷！”谭功达吃了一惊，慌忙道。

“你也来灶下烤烤火吧。”说着小娴在小板凳上往里面挪了挪身子，给他腾出了一小块地方。

她是什么意思？难道说……我的腿为什么会发抖？我的喉咙为什么会咕咕叫？我的血管为什么就像要爆裂似的？我的肠子为什么会像乱麻绳一样扭结在一起？见鬼！我为什么会想死？为什么会觉

得这世上的万物原来这般空虚?!这般让人伤心!我的姑奶奶。我的亲姑奶奶。我要抱住你。我今天是豁出去了!老子今天就豁出去了!什么也挡不住了!你答应也罢,不答应也罢,反正老子要抱住你!我要让你变成烂泥!变成灰烬!变成齑粉!我要天塌地陷,我要死……他狠狠地咽了两口唾沫,深深地吸了一口气,绕到灶下,愣愣地看着小娴怪笑。小娴也歪着头,扑闪着漂亮的大眼睛,冲着他笑。可她笑着笑着,脸色就渐渐地变了,嘴唇就黏在牙床上,再下不来了。

谭功达口中急急地叫了声“小娴”,身体向前一纵,以泰山压顶、排山倒海之势朝她猛扑过去,将她按在了麦秸秆中。白小娴没有任何防备,经他这一扑,往后便倒。灶铁敲在锅底上,灶膛里顿时火星四溅。她的脑袋重重地撞在身后的墙壁上,一时间天旋地转,嗓子里有一股浓浓的腥味,忍不住直想呕吐。她还没弄明白究竟发生了什么事,谭功达的一只手早已从她的棉袄底下伸了进来,她的胸脯一阵冰凉。

在相当长的一段时间里,白小娴对谭功达的闪电突袭采取了一种听之任之的态度。那不是出于隐忍和纵容,而是完全被对方突如其来的举动吓傻了。她的大脑出现了短路,躺在那儿,一动不动,只是眨巴着眼睛,似乎在想着什么不着边际的心事。可谭功达这段间隙中也无所作为,他不知道该拿她怎么办!嘴里妈呀妈呀地乱叫着,哼哼唧唧,手忙脚乱,像头猪一般在她怀里乱拱。很快,回过神来的白小娴决定反击。她的武器是尖叫。那是一种谭功达从未听见过的持续不断的尖叫。

“不要叫!不要叫!”谭功达压低了声音对她说。

可白小娴叫得更厉害了。他伸手去捂她的嘴。白小娴在挣扎中，手碰到了灶铁，她悄悄地抓住了它。她把灶铁举到谭功达的眼前，嘴里嘟嘟囔囔道：“你看看，这是什么？”

灶铁通红的一端已经顶在谭功达的胸前。他的棉衣立刻发出一股难闻的焦煳味。谭功达像个被人缴了械的俘虏，慢慢地站了起来，高举着双手，向后退却。白小娴用灶铁杵着他的胸脯，一直把他顶到了水缸边的墙旮旯里。

“流氓。”白小娴摇了摇头。

她的声音并不高，听上去就像是在轻声地叹息：“流氓。你是个流氓。原来你是个流氓。他妈的你竟是个流氓！”

很显然她受到了过度的惊吓，嘴里翻来覆去地念叨着这几句话。她将灶铁往水缸里一丢，嗤的一声，水缸里就腾起了一股白烟。她一手提着裤子，在厨房里转悠了半天，满嘴胡言乱语，自己都不知说些什么。最后，她终于找到了厨房的门，拉开它，正要出去，又踅了回来，从地上捡起那根裤腰带，看着谭功达，轻声道：“你这儿，一点也不好玩，真的不好玩。我走了。再见。”

白小娴没有回文工团驻地，而是径直去了她叔叔家。白庭禹那会儿睡得正香，忽听得有人咚咚地砸门，吓得他一骨碌从床上翻下来。他跑到客厅里，老婆早已裹着一条毛毯，把门打开了。她看见白小娴披头散发、目光痴呆地站在门口。夫妇二人赶紧把她拉进屋来，上上下下看了半天，忙问她出了什么事。

白小娴依旧像个梦游人似的，两眼发直，嘴里喃喃道：“强奸，强奸。狗日的，强奸。”

白庭禹看见她满脸是血，上嘴唇肿得老高，脖子上也有一道紫色的淤痕。夫妇二人围着她问了半天，问她到底是被谁强奸了，她也不答话，只是一个人在那自问自答。夫妇二人飞快地对望了一眼，白庭禹对老婆道："你先去帮她洗洗，找身干净的衣裳替她换上，再来说话。"

当白小娴裹着一条薄棉被再次回到客厅里的时候，她的嘴唇上已经涂了一点紫药水，看上去就像刚刚吃过桑葚一样。她缩在沙发上，身体仍然在簌簌发抖。白夫人给她端了一杯热水，白小娴端起杯子就扔在了对面的墙壁上。墙上挂着一幅恩格斯的画像，玻璃相框晃了两晃，掉在地上，摔得粉碎。她又抓起烟灰缸，吓得白庭禹一闪身，那烟缸飞向了墙角花梨木架上的鱼缸，鱼缸碎了，水哗的一声泻到地上，那红金鱼却还在地上扑腾着。

看到侄女大发雷霆，白夫人长长地松了一口气，笑道："砸吧砸吧，你想怎么砸，就怎么砸。你知道砸东西了，证明你没有疯。"

白庭禹却是早就不耐烦了。他从烟盒里取出一支烟来，并没有抽，只是放到鼻前闻了闻，冷冷地说："说吧，孩子，谁强奸了你？我马上通知公安局去拿人。"

白夫人瞪了他一眼，一个劲地给他递眼色，随后走到他身边，附耳道："是谭县长。"

白庭禹一愣。一个人想了半天，把他那掉光了头发的秃脑袋摸了又摸，忽然笑了，嘴里自语道："哈哈，谭功达，你这小子！哈哈，这回你倒是真急了！动真格的了。你不是吹牛说，女人对你可有可无吗？哈哈。"

白小娴不依不饶。她连哭带叫地把几个小时前发生的事从头到尾给叔叔讲了一遍，并让他马上下令去抓人："去迟了一步，就叫这狗日的跑了！"

白庭禹笑眯眯地听完了白小娴颠来倒去的哭诉，对侄女道："小娴，这，这这，这不叫强奸……"

白小娴听叔叔这么说，简直不敢相信自己的耳朵，气得杏眼圆睁，又要摔东西，可茶几上的一只景泰蓝花瓶已被他婶子抢先一步抱走了。

"这都不算强奸，算什么？"

"这不叫强奸。"白庭禹固执地坚持自己的意见。

"他都摸了我的奶子了，还不算强奸吗？"白小娴叫道。

"你小点声！"白庭禹低声提醒她，"邻居都让你吵醒啦。我可以明确地告诉你，那不是强奸。"

"那是什么？啊？你说，那是什么？"

"那叫操之过急。"白庭禹话一出口，自己也笑了起来。他夫人强忍住，抿着嘴，才没让自己笑出声来，同时狠狠地瞪了丈夫一眼。

"他把我裤腰带都扯下来了，这流氓！你们不去抓人，我明天一早就去县里告他。"

白庭禹终于将那支烟点上，道："你就是告到县里，最后不也是由我们来处理？何况人家还是县长呢。"

"县里告不赢，我就去省里，省里不行，我就上北京，绝不能让他逍遥法外。"白小娴的牛脾气上来了，怎么劝都不行。

在接下来的两三个小时的时间里，白庭禹列举了大量的事实，摆出了无数的道理，运用十分严密的逻辑，来反复论证这件事为什么不算强奸，而是男女之间一种十分常见，并且正当的行为。甚至就连马克思和夫人燕妮之间也不能完全避免。这种行为虽说和强奸在形式上差距不大，但动机却大相径庭。这种行为的后果之一，是为了繁衍后代，一句话，是为了我们的革命事业后继有人，也可以说，关系到党和国家的未来：“谭县长的性子的确是急了一些。尤其是你们还未结婚，他这么做是不恰当的，我们应当对他展开批评与自我批评。可你想一想，谭县长四十多岁的人了，一心扑在全县的工作中，到今天还没娶上媳妇，这难道不应该值得我们敬爱吗？人非草木，也有七情六欲嘛！一时急火攻心，鬼迷心窍，做出些越轨举动，也是完全可以理解的嘛！这是每一个彻底的唯物主义者不仅不能回避，而且必须严肃面对的事……”

一番话说得白小娴将信将疑，虽说嘴上仍不服软，心里毕竟渐渐地安静下来了。尤其是当她听说马克思和夫人燕妮之间也免不了这样，顿时长长地吸了一口气，如释重负。白小娴平时最崇拜马克思和燕妮了。她曾一度宣布，将自己的名字改为白燕妮，而且逢人就说，你们以后不要叫我白小娴了，就叫我白燕妮好了。可是没有人把她的话当真，同寝室的女孩仍然叫她白小娴。她甚至早早为自己婚后的生活作了周密的安排，其中最重要的一项，就是让谭功达留胡子。她仔细观察过了，谭功达的胡子又浓又密，若是好好留个几年，说不定也能和马克思不相上下。不过，她在内心一点也没有原谅谭功达的意思，她特别受不了他像个猪一样乱撞乱拱，哼哼唧唧，满嘴胡言乱语，其下流无耻，简直令人发指。

白夫人招呼小娴上床睡觉的时候，天已经快亮了，窗户上已泛出微微的白光。由于兴奋过度，白庭禹躺在床上怎么也睡不着。他起来上厕所，看见老婆的房中亮着灯，两个女人仍然在唧唧喳喳地说着什么。他解完手出来，走过老婆的房门口，就听得里面小娴的声音道："他扒掉了我的裤子……反正什么都被他看了去，今后我对他还有什么秘密可言！"

老婆咯咯地笑了两声，安慰她道："傻闺女，就是给他看了去，也没什么要紧！反正你们结了婚，他迟早是要看的。夫妻之间，还说什么秘密！"

小娴道："可他还咬我，真的像条狗一样！我的嘴唇就是被他咬破的。"

夫人道："这是好事。说明他还年轻，火力壮。"

"这怎么是好事呢？"

"这个你现在还不懂，以后就知道了。"老婆嘿嘿地笑着，"像我和你叔叔这样，一人占一个屋，平常一年到头连话也说不得三四句，清汤寡水，这与守活寡又有什么两样！"

白庭禹听到这里，只得龇牙咧嘴，暗暗苦笑。他摇了摇头，蹑手蹑脚地回房睡觉去了。

第二天上午，白庭禹到县里上班，一进办公室，就看见谭功达正在那儿等他。白庭禹见他抓耳挠腮，欲言又止的样子，脸憋得通红，就猜到他是为昨晚的事情而来。他没事般地笑了笑，拍了拍谭功达的肩膀，对他说："老谭哪，什么都别说了！事情呢，我都替你解决了。你可得好好请我吃一顿。"

"好说好说，"谭功达道，"那个自然，我，我当时也是一下乱了方寸。"

"这算得了什么事？不过你以后可得悠着点，人家毕竟才二十出头。”

“当然。当然。”谭功达道。

“依我之见，你好好给人家写封信，道个歉，好好解释解释。”

两个人又说了些别的事，谭功达起身告辞，白庭禹将他送到门外，忽然拉了他一把，笑道：“昨晚我们家的鱼缸被小娴砸碎了，你得记着给我买新的。”

5

吉普车行驶在通往普济的煤屑公路上。姚佩佩坐在副驾驶的位置上，嘴里噙着一枚糖果。车窗外雨下得正大，谭功达坐在后排，鼾声如雷。在刷刷的雨声中，佩佩觉得四周有一丝难言的静谧之感，似乎雨幕将她与这个世界的一切都隔开了。她觉得心里很安稳，不时有雨滴渗过车顶的篷布，落在她脸上，凉凉的。车窗被雨水打得一片模糊，什么也看不见。

从春分到谷雨这段时间，是梅城一带的雨季，也是一年之中难得的农闲季节。县机关大大小小的干部都被谭功达赶到运河水利工地去了。杨福妹留守值班，干部们全都下了乡，偌大的办公楼忽然变得一片沉寂。除了老弱病残之外，她有时在楼道里成天碰不到一个人，连食堂也是空空荡荡的。

谭功达闹了一段时间的肾炎，在医院打点滴。他不时地打电话给姚佩佩，通知她干这干那。最要命的，谭功达不知从哪里听说自己会写文章，要她给县广播站写几篇通讯。虽说县长口授了大部分内容，可这种官样文章比不得自己写日记，每写一句话，都得在自己的心里来一番挣扎和搏斗。短短千余字的广播稿，常常弄得她心力交瘁。日常工作之外，佩佩一有空时常往图书馆跑。图书馆也没什么人。女管理员整天坐在窗口打毛衣，有时还会将家中的毛豆带到单位来剥。姚佩佩胡乱地从书架上拿下书来随意翻看。她第一次知道杨梅、草莓和梅子并不是同一种植物；知道了毛主席还可以叫毛润之，而且还先后娶过好几个老婆；知道共产党居然是在嘉兴南湖的一条船上成立的，也许还下着雨，说起来还挺有诗意的呢，就像古时候文人的一次雅聚。十几个人说说笑笑，就把这个世界摆平了。转眼之间，天地竟然为之变色，真是令人不敢想象……这些妇孺皆知的常识，姚佩佩却像在看西洋镜似的充满了好奇。不过，她想到自己和这个世界如此隔膜，也会觉得怅然若失。

谭功达读了她的文章，有时会从医院专门打电话给她，表示赞赏。姚佩佩虽说有点害羞，心里还是觉得挺受用，虚荣心再一次沉渣泛起。她被姑妈逼着往医院给谭功达送过一次鸡汤。两个人居然在病房里谈了一个下午的话，这让佩佩心里觉得怪怪的。两个人成天坐一个办公室，就像仇人似的，有时一天也说不上一两句话，可到了医院里，两个人忽然都变得婆婆妈妈的。佩佩竟旁敲侧击地问起他的婚事，谭功达倒也不避讳。说起未婚妻，居然也“小娴小娴”地叫得挺亲热。

这是一段悠闲的日子，一天到晚下雨。佩佩觉得吃饭做事睡觉，就连做梦都十分安逸。她甚至幻想着，要是能够一直这样下去，该多好！这个世界会变得多么清静！慵懒！让她饱食终日，无所用心。不料，谭功达病一好，立刻就故态复萌，脸上的表情又变得严峻了。

随后，她突然接到通知，第二天一早随谭功达下乡。

这天晚上，姑妈在为她打点行李的时候，姚佩佩忽然想起县长曾让她去查阅一下铁托的生平资料，可是这些天，她把图书馆的书都翻遍了，也没有查出一点蛛丝马迹。她问过了图书馆的每一个管理员，没有人知道他是谁。她又去问汤碧云，碧云道："中国姓铁的人倒不多，你去查查铁木真，没准是他家的一个什么亲戚吧。"

她看见姑父在一旁抽烟，想到他在梅城中学教书，没准见多识广，就去向他打听，姑父想了想，说："从来没听说过，你有没有听错？"

正在这时，在一旁忙着的姑妈突然开口说："咦，我记得隔壁的媒婆说，古时候有个人叫西门庆的，倒是有个托子来，不过是银的，不是铁的……"

一语未了，弄得姑父噗噗地笑了两声，好一阵才止住笑，愠怒地对姑妈道："你别当着孩子的面，说这些乱七八糟的疯话，你知道那托子是干什么用的吗？"

是啊，西门庆的托子是干吗用的呢？

这的确是一个问题。

吉普车行驶到县粮站附近的时候，司机小王突然踩下了急刹车。车轮打滑，车身吱的一声就横了过来，差一点翻在了路边的排水沟里。姚佩佩看见公路上新设了一个临时哨卡，几个身穿黑色雨衣的人挎着卡宾枪，手臂上佩戴着红袖章，正在盘查过路车辆。吉普车刚停稳，一个身材高大的中年人怀里夹着两面三角旗，脖子上还挂着一枚金属的哨子，朝他们走来。

姚秘书赶紧打开车门。雨还在下着，那人的帽檐不断地往下滴着水。这人将脑袋从车门里伸进来，看了看，傲慢地命令道："证件。"

姚佩佩和小王赶紧掏出证件，递给他，那人看了看，还给了他们。又对坐在后排的谭功达道："你！"

谭功达刚刚睡醒，大概一时还弄不清发生了什么事，他打着哈欠，将公文包搁在腿上，从里边取出证件，递给他。

"嗬，还是个县委书记。"那人笑了起来，露出了嘴里一排发黑的龋齿，"请问你有烟吗？"

谭功达愣了一下，很不情愿地从上衣口袋中掏出一支被压扁了的"大生产"递给他。那人把烟往嘴里一叼，小王赶紧替他点上火。那人深深地吸了两口，闭上眼睛，好一会儿才说，他们是省军区的，正在奉命协助公安部门抓捕一名重要的案犯。那人流里流气，神色暧昧，似乎故意将烟吐在佩佩的脸上，熏得她眼泪直流，她只得拼命地把脖子扭到一边。

"有点呛，是不是？"那人大声地咳嗽着，笑着问她，"你知不知道去上会的路该怎么走？"

姚佩佩只觉得脸上凉凉的，一时弄不清是雨点还是他的唾沫星子。姚秘书说，她从未听说过"上会"这个地名。小王也说不太清楚。那人将烟头在吉普车的反光镜上摁灭，砰的一声把车门撞上，抓起胸前的那枚哨子，塞到嘴里吹了一下。

吉普车通过哨卡之后，小王长长地嘘了一口气，对佩佩道："我一看见戴红袖章的人，心里就直哆嗦，何况他们还带着枪，浑身上下都起了一层鸡毛蒜皮。"

小王又把成语用错了。他应该说“鸡皮疙瘩”才对。可佩佩的心里也像这雨天的阴霾一样，湿湿的，蒙着一层霉斑，没有心思去纠正他。这时，她忽听得谭功达在后面问了一句：“小王，你的成语比赛怎么样了？”

“县长您就别提了，”小王不好意思地笑了起来，“第一轮我就被他们处之泰然了。”

怪不得小王成天狂练成语，原来他是在参加成语比赛呢！姚佩佩心里想。不过——

“什么叫做处之泰然？”姚佩佩不解地问。

小王道：“处之泰然你怎么不懂？就是被淘汰了。”

他们抵达普济的时候已经是中午了。吉普车在普济车站附近拐入了一条泥泞不堪的土路，往前又开了一段，向左进入了一个又长又深的巷子，出了巷子往右，有一大片水塘。水塘的四周披挂着一丛一丛的连翘，开满了白色的小花朵。水塘对面就是一片粉墙黛瓦的幽深庭院。姚佩佩看见院门边远远地站着一簇人，最前面的那一位穿咔叽布中山装的，佩佩记得，就是上回见过面的高麻子。

汽车刚停稳，高麻子就带着几个乡干部围了过来，跟谭功达叙起了寒温。有一个自称叫孟四婶的女人见佩佩落了单，就走到她跟前，嘴里宝宝、宝宝地叫个不停。又是摸她的头发，又是捏她的手。姚佩佩想到自己都已经是二十岁的人了，还被对方称作“宝宝”，心里觉得莫名其妙。一时不知如何才好，吓得直往小王身后躲。

小王悄悄地将她喊到一边，道：“这个孟四婶，老家住在长江中心的洲上，那个地方的人，就是这个风俗。别说是二十岁，你就是七八十岁，他们为了表示亲热，照样叫你宝宝。但反过来却不行，你不能叫他们宝宝，那是骂人的话。”

姚佩佩听得似懂非懂，好在那孟四婶已经放过了她，手里挎个竹篮子，到河边洗菜去了。

中午吃饭的时候，高麻子不住地偷偷打量姚佩佩。他的眼角堆满了眼屎，多喝了几杯酒，说起话来也显得特别兴奋。姚佩佩被他盯得怪不自在的，脸上红一阵白一阵。谭功达也有了几分醉意，喝到后来，就和高麻子划起拳来。

姚佩佩平常最厌恶男人在酒桌上划拳，没想到平常不苟言笑的谭县长竟然也深谙此道。她心里倦倦的，有些不悦。高麻子再次用眼角的余光盯了佩佩一眼，借着浓浓的酒意，当着众人的面，对谭功达道：“县长果然好眼力，你是从哪里找出这么一个百里挑一的美人来？什么时候请我们喝喜酒呀？”

姚佩佩的心里猛地一惊，像是被针扎了一下。心里说，这高麻子喝多了酒，一定是把我误认作白小娴了，脸刷的一下就红了。她见谭功达并无帮她解释的意思，一生气，便冷笑道：“高乡长，您恐怕是认错人了吧。”

她这一喊，高麻子也怔住了，眨巴着他那对绿豆老鼠眼，仿佛一时不明白她的话是什么意思，半晌才狐疑道：“没错呀，县长的未婚妻不是文工团的白小娴吗？可不是一等一的大美人？半个月前她们团来运河工地巡回演出，我还和她照过一张相呢，怎么会错？”

姚佩佩的脸更红了。所有人的眼睛都瞅着她。原来人家并没有说错，是自己自作多情。这高麻子，你说白小娴，可眼睛看着我干吗？佩佩又气、又急、又羞，笑不是，不笑也不是，呆呆地望着满桌的人，不知所措。

看着一桌子的人都不说话，高麻子手里挥舞着酒瓶子，忽然指着姚佩佩，向身边的干部们介绍说："这位是姚秘书，是谭县长的干女儿。当年她在洗澡堂卖筹子的时候被谭县长撞见，就把她调到县里。姚秘书，我说的对不对？"

佩佩一听见"洗澡堂卖筹子"几个字，恨得咬牙切齿，恨不得立刻就把桌子给掀了。可毕竟碍着众人的面，又不能随便发作起来。她瞥了谭功达一眼，见他正从孟四婶手里接过一块热气腾腾的毛巾，在那使劲地擦脸呢。倒是司机小王机灵，一把从高麻子手里夺过酒瓶，笑道："高乡长，你也少喝点，下午我们还要去工地挖土呢。"就这样，总算把他的话岔开了。

说不定在县长的心目中，自己永远都是一个"洗澡堂卖筹子"的不懂事的小姑娘。佩佩心里不禁有几分悲凉。自己平白无故地受了这一番折辱，也怪不得别人，都是自己惹火上身。人家高麻子话里明明说了百里挑一的大美人，你一个洗澡堂卖筹子的傻丫头，你也配吗？好端端的，多什么心呢？你又算得了个什么东西！还巴巴地用紫云英花地的阴影来占卜算命！

不过，人人都说白小娴漂亮，在男人们的口中，简直就是倾国倾城了。佩佩和羊杂碎曾在梅城中学礼堂门口撞见过她一回，看了半天，也没觉得有什么大不了的，心里还是觉得有点不服气。姚佩佩一个人坐在桌边想心事，越想越生气，等到孟四婶端着脸盆把桌上的碗筷都收拾干净了，她才蓦地发现原来满桌的人都散了，只剩她一个人在那儿发呆。

下午，谭功达在乡干部们的簇拥下要去运河工地劳动。小王过来催她，姚佩佩双手一抱脑袋，道："我怎么觉得头痛得厉害？"

谭功达手里拿着一把崭新的铁锹，正往外走，听见佩佩喊头痛，就回过头来冷冰冰地对她说：“你要实在不想去，也别找借口，就在家待着吧。”说完拖着铁锹出门去了。

姚佩佩本来也就这么一说，并没有不去的意思。经谭功达这么一抢白，她就是想跟着去也有点不合适了。她在心里恨死了这个谭功达，天知道他心里揣着什么鬼心思，自己刚才在酒桌上那么尴尬，佩佩满心希望谭功达前来“搭救”，他居然一句话也没说，假装没听见。她在心里暗暗发誓，等到回到县里，再也不搭理他了，一句话也不跟他说。可转念一想，你算是他什么人，你一辈子不理他，与他何干？只怕是自己憋了一肚子气，人家根本就不拿它当回事。

雨早已不下了，可是风却越刮越大。天上一堆一堆的云，杏黄色的，朝北飘，在院中投下灰暗的阴影。姚佩佩闲着没事，听着屋顶上呼呼的风声，心里空落落的。她去厨房帮着孟四婶洗碗，两人在灶下说了一会儿话。孟四婶说，她家就住在隔壁，是临时被高麻子喊来替他们做饭的。“这房子几十年没住过人了，前些日子高乡长听说县长要回来，特地派人连夜收拾，墙上新刷的石灰水还没有干透呢。”她还说，高乡长和谭县长是磕头的把兄弟，两人合穿一条裤子还嫌肥。

收拾完锅灶，孟四婶又在忙着替他们准备晚上的饭菜了。姚佩佩见自己插不上手，就一个人走到屋外，满院子四处闲逛起来。这房子看上去的确有些年头了，院墙虽经修补，墙基却早已歪斜，上面爬满了白垩。天井里有一棵天竺，墙头挂着葛藤，让风一吹沙沙有声。院中有回廊和厅堂相连，左侧是一幢两层的厢房。楼上走廊的雕花栏杆上，落着一只雨燕，肥肥的，缩着脖子看着她。后院要大得多，四周沿墙栽种着杂树。通往巷子的月亮门关着，对面是一排低矮的柴房，房檐下的碎砖石中长着一溜风仙花。一条石砌小径通往倾颓的阁楼，阁楼边矗立着太湖石的假山。

一看到这幢阁楼，姚佩佩就有一种奇怪的感觉，似乎在什么地方见过。细细一想，又觉得不太可能，可怎么看都觉得十分眼熟。沿着石阶往上，可以看到一个精致的六角凉亭，围有护栏。一张石桌，几张石凳，上面堆满了樟树的叶子，多年未经打扫。从这个凉亭里可以看见院子西边的一畦菜地，姚佩佩觉得这块菜地或许是原先的主人养花的地方，因为她发现菜地里有一座倒塌的荼蘼架。小时候在静安寺的花园里，她家也有这么一个荼蘼架。

“开到荼蘼花事了。”这是《红楼梦》中的诗句，也是妈妈留给她的最后一句话。当时妈妈正对着梳妆台上的一面大圆镜梳头。姚佩佩背着书包去上学，临出门时，不知为什么，她担忧地回过头来看妈妈，恰好妈妈也回过身看她。她的脸上泪痕狼藉，嘴角却挂着一丝奇怪的笑容。等到她放学回家，花园里、露台上、客厅里，到处都挤满了人，她看见殡仪馆的人把妈妈的尸体抬走了。妈妈身上裹着白被单，裹得那么严实，只露出了一绺头发。家中的佣人转眼间都不见了。晚上她一个人蜷缩在客厅的沙发上，这个时候她才知道自己家的客厅有多么大，多么空旷。她双手捂着脸，透过指缝，偷偷地打量妈妈上吊的那根房梁。南风从窗口吹进来，把客厅的枝形水晶吊灯吹得直晃。恐惧让她暂时忘掉了悲哀，她紧紧地攥着小拳头，似乎要攥紧一个秘密的希望：爸爸的福特牌汽车随时会哗哗地叫着，一阵风似的开进花园，车灯把花园的铸铁卫矛照得雪亮。好在我还有一个爸爸。爸爸会随时回来。她这样想着，就睡着了。直到第二天上午，最先赶到的一个姨妈流着眼泪告诉她，爸爸在三天前已经在提篮桥被正法了。她想去爸爸的书房找一本《康熙字典》，去查查“正法”是什么意思，却发现房间的门上早已被人贴上了封条……

顺着石阶再往上就是阁楼了。门环上插着柳枝，被太阳晒瘪了，已经发了黑。大约是清明节用来避邪的，在江南一带有这样的风俗，清明是柳枝，端午则是艾草。

门是虚掩着的，轻轻一碰，它就开了。阁楼里有一张雕花木床，床的里侧还有抽屉。床上的被褥和蚊帐都是新的，有一股淡淡的棉布味。床头有一个五斗橱，靠墙一排红木书架，不过书架上空无一物。姚佩佩在床边坐了一会儿，身上懒懒的。因想到下午也无事可做，便和衣倒在床上，迷迷糊糊地睡着了。

到了上灯时分，小王才从工地上回来。孟四婶问他怎么一个人回来了，小王也不答话，走到灶下从水缸里舀了一碗水，咕咚咕咚地灌了下去，抹了抹嘴唇，这才说：“县长到夏庄喝酒去了。”

姚佩佩已经早早吃过晚饭了，这会儿正在厨房里洗脸，听到谭功达去夏庄喝酒，便笑道：“他去夏庄喝什么酒？”

小王道：“我们几个从工地收工，正要往回走，就看见堤岸上来了一伙人，把我们当头拦住。一问，为首的就是夏庄新上任的白乡长，也就是咱们县长的大舅子，名叫白小虎的，几个人又拽又拉，把谭县长给拽走了。”

“这么说，那个白小娴原来是夏庄人？”佩佩问道。

“那还用问？”小王说，“他丈母娘、老丈人都来了。那丈母娘一见县长，上前不由分说，就去替他掸土，我当时跟在后面，不知就里，心里吃了一惊。心说哪里来的这么一个痴婆子，怎么一见县长，上来就乱打人呢。”

孟四婶笑得前仰后合：“平平常常的事，叫小王同志一说，还真滑稽。”

姚佩佩没有笑。她咬着嘴唇，脸也渐渐地变了色，道：“那你干吗回来？蛮好跟着县长一块去开开荤。”

小王听见佩佩的话中含着讥讽之意，又不知她为何跟自己生气，只得赔着笑脸道：“他们倒是拉我去的，可我想到你一个人在家也怪冷清的，就回来了。”

“难为你这么费心！”佩佩挖苦道。

等到小王吃完饭，孟四婶炒了一盘隔年的南瓜子。三个人围着灶脚嗑着瓜子，有一搭没一搭地说着话，一直等到后半夜，还不见县长回来。孟四婶道：“县长这时候不回来，兴许今晚就不会回来了。一定是喝多了酒，在丈母娘家住下了。”佩佩笑道：“要我说，他们蛮好再打个电话到文工团，把那个白小娴也叫回来，来个一锅烩，岂不更好！”

小王嘿嘿地笑着。孟四婶也抿嘴而笑，她偷偷地看了姚佩佩一眼，没有说话。

到了第二天，谭县长还没回来。高乡长和几个乡干部也都不见了踪影。小王劝了半天，硬是把姚佩佩拉到工地上去了：“你就是去装装样子也好。”

姚佩佩跟着几个媳妇、婆子挑了半天的土，累得腰酸背痛。佩佩从来没有干过农活，扁担刚刚挨到肩膀，她一缩脖子就滑了下来，一连三次都是如此，嘴里还说："咦，我的肩膀怎么是滑的？"逗得村里的媳妇们笑成了一团。她们又让她去挖土，可任凭她怎样用力猛踩，那铁锹却是纹丝不动。最后，一个管事的妇女就把她派到堤岸上，和一个掉光了牙齿的老太太坐在小板凳上发筹子。原来在农村干活，也要发筹子，每个人挑着土从河底爬上来，都要从老婆婆手里取一个竹筹，最后按筹子的多少计算工分。一看到那些涂着红漆的竹筹，姚佩佩心里一动，眼泪又下来了。

老太太看见姚佩佩一个人独自流泪，也不知道她为什么事。开始的时候又不好贸然相劝，等到中午歇工的时候，老太太去伙夫那儿领了一只白馒头，掰开一半递给她，这才说道："闺女，凡事你要往宽处想。碰上过不去的事，心就要硬起来。心硬起来，没有什么事过不去。我生了四个儿子，两个叫日本人打死了，一个死在朝鲜，剩下的一个几个月前也得病死了。你说像我这样一个人，活在世上又有什么意思？唉，熬着呗。"

说完，老婆子抽抽嗒嗒地哭了起来。姚佩佩又只得反过来劝她。

到了下午，姚佩佩推说身上酸痛，死活不肯去工地了，一个人又悄悄地溜到家中，上了阁楼，倒在床上蒙头大睡。

到了晚上，小王一回来，就嬉皮笑脸地对姚佩佩说："咱们谭县长这回可真是乐不思蜀了呀。"

佩佩笑道："别说，这个成语用在这儿很贴切，看来你总算开窍了。"

小王的眼睛眯成了一条缝，看上去很得意。过了一会儿，姚佩佩又道："人家谭县长本来就是为了这门亲事而来，嘴上说来工地劳动，跟过去的皇帝亲耕一样，不过装装样子罢了。在丈母娘家热乎几天，也很平常，只是苦了我们两个。夹在当中，不尴不尬，碍手碍脚的。不如明天一早我们就回梅城去吧。”

小王随口道：“你这么说县长，真是以怨报德。昨天下午，在去工地的路上，谭县长还专门把我拉到一边，悄悄地问我说，佩佩怎么忽然头痛起来了，要不要去请个大夫替她瞧瞧。”

姚佩佩听小王这么说，不知是真是假，低了头半天不作声，嘴上却道：“小王，你这个‘以怨报德’虽说用对了地方，却与事实不符。人家心心念念惦记着的是什么白呀黑的，咸呀淡的，哪里有心思管别人的死活！”小王见她不相信，就拍着胸脯发誓赌咒了一番，接着又道：“佩佩，我怎么觉得，县长有点怕你？”

“我又不是什么洪水猛兽，他怕我做什么？我也不会一口吃了他。”

“他倒不是怕你一个人。但凡年轻漂亮、妖里妖气的姑娘，他都怕。”说到这儿，一个人捂着嘴笑。姚佩佩在他身上拧了一把，正色道：“你这张小油嘴，什么时候变得这么油腔滑调的！”小王笑了一会，压低了声音道：“你难道没听说吗？咱们县长可是个有名的花痴呀。”

姚佩佩眼珠子一转，忽然道：“等县长一回来，我就把你这句话告诉他。”

小王吓得赶紧拽住姚佩佩的袖子，又摇又晃，连声求饶。姚佩佩罚他连叫三声姐姐，一声亲姐姐，小王只得依从。两个人正闹着，见孟四婶提着一只脚盆走进了厨房。孟四婶在脚盆里放了点热水，佩佩就坐在盆边脱鞋，同时推了小王一把：“你出去吧，我要洗脚了。”

小王心里想，洗个脚还要把人赶出去，这是为何？又不是洗澡！刚走到门口，又被姚佩佩给叫住了："你明天走不走？你不走，我可要走了。"

小王还以为她在开玩笑，回过头来笑着对她说："脚丫子长在你自己腿上，又没人用绳子拴着，你走好了。"说完扬长而去。

第二天天不亮，姚佩佩一个人早早地起了床，一路打听着来到了普济汽车站，坐第一班长途汽车离开了普济。

6

那天傍晚，夏庄的干部来到河堤上，请谭功达去喝酒。谭功达看见白小娴的家人也夹在其中，就有些不高兴，本想推托不去，可一想到白小娴，他的心又软了。自从今年正月他与小娴出了那档子事，谭功达一直觉得理亏心虚，在日记中大骂自己畜牲。好在白庭禹深明大义，从中斡旋，自己又一连给小娴写了六七封悔过书，才哄得她回心转意，勉强与他恢复了来往。今见小娴的哥哥白小虎与未来的丈人、丈母娘都亲自来接，若是执意不去，日后在小娴的情面上也不好交代，想到这儿，便回过头去看了看高乡长，道："麻子，你也一同去呗。"

高麻子平时就贪杯，一听说夏庄的人请喝酒，眼睛都有些发直，巴不得也跟了去。听县长一吩咐，忙道："同去同去。"

说完，抖了抖身上的灰土，喜滋滋地搭着谭功达的肩膀，一路往夏庄去了。

他们抵达夏庄的时候，天已经完全黑了。谭功达在那伙人的簇拥下绕过一片水塘，走进了一条狭窄的甬道。这条甬道极幽深，两边都是砖垒的高墙。到了尽处，忽见一座轩昂的旧式门楼，门前趴着一对石狮子，檐下挂着的三只大灯笼，被风吹得直晃悠。

走到院中，豁然开朗。只见檐廊曲折，亭阁处处。只是天色已晚，影影绰绰地看不太真切。谭功达笑道："这个衙门倒是比县政府还要气派许多。"

白小虎一听，赶紧趋步上前，在谭功达的耳边介绍说："区区乡政府，哪有钱来盖这么大个园子，这原是夏庄首富薛举人的私家园林。当年薛祖彦因组织反清的蜩蛄会，被满门抄斩，这所房子多少年来一直空着。乡政府的房子又破又旧，如今正在大修，今年春天才搬到这里临时办公。"

谭功达道："乡政府的房子修好之后，你们仍旧搬回去。这个园子日后建个学校什么的，倒也合适。"

"那是那是。"白小虎一面说着，一面从衣兜里掏出个本子来记录。

说话间一行人已经来到了一处精致的房舍前，四周花木荫翳，古树参天，旁边还有一个小巧玲珑的荷塘。听白小虎说，这处房子原先是薛举人赏雨的地方。几个人刚刚落了座，热气腾腾的菜肴就端上来了，白小虎就忙着给谭县长斟酒。

谭功达因乡干部们"乡长乡长"地叫个不停，自己四下一望，并不见夏庄乡乡长孙长虹的半个人影，心中有些诧异，就随便问了一句："你们这儿谁是乡长？"

席间顿时安静下来，乡干部们你看着我，我看着你，都不作声。半晌，一个年纪稍长的老者朗声道："我们夏庄乡如今是白副乡长在主持工作。孙乡长身体有病，下不来床，已经在家中躺了好几个月了。”

谭功达脸色变得十分难看，他问道：“孙乡长得的是什么病？”

“这个，我们就不太清楚了。”

谭功达忽然想起来，白小娴的父母第一次登门相亲的时候，她母亲曾提出让大儿子出来做官，被谭功达一口拒绝，为此双方闹得不欢而散。时隔半年多，白小虎居然已经在夏庄乡主持工作了！更为严重的是，乡干部的任免，要由县常委会决定，这么大的事，自己怎么连一点风声也没听到？谭功达转过身来，瞪着白小虎，道：“你的副乡长是什么时候任命的？”

“今年春节过后，大概是二月中旬吧。”白小虎脸一红，嘴里支吾着。

“谁给你的任命？”谭功达不由得提高了嗓门。

眼见得谭功达当场就要发作，高麻子赶紧悄悄地拉了拉他的衣袖，端起酒杯：“喝酒喝酒。”

乡干部们也都纷纷举起酒杯：“喝酒喝酒。”

谭功达强捺住心头的火气，将杯中的酒干了，看着满桌的酒菜，呆呆地发愣。太过分！太过分了！白庭禹你狗日的太过分了！席间，白小虎一连三次举起酒杯来给县长敬酒，谭功达只装看不见，像木雕泥塑一般僵在那儿，不理不睬。白小虎更是满面通红，手里端着那杯酒，喝不下去却也放不下来，不知如何是好。乡干部们也都吓得大气不敢出，手足无措。

正在这时，小娴的妈妈也许是听到了什么风声，腰间系着一条围裙，从厨房赶了过来。她笑呵呵地走到谭功达身边，亲自给他倒了一杯酒，劝道："我们家小虎人老实，又没见过什么世面，如今抬举他做了个副乡长，也是县领导和广大人民群众，特别是谭县长的信任。他有些不对的地方，还请谭县长多多教导。"

高麻子见状，赶紧低声对谭功达道："若是按我们当地的风俗，丈母娘给女婿敬酒，就算是天大的礼数了，这酒你不能不喝。"

谭功达只得站起身来，双手捧起酒杯，硬是从脸上挤出一丝笑容来，道了声谢，一饮而尽。那女人见谭功达脸色转缓，又用胳膊碰了碰她儿子，嘴里道："县长你慢慢喝着，厨房那边还等着我去烧火呢。"说罢，一阵风似的走了。

说来也奇怪，那妇人走了以后，不论是白小虎还是别的什么人，但凡有人向他敬酒，谭功达既不推辞也不答话，端起酒杯就喝，仿佛一心只想把自己灌醉。高麻子知道谭功达心中气恨交加，积郁难排，当着众人的面，又不便劝止，见他一连喝了十二三杯，不免有些替他担心。只见谭功达目光飘忽，人在椅子上晃晃悠悠，眼看就有点支持不住了。勉强挨了一会儿，谭功达再也撑不住了，一头栽倒在酒桌上，昏昏睡去。白小虎和高麻子二人赶紧将他扶起来，带他到附近的客房休息。刚走到外面，谭功达就对着花坛要呕吐，呕了半天又吐不出来，几个人七手八脚将他扶到房中，安顿他睡下。小娴的妈妈听说姑爷醉了，早已替他从厨房端了一杯酽茶来，一伙人忙了半天，直到谭功达在床上发出均匀的鼾声，这才悄悄离去。

第二天一早，谭功达从床上醒来，见太阳已经升高了。又听得窗户外面人声鼎沸，锣鼓阵阵，一时不知身在何处。因见高麻子正坐在一边抽烟，便问道："麻子，外面怎么这么热闹？"

高麻子道："今日是农历四月十五，正逢夏庄集场，附近十里八乡的人都来赶集。”

谭功达噢了一声，看了看高麻子，又瞥了旁边站着的白小虎一眼：“农村的集市，上面不是专门发了文，不让搞了吗？”

白小虎见谭功达走到窗下的脸盆架前，正要洗漱，便趋到跟前，将一杆挤满牙膏的牙刷递到县长手中，谦卑地笑了笑：“这农村的集市是旧风俗，已延续几千年，若完全不让搞，恐怕也不现实。如今的供销社，生产资料供应严重匮乏。别的不说，到了收割的季节，农民要买把镰刀，都难上加难。我们几个乡干部一商量，决定搞一个社会主义新集市，除了生产资料的交换、日用品的买卖之外，我们还搞了一个毛泽东思想文艺表演队，在集市上表演，也算是移风易俗、古为今用吧。”

谭功达听他说话有条有理，看上去人也显得精神伶俐，办起事来似乎颇有决断，比起孙长虹那昏聩糊涂的窝囊废，的确不知强了多少倍。只是他的头发梳成主席像的样式，有点不伦不类。想到这儿，心中的火气顿时消了大半。

高麻子在一旁道：“白乡长昨天见你喝醉了酒，惟恐有个山高水低，放心不下，在你床边守了一夜，早上四点钟才走的。”

谭功达听高麻子这么说，想起昨晚的事来，心里倒是有些过意不去，便对未来的大舅子笑了笑：“昨晚也不是我不给你面子，只怪白庭禹这个狗娘养的，这么大的事，他竟然连个口风都不漏给我。”

白小虎也笑了起来。他见谭功达洗完了脸，赶紧从口袋中掏出一个雅致的白瓷小瓶，递给谭功达，谭功达看了看，用手一挡：“雪花膏？我不用这个。”

用过早餐，谭功达忽然来了兴致，对白小虎道：“我这就去见识见识你的新集市，怎么样？”

白小虎连声说好。他在前面带路，乡干部簇拥在后，一行人走到院外，穿过那条阴暗的巷道，鱼贯而去。出了巷子，外面就是一大片水塘，岸边栽种着菖蒲和茭白。池塘中间有一座大坟，坟包上长满了茂密的芦苇。集市沿塘而设，一直延伸到祠堂边的打谷场上，万头攒动，场面盛大。数不清的铁器、竹器、木器和各色农具沿路排开。祠堂边还搭有一个戏台，宣传队的演员们正在表演小快板，引得围观的人群不时发出哄笑。孩子们都爬在树上，连围墙上都站满了人。集市虽然热闹，却丝毫不见纷乱，乡里组织的民兵佩戴臂章，正在巡逻。

开始的时候白小虎还紧紧地跟着谭功达，碰到县长没见过的东西，他就逐一介绍：连枷、牛轭、空竹、会叫的风筝、鞋楦子……谭功达连连点头。一见到故乡的这些物件，谭功达心里还是觉得挺亲切的，可是不一会儿，他们俩就被人群冲散了。谭功达看见高麻子正在一个卖泥人的摊头前向他招手，就挤了过去。

“这个泥人挺好玩的，你要不要给小娴买一个？”高麻子道。

“她是本地人，从小见惯了这些玩意儿，哪里会稀罕！”谭功达把小泥人拿在手中，看了看，又放了回去。

“管她见过没见过！你给她买了，也是你的一点意思。她见了保准眉开眼笑。”高麻子说。

经不住高麻子再三撺掇，谭功达问了问价钱，就给小娴买了一个。高麻子抢先替他付了钱，两人正要走，谭功达忽然又踅了回去。他在泥人摊上又挑了个一模一样的买了。

高麻子笑道：“若是买两个，须是不一样的才好。”

谭功达道："这一个，送给姚秘书。她是上海人，没见过乡下这些土玩意儿。"高麻子抿嘴一笑，正要说什么，只见白小虎已经到了跟前，就没再言语。

逛完了集市，谭功达就召集乡村各级干部开了个会。高麻子虽是外乡人，也被邀列席。会议开到一半，孙长虹来了。虽说是已经过了清明，可孙长虹还是披着一件破旧棉袄，脸色蜡黄，看来果然病得不轻。散了会，谭功达将孙长虹单独留下来谈话。谭功达问他昨晚怎么不来，孙长虹两眼一翻，笼了笼袖子，恶声恶气地道："我倒是眼巴巴地想来给县长大人接风，可人家不让啊！"

"谁不让你来？"

孙长虹将脖子一梗，没再说话。

这时，一个乡干部凑到谭功达耳畔，低声道："孙长虹生的是肝病，腹水得厉害，传染性极强。"

谭功达转过身去，对孙长虹道："你们乡，有一个名叫张金芳的，你认不认得？"

"怎么不认得？"孙长虹道，"她是我的外甥媳妇，住在水库附近的兴隆村。"

"她三天两头到县上来胡闹，搅得信访办鸡飞狗跳，影响极坏。你们既然是亲戚关系，见到她好好跟她说说。"

"说个屁，"孙长虹大嘴一咧，直着脖子嚷道，"脚长在她身上，她爱去哪儿去哪儿，犯不着我来管这鸡巴事。"说完将他那破棉袄掖了掖，转过身去，径自走了。

谭功达气得面皮紫胀，半天说不出话来。白小虎见孙长虹当面顶撞，弄得县长下不来台，便笑着安慰谭功达道："反正他已经是一个快死的人了，县长犯不着跟他计较。”

可一听他这么说，谭功达又隐隐觉得有些刺心，不禁抬起头来，重新把白小虎从头到脚打量了一遍。

吃过中饭，谭功达和高麻子告辞回普济。白小虎领着一帮人，一直将他们送到村头的大柳树下，这才握手道别。

在返回普济的路上，高麻子一个人倒剪着双手，在麦陇中走得飞快。谭功达常年不走村路，加上昨晚醉了酒，身上有些倦怠，渐渐地就有些撵不上他了。走了不到两华里，早已累得大气直喘。高麻子已经走到了一条湍急的溪流边，水上有一座小木桥，他在桥上回过头来对谭功达说：“功达，我看你真的是变了。成天坐办公室，走几步路，都累成这样。”

谭功达喘着气，骂道：“歇会儿再走，好不好？干吗那么着急？是你们家的房子失了火还是怎的？”

清澈的溪水淙淙地流淌。成群的江鸥在桑林上空盘旋。不远的地方，有一个养蜂人头戴面罩，正在帐篷前摆弄蜂箱。在他身后是大片起伏的坡地，开满了紫红色的小花。谭功达一屁股在溪边的茅草地上坐下，高麻子递给他一支烟。谭功达因见坡地上大片的红花，被阳光照得仿佛燃烧起来一般，便问道：

“那是什么花？”

“翘摇。”高麻子也找了个地方坐下，回答道，“又叫紫云英，我们当地人都叫它红花草。”

“我以前怎么从来没见过？”

“这并不奇怪，”高麻子解释说，“一九五四年春上，鹤壁地委组织我们去花家舍参观，我见他们那儿漫山遍野都是这玩意儿，就向当地的老农讨了些种子带回来。当时我也是看着这花惹人怜爱，带回来种着玩的，没想到它却救了一村人的性命。”

“这紫云英难道也可以入药？”

“入药？”高麻子白了谭功达一眼，“你作为一县之长，怎么倒像个武陵中人，不知有汉，无论魏晋？你知道这些年，梅城一县，饿死多少人？鹤壁一市五县，又饿死多少人？普济乡倒是没死人，可全靠这紫云英救的命。我现在想起来都觉得后怕。你可别小看这小花小草，生命力极强。播下种子，雨水一淋，十天半个月就开花了。河边、田埂上、山坡上，哪儿都能长，刀割一茬，没几天又蹿杆开花了。这玩意儿，猪能吃，牛能吃，人也能吃，而且味道还不错呢。我去年腌了两坛子，还没吃完呢，待会儿到了家，让你嫂子弄一点来下酒如何？”

“那最好。”谭功达道。

论年龄，高麻子比谭功达还要年长一岁。当年他在普济读过几年私塾，一直在新四军军部做文书。皖南事变之后，他的部队被打散了，就连夜赶到苏北，找到了谭功达，在他手下做了一名参谋。到了一九四八年，江南新四军改编时，他已经是团长了。刚一解放，高麻子要学那曾文正公功成身退，归隐田园，“百战归来再读书”，地委行署的聂竹风要调他到县里给谭功达做副手，他一口拒绝。回到普济之后，就与当地的一个农妇结了婚，在小学当代课老师。后来经不住谭功达软磨硬泡，才答应出来做了个乡长。

说起县上的事，谭功达一肚子苦水，不知从哪儿倒起。好端端的一件事，一旦到了自己手上，立刻就成了烂泥一团，怎么也理不出个头绪。他刚刚诉了几句苦，高麻子就不客气地打断了他的话：

“我替你想想，倒真是够呛，别的不说，光就你身边那几个精明人，你恐怕就对付不了。白庭禹的手伸得太长；你亲自提拔的那一个呢，恐怕也靠不住。”

谭功达知道他说的“那一个”指的是谁，心里闷闷的。

“再说了，天上风云不测。”高麻子接着道，“一会儿左，一会儿右；有人要学朱元璋，有人要做李自成。你在底下当个芝麻绿豆官，滋味肯定不好受。”

谭功达听他话中有话，不禁吃了一惊，朝四下里看了看，虽说不见人影，还是压低了声音，问道：“李自成怎样？朱元璋又怎样？”

高麻子将手里的烟蒂捏了捏，续上一支，道：“这李自成就不用说了，当年后金的大军逼近北京，大明处于风雨飘摇之中。李闯王仓促在陕西米脂起兵，在崇祯帝的后脊梁上狠狠扎下一刀。你说他是为什么，难道是为了救大明吗？虽说攻下了西安城，他不是立刻就改西安为长安，做起那大顺帝来了吗？再说他手下那一帮人物，脑袋掖在裤腰带上，出生入死，还不是图个加官晋爵，封妻荫子？可一旦分封既定，夙愿已足，却偏偏有人要给他来个托洛茨基式的‘不断革命’，你说这伙人受得了吗？这一流的人物，史不绝书，大多目光短浅，并无明确的政治目标，区区一个书生李岩，又能顶个什么用！

“可朱元璋就不一样了，从‘高筑墙，广积粮，缓称王’这个口号中，他的志向可见一斑，一旦做了皇帝，河清海晏，只有天在上，更无山与齐。眼光、胸怀又未免过于远大了些。他要那天下江山，千秋万代都姓了朱，永不变色。手底下的那二十四员悍将，没有一个看得顺眼。胡惟庸是怎么死的？李善长又是怎么死的？洪武帝为何又废除宰相一职？修峻法，严吏治，天下山河都入梦中……哎，我说的这些话，你可听得懂？

“不过，最可笑的，这世上还有一类人。本是苦出身，却不思饮食布帛，反求海市蜃景。又是修大坝，又是挖运河，建沼气，也做起那天下大同的桃花梦来。”

高麻子前面说了这一大段，絮絮叨叨，谭功达听得似懂非懂，不知道他到底是什么心思。可到了后来，谭功达也忍不住笑了起来：“你这家伙，原来是变着法儿骂人哪。”

高麻子从地上站了起来，拍拍屁股：“随便说说，不足为训。”

谭功达虽然意犹未尽，也只得把手中的烟头在地上掐灭，站起身来。两人过了木桥，沿着桑林中的一条羊肠小径，朝普济走去。

一路上，谭功达旧事重提，问高麻子愿不愿意来县里工作：“你可以屈尊先做一年的民政科长，过渡一下。来年再进入县委常委的班子。这不是我一个人的意见，地委的聂书记也多次这么建议过。”

高麻子小心地替谭功达拨开纷披的桑枝，没有理会他刚才的话，只是道：“老虎的身体也不好，身上有旧伤，又有哮喘病，嘴里的牙齿都让大夫给拔光了。去年春节我专门到鹤壁去看过他。他的记性也大不如从前了，人也有些颓唐。只要他在位子上待一天，你还可以放心做你的县长，可俗话说得好，荷尽已无擎雨盖，他那边一旦有个三长两短，以后的情形就不好说了。凡事都要有个长远考虑。”

谭功达抢过话来，再次劝道：“就因为这样，我才想着调你上来，给我搭把手。”

高麻子忽然站住了，转过身来，用奇怪的眼神看着谭功达，半天才说：“我还不是为你好吗？说一句你不爱听的话，万一你在县里出了什么事，我这里好歹还有你的一个容身之处。普济是咱们的根据地，大后方不能轻易丢掉。”这话一出口，两个人都有些伤感，各自想着自己的心事，低着头出了桑林，一路无话。

快到村头的时候，高麻子也许觉得气氛过于压抑，便拍了拍谭功达的肩，笑道：“你的那个从上海来的秘书，她叫什么来着？”

“姚佩佩。”

“对对对，姚佩佩，”高麻子道，“这个姚佩佩，有点意思！有点意思！我怎么觉得，这孩子，对你倒是一往情深呢。”

谭功达一愣，急道：“你不要瞎说，不要瞎说，哪有这事？”

“怎么是瞎说？”高麻子不依不饶，“那天中午你们刚到的时候，在酒桌上，我提起白小娴，你瞧瞧她那反应！虽然善于掩饰，可在我的眼中，她倒是一览无余。”

“人家哪有这意思，你不要胡说。”谭功达虽然假作恼怒，可咧开的嘴却怎么也合不拢。

“万无一失。”高麻子道，“我没别的本事，可是看人还是有一套的。论长相，她倒是一点也不比白小娴差，若说聪慧灵秀之气，更是小娴不及。要是在旧社会，我就要劝你两个人一起收了。”说完高麻子哈哈大笑。

“什么乱七八糟的！”谭功达笑道，“我跟你说正经事，你就不搭茬，说起这些没边的事来，倒是浑身是劲，我哪有心思跟你开玩笑！”

“放着这么一个花容月貌的妙人在身边，整天在一个办公室同进同出，你敢说你就没动过半点心思？你若对她没有一点心思，怎么会好端端地记得在集市上买个泥人送给她？鬼才相信呢！只怕是夭桃秾李，一时难以取舍吧。功达兄，我们都是彻底的唯物主义者，说说怕什么呀，我又没逼着你去娶她。”

一番话，说得谭功达心里七上八下，满腔的熔岩铁水似乎就要喷薄而出。

7

姚佩佩回到梅城，在家里歇了两天。第三天一早，因在家中实在无聊，又懒懒地到县里去上班。县里的干部们下乡去还没回来，整座办公楼仍然空空荡荡。姚佩佩到四楼杨福妹的办公桌前晃了一晃，好让对方知道她来上班了。随后，她来到自己的办公室，闷坐了一个上午，又觉得百无聊赖，心中不免有些后悔，不该一个人赌傻气跑回梅城来。谭功达从夏庄回来，一见自己不在，心里会怎么想？人家好端端的，没招你，没惹你，你赌什么气呢？自己这一走，倒是很容易让对方看穿自己心里藏着的那点阴暗的东西，说不定还会一个人偷偷地发笑，笑完了之后还会把它告诉白小娴。一想到谭功达和白小娴拍拍打打取笑自己的样子，佩佩不觉又怒火中烧。真是神经病！这么瞎折腾，何苦呢？

她忽然想到自己好长时间没有见到羊杂碎了，不知道她最近怎么样了，便锁上房门，到了楼下，沿着空无一人的楼道，朝民政科办公室走去。

隔着玻璃窗，姚秘书看见一个肥胖的中年妇女手里捏着一把塑料尺子，正趴在桌上画图。汤碧云曾对自己抱怨说，她的胖领导怎么看都像一只蛤蟆。姚佩佩细细一打量，还真有点像。而且这女人嘴角长着一圈又黑又密的汗毛，怪不得羊杂碎成天背地里叫她小胡子。她的确是太胖了，一说话，嘴里就泛出蜂鸣声，要是冷不防咳嗽一下，一身的白肉就会剧烈地颤抖起来，经久不息。小胡子常常去佩佩的办公室，给县长送材料和各种报表，对佩佩倒也挺客气。

小胡子告诉姚佩佩，汤碧云已经一个多月没来上班了。既没请过假，也没有提交什么辞职报告，不知道出了什么事。她还专门派人去汤碧云家走访过一次，也没见到她本人："她家里人叽里咕噜地跟我们派去的同志胡乱比划了一通，也没说出个所以然来。假如到了本月底，她还不回县里来上班，按规定一定要被除名。到那时，我们也帮不上她什么忙。"

小胡子嗓门很大，脸上有几分凶悍，但说起话来倒也通情达理，并不像汤碧云描述的那样蛮横。姚佩佩问她能不能抄一下汤碧云家的地址，小胡子就从满桌的图纸底下翻出一个通讯簿来，随手扯下一页日历，在反面写了一个地址，递给她，又说："你要是没什么事，就坐下来喝杯茶，我这里有上好的梅家坞龙井。"

姚佩佩见对方已经拉开了抽屉，取出了茶叶罐子，只得在办公桌对面的椅子上坐了下来。那茶泡出来，泛出焦叶粗梗，色泽像酱油汤一般浑浊，尝了一口，又苦又涩。这哪是什么梅家坞龙井，分明是陈年的树叶子！可嘴里仍不住地道："好茶好茶。我这辈子还没喝过这么好的茶呢。"说得小胡子眼睛眯成了一条缝，面色也变得慈祥起来。她把手里的那个茶叶罐子往佩佩的手里一塞，道："你要喜欢喝，就拿回去吧。我平常不怎么喝茶。这么好的东西，搁在我这儿倒是可惜了。"姚佩佩推让了半天，拗不过她，只得收了，一迭声地道了谢，告辞而去。

汤碧云的家住在城南下河沿的乱葬岗一带。过去一直是处决犯人的法场，最近县政府正打算在那儿修建一座火葬场和一个看守所。长江屡经改道，形成了一塄塄的沙丘，河汊密布，杂树荫森。姚佩佩按着信封上的地址，很快在一个大水闸的边上找到了汤碧云的家。

一进屋，姚佩佩就闻到了一股新鲜的竹香。早听碧云说她父亲是个篾匠，手比女人还巧。她曾送给佩佩一只精致的蝈蝈笼子。屋子里光线阴暗，墙边堆满了竹器，篮子、筛子、匾子、笼屉，什么都有。一个五十上下的男人，腰间围着一块白布围裙，手执一把竹刀，赤着双脚，正蹲在地上破篾编席子呢。一根长长的青竹到了他的手里就像变戏法似的，不一会儿就变出了无数条细匀柔软的篾条来。他的十个手指上都缠着橡皮膏，连看都不看佩佩一眼，仿佛没有注意到她从外面进来。姚佩佩不知道怎么称呼他，想了半天，竟然叫他“汤碧云的爸爸”，连自己都觉得不伦不类。她说是来找碧云的，那男人头也不抬，半大才说：“她不在家。”

佩佩又问他：“碧云究竟出了什么事？怎么一个多月不去单位上班？”

“她不在家。”还是这句话。

随后，他从地上爬起来，拿着那把竹刀，拖上鞋，揭开门帘进里屋去了。不一会儿，就从里面传来了刷刷的磨刀声。

姚佩佩从碧云家出来，沿着河岸往前走了很长一段路，忽听得背后有人在叫她“宝宝”。她回过头，看见碧云的父亲正在向她招手呢。佩佩赶紧返身往回走，那男人领着她进了屋，踮着脚，绕开地上的那张快要编好的竹席，走进里屋。那男人什么话也没说，指了指墙边搁着的一张梯子，然后带上门出去了。

原来上面还有一层木板搭成的阁楼！姚佩佩顺着窄窄的木梯往上爬，很快就看见楼板上搁着一架纺车，墙洞里点着一盏美孚灯。汤碧云身上裹着一条薄被，头上扎着一块白布，正半靠在墙边，冲着她笑。

“该死的羊杂碎，你搞什么鬼！”姚佩佩骂道。话没说完，就哎哟一声，脑袋早已重重地撞在了房顶的梁上。

汤碧云连喊“小心”，可是已经来不及了。

汤碧云往里挪了挪身子，让佩佩和自己并排坐下来。她撸起佩佩的头发凑在灯前看了看，笑道：“还好，没给撞破。”

佩佩余怒未消，一把将她推开，叫道：“你发什么神经？这么长时间不去上班，一个人躲在阁楼上，坐月子呢？”

汤碧云只是笑。她从枕头边摸出一只橘子来，剥去皮，递给姚佩佩。佩佩一扭身，不去搭理她，嘴里道：“我再也不理你了，刚才我在外面盘问了你爹好半天，你在阁楼上怎么会听不见？你爹也是爱搭理不爱搭理的，害得我差一点白跑一趟。”

“我爹这个人，脾气怪得很，你别见怪，他是谁都不理的。就是我，要跟他正经说句话，也不太容易。”

“你爸爸老家是不是在洲上？”

“你怎么知道？”

“他刚才叫我宝宝。”

汤碧云说，她父亲十多岁就从洲上出来，在梅城开了一家竹器店，可一九四九年一解放，竹器店就关门了，这些年就连摆个小摊政府也不允许，她父亲只好偷偷地在家里编些篮、筛、笼、匾，每逢江北集市的时候，天不亮就挑出去卖。有时碰到县里的巡防大队，就把他的竹器担子整个抛到江中……

“哎，你先别扯那么远。这么长时间你窝在家里，到底在搞什么鬼名堂？”姚佩佩不知不觉已经把那只橘子拿在手中，掰下一瓣放在嘴里。

“刚才你不都说了吗？”汤碧云道，“坐月子呗。”

“你别跟我胡说八道了，你病了吗？生的是什么病？”

“我没病，”汤碧云仍然嘻嘻哈哈的，“不骗你，我真的有孩子了。”

姚佩佩转过身去，吃惊地睁大了眼睛。起初还以为她在逗自己开心，因为碧云脸上始终挂着笑容。可碧云笑着笑着脸色就变了，眼泪止不住地从脸上滚落下来，似乎不像是在说谎。姚佩佩的心不由得往下一沉，吓了一大跳。

“怎么搞的？你在说什么呀？你，你有男人了吗？孩子呢？你，遇到了坏人？”佩佩紧紧地拽住碧云的一只胳膊，着急地问道。

汤碧云半天不吭气，一个人静静地流着眼泪。过了很久才齉着鼻子道：“你这个人呀，我最烦了。什么事情都要问！刚才我听见你在隔壁跟我爹说话，心里就犹豫着要不要喊你一声。可咱俩一见面，你免不了要刨根问底，问这问那。我只得把心硬了硬，没作声，可等到你出去了，心里又想着跟你见一面，就让我爹追出去，把你叫回来。”说着把被姚佩佩抱着的那只手抽了出来，翻了一个身，把脸埋在枕头里，无声地哭泣。

佩佩这时也没了主意，也不敢追着问她，只得伏在她身上，陪着她一块流泪，道：“我这么急着来找你，也不为别的，你们主任说，到月底再不去县里上班，他们就要给你除名了。”

“不要紧，我已经想好了，明天一早就去上班。”汤碧云说，“我们两个人姐妹一场，贴心贴肺的，按理说我有个什么事，也不该瞒着你，可我要把这件事告诉你，保证吓你一跟头。你这个人比不得我，没事的时候就疑神疑鬼的，白白地让你跟着担心，何苦来呢。”

正在这时，忽听得楼下有女人说话的声音，听上去也是洲上口音。汤碧云起身理了理额角的头发，对佩佩道：“没关系，是我娘回来了。刚才我让她去供销社替我买纸去了。”

“什么纸？”

“我下面还有点淋漓不断，要垫纸。不过今天已经好多了。”

不一会儿的工夫，碧云的娘端着一碗红枣汤，到阁楼上来了。她微笑地望着佩佩，将碗递到佩佩的手中，红枣汤里还有一只剥好的鸡蛋。姚佩佩推托了半天，最后又把碗递给汤碧云。

“这是我娘特意给你做的，你就吃了吧，我这段时间，闻到枣汤的味儿就忍不住要呕吐。”

佩佩只喝了两口汤，就把碗搁下了，对汤碧云说：“时候不早了，我该走了。”

“走？你着什么急？好不容易见个面，咱俩好好坐着说说话吧。”

姚佩佩知道，汤碧云是个直性子，最憋不住话。你若是向她打听一件事，她总是拿腔拿调，故意吊你的胃口，不把你折磨得死去活来，她是不肯吐露半个字的，可你若是装出不感兴趣的样子，她自己一会儿就憋不住了，你不听她说还不行呢。

果然，汤碧云从枕头底下拿出一包飞马牌香烟，抖出一支来，叼在嘴上，凑近美孚灯的玻璃灯罩，点着了火，一连吸了好几口，这才道："佩佩，你得赔我们家一百斤山芋。"

"山芋？什么山芋？"

"就是白薯，北方人也叫它地瓜。"汤碧云笑道。

"我什么时候欠你们家这么多山芋？"姚佩佩不知究竟，睁大了眼睛问道。

"我的这件倒霉事，说到底还是因你而起。"

"我？"

"没错。"

"我不明白你是什么意思。"

"待会儿你就会明白的。"碧云看了看手里夹着的香烟，道，"这烟味道真好，你要不要也来一根？"

"哎呀，你有什么话就赶紧说吧。一会儿山芋，一会儿香烟，卖什么关子。"佩佩看起来可真是有点急了，她一急，碧云反而故作神秘，望着她只是笑。

"你还笑！这事要换作我，吓都吓死了。你还笑！还像男人一样抽烟！简直是个流氓。"

"你还记不记得，去年春天我们俩一起在四楼的大会议厅开会？"

"记得呀。"

"就是金玉来的那次。那天你迟到了，进门的时候大家都在唱《国际歌》，等到唱完歌，谭县长请大家坐下，你就找不到椅子了，一个人傻乎乎地站在那儿……"

"我当然记得，可那又怎么了呢？"姚佩佩一听到金玉的名字，总觉得这个人有点阴鸷，不知道为什么，心里就有一种不好的预感。

"你一个人站在那儿，鹤立鸡群，左顾右盼，可有人就在暗中盯上你了。这个人，还用得着我告诉你他的名字吗？”汤碧云看见姚佩佩浑身抖得厉害，像打摆子似的，就把手里吸剩的烟屁股递给她。姚佩佩不由自主地接了过来，像模像样地吸了两口。

“我招呼你坐到我的边上来，事情就坏在那一刻。”汤碧云道，“会议快要结束的时候，大伙都在鼓掌，目送省领导离开。会场上乱哄哄的，金秘书长就凑到钱大钧的耳边道：‘那个长得很白的小妮子，倒是满标致的，她叫什么名字？’你别生气，他当时的确就是这么说的。钱大钧，你想想，是个多么聪明的人，可这会儿也不知道金秘书长指的是谁，便对金玉说：‘首长，您指的是谁？’金玉就用手朝咱俩坐着的方向胡乱那么一指，钱大钧就误以为是我。当天下午就找我谈话去了，你说这不是引火烧身是什么？”

姚佩佩满脸惊骇，脸气得通红，手脚冰冷，目光躲躲闪闪，连呼吸也变得短促起来，根本不敢去看碧云的脸。

汤碧云说，那天中午在食堂，吃完忆苦饭，她就把钱大钧约她谈话的事忘了个一干二净。第二天中午想起这回事来，就赶紧来到钱大钧的办公室。他刚刚升了官，正忙着和杨福妹办交接呢，看到碧云进来，就向她挥挥手：“我这里正乱着呢，你下午五点半再来吧。”

到了下午快六点的时候，办公楼里的人都下了班。钱大钧坐在一张藤椅上，一只脚搁在茶几上，正在那儿看报纸，见汤碧云推门进来，只说了一个字：“坐。”接着，把那张报纸从脸上移开，一动不动地盯着汤碧云打量，脸上似笑非笑。一直等到汤碧云面红气喘，把头深深地埋下去，钱大钧这才从椅子上翻身坐起，将报纸随手一丢，道：“走，我们吃饭去。”

汤碧云见对方说得那么斩钉截铁，根本就没有任何推托的机会，只得跟着他走到大街上，找了个静僻的饭馆，两人坐下来吃饭。钱大钧要了一瓶烧酒，不容分说，也给汤碧云斟了一杯。汤碧云道："钱县长找我有什么事？"钱大钧笑了笑，端起酒杯道："来，我们先干了这一杯。"汤碧云嘴上连连推托，手却将酒杯端了起来，还没有沾到嘴唇，人就先晕乎乎地飘了起来，好像突然之间就失去了重量。钱大钧直勾勾地看着她，压低了声音，喃喃地说："碧云，你是能够保守秘密的，对吗？"汤碧云的目光一下子就慌乱起来，使劲地点了点头说："大概，可以吧。"

接下来，钱大钧就把金秘书长如何相中了一位白皮肤的女孩，而他又如何误认为是汤碧云，后来又如何打电话跟金秘书长核实，原原本本地说了一遍。末了，钱大钧猥亵地笑了笑："原来金秘书长看中的不是你，而是最后走进会场的那个人。"

没等钱大钧把话说完，汤碧云早已魂飞魄散，她做梦也没想到，在德高望重的领导们之间，竟然还有这样的事情！更没想到，钱大钧会把这么隐秘的事，向她这样一个普通的办事员和盘托出。不过，一听说弄错了人，她心里倒是长长地出了一口气，不免又有些替佩佩担心。

汤碧云喝了两口酒，胆子也渐渐地壮了，便也开玩笑似的对钱大钧道："既然是弄错了，钱县长干吗还要约我来谈话呢？"言下之意，你们直接去找佩佩不就得了吗？

钱大钧转身朝四周看了看，见没有闲人，嘴角就堆起浮浪的笑容，大着胆子道："那是因为，并不是只有金秘书长一个人喜欢白皮肤的姑娘，而且白皮肤的姑娘也不只是姚佩佩一个。这就叫无心插柳……"

“柳成荫！”汤碧云傻乎乎地接话道。

她冷不防这一接话，害得钱大钧笑得连鼻涕都流了出来。

汤碧云说，那天深夜，她一个人失魂落魄地回到家中，觉得什么都变了。这个世界跟过去再也不一样了，想想就有些伤心。一个人呆呆地看着短裤上的血迹，伏在枕头上哭了一个晚上。可快天亮的时候，她又有些想他。她想着钱大钧在她耳边说的那些下流话，奇怪的是，这些话让她害臊，让她的心怦怦直跳，可也使她觉得有点污秽的甜蜜。

第二天一早，汤碧云红肿着双眼去县里上班。一进办公室，就看见钱大钧正跷着二郎腿，和小胡子领导谈话呢。她记得那天他们在说淡水养珍珠的事。钱大钧这个人，特别会装蒜，连正眼都不朝汤碧云瞧一眼，一直坐到九点半才离开。临走前，他假装刚刚看见汤碧云的样子，特地走到汤碧云的跟前，笑道：“哎，小同志，你今天的气色可不太好，怎么搞的？”

汤碧云正在往杯子里倒水，心里一慌，就拿着茶杯盖子要去盖水瓶。

“昨天被一只狗咬了，一宿没睡。”汤碧云稳了稳心神，漠然答道。

钱大钧关切地问道：“被狗咬了倒没事，就怕是疯狗。让大夫瞧过没有？我劝你赶紧去医院消消毒，打个预防针什么的，确保万无一失。”

“没事没事。”碧云这么一说，心里觉得十分窝囊。钱大钧来到她们办公室，明摆着是担心她出事，来探听风声的。她这么一说，倒似乎是在宽慰对方似的，心里不住地骂自己下贱。钱大钧莞尔一笑，拉开门出去了。

他前脚刚走，就听见小胡子主任对办公室的老陈道："钱副县长今天也不知怎么回事，说起话来前言不搭后语，就像是在梦游似的。我跟他说在长江口养点珍珠，他竟然说：'养猪？长江里怎么能养猪？'"

中午的时候，钱大钧给她往办公室打了一个电话，约她晚上在老地方见面。他只说了这么一句话，没等碧云答复，就把电话给挂了。

他所说的老地方，指的就是城郊的甘露亭。钱大钧在甘露亭旁边的一个村庄里有一所带天井、有院落的房子。这房子原先是他舅舅的私产，舅舅去世后，两个老表都去了台湾，房子虽说划归县里，但一直由他代管。

整整一个下午，她都在心里骂着钱大钧。可骂归骂，到了下班的时间，心里又挣扎起来，最后还是稀里糊涂地去了。由于担心过了约会时间，怕钱大钧会误以为她失约，不由得加快了步伐，在路上飞跑起来。钱大钧见她满头大汗地出现在甘露亭外的马路上，就从树林背后闪了出来，看了看表，笑道："你到底还是来了，不怕我这个疯狗再咬你一口？"

从那以后，钱大钧和汤碧云隔三差五地到甘露亭约会。不过他们从来不在那过夜，钱大钧担心田小凤会起疑心。时间一长，钱大钧甚至都用不着次次给她打电话了。有时候在路上遇见了，他只要使个眼色，汤碧云就会屁颠屁颠地跑去跟他约会。渐渐地，她对钱大钧竟有了深深的依恋之感，只要一个礼拜见不到他，整个人就快要疯了。最后，汤碧云竟然央求钱大钧给她配一把钥匙，钱大钧爽快地答应了。

“你是不是觉得我这个人有点下贱？”汤碧云对姚佩佩道。

“你还好意思说‘有点’，呸！”姚佩佩怒道，“不过丑话说前头，我可不管你这摊烂事，你爱怎么着怎么着。”

“你可别说得这么轻松。要不要脸，我的事反正就这样了。你呢？你的事还没开始呢。”

姚佩佩的脸立刻阴沉下来，心里压上了一块沉重的石头。

碧云接着说，她今年过完年就没来月经，又熬了一个月，还是没来，她就慌了。也找不到个人商量。去找钱大钧吧，他倒不当一回事，只是说：“这好办，我在县医院替你安排个大夫，二十分钟就解决了。”可汤碧云不愿意去县医院，万一要是走漏了什么风声，她就什么都完了。她最不愿意将这件事情让母亲知道，可到了最后，眼看就熬不过去了，也只有去折磨一下自己的老娘了。她把这事跟母亲一说，她娘反手就给了她一个耳光，身子一歪，立刻大哭大喊起来，躺在地上乱踢乱滚。

她的父亲呢，一把揪住她的头发，把她拖到水缸边，要把她摁在水缸里闷死。眼见得要出事，她娘也不在地上滚了，又去抱丈夫的腿，一家人闹了一个上午。最后，她爹扔下她，从屋外找了一把明晃晃的竹刀，对汤碧云吼道：“告诉我那个畜牲是谁，我这就去把他杀了来！”

汤碧云眼看着瞒不下去了，只得说出了钱大钧的名字。说来也奇怪，她父亲一听见“钱大钧”三个字，就像中了魔法似的，立刻就安静了下来，也不叫也不闹，该干吗干吗去了。她母亲长长地叹了一口气，渐渐地脸上反倒有了一丝欣喜。整整一个晚上，她睡在碧云身边，缠着她问这问那。

到了第二天，家里来了一位亲戚，母亲竟然还旁敲侧击地问道："她大姑，在这新社会，当官的还兴不兴娶二房？"一听母亲这样说，碧云心里就像刀割的一般，觉得十分凄凉。后来，母亲从乡下老家请来了一位老郎中，七弄八弄就替她把孩子打下来了。临走前，那郎中道："钱我就不要了，你们给我一百斤山芋就行了。"

汤碧云说，孩子打掉之后，她妈妈趁着端汤倒水服侍她的间歇，成天琢磨着从她嘴里套话。在碧云看来，母亲的那点鬼心思既天真，又愚不可及。母亲说，"钱副县长既然决定跟你好，家里那个黄脸婆怎么办？他是不是打算跟田小凤离婚呢？"母亲竟然也知道钱大钧的妻子叫田小凤，天知道她是从哪里打听出来的！她又缠着碧云，问她能不能安排跟钱副县长见个面，让他们"好好谈谈"，汤碧云被她逼急了，心一横，就对她母亲吼道："你这老不死的，再这样胡搅蛮缠，弄得我火了，索性一把火把这破庙烧个干干净净。"

母亲吓得一哆嗦，差点没把油灯打翻。她呆呆地看了女儿一眼，一声不吭地走了。

"她现在什么都不敢多说一句，她有点怕我。"汤碧云笑道。

"你这叫'扳住门框子狠'！对钱大钧俯首低眉，任人宰割、作践，可折磨起自己的爹娘来，倒是浑身的本事！"

"我哪里忍心折磨她？我担心她异想天开，到处瞎掺和，要是再生出点别的事来，我可真是没活路了。"

"你打算怎么办？"

"怎么办，过一天算一天呗。这种事你就是把脑袋想穿了，又有什么用？要是哪一天他对我厌烦了，我就随便找个什么人嫁了就是。”

汤碧云呆呆地望着壁龛里的灯出神。她说，她过去最大的梦想，是嫁给一名空军飞行员，现在想想，真是可笑。她现在什么都无所谓了，自从孩子被打掉了之后，也不知为什么，她的心突然变硬了。

从汤碧云家出来，姚佩佩想到的第一件事，就是去河边的杂货铺买一包“大生产”牌的香烟。她胡乱地撕开香烟的锡箔封口，抽出一支点上，旁若无人地吞云吐雾，大步流星沿着河岸往前走，引得过往的行人全都驻足观望。

姚佩佩走到县委大院的门口，一眼就看到了那辆溅满了泥水的吉普车。她知道谭功达已经从乡下回来了。

司机小王正和门房的常老头蹲在地上聊天。一见姚佩佩，小王赶紧站起身来，嬉皮笑脸地凑了过来。姚佩佩笑道：“谭县长从夏庄回来，看到我没打声招呼就溜了，一定大发雷霆了吧？”

“物极必反，”小王道，“他不仅没有骂你，而且还给你带回了一样礼物。”

“你应当说‘恰恰相反’，”佩佩道，“他给我带了件什么礼物？”

“是夏庄当地的小泥人，没有穿裤子的那种。”

“呸，谁稀罕那玩意！”

姚佩佩低声骂了一句，一个人转身走了。

8

太慢了！梅城县建设社会主义新农村的步伐太慢了！临近的长洲县已率先成立了人民公社，我们还等什么？天地翻覆，光阴流转，革命形势瞬息万变。革命不是老牛破车，不是绘画绣花，不能那样雅致，那样从容不迫，那样温良恭俭让。长江对岸的甸上乡，如今已改名东方红人民公社。革命形势一日千里，所到之处，红旗翻卷如海，歌声响彻云霄，人民群众走在社会主义的康庄大道上，无比自豪，无比幸福，无比激动！啊，小鸟在歌唱！饿死几个人怕什么？我们有六亿人，才死掉十来个，能算个什么事？死了几个人，我们就驻足观望啦？就止步不前啦？就被吓破了胆了吗？

可是让我们来看看梅城。梅城县党委一班人，脑子里生了锈，思想上长了霉，爬满了白蛆。看来得用铲子铲一铲，用刷子刷一刷，用砂子磨一磨，还要用“666”药水喷一喷，彻底地消消毒，非得下一番由此及彼、由表及里、脱胎换骨的功夫不可……

从夏庄集市上买回来的那两只泥人，由于吉普车长途颠簸，到了梅城，谭功达就发现碎了一只。可他吃不准碎掉的究竟是送给白小娴的那一只，还是送给姚佩佩的那一只。

这的确是一个问题。

谭功达从夏庄回来后，差不多有一个多月没和小娴联系了。白庭禹瞒着自己安排他的侄子白小虎代理乡长这件事，给了谭功达太大的刺激。高麻子说他手伸得太长，看来的确如此。假如他和白小娴结了婚，关起门来就是一家人，日后许多事情就说不清了。白庭禹那么热心地掺和他和小娴的事，也并非没有他的深思熟虑。他还没有想好如何面对白庭禹。直接摊牌当然不行，白庭禹这个人，成天笑嘻嘻的，像个泥鳅一样滑，城府极深，往往是你开口还没说上两句话，他已经把事情推得一干二净，不会给你留下任何把柄。

谭功达把白小娴晾了几个星期，小娴的激烈反应大大出乎谭功达的预料。这也再一次让他认识到，恋爱这件事是多么的诡异复杂！谭功达沉默了两三个星期之后，小娴主动给他打电话约会，一连三次，谭功达都硬着头皮拒绝了。可他没想到的是，自己的冷漠和鲁莽反而点燃了对方的激情，终至于一发而不可收。她开始隔一天给谭功达写一封信，到了后来，基本上就是一天一封。最后，她寄来的信中标明了写信的具体时间。有时一封信上竟有六七个小段，分别是在六七个不同时段里写成的。

仔细研究她的来信，谭功达很容易计算出这样一个惊人的结果：从凌晨到午夜，除了每天四五个小时的睡眠时间外，她竟然是无时无刻不在写信。而且谭功达还这样设想，白小娴用来睡觉的那四五个小时，说不定也是睁着眼睛看着天花板，或者因为思念过度而泪不能禁……这样一路想下去，虽说对小娴的处境有几分担忧，但自己的虚荣心也得到了极大的满足。

他去办公室上班，姚秘书将电话记录单递给他看，竟然十有八九是从文工团打来的。到了六月底，文工团的团长本人给他打来一个电话，说白小娴近来神思恍惚，目光呆滞，似乎受到了什么巨大刺激。而且，据她宿舍的室友反映，她和谁都不说话，动不动就大发脾气。最近又威胁说要绝食，不知怎么搞的。接完电话，谭功达的整个身子都软了。静下心来一想，自己的行为太孩子气了。心里对白庭禹有气，却去如此残酷地折磨一个无辜的女孩，这算是他娘的怎么一回事呢！而且自己也没说过跟人家一刀两断，这样不清不楚，弄得人家寻死觅活的，实在不是个事。因此谭功达就打算约白小娴好好谈一次，可他又担心他与白小娴一见面，小娴泪眼婆娑这么一哭，自己说不定又要把持不住。

他想给她写封信。可是熬了一个通宵，写了撕，撕了又写，到天亮还没写完。一想到这么一个活泼美丽的女孩子从此以后与自己形同陌路，想着就有点揪心。看起来是在写一封信，实际上是在跟生命中什么最珍贵、最隐秘的东西彻底诀别。他把白小娴的信找来仔仔细细地读了又读，最后自己也流下了眼泪。不管怎么说，这么一闹，他倒是明白了对方的真心。他又开始胡思乱想起来，想着想着，又记起高麻子在河边跟他说过的那番话来，他的眼前再一次浮现出佩佩那张脸来。要是小娴换作了姚佩佩，那情形又将如何？他被自己的这个丑恶的念头吓得一身冷汗，不敢再想下去。往窗外一看，原来天已经大亮了。要是世上没有女人，没有复杂的男女之情，那该多么太平！桌上摆着的那个小泥人，止冲着他笑。

第二天上午，谭功达找了几个科委的年轻干部谈话，商量“村村通公路”的计划。随后，他又去了沼气试验站，听取了攻关小组的汇报。回到办公室，发现楼上楼下空无一人，这才想起来，今天原来是礼拜六。他打算早点回家，好好睡上一觉。走到大门口，迎面看见老徐穿着一件白背心，脖子上搭着一条湿毛巾，顶着炎炎的烈日，从外面走进来。

“我是特为来找你的，”老徐道，“家里来客人了。”

“什么客人？谁来找我？”

“还会是谁呢！”老徐向他诡秘地一笑，又拍了拍自行车的后座，道，“你坐我车后头，我驮你回去。”

谭功达跳上老徐的车，两人歪歪扭扭地走了。老徐告诉他，白小娴吃中饭的时候就来了，进不了门，就站在院子外面的毒太阳底下。“我们家那位劝了她半天，让她到我家来喝杯茶，她也不搭理我们。只是一个人站在那抹眼泪，一边哭，还一边用脚去踢那院门。我们家那口子就劝她：‘你这傻孩子，踢了这半天的门，没人应答，分明是县长不在家。门踢坏了倒也不要紧，你的脚就不疼吗？’可那丫头性子也真是倔，把眼一瞪，对我家那口子道：‘我就喜欢踢门玩，你管得着吗？’”

老徐一边喘着气，一边哈哈大笑。

两个人不一会儿就来到了西津渡外的河道边。刚过了石桥，透过一片开花的合欢树林，谭功达果然看见白小娴站在院门外的篱笆边。这时她早已不踢门了，只是在糟蹋那篱笆上的枸杞花。那些紫蓝的花朵被她一朵朵地揪下来，扔在地上，用凉鞋碾得稀烂。到了家门口，谭功达刚跳下自行车，老徐紧踩了几脚，一躬身，早跑没影了。

白小娴身穿一件杏黄色的连衣裙，身上斜挎着一个印有“为人民服务”字样的绿色书包。满脸泪痕汗渍，头发湿漉漉的，一绺一绺搭在额前，眼睛都哭红了。她一见谭功达，那可爱的小鼻子不住地翕动着，歪着头，梗着脖子，斜着眼睛，一字一顿对他道：“为什么不给我回信？”

谭功达正想解释，白小娴又吼道：“为什么不接电话？！”

谭功达笑了笑，开了门，就要拉她进去，白小娴用力把他甩开了。

“你混蛋！”她叫了一声，又抽抽嗒嗒地哭了起来。

谭功达抓耳挠腮，哭笑不得。他看见四周的墙脚、树下、草垛后面，似乎有无数双眼睛在探头探脑。老徐的爱人也在自己的院子里踮着脚，伸着脖子，朝这边张望。可谭功达朝她一看，那脑袋又缩回去了。

“有话我们进屋去说，”谭功达低声下气地笑道，“在这儿叫邻居们看了笑话。”

“我就不进去！”

“那你先别哭了，我去给你打点水，洗洗脸。”

“我就不洗！”

“你若实在不愿意进屋，咱们就找个阴凉地儿待着，也好说话。”

“我就不去！”

谭功达见她频频使用这个“就不”句式，明明是在耍小孩子脾气。虽说有些尴尬，心里却一点都不着急，反而觉得这孩子越是横眉怒目，越是惹人怜爱。过了半晌，他凑到小娴跟前，轻声问她：“那你就一个人在这儿站着？”

“我就不站！”

“你就不站，莫非你想躺下来吗？”谭功达说。

白小娴知道自己被他绕进去了，扑哧一声先笑了起来，抡起小拳头，叮叮咚咚地在谭功达胸前好一顿乱砸。谭功达顺势搂着她，两个人趺趺撞撞进屋去了。邻居们一看好戏收场，也都悻悻地散了。

进了屋，白小娴就找个小板凳坐下，依旧噘着嘴不理他。谭功达只得蹲在地上跟她说话。他转到右边，小娴的身体就别向左边。谭功达没法，只得起身去替她打了一桶井水，搓了一把湿毛巾，拿给她。小娴擦完脸，顺手又把脖子擦了一遍。谭功达赶紧要替她把身上那背着的书包给取下来，那白小娴忽然将手中的毛巾往水桶里一丢，一把拽住谭功达的手，仰着脸看了他好一会儿，突然说：

“我们结婚吧！”

“结婚？”谭功达就像触了电似的，“你不是说过些年，等到第二个五年计划实现再结婚吗？”

白小娴猛地从凳子上站了起来，一头撞在谭功达怀里，把毫无防备的谭功达撞得后退了好几步，“我不管，我们这就结婚！立刻！立刻就结婚，马上！”

小娴把头埋在他怀里：“我再也不放过你了。”

她的身体那么小，那么柔软，而且颤抖得那么厉害！谭功达紧紧地搂着她，白小娴唧唧咕咕地在他怀里不知说些什么，谭功达一句也没听懂。他将她搂得那么紧，又担心把她勒坏了，就把她的脸捧起来。小娴已经闭上了眼睛，嘴里有一股婴儿的奶味，白皙的额头上叫太阳晒得起了一层痱子。谭功达用嘴唇碰了碰那痱子，把自己发过的种种毒誓抛到了九霄云外，怎么也无法压抑住心脏的狂跳。谭功达啊谭功达，谁他娘的能想到，你也有今天哪！在这一刻，他似乎觉得共产主义已经提前实现，因为他所有的烦恼都没有了，所有的焦虑不安都烟消云散。可白小娴很快就睁开了眼睛，她的眼珠骨碌碌转动了几下，轻轻地把谭功达推开。她红着脸，跑到桌边的一张藤椅上坐下，把气息调匀。谭功达随后跟了过来，一只手搭在她肩上，可小娴把他的手拿开了，突然转过身来，狐疑地看着他道：

“不激动。”

“你说什么？”

“你刚才吻我的时候，我怎么一点也不激动？”白小娴怔怔地看着他，“怎么跟我想象的不一样？”

“不激动，这就对了。”

谭功达耐心地开导她：“《牛虻》那本书中说，凡是真正的爱情，庄严而神圣，都显得十分平静，不会给人带来任何的激动。反过来，如果说你激动了，那就说明这不是真正的爱情，懂了吗？”

小娴听他这么一解释，立刻笑了起来，连声道：“我懂了。我懂了。”

过了一会儿，她又问谭功达，今天中午吃了什么东西，谭功达想了想说，他不记得了。

“有没有吃洋葱？”

“吃过的，吃过的。”谭功达拍了拍脑门，笑道。

“以后不许你吃洋葱，还有大蒜、韭菜，而且……”白小娴翻着白眼，想了想，接着道：“而且每顿饭后都要刷一遍牙。”

谭功达马上就答应了。白小娴又给他约法十章，她说，这十条都是她晚上睡不着觉时，一个人在床上想出来的，其中第一条，就是不许不回信！

谭功达一听就笑了，说：“要是结了婚，我们整天在一块儿，你还写什么信呢？”

白小娴想了想，就把这条删去，补上了不许吃洋葱这一条。谭功达一一依允，还和她拉了拉钩。

“好了，没事了，”白小娴长长地吸了一口气，忽然道，“告诉我，肥皂在哪儿。”

“你要肥皂做什么？”

“给你洗衣服呀！”

谭功达找来一块肥皂，小娴就将他扔得满地都是的脏衣服、鞋子、袜子、袖套，一股脑儿地装在脚盆里，端到井台上去洗。谭功达仍有些晕乎乎的。他甚至来不及想这一切是怎么发生的，这个世界几乎在瞬息之间就完全变了样。他依依不舍地跟着小娴往井台上一蹲，看着她洗衣服，小娴却道：“你去干你的事吧。”

为了不扫她兴，谭功达乖乖地进了书房。拿起一本书来正要翻看，白小娴一阵风似的跑了进来：“你的刷子在哪儿？”于是谭功达又出来帮她找刷子，两个人走到门后面，谭功达又把她轻轻地抱住了。过了半天，白小娴再次抬起头来，对他道：“我现在有点激动了，头还有点昏，这又是怎么回事？”

“在真正的爱情中，偶尔有点激动，是被允许的。”

这天下午，两个人都像丢了魂似的。分开不到一会儿，又会自动地凑到一起。很快，他们就认认真真地商量起今年春节订婚的事来。

白小娴在井边一直折腾到太阳落山，总算把谭功达的衣服鞋袜都洗了出来，可挂到晾衣绳上一看，谭功达刚做的一件白衬衫早已被染成了深蓝色。

“我也不知怎么弄的。”白小娴皱着眉头，望着他。

“没关系，你就只当是做了一件蓝衬衫吧。”

第二天早上，谭功达刚走进办公室，桌上的电话铃就响了。电话是白小娴打来的，她问谭功达昨晚是几点睡的，想不想她，早饭吃了什么，都是一些琐碎的磨嘴皮子的事。谭功达压低声音，叽里咕噜地跟她聊了半天，那边才把电话挂了。可没过半小时，白小娴再次打来了电话，问他的身高。

“一米七三。”谭功达笑道，“你问这事干什么？”

“这你就别管了。”白小娴说。

这天上午，她一连打来五个电话，说的都是一些鸡毛蒜皮的小事。谭功达知道，文工团只有一部电话机，白小娴要给自己打电话，必须去团长办公室。她如此频繁地占用这部电话，干扰团部的工作不说，传出去影响也不太好，便委婉地告诫她：“你三番五次地去团部打电话，你们领导还怎么工作？”

白小娴嘻嘻地笑了一下，说：“没关系的，团长说了，只要我愿意，爱怎么打怎么打，那部电话归我管。”

“那你不是要耽误练功吗？”

白小娴说：“我们换教练了。原来的秃头教练调回省城了，新教练还没来，团长安排我们义务劳动，在院子里除草。不过，团长说了，我不必参加。”

放下电话，谭功达瞧见姚秘书双手捂着耳朵，心烦意乱的，脸上愀然不乐。他看了看表，已到了中午开饭的时间，就问姚佩佩，是不是一起去食堂吃饭？姚佩佩头也不抬，嘟哝道：“您自个去吧。我待会儿再来。”

谭功达吃完饭，从食堂回来，刚走到楼梯口，就听见楼上的电话铃声响了起来。一定是小娴。他心里一着急，便三步并作两步，噔噔噔地朝楼上猛跑，到了二楼的拐弯处，碰见姚秘书正从楼上下来，便咧开嘴冲她笑了一下。姚秘书将身体侧过去，紧紧贴着墙壁，以便让心急火燎的谭功达通过，鼻子里却冷不丁地哼了一声，说道：

“小心，别闪了腰！”

明摆着是冷嘲热讽，可谭功达也顾不了这许多了。冲进办公室，扑到电话机前，一把就将话筒提了起来。

“我要送给你一件礼物，”白小娴道，“猜猜看，是什么？”

谭功达喘息未定，一连猜了七八次，都没猜着。

“我在团部附近的裁缝铺给你做了一件新衬衫，”白小娴咯咯地笑着，“昨天我把你的衬衫弄花了，就算是我赔你的吧。”

谭功达不禁心头一热：这白小娴，平常大大咧咧的，像个不谙世事的孩子，可一旦谈起恋爱来，心思却极细，他觉得心里很受用。白小娴又问他有没有刷牙，谭功达说他刚吃完饭，还没顾得上。

“别的事可以放一放，牙是一定要刷的。”白小娴再次叮嘱道，“明天晚上我能不能来你家，把新做的衬衫拿给你试试？”

他们俩原来约好是一个礼拜见一次面的，可只过了一天，白小娴就变了卦。

“怎么不行！就是今天晚上也行啊。”谭功达笑道。

“今天可不行，晚上团里有一个欢迎会。”白小娴说，“再说了，衬衫要到明天中午才能做出来。”

两个人又东拉西扯地说了会儿闲话，直到姚秘书从食堂回来了，谭功达才想到要挂电话，可小娴还是意犹未尽，再次叮嘱道：“刷牙的时候要顺着牙缝从上往下，或是从下往上，一点一点地刷，不能让牙刷横着拖，那样是会损坏牙龈的。”

“刷牙谁不会？难道还要你一点点地教吗？”谭功达嘿嘿地笑道，“好了好了，挂了吧，有事明晚见面再说。”

谭功达放下电话，便站起身来，对姚佩佩道：“佩佩，你的牙缸能不能借我用一用？”

姚佩佩蓦地一愣，像是没有听懂他的话，一动不动地看着他。半天，这才摇了摇头，苦笑道：“人家苦口婆心教你怎么刷牙，难道就忘了教你最起码的卫生习惯吗？这牙缸怎么能两个人一起用呢？新鲜！”

“怕什么，”谭功达道，“我又不会用坏你的。”

姚佩佩被他纠缠不过，最后只得将窗台上晾着的牙缸递给他，笑道：“你要实在不嫌我脏，就拿去用吧，我明天再从家里带一套新的来就是了。”

这天晚上，谭功达在家中苦苦守候到半夜，也没等到白小娴半个人影。难道是自己把时间记错啦？还是裁缝铺没有把新衬衫做好？他把每一种可能性都想了一遍，最后导致了整夜的失眠。第二天，他眼睛里布满了血丝来县里上班，不时地瞥一眼搁在茶几上的电话机。说来也奇怪，整整一天，白小娴连一个电话也没打来。随后一连几天，都是如此。白小娴就像突然从人间消失了似的，杳无音信，弄得谭功达神形倦怠，度日如年。为了不至于错过小娴的电话，他连中饭也不去食堂吃了，而是让姚秘书给他捎回来。即便是上了一趟厕所，回来也要向姚秘书盘问半天，问她有没有文工团来的电话，最后把姚佩佩弄得烦透了，挖苦道：“你自己往文工团打个电话，不就得了？整天里就像热汤浇了蚂蚁窝，大火烧了蜂房似的，何必呢！”

一句话噎得他青筋暴突，又拿她无可奈何。

好不容易熬到他们约定见面的星期六，白小娴倒是来了，可完全变了个人。她的长发剪掉了，脸色阴郁，唉声叹气，靠着门框，无精打采的。进了屋，也不坐下，双手抚弄着书包上的背带，半晌，终于说：

“老谭，要是我现在才告诉你，我并不爱你，你不会生气吧？”

谭功达一看她那副心事重重的样子，就知道大事不妙。再一听她说出这么一句没由头的话来，心猛地往下一坠，像是一脚踩空了似的，连忙问她，到底是怎么回事。

“我不爱你。真的，不爱。一点都不爱。”白小娴嘟嘟囔囔道，“这是你的东西。”

她打开书包，从里面取出一件用报纸包好的新衬衫递给他，还有谭功达给她写过的七八封信，送给她的一支钢笔、一个印有南京长江大桥图案的塑料笔记本，都统统还给他。明摆着要与自己一刀两断。

谭功达勉强从嘴角挤出一丝笑容来，故作轻松地对小娴道：“就算是分手，也得把话说说清楚吧，到底是怎么回事？”

“我告诉你，你可不许发急，还得替我保守秘密。”

谭功达点点头，想在她背上拍一下，可小娴身子一闪，敏捷地躲开了。一说分手，他娘的，连碰一下都不行了。

她说，星期一的晚上，省里给她们团派来了一位新教练。在欢迎会上，她只看了新教练一眼，心里忽然就像一块糖溶化了似的，又甜蜜，又激动！他在晚会上表演了一套新排的芭蕾，跳的是《白毛女》里的“红旗插到杨各庄”，比起原先的那个秃头教练，不知道强了多少倍！他那身子板，又轻盈又矫健，尤其是空中劈叉动作，把团长都吓得面无人色。那天晚上，小娴把巴掌都拍红了。第二天在练功房排练，新教练一眼就挑中了她，训练她跳“阿提秋”和“阿拉贝斯”，她的心都蹿到嗓子眼了，嘴里泛出了苦苦的胆汁，一整天脑子都是晕的。到了中午，教练骑着一辆自行车，带她去外面的饭馆吃饭。

“他让我搂着他的腰，可我不敢。教练就批评我说，小娴同志，你怎么能那么封建呢？万一从自行车上掉下来，怎么办呢？我就搂着他的腰。一路上我忍不住老想把脸靠在他背上，可心里又不敢，人就像发了黄热病似的。”

白小娴最后总结说，虽然她对这个新来的教练暂时还一无所知，尤其是不知道他有没有结婚，可“有一点，我心里十分清楚，我爱的人不是你，而是新来的舞蹈教练王大进”。

谭功达怔怔地僵在那儿，一句话都没说。连小娴离去时要跟他握手告别，他也没有搭理。白小娴走到院中，忽然又转过身来，对谭功达喊道：“我们今后什么关系都没有了。你就忘了我，彻底地忘了我吧。好马不吃回头草，我就是和王大进教练谈不成，也不会再和你好了。再见。”

白小娴走后没多久，谭功达就拨通了文工团团长的电话：“你们团是不是来了一位新的舞蹈教练？”谭功达劈头盖脸地问了一句。

“是啊是啊，王教练专业技术好，人也很和善，学员们都挺欢迎的……”

“放你娘的狗屁！”谭功达打断了他的话，骂道，“明天一早，你就叫那个叫什么王大进的狗娘养的卷铺盖给老子走人！”

9

自从与汤碧云有了那次阁楼密谈之后，佩佩一直愁眉不展。她似乎觉得自己已经被判决了死刑，只不过执行的公文由于某种原因，尚未抵达行刑队。这个阴暗的念头常使她半夜惊起，大汗淋漓。她心里存着一丝侥幸，只要让钱大钧看不见她，几个月，甚至几年以后，说不定，他们就会把自己给忘了，从而放过她。姚佩佩自己都觉得这个想法未免过于天真。如果像汤碧云建议的那样，随便找个什么人结婚，造成既成事实，她或许能逃过一劫。这样做的后果同样严重、荒谬，也是她不能接受的。问题是，即便自己愿意去找人结婚，她又能嫁给谁呢？

“比如说，县长的司机小王，”有一次，汤碧云认真地向佩佩推荐道，“这个小伙子脾气好，整天笑嘻嘻的，人也长得清清爽爽，你要不好意思，要不要我来跟他说？”

“算了吧，”姚佩佩笑道，“他只是一个大男孩。而且有点娘娘腔，逗逗他，取个乐子什么的倒也凑合。再说了，人家也不一定看得上我呀。”

姚佩佩越害怕见到钱大钧，她就越是频繁地遇见他。有时候一天之中就能撞上五六回。钱大钧不管在什么地方出现，总是行色匆匆、步履急促，好像这个世界上每分钟都在发生着惊天动地的大事，而每件事都少不了他的指挥与决断。他的身后总跟着一大群人，有的她认识，比如杨福妹；有的她一次也没见过。他照例是皮鞋锃亮，上装笔挺，裤缝笔直，笑容怪异。只是身体微微有些发福，皮带上凸起了一个将军肚。由于佩佩在钱大钧面前频频“现眼”，钱副县长的记忆力显然被激活了，终于有一天给她往办公室打来了电话，约她晚上在一起吃饭。为了打消姚佩佩不必要的顾虑，钱大钧特意将晚饭的地点安排在家中，而且“除了我与你嫂子之外，没有旁人”，而且“这是你嫂子的主意，她很长时间没见到你了，成天念叨着与你叙叙旧”。

姚佩佩回想起来，几年前，她从西津渡的绒线铺子里被钱大钧找出来，暂住在他们家的时候，田小凤连一句话都没跟自己说过。不过，她接到了钱大钧的电话，心里长长地松了口气，正如一个囚犯终于获悉了审判的确切时间，反而有几分激动。她打定了主意，只要钱大钧提到那个金玉，自己绝不松口，以死相拼。

可事情大大出乎自己的预料，晚上吃饭的时候，钱大钧只字未提金玉，倒是亲热地一口一个“姚妹”，叫得人心里挺别扭，还不时地往佩佩的碗里夹菜。田小凤更是张家长李家短，跟她说了一大堆陈谷子烂芝麻的琐事。最后，钱大钧推说多喝了酒，让田小凤代为送客，自己就进屋躺下了。说不上热情，也谈不上冷淡；人家引而不发，她也无可奈何；对方洞若观火，她却如坠雾中。只是心里又多了一层侥幸。当然，她的心底里多少也有点被人戏弄的耻辱——要想弄清楚钱大钧的脑袋壳子里到底装了些什么念头，以自己愚钝的智力，未免是异想天开。

有一回，她和汤碧云参加县机关组织的义务劳动，去西津渡扫大街。突然遇到了夏日的瓢泼大雨，姚佩佩赶紧丢下扫帚，拉着汤碧云，跑到牌坊的屋檐下避雨。可跑到那儿一看，两人都吓了一跳，原来钱大钧和谭功达小声交谈着什么，也在那儿避雨。她们两个人搂作一团，挤靠在牌坊下的木柱上，就像是两个犯了错的小学生一样。汤碧云看见钱大钧，更是面红耳赤，不敢抬头，兀自呼哧呼哧地在那儿喘气，气氛一时十分尴尬。可没想到，钱大钧却笑嘻嘻地朝她俩走了过来，冲着汤碧云煞有介事地道："羊杂碎，我只记得人家都叫你羊杂碎，可你到底叫个什么名字来着？你看我这脑子……"

"汤碧云。"碧云明显地迟疑了一下，抖抖索索地答道。

"噢，对，汤碧云。"钱大钧笑着点了点头，接着又问道，"你具体在哪个部门上班？"

"民政科啊？"

钱大钧又噢了一声，接着又问道："你们老家不在梅城吧？"

汤碧云这才算是弄明白了钱大钧的意图，两个人大大方方地聊起天来。最后，钱大钧假模假式地问她"汤碧云"三个字怎么写，害得姚佩佩背过身拼命地深呼吸，才没让自己笑出来。

谭功达这时插话道："大钧，你这个人，跟我一样糊涂，县委大院到底有多少人，谁是谁，我从来就没搞清楚过。"

呆子呆子，人家可跟你大不一样，你糊涂，人家可不糊涂。钱大钧与汤碧云说着话，却拿眼睛朝佩佩这边看。为了不让钱大钧从自己的脸上看出来她知道他们的秘密，佩佩可算是费尽了心机，最后出了一身大汗。

这天中午，姚佩佩去食堂吃饭。当她走到变电房旁边的小树林时，看见钱大钧用火柴棍剔着牙，在那伙人的簇拥下，大摇大摆地走了过来。姚佩佩想要躲，可已经来不及了。

"小鬼，"钱大钧叫了她一声。他一会叫她"佩佩"，一会叫她"小姚"，有时候也叫她"姚妹"，或者干脆"姚佩佩同志"，今天当着他手下那群干部的面，他又开始叫她"小鬼"了。听到钱大钧喊她，姚佩佩的腿就像灌了铅似的，怎么也迈不开步子。钱大钧对身边的人摆了摆手。一直等那伙人走远了，才对姚佩佩低声道："你是党员不是？"

"现在还不是。"姚佩佩想了想，字斟句酌地回答他。

"交入党申请了吗？"

"暂时还没有考虑。"

钱大钧咬着火柴棍，笑了起来："怪不得人家说你是落后分子，一点没错。你回去赶紧写一份简历，再写一个两年来的工作总结，明天一上班，就交给县委办公室的杨福妹同志。"

"写那个做什么？"

"叫你写，你就写呗。"

说完，钱大钧摇头晃脑，径自走了。

他干吗让我写简历？再说，现在还不到年终，怎么会突然想起来让我写什么工作总结？姚佩佩心事重重地在食堂吃了饭，回到办公室，谭功达还在那儿抱着电话不放呢。看起来他和白小娴的事有了进展，她一看见谭功达对着电话机傻笑的样子，心里就直冒火。笑什么笑?！你笑得像一朵花似的，人家也看不见！谭功达放下电话，就笑嘻嘻地过来跟她借牙缸。最可气的，他刷完牙之后，还好意思把牙刷还给她！她一眼就瞧见牙刷上还镶着一片菜叶子，想要说几句话损损他，心里忽然又觉得特别没意思：在偌大的县委机关，她也就敢跟谭功达使使性子！话到嘴边，又噎回去了，一个人呆呆地坐在桌边写简历，可刚写了一行，就勾起了自己的童年往事，差一点流下泪来。

一直等到天快黑的时候，姚佩佩把笔杆都咬出了一个个圆圆的牙印，好歹才算把那篇简历给胡诌了出来。谭功达是什么时候离开的，她一点都不知道。姚佩佩正想接着写那要命的工作总结，耳边忽听得嘀嗒一声，脑袋顶上的那根日光灯管忽然就亮了。她扭头一看，发现司机小王正站在门边，冲着她傻笑呢。

“喂，你搞什么鬼，探头探脑的，把我吓一跳。”佩佩笑道。

“屋里这么黑，你也不开灯，莫非你要把自己弄成一叶障目呀？”

“你要再跟我说你那烂成语，我就再不理你了。好好说话成不成？”姚佩佩忍住笑，问他怎么这么晚了还不回家，一个人在这瞎转悠。

小王讪笑着说：“你不是也没走吗？我正好过来陪陪你。”

“你可别在这瞎捣乱，我可正忙正经事呢。”姚佩佩道。

小王嘿嘿地笑了两声，说：“你忙你的，别管我，我在这儿坐一会儿，颐养天年。”

一句话说得佩佩又笑了起来：“你要待就待着吧，那我真的不管你了。要喝水自己倒。”

说完，佩佩抓过笔来，正要写，心里却狐疑道：这小子，今天也不知哪根神经搭错了，下了班也不回家。小王随手从桌上拿起一张报纸，看了看，丢下，又对着墙上的镜子照了照，在屋子里东走西看，一副心神不定的样子。姚佩佩趴在桌上刚写了没几个字，小王就凑到她的跟前，歪着脑袋看她，嘴里道：“你在写什么呀？”

“钱副县长忽然叫我写什么工作总结，”姚佩佩一边说一边把信纸折起来，“不许你看，一边待着去。”

“这会儿写什么工作总结呀，”小王笑道，“是不是你要升官发财了？”

“升个鬼！”姚佩佩嗔怒道，“你别打岔，明天一早就要交的。”

“还真是写总结？”

“我骗你做什么！”

“那你就别瞎忙了，总结我这儿现成的就有一份，你照着抄一遍不就行了。”小王说着，脸色就有点异样。姚佩佩还以为他是在开玩笑，没想到小王却果然从上衣口袋中掏出一个厚厚的信封来，往她桌上一扔，嘴上说了句“我先走了”，随后，一转身就跑没影了。

姚佩佩听见楼梯上传来叮叮咚咚的下楼的声音，心想，这小子怎么溜得这么快！再后来，她就听见了楼下吉普车引擎发动的声音。姚佩佩苦笑了一下，摇了摇头，可她拆开信封一看，脸一下就红了。

原来那是一封情书。

在这封长达十多页的情书的开头，小王就向姚佩佩郑重道歉。他说自己在相当长的一段时间内，“可耻地”欺骗了她。自己的文化程度虽然不高，但也不至于每个成语都用错。那一天，他和佩佩出车去普济，因偶然说错了一个成语，逗得她前仰后合，他就开始胡乱地用起成语来，无非是逗她开心。久而久之，一看到佩佩愁眉不展，他就故伎重演。以至于现在一开口，就胡说八道，想改都改不过来了。他说，他就是喜欢看她笑，明知道这是恶作剧，可自己身陷其中，不能自拔。姚佩佩读到这里，心里忽然一动：别看这小子平时一副老实巴交的样子，鬼心眼倒挺多的，连自己都被他蒙在鼓里，还专门给他买了一本《成语词典》。可转念一想，小王能在自己身上耗费这么大的心思，也实在难得，不由得心头一热。

在这封信的末尾，小王说，他是在汤碧云大姐的殷切关怀和热情鼓励下，才终于鼓足了勇气，给她写这封信的：“你也不用给我什么答复。等到我们下次见面的时候，不论在什么时候，什么地点，我一见到你就会朝你喊一句‘打倒法西斯’，你如果同意跟我好，就回答说‘胜利属于人民’。”

要是不同意呢？笨蛋！

关于这一点，小王信中可没写。

姚佩佩的脸上火辣辣的。不过，她一看到情书末尾小王的签名，突然又呵呵呵地笑了起来，原来他的名字叫做“王小二”！还真有人叫这名字。姚佩佩笑了半天，心里又多了一个疑问，没准这小子又在故意逗我，编出这么个怪名字，取乐罢了。

10

“我怕他？我怕他个屌！要不是鹤壁地委有人替他罩着，我才不用成天跟着他做小媳妇呢，还把自己的侄女给搭了进去。那么一个雪白粉嫩的小姑娘，我呸！他都四十大几的人了，也配！”

这是白庭禹副县长的原话。他是在铜管厂检查工作时喝醉了酒，才说出这番话的。我有一个亲戚在铜管厂的伙房工作，碰巧听见了，是他亲口告诉我的。俗话说，酒后吐真言。我琢磨着，白副县长所说的那个“他”，指的会不会就是县长您呢？

…………

即便把喝醉了酒这一因素考虑在内，白庭禹在公开场合说出这么一番话来，还是显得有点不同寻常。这封匿名信将谭功达隐忍许久的怒火都勾了起来。白庭禹不仅让自己的侄子当上了代理乡长，而且私下里在好几个乡搞起了包产到户；谭功达最近一连好几个提案，包括村村通公路计划、建造集体居民点、丧葬改革、沼气推广等等，都遭到了他公开的反对。白庭禹甚至在党委会上，不指名地暗示说，在梅城，有人犯了右倾冒进主义的错误。最让谭功达不能容忍的，是自己苦心孤诣、克服重重险阻，才得以上马的普济发电厂的修建，也让他暗中下令停了工。四月份回到普济时，他曾让高麻子带他去水库大坝看看，高麻子让他最好不要去，“你去看了会伤心的。建筑工人都搬走了，大坝上长满了杂草，临时指挥部的房子都叫当地的农民给拆了。”

钱大钧这个人，也好不到哪里去。谭功达说服了鹤壁的聂书记，提拔大钧当副县长时，高麻子曾再三劝他慎重。谭功达一意孤行，也不是没有理由：这个人再不可靠，毕竟鞍前马后，跟过自己这么多年。可自打他当上副县长之后，他的面目反而越来越模糊，越来越让人捉摸不透了。有一个干部私下向他反映，钱大钧与省委的金秘书长打得火热。今年金玉到梅城过年，钱大钧一直陪伴左右，可居然没给自己透露半点风声！不行不行，得找个机会与他好好谈谈。

谭功达把那封匿名信撕成了碎片，又揉成一团，扔进了废纸篓。随后，他给县委办公室主任杨福妹打了个电话，让她立刻通知县里的六个常委到家里来开会。

“现在吗？”

“现在。”

“算了吧，”杨福妹在电话那头打着哈欠，“天都快黑了，外面又刮着这么大的风……”

谭功达捏着电话的听筒，朝窗外看了看。这才意识到，外面正在刮风下雨：树枝狂摆，黄叶乱飞，寒雨如注，已是一派残秋气象。

“不如这样吧，”杨福妹道，“常委会明天下午两点开，地点就在四楼会议室，我这就逐个打电话去通知，好吗？”

第二天下午两点，谭功达夹着皮包，准时走进了会议室。他看见只有担任记录员的姚佩佩一个人在那儿，心里不禁咯噔了一下。谭功达坐在椅子上，不时地抬腕看表。

过了两点半，杨福妹才来。她远远地坐在会议桌的另一端，托着脑袋，看上去没精打采的。

“人呢？”谭功达怒道，手指敲得桌面笃笃直响。

“人？什么人？”杨福妹懵懵懂懂地看着他。

“我让你通知开会的人呢？怎么一个都没来？”

“噢，”杨福妹站了起来，像背书似的说道，“白副县长下乡检查工作去了；钱副县长去省里出差，还没回来；还有两个常委，一个生病，另一个电话打了一上午，没人接。”

“既然如此，你为什么不早点向我报告？嗯？这会，还他娘的开什么开！”谭功达从椅子上站了起来，把桌子叭地一拍，“你呢？开会迟到了足足四十五分钟！来了还在那打瞌睡，怎么连你也变得这么涣散！”

杨福妹低着头，嘴里嘀嘀咕咕不知说些什么。

“你还要狡辩！”谭功达朝她吼道。

杨福妹果然不吱声了，呆呆地转动着手里的红铅笔，嘴角浮现出一丝冷笑。

“你还笑！”谭功达这一叫，把姚佩佩也吓得浑身一哆嗦。

杨福妹倒是不笑了，她拢了拢齐耳短发，一声不吭地站了起来，把桌上的一大摞材料收罗收罗，往腋下一夹，一句话也没说，走了。

正在这时，不知是哪个部门的办事员，手里拿着一张报表，走了进来，要请谭功达签字。谭功达已经被杨福妹气得失去了理智，一把从她手中夺过表格，看了看，随手就往她怀里一揣，大声道：“签个屁！你去找白庭禹签吧！”谁知那姑娘也是个不知天高地厚的厉害角色，把白眼一翻，没大没小地顶撞道：“不签就不签，可县长您说话可得文明点。”

谭功达自知理亏，脸一红，也不作声，拎起公文包，就怒气冲冲地走了。

回到办公室，姚佩佩见县长还仰在椅子上，呼呼喘气，又咕咕咚咚地往肚子里灌凉茶，知道他正在气头上，也不敢招惹他，就从抽屉里拿出那本《三国志》来，看了没几页，就听得谭功达在叫她。

“姚秘书，你下楼去替我买包烟上来。”

姚秘书问他买什么牌子的烟。

“就买大前门吧。”谭功达道，“三毛八分钱一包，待会儿回来我再给你钱。”

姚佩佩正想走，忽然想起自己半年前买的那包烟还没抽完，就对谭功达说：“县长，我这有包‘大生产’，您抽不抽？”

“‘大生产’也行啊，你拿过来吧。”谭功达说，“哎，佩佩，你这儿怎么会有烟？”

“我一个人心烦的时候抽着玩的。”

“这烟也能抽着玩吗？女孩子抽烟，让人看了多不好。”

姚秘书也不理他，从抽屉里找出那包烟来，走到谭功达的桌子边，递给他。谭功达抽出一根叼在嘴上，又看了姚秘书一眼，举着烟盒道：“要不你也来一根？”

“您要让我抽，那我可就真抽啦。”

“抽吧。”谭功达满不在乎地说。

姚佩佩迟疑了一下，心想还是算了，连一个普通的办事员都敢那么顶撞他，我要是再抽上烟，让人看见两个人在办公室吞云吐雾的，免不了又是一番闲话。她见谭功达的杯子里没水了，就抓过水瓶，给他续上水。她见谭功达脸色特别难看，就想找些闲话来，给他打打岔，因此笑道：“谭县长，听人说您上次在集市上，给我买了件什么礼物，怎么这么长时间，也没见您送给我呀？”

“哦，你说的是那小泥人，”谭功达皱起眉头，“在夏庄的集市上，我是买了两个。可惜在回梅城的路上，让汽车颠碎了一只。”

*不用说，碎了的那只照例算在我头上；那只好的，定然已落在了白小娴手中。*要在平常，姚佩佩早就冷言冷语，怪话连篇了。可这会儿，她见谭功达余怒未消，话到嘴边，还是忍住了。

不料谭功达接着又说：“剩下的那只好的，还在我家中床头柜上摆着呢，明天我就给你带来。”

这么说，他没送给白小娴？

佩佩细细地琢磨着他的这句话，想着一些不着边际的事，转动着桌上的茶杯，呆呆地就出了神。

窗外的天黑沉沉的，不一会儿就下起大雨来。

“佩佩，若是有人调你去省里工作，你去不去？”谭功达一连划了好几根火柴，才把香烟点着。他说话的语气缓和多了。

“不去，我哪儿也不去。”姚佩佩转过身来望着他，“谁要调我去省城啊？”

“是钱副县长在党委会上提出来的，要调你去省干部培训学院学习。不过，已经叫我给否决了。”

姚佩佩一听说钱大钧要调她去省城，心头一紧，吓得腿都软了。可又听说被谭功达拦住了，不禁如释重负，长出一口气。不过她嘴上倒是讪讪的，嗲声嗲气地道：“谭县长，您不让我去省里，是觉得我表现不够格呢，还是您用我用顺手了，舍不得让我走？”

这话说得有些露骨。可一说出口，收是收不回去了。她微微地飞红了脸，偷觑了谭功达一眼。好在那傻子极为迟钝，把手一挥，嚷嚷道：“不够格不够格！实事求是地说，的确不够格！你既不是劳模，又不是先进工作者，连个党员都不是，凭啥叫你去？”他这一嚷，姚佩佩不免又有点窝火，怏怏地转过身去，正要去读她的《三国志》，又听见谭功达叫她：

“姚秘书。”

“嗯。”

“说说看，你对未来都有什么考虑啊？有什么理想啊？”谭功达似乎忽然来了谈兴，可脸上依然阴云密布。

“没有想过。”姚佩佩鼻子里轻轻地哼了一声，揶揄道，“我这样一个落后分子，什么理想不理想的，当一天和尚撞一天钟罢了。”

“小小年纪，怎么这么悲观啊。要不得，要不得。”谭功达顿了顿，接着说，“我是想知道，你今后打算从事什么样的具体工作。我这个县长，能做到哪一天，不好说。另外，你也不能一辈子给人当秘书。”

听他话里的意思，谭功达似乎已经在有意无意之中，为自己考虑后路了，心中不免隐隐有些凄凉。她把圆珠笔放在嘴里咬了咬，忽然笑道：“要说理想，我心里倒有一个，可我知道死活实现不了。”

“你说出来我听听。”

“我想逃到一个荒无人烟的小岛上，隐居起来。”

“你又没犯法，逃什么逃！”

“你怎么知道我没犯法？你怎么知道我就不会犯法？我这种人，或许生下来就是有罪的呢！”姚佩佩说到这里，脸色陡变，心中忽然大恸，眼泪像断了线的珠子似的，抛抛洒洒，落在了摊开的书页上。

谭功达一见她扑簌簌掉泪，就知道刚才哪句话不小心触动了她的伤怀，心里有些不忍，又想不出什么话来安慰她，只得装出一副没听懂她话的样子来，问道：

“你到那荒无人烟的小岛上，做什么呢？”

“不做什么，”姚佩佩抬起袖子，擦了擦眼泪，道，“就这么隐姓埋名，过上一辈子。”

“干吗还要隐姓埋名呢？”

“我讨厌见人。不论是什么人，我都讨厌。”

“这么说，连我，你也讨厌喽？”

“讨厌。你本来就挺讨厌的呀。”

谭功达呵呵呵地笑了起来，仍耐着性子逗她道：“你还不如干脆到山上，找个庙，去当尼姑呢！”

“山上的尼姑庵，不都让你们这些当官的给铲了吗？”佩佩反问道。

“这倒也是。不过佩佩——”

“嗯。”

姚佩佩应了一声，一脸茫然地看着他。

“佩佩，你什么时候打算去实现你的理想，请你跟我也说一声。”

“干吗跟您说？”

“我跟你一块去，好不好？”谭功达想了想，柔声道。

佩佩猛地一愣，心里一紧，就有些晕眩，失声道：“你真的要去？我，我可不是说着玩的……”

“我也是真心的。”

姚佩佩心里知道，谭功达再呆再傻，这话也不是随便说的。顿时五内翻搅，漾出一圈一圈的涟漪，涨红了脸，问道：“那，那你少不了也要带她一起去喽？”

“不带她去，就我们两个人。”

他们俩都明白，刚才他们所说的这个她指的是谁，谁都不愿意点破。仿佛轻而易举就绕开了一个巨大的障碍似的。

姚佩佩一时心慌意乱，眼睛都不知道往哪儿看了。屋外的雨越下越大，玻璃窗上泻水如注，就像一张哭泣的脸。

过了好一会儿，佩佩定了定神，喃喃道：“不行，不能带你去，你到了岛上，一会儿要造大坝发电，一会儿又要建沼气池照明，还要铺上十七八条公路，挖上几百条运河。让你这么一折腾，好好的一片清静之地，马上被你弄得乌烟瘴气。你还得把岛上的狸子、獐子、野狼、猴子什么的召集起来，成天开会，咱们还不如不去呢！”

一番话说得两个人都笑了起来。

“那我就什么都不干，成天在家里听你说怪话。”

天哪！他竟然会说“在家里”！

接下来，两个人果然郑重其事地讨论起小岛的计划来。按照姚佩佩的设想，她要把小岛的每个角落全都种上紫云英。她说她一辈子没见过那么漂亮的花。在阳光下，那大片大片的紫色花朵，犹如铺锦堆秀一般，漫山遍野，一直延伸到遥远的天边。这么说着，就好像他们此刻已经置身小岛。

他们一刻不停地说着话，等待屋外的雨停下来。

不知今夕何夕，不知黑暗将临……

第三章　菊残霜枝

1

六月末的一天，谭功达在酣睡中被一阵刺耳的电话铃声惊醒。这似乎是一个恶作剧的糟糕开始：他把手伸到帐子外面，在黑暗中摸索着抓起电话，却听见一个小女孩在电话里唱歌。月亮在白莲花般的云朵里穿行，晚风吹来一阵阵欢乐的歌声……谭功达很快意识到，可能是电话串了线，因为伴随着一阵猛烈的咳嗽，一个低沉而沙哑的声音向他问道：

“怎么样，你那里的情况怎么样了？那时候妈妈没有土地，全部的生活都在两只手上……嗯，你说话呀！”

谭功达昏睡未醒，太阳穴一阵剧烈的胀痛，愣了半天，一时竟没有听清电话是谁打来的。

“什么情况怎么样？你是谁？”

可对方立刻就发起火来，在话筒中叫道：“你他娘的这个县长是怎么当的？她去为地主缝一件羊皮长袄，又冷又饿，跌倒在雪地上。怪不得省里一连批转了三封要你辞职滚蛋的匿名信，现在都什么时候了，你怎么还这么迷迷瞪瞪的！”

谭功达终于在那讨厌的歌声中，辨认出了聂竹风的声音。他翻身从床上爬起来，拉了一下灯绳，恍惚中看见墙上的挂钟已指向凌晨三点十分。这个时候，他怎么会打电话来？到底是怎么回事？可对方根本不容他多想，追问道：

“你现在在哪里？喂，你现在在哪里？你怎么不说话？经过了多少苦难的岁月，妈妈才看到今天的好光景，我问你，你现在在干什么?!”

“睡觉啊！”谭功达似乎没听懂他的话，嗫嚅道，“我在睡觉。”

“睡觉？你说什么？我们坐在高高的谷堆旁边，你在睡觉？出了这么大的事，你还有心思睡大觉！”

“出什么事了？聂书记？”

又是一阵咔咔的咳嗽声。聂竹风似乎要把自己的五脏六腑都咳出来似的，谭功达只得静静地等着他呼呼的喘息声平静下来。过了好一阵，对方清了清喉咙，正要说话，话筒里突然一片静默。小女孩的歌声也戛然而止，谭功达徒劳地冲着话筒，喂喂喂地叫了半天，对方已没有了任何声息。或许是电话线被大风刮断了。

屋外大雨如注，狂风大作，又急又密的雨点嗖嗖地泼向窗户玻璃。水从窗缝中渗进来，把桌子上的一本《列宁选集》都浸湿了。院子的门被风撞得砰砰直响，他不时可以听到瓦片被风刮到地上而发出的碎裂声。谭功达坐在床边，呆呆地看着电话机出神。

聂竹风是出了名的好脾气，谭功达从未见过他发这么大的火。他在凌晨三点多钟给自己打来电话，这还是第一次。显然是发生了什么不同寻常的事。

谭功达撩起帐子，胡乱地擦了擦身上的汗珠，心脏仍在突突地狂跳。他竭力地回想着聂竹风在电话中跟他说过的每一个字，可嗡嗡叫着的蚊子和那该死的歌词，搅得他大脑一片空白。电话断了线，外面的雨又下得这么大，虽然心里七上八下，他知道现在除了等待天亮之外，没有别的什么事可做。

他重新在床上躺下，随手抓过一张旧报纸，心烦意乱地看了起来。在这张五月十二号出版的报纸上，他读到了如下新闻：

中国政府致电卡斯特罗，坚决支持古巴人民抗击美帝国主义侵略的正义事业

首都各界在天安门广场隆重举行庆祝国际劳动节的盛大集会

中国与老挝建立外交关系

在不久前结束的第二十六届世界乒乓球锦标赛上，庄则栋、邱钟惠分获男女单打冠军

清华大学举行建校五十周年校庆

国务院召开坚决纠正“五风”，坚决贯彻农业“十二条”座谈会

…………

当谭功达想弄清纠正哪“五风”、贯彻哪“十二条”时，沉重的睡意再次向他袭来。他使劲地睁开眼睛。不，不，不能睡着！可他还是很快就进入了梦乡。

第二天早上，谭功达一觉醒来，太阳已经照到了他的床头。他连脸都没来得及洗，就夹着公文包，趟着齐踝深的积水，去县里上

班。田里的秧苗浸没在水中，池塘的水都漫到岸上来了。几个打着赤膊的年轻人，手里提着渔网，正在秧田里捉鱼。当他经过西津渡桥的时候，看见整座桥面都淹没在浑浊的洪水中，只露出了一截桥栏的铁桩。街道上也都积满了雨水，被大风吹折的树木横卧在街道上，一群人推着一辆熄了火的汽车，向前缓缓蠕动。供销社的柜台也泡在水里，两名女售货员高挽着裤腿，正用瓷碗往外舀水。看着她们的小腿在阳光下白得发青，谭功达心里不禁有了一种莫名其妙的惆怅。

他走到县委大院的门口时，已经九点多了，他看见门卫老常手里拿着一根通煤炉的铁条，正在疏通堵塞的阴沟。

“天漏了！这辈子没见过这么大的雨。”他笑着对谭功达说，“谭县长，怎么您没下乡去啊？”

谭功达没心思跟他搭讪，只是啊啊了两声，算是跟他打了招呼。他拎着凉鞋，歪歪扭扭地踩着院中一溜红砖，像跳舞似的上楼去了。办公楼里空荡荡的，寂静无声，看不到一个人，就连平常在楼道里打扫卫生的两个清洁女工也不见了踪影。他顺着楼梯走到三楼，见办公室的门锁着，就意识到姚秘书没来上班。假如她临时外出，门通常是虚掩着的。他掏出钥匙，开了门，很快就在自己的办公桌上看到了一张姚佩佩留给他的便条：

我在县医院。

她去县医院干什么？莫非是她生了什么病？谭功达疑虑重重地走到电话机前，给白庭禹、钱大钧、杨福妹逐一打了电话。和他心中不祥的预感一样，电话没人接听。糟了！谭功达快步冲到窗前，一把推开窗户，对正在楼下通阴沟的老常叫道："老常，你上来一趟。"

不一会儿，他看见老常手里仍抓着那根铁条，两只手上沾满了污泥，出现在他办公室的门口。

"人呢？人都到哪儿去了？"他问道。

"人，什么人？"老常茫然不解地反问他。

"这办公楼里怎么一个人都看不见？"

老常吃惊地望着他，眉毛都拧到一块了，半天才说："不是下乡抢险去了吗？"

"抢险？抢什么险？"糟糕！谭功达的心猛地往下一沉，脸色顿时变得煞白。

"普济的水库大坝被洪水冲垮了。那个江水倒灌，这个冲走了两个村子，那个那个省里地委都派人来了。谭县长，你怎么一点都没听说吗？"

"你是说普济大坝决了堤？什么时候的事？"

"昨天，不，前天。"老常道。

"死人没有？"

"怎么没死人？昨天小王从乡下回来说，就他运回来的重伤号，死在县医院的，就有两个。"

"出了这么大的事，他们怎么不打电话通知我呢？"

老常的目光变得躲躲闪闪的："县长，这个，我就不太清楚了。"

"你有烟吗？"谭功达忽然对他道。

"谭县长，你知道，这个，我是不抽烟的。"

谭功达又问他被洪水冲走的是哪两个村庄。老常说，这个他不太清楚。

谭功达问他省地领导都是谁来了，老常还是那句话："这个我不太清楚。要是没什么事，我先下去了。"

谭功达赶到梅城县医院的时候，已快到中午了。门外的空地上乱七八糟地停着四五辆驴车和平板车，地上的积水尚未完全退尽，让人一踩，到处都是一片狼藉。几个身穿白大褂的大夫正忙着把一个裹着纱布的伤号从平板车上抬下来。大门的台阶上坐着一个六十多岁的老人，他发疯般地扯着自己胸前的衣服，号啕大哭。他的几个亲属表情木然地看着他，也不去劝。一旁的墙根下，摆着一个蒲包，上面躺着一个五六岁的小女孩的尸体，脸都已经发了黑。

医院的走廊里也是满地泥水。为了防止打滑，地上铺了干稻草，有一个护士手里端着一只簸箕，正朝地上撒炉渣，走廊两侧的木椅上横七竖八地挤满了伤号和家属。谭功达没走多远，就看见一个护士手里举着一只盐水瓶，推着一辆担架车，已经到了近前。

"让开。"那护士头也不抬，向他命令道。

谭功达问她，院长室在哪儿，那护士突然两眼一瞪，怒道："我叫你让开！"

谭功达一侧身，那辆担架车就贴着他的肚子过去了，把他的中山装纽扣崩飞了一颗。

谭功达一点都不生她气。这个护士的眼睛又深又亮，像秋天芦苇覆盖的深潭。只是不知她摘了口罩是个啥样子？在这紧急的关头，他的心里居然还有如此肮脏的欲念！王八蛋，王八蛋，你是个王八蛋！不过，他很快找到了院长室，一个大夫在门边的池子里洗手，谭功达站在门口，等他洗完了手，这才问他："你们领导在不在？"

"我就是领导。"那人把口罩往下一拉，露出一张长满胡子的三角脸来，"你有什么事？"

"我要找你们院长。"谭功达记得他们院长姓彭，去年春天，他因肾炎在这住院的时候，是院长亲自主刀替他做的手术。

"院长带着医疗队下去了，我是这儿的副院长。"白大褂双手插在口袋里，"您有什么事？"

"你能不能找几个人，我们来开个短会？我想了解一下这里的情况。"

"开会？您是说开会？您有什么资格召集我们开会？"那人上上下下地把谭功达打量了半天，摇摇头，冷笑道，"哼！开会？神经病！我那边还有个大手术，你一边待着去。"

说着，用那只戴着塑胶手套的手把他一推，谭功达冷不防差点被他推了一跟头。那大夫径自朝手术室走去，一边走一边回头道："你以为你是谁呀？有病。"

谭功达受了这一阵窝囊气，怔在那儿。县医院医护人员的工作作风是该好好整治整治了。等到这件事过去之后，要在常委会上专门把这个问题提出来，好好讨论讨论！必要的时候，还可以到医院来开个现场会，这个同志要做深刻检查。他沿着走廊，一直走到住院部的小楼前，脑子里晕乎乎的，突然听见背后有人叫他，回头一看，原来是民政科的小汤。

她正蹲在地上，用一把汤匙，往一个满脸裹着纱布的病人嘴里喂水呢。这是他在这里遇见的第一个熟人，就像看到亲人似的，略微有些激动。谭功达挨着她蹲了下来，问她现在的情况怎么样。

汤碧云笑了笑道："别提了，简直是一锅粥！我已经两天两夜没好好睡过觉了。"

谭功达又问她知不知道这次大坝决堤到底死了多少人，汤碧云抬起胳膊，擦了擦鼻尖上的汗，说："还好。"谭功达又问她"还好"是什么意思，汤碧云说："送到县医院来的病人，只死了三个，一个老人，两个孩子，还有一个人刚送来，听说正在手术室急救，不知道保得住保不住。"谭功达问起大坝那边的情况如何，汤碧云忽然抬头看了他一眼，咯咯地笑了起来："您是县长，怎么这些事情倒反过来要来问我？您是刚从月亮上下来的吗？"

不过，她还是絮絮叨叨地说："普济是个高地，没什么损失。兴隆、长旺两乡受灾比较严重。听那边回来的人说，目前已经找到了六七具尸体，失踪人员还没有统计清楚。送到这里来的，都是重伤员，轻伤都就地安排在普济、夏庄的卫生院里。地委的医疗队今天早上已经赶到了。天气太热，昨晚这里的大夫们议论说，弄不好会有大的传染病发生，要是那样的话，事情就糟糕了……"

这该死的沼气！谭功达不禁红了脸，道："听说，听说姚秘书也在这儿，怎么没见她？"

"她呀，您快别提了！"一提起姚佩佩，汤碧云就笑得眼睛都眯成了一条缝，"俗话说，郭呆子帮忙，越帮越忙。她昨天晚上才从家里赶过来，浑身上下淋了个落汤鸡，我们不得不放下手里的活，去央求护士找衣服给她换。七手八脚总算把她伺候停当了，就让她帮着去抬伤员，没想到这个人丢人现眼，一见到那人嘴里吐出血来，就把担架一扔，自己先晕了过去。把那伤员重重地摔在地上，嗷嗷地乱叫。大夫们还得先腾出手来救她，您说她这不是添乱吗？”

谭功达也笑了起来：“她人呢？”

“在住院部的104房间，躺在那儿吊盐水呢。我刚才还去看过她，早没事了。”

谭功达来到住院部，104病房的门开着。里边躺着几个待产的孕妇，家属们坐在床上聊天。谭功达伸着脖子朝里边张望了半天，才在北窗的墙边找到了姚佩佩。她正躺在床上照镜子呢。一看到谭功达，姚佩佩的脸上就露出吃惊的神色，随后她就笑了起来：

“怎么搞的？你怎么把自己弄得像个叫花子似的？”

她这一说，早已引得同病室的那些孕妇都把目光投向他。谭功达手里拎着一双凉鞋，打着赤脚，裤腿卷过了膝盖，大热天还穿着中山装，敞着怀。

“你怎么样？头还晕吗？”他在姚佩佩床头的一张小圆凳上坐了下来。

姚佩佩没有吱声，她紧蹙着眉头，嘴唇有些发干，过了半天，才叹了一口气，侧过身来看着他，轻声道：“我倒还好，你呢？你可怎么办呀？”

他知道姚佩佩话里的复杂意思，心头一热，喉咙就有点堵得难受。姚佩佩问他有没有吃午饭，谭功达摇了摇头。她指了指床头柜上的一个饭盒，说她姑妈刚给她送了点桂圆粥来，问他要不要吃。谭功达说，他没有一点胃口，只是想在这里静一静，一会儿就要走的。

姚佩佩说，大约是在星期五下午快下班的时候，她第一个接到高麻子打来的报警电话。她发了疯似的到处找他，可整幢楼都找遍了，就是不见他人影，她不断地给他家打电话，一直打到天黑，也没人接，这个时候，她才无奈地想起来，应该向白庭禹汇报。白庭禹一听大坝决了堤，当即就兴奋得不行。白庭禹让她通知所有县机关的工作人员，没下班的一个不许下班；已经回家的也要在二十分钟之内召回，全体人员赶到四楼会议室开紧急会议。姚佩佩大着胆子没去开会，一直守在办公室里，守着那台电话机：

“我想着，万一你要是听到一点风声，说不定就会打电话来的。”姚佩佩道，“这两天，你究竟到什么地方去了？是不是去了外地？出了这么大的事，你都不在现场，接下去怎么办？”

“我哪儿也没去，”谭功达叹了口气道，“这些天我没在家住，一直在郊外的红旗养猪场。”

“你到养猪场去干什么？”

“都是那该死的沼气！”谭功达道，“星期三刚上班，沼气攻关小组的阿龙来找我，说他们试验了一年的沼气池已经可以产气点火了，问我要不要去现场看看。我们刚刚赶到那里，就下起雨来。”

“沼气成功了吗？”

“点了几次火，都没成功。后来阿龙说，雨下得太大，也许密封池进了水。在大雨的间歇，他带我去了二号池边看了看，阿龙还朝池子里丢了一根火柴，谁知道嘭的一声，差点没把池子炸塌，还溅了我们一脸猪粪。”

“怪不得你身上一股臭味！”

“当天晚上，阿龙就让我在他们那儿打个地铺，住一宿，等第二天雨停了，再试一次，谁知这雨越下越大，没完没了。”

“那你眼下打算怎么办？”佩佩问他。

“我这就到普济水库那边跑一趟。”

姚佩佩从枕头底下摸出一个钱匣子来，把里面的钱和粮票都翻出来，递给他：

“你这会儿去那边，不就成了峨眉山上的猴子了吗？”

“猴子？什么猴子？”

姚佩佩冷笑了一声，接着又说：“峨眉山上的猴子下来了，要去抢夺胜利果实……人家总指挥、副总指挥正忙得不亦乐乎，你这时跑去插一脚，哪里能讨到个好脸色？只是自取其辱。要我说，干脆你哪儿也别去。回家好好洗个澡，睡个觉是正经。这么一闹腾，别的事我不知道，好歹，你这个县长恐怕是做不成了。”

她见谭功达木呆呆地坐在那儿发愣，就轻轻地推了推他：“再说，你怎么去呢？小王又不在。”

“我在马路边随便拦个什么车就行了。”

谭功达来到医院外，瞅见一辆运伤员的驴车，停在马路对面。一个黝黑的中年汉子头戴一顶破草帽，脖子上搭着条毛巾，正在给毛驴喂桑叶。谭功达朝他走过去，问他能不能捎他去普济。

“不行不行！”赶车的说，“给我多少钱都不行！一天跑两趟县城，我的这头驴都累得快吐血了，不要说你，待会儿我自己回去，都舍不得坐。”

谭功达没再说什么。等到毛驴吃完了桑叶，那汉子晃了晃手里的柳条，赶着毛驴，一路摇摇晃晃地走了。在烈日炎炎的煤渣公路上，谭功达差不多站了一个多小时，还是没拦下一辆车来。有一辆装煤的车倒是停了，可司机嘴里叼着卷烟，跳下车来就是一顿臭骂，连推带搡，差一点没把谭功达撵到路边的排水沟里。

谭功达气得双手在裤腰带上乱摸了一气。他是在摸枪。这是他在部队时养成的习惯，每当他遇到难以忍受的耻辱之后，第一个反应就是去腰上摸枪。

他听着淙淙流淌的渠水，脑子里悲哀地闪过这样一个念头：属于他的时代已经彻底结束了。他抬起头来，看了看远方钢蓝色的群山，看了看那条蜿蜒起伏的煤渣公路，四周的旷野一片沉寂。

他把手里拎着的那双塑料凉鞋穿在脚上，返身朝县城的方向走。可他不知道要往哪里去。这个世界在顷刻之间似乎突然变得与自己无关了，他成了一个多余的人。

黄昏的时候，他终于来到了梅城汽车站的售票窗口。里面有两个女售票员，正盘腿坐在床上打扑克牌。谭功达把脑袋伸进去，问她们有没有去普济的班车，那个年轻的姑娘立刻瞪了他一眼，道：

“最后一班车半个小时前已经走了。”

说完，她从床上跳下来，啪的一声就把那扇小门关上了。

2

这天早上，姚佩佩一觉睡过了头。等到姑妈拎着一兜桃子从早市上回来，把她叫醒，已经十点一刻了。姑妈见她手忙脚乱地穿衣服，看了看墙上的钟，劝她道：“都这辰光了，你再洗洗弄弄，赶到单位，也快要吃中饭了。不如上午就别去了，你来帮我搭把手，我们今天包馄饨。”

姚佩佩想了想，一脸苦笑：“不行啊，昨天才刚刚宣布了新的作息制度和工作条例，无故旷工，可是要开除的呀！”

“那你就到楼底下老孙头那儿，给单位打个电话，就说生病了。要不，我去替你打？”

“算了，还是我去吧。”

姚佩佩睡眼惺忪地从床上爬起来，趿着拖鞋，踢踢踏踏地下楼去了。他们家的隔壁就是县肉联厂，传达室的孙老头那儿有一台电话机，附近的居民要是有个什么急事，都去他那儿借电话用。这孙老头的脾气阴晴不定，让人琢磨不透。有时让打，有时不让打，全看他高兴不高兴。他要是不高兴起来，就是你家房子着了火，他那电话机也不准你摸一下。久而久之，弄得街坊邻居都有些怕他。姑父升了副校长之后，姑妈常常用孙老头的例子来开导他：“有官做，也要会做，你看那孙老头，什么官儿都不是，只管一部破电话，也混得人五人六的，谁见了他不都巴巴的……”

姚佩佩怯怯地给县委办公室打了个电话。杨福妹表现出来的热情令她感到十分意外。她一会儿“小姚”，一会儿“佩佩”，叫得挺亲热的，可姚佩佩心里还是挺别扭的。杨主任听说她身体不舒服，便关切地问她生了什么病，头上有没有热度，有没有请大夫来看过。她还特意介绍了一剂治疗拉肚子的偏方，说是将车前子挖出来洗净，和芦根一起煎水喝。最后杨福妹笑道：

“佩佩同志，这几天大家都舍生忘死，啊，奋战在抗洪救灾第一线，涌现出一大批可歌可泣的感人事迹。啊，你在县医院的表现也是有目共睹的嘛！很多同志向我反映，你虽说在救死扶伤的过程中累得昏了过去，却还是轻伤不下火线，这是什么精神？啊，这是无私的、彻底的为人民服务的精神！值得我们大家好好学习。你在抗洪斗争中累倒了，就在家中好好休息，上午的会你就不用参加了。不过呢，下午两点，我们还有一个重要的会，啊，你能不能带病坚持一下？喂喂……”

杨福妹在电话中说个没完，好不容易才放下电话。姚佩佩向孙老头道了谢，正要走，忽听得孙老头嘿嘿一笑。孙老头盘腿坐在凉席上，正用指甲抠着脚底板的老皮，他那老鼠般又小又亮的眼睛，骨碌碌地转动着，笑道：

“小姚，听说今年新鲜的桃子已经上市啦？”

佩佩心里想：一定是他刚才看见姑妈买了一兜桃子进门，才故意琢磨出这句话来，启发她。她赶紧回到家中，拣大的挑了三五个桃子，给他送了过去。

吃过中饭，姚佩佩骑着自行车去县里上班。太阳火辣辣的，洪水刚退，地上仍不时可以看到晒得发臭的小鱼和泥鳅。她刚骑到巷子口，迎面就碰见了两个穿灰色短袖制服的陌生人。两个人都戴着眼镜，衣兜里都插着钢笔，手里都有一个一模一样的公文包。姚佩佩再仔细一瞧，这两人的长相竟然也有几分相似，心里觉得有些滑稽，忍不住就多看了他们一眼。这一看，其中的一个陌生人一把抓住她的自行车龙头，笑着问道：“同志，请问这儿是大爸爸巷吗？”

“是啊。”

“有一个名叫卜永顺的人是不是住在这里？”

佩佩一听他们要找卜永顺，笑了起来：原来是找姑父。她朝巷子里指了指：“你们从这巷子一直走到头，往左拐，看见一棵大香椿树，就再往右，就可以看见肉联厂的大门了。我家，不，他家，就住在肉联厂的隔壁。”

两个人同时露齿一笑，道了声谢，挺着胖胖的肚子，迈着整齐的步伐，走了。

姚佩佩来到县委大院门口，看了看表，已经迟到了五六分钟。她看见司机小王拎着一只铁皮铅桶，手里拿一块抹布，正在擦他的吉普车。在吉普车旁边，还停着一辆黑色的小轿车，窗户上遮着一层白色的纱幔，车身满是泥迹。传达室的老常也在那儿帮忙，他手里捏着一根棍子，正要把轮胎上厚厚的干泥巴捅下来。

自从姚佩佩收到小王的情书之后，几天来，她一直有意无意地躲着他。小王也像是变了个人，脸上多了一层阴郁之气，成天没精打采的。人比原来也更瘦了，嘴边留了一撮黑笃笃的小胡子。小王的胆子太小了，人也腼腆，有时候在路上碰见姚佩佩，自己脸一红，就像做贼似的，一个人远远地绕开了。到了后来，弄得姚佩佩也有了一种负罪感：本来是两个好朋友，在一起有说有笑的，可给那羊杂碎一搅，反而弄得仇人似的，心里不免有些伤感。有时候也想到给他写封信，又怕伤了他的自尊，因此左右为难。

佩佩在院子里停好自行车，正要上楼去，没想到小王朝她紧走几步，嘴里冷不防冒出一句：

“打倒法西斯！”

姚佩佩一愣，感觉有点恍惚，半天才想起来他情书中的那个约定：如果她同意跟他谈恋爱，就应当回答说：“胜利属于人民！”可如果不同意呢？小王信中可没写。要是不搭理他，好像也不太礼貌，情急之下，就故意装出没听懂他话的样子，胡乱道：

“哪来的法西斯？吓我一跳！”

随后，头也不回地从他身边走开了。可小王还是不死心，手里捏着那块抹布，又朝她追了过来，到了楼门口，冲着佩佩的背影，喊道：

"革命尚未成功！"

佩佩一愣，站住了。她本想回他一句"同志仍须努力"，可转念一想，这不行。如果这么说的话，不是一种变相的鼓励又是什么？这表明，自己尽管目前不同意，可以后还是有希望的！这小子，别说，还挺贼的，天知道他怎么想出这么个鬼主意来！自己差一点上了他的套！想到这儿，姚佩佩转过身去，对他笑了笑：

"同志继续擦车！"

随后，她头也不回地上楼去了。

她听见老常在身后对小王嘀咕道："哟嗬！你们两个小鬼头，还对上暗号了呀。"

会议还没开始。走廊里挤满了一堆一堆的人，都在小声地议论着什么，只有谭功达一个人远远地站在楼道的窗口吸烟。会议室里也是乱哄哄的，姚佩佩看见汤碧云手里拿着一把纸扇，呼啦呼啦地扇着风。房间里弥漫着一股汗酸臭。汤碧云告诉她，好像是扩音器的线路有问题，会议推迟了。

她看见主席台上的几个人都在交头接耳地说话。钱大钧手里托着一只烟斗，正在金玉的耳边说着什么，几个穿蓝布工作服的电工浑身都叫汗水浸透了，正忙着检查扩音器的线路。金玉身穿拷绸皂衣，一边频频点头，一边探头向会场张望，似乎在寻找什么熟悉的人。

汤碧云今天满脸不高兴，不怎么爱说话。姚佩佩把在楼下碰到小王的事跟他说了，碧云也只是勉强笑了一下。

“你这人怎么了？”姚佩佩推了推她，“就像人家欠了你三百吊似的？”

碧云正想说什么，忽听得扩音器炸出吱的一声，震得她们赶紧捂住了耳朵。既然扩音器已经修好，钱大钧清了清喉咙，宣布开会了。照例是全场起立，照例是合唱《国际歌》。姚佩佩自幼五音不全，再加上歌词也记得不太熟，本想不唱，一见汤碧云唱得有板有眼，也只得跟着她忽高忽低，怪声怪调地乱唱了一气。可唱了没几句，忽见汤碧云面有怒色，对她耳语道：“你不会唱，就不要瞎唱！害得我跟你一起跑调。”姚佩佩脸一红，再也不敢出声了，心里嘀咕道：这羊杂碎，今天这是怎么了，这么假正经！

会议的第一项议程，由金玉代表省委，宣布撤销谭功达党内外职务、停职检查的决定。随后，地委副书记邱忠贵宣布梅城县新的干部任命：白庭禹担任梅城县县委书记；钱大钧任代理县长；杨福妹升任副县长兼办公室主任。姚佩佩抬起头来，从主席台上一个个数过去，果然已经没有了谭功达的身影。虽然心里早有所料，可还是觉得怅然若失。会场上鸦雀无声，一台老式电风扇呼呼地转动着，扇得主席台上的纸页片片翻起。

接下来，由新任代理县长钱大钧宣读抗洪救灾先进个人名单。姚佩佩听见自己的名字也赫然在列，心里觉得既凄凉，又滑稽。她见汤碧云表情肃穆，正襟危坐，便在一页纸上，写了句悄悄话，用铅笔的橡皮头，戳了戳她的胳膊，让她去看。没想到，汤碧云很不耐烦地咂了一下嘴，一把抓过那张纸来，飞快地写了一句话，递给她，佩佩一看，见上面写的是：

对不起，现在正在开会，有什么事请你开完会再说！！

望着那两个惊叹号，姚佩佩简直不敢相信自己的眼睛。渐渐地，她的目光就有些呆滞，脸上火辣辣的，泪水在眼眶里打转。她悲哀地意识到，每个人的内心都是一片孤立的、被海水围困的小岛，任何一个人的心底都有自己的隐秘，无法触碰。从现在开始，坐在她身边的这个汤碧云，再也不是以前那个以自诩为落后分子为乐、与她沆瀣一气的姐妹了。再好的大观园，也会变成一片瓦砾，被大雪覆盖，白茫茫一片。佩佩觉得自己的内心黑暗无边，而其中最珍贵最明亮的那一缕火光，已经永远地熄灭了。往后，她必须一个人来面对这个让她战栗不安的世界了。

她听见钱大钧吞吞吐吐地宣布会议的最后一个议程，由谭功达上台做公开检查。当钱大钧提到"谭功达"三个字的时候，明显地犹豫了一下——似乎自己的老上级虽然已大权旁落，却仍然余威犹存。会场上出现了一阵轻微的骚动。

佩佩低着头，看着自己的脚尖，不知如何面对接下来的一幕。可是她所担心的事并没有发生。坐在门边的一个干部向白庭禹报告说，会议刚开了没几分钟，坐在台下的谭功达就起身走了。白庭禹似乎颇为尴尬，他赶紧与坐在身边的杨福妹说了句什么。佩佩看见杨福妹迈着她那肥胖的萝卜腿，从主席台上下来，急火火地走了。她大概是找谭功达去了。

时候不大，杨福妹又气喘吁吁地跑了回来。她走到主席台前，踮着脚，在白庭禹耳边说了句什么。白庭禹又侧过身去，与金玉交谈，金玉的脸色也很不好看。会议中断了二十多分钟，钱大钧脸色铁青地宣布散会，大家回办公室继续上班。

姚佩佩心里长长地松了口气，有些暗自庆幸。她跟了谭功达这么些年，这还是她第一次发现谭功达做出了一个正确的决定。她脑子里乱哄哄的，正在犹豫着在散会之前，要不要与汤碧云打个招呼，可当她回过神来，才发现身边的椅子早已经空了，汤碧云不知什么时候已经离开了会议室。

姚佩佩走进办公室，看见谭功达把办公桌的两个抽屉都搬了出来，正在那儿整理自己的东西。他显然对今天的会议早有心理准备，看上去倒是一脸轻松，见姚佩佩抱着一堆文件进门来，谭功达对她笑了笑："让我做检查，凭什么让我做检查？撤老子的职可以，让我检查，门儿都没有！"

他见姚佩佩没有答话，又道："你知道刚才杨福妹来叫我去做检查，我是怎么回答她的？"

"您怎么说？"

"屌！"

佩佩听他这么说，有点不好意思，可心里倒觉得莫名其妙地畅快。他要是不当官，也许就能变得聪明一点。这傻瓜被撤了职，也未尝不是一件好事！她赶紧放下文件，忙着过去帮他一起整理东西。谭功达随手将一大摞捆好的信件从桌上推过来，让佩佩拿到盥洗室去烧掉。

"全都烧掉吗？"

"全烧掉！"谭功达道，"这些人吃饱了饭没事干，成天写什么匿名信……"

“可是……”姚佩佩突然打断了他的话，微微红了脸，“其中有几封是我写给你的……”

“你？”谭功达痴痴地看着她的脸，声音一下子变得温柔而暧昧，“真的吗？那，那我们，把它找出来？”

“不用找了，都是骂你的话。”佩佩低声道。他竟然对那些匿名信毫无印象！也许他根本就没有拆看！看来自己的一番心思算是白花了。要是再有一点耐心，再等上三四分钟，苦楝树上的阴影说不定就会移走的……

“你写过几封？”

“记不清了……”

“我们天天在办公室见面，你有什么话还不能当面说吗？干吗要写信？”

“您说呢？”

…………

正在这时，钱大钧神色慌张地从外面走了进来。他一脸尴尬地看了佩佩一眼：“姚秘书，你出去一下，我和老谭说几句话。”

姚佩佩看了看谭功达。谭功达朝她使了个眼色。佩佩只得从椅背上拎过她的包，出去了。

她听见钱大钧在身后把门关上了。

姚佩佩回到家中，见姑妈满脸堆笑，面有喜色。她笑嘻嘻地盯着佩佩的脸，笑得她心里发憷。随后姑妈捉住她的一只手，神神道道地将她拉到客厅的椅子上坐下，拍着她的手背，说：

“闺女，这么大的事，你怎么也不事先跟我说一声？”

姚佩佩满脑子都是谭功达被撤职的事，满腹焦忧，心神不定，见姑妈这一问，便吃了一惊，忙问道：“到底是什么事，让姑妈这么高兴？”

她姑妈假装生气地把她手一推，嗔怒道：“死丫头，到现在你还想瞒我！政府派来的两个做外调的同志已经向我透了底了。”

姚佩佩一听说“外调”两个字，头一下就大了。她用手捋着肩上的背包带子，忽然想起今天下午在巷子口碰到的那两个陌生人。她起先还以为是姑父单位的同事呢，原来是为自己的事而来。

“今天下午，你前脚走，他们后脚就找来了。一进门就掏出本子来，问这问那。我问他们到底想了解什么事，他们就说，只要与姚佩佩同志有关，所有的事都不应该向组织隐瞒。我当时就是一愣，还以为你在单位犯了什么错误，再看了看那两人的脸色，慈眉善目，态度也还和蔼可亲。我一边用一些不相干的事来搪塞，一边旁敲侧击地打听事情的来龙去脉。在没弄清楚他们的来历之前，我什么话都不会跟他们说的。那位年轻一点的，毕竟历练不深，经不住我再三盘问，便道：‘是省里要调姚佩佩同志去工作。’我一听说你要去省里工作，这接下来的话就好说了。我把你夸得像一朵花似的，反正闭着眼睛瞎吹呗！把死的说成活的；把活的说成会飞的。那两人可真傻！我的话他们还真信！说什么他们就记什么。我又问他们，我们佩佩若是到了省城，会给安排个什么工作？那年纪稍长一点的倒是口风很紧，他说他也不清楚，他们的任务只是负责材料。你这个丫头，虽说摊上了那么一个反革命家庭，倒是命硬，哈哈。你是哪里修来的这个福分？天上掉下一块金子来，怎么偏偏就砸在你的脑袋顶上？”

她正这么眉飞色舞地说着，姑父也下班回来了。姑妈立即就丢开她，围着姑父，把刚才说过的话又添油加醋地说了一遍。姑父也挺高兴的，少不了又把佩佩叫到身边，以长辈的口吻勉励教训了她一通。末了，姑妈又将她拽到一边，低声对她说：

“不过，那两人倒是问起了你的家庭历史。详细地盘问你爹被镇压、你妈上吊的事，我起先还想替你瞒天过海。可那么大的事，怎么瞒得过去呢，也不知要不要紧……”

姑父满不在乎地插话道：“这个你不懂！不碍事的！她爹是她爹，她是她！我们的政策是：有成分论，不唯成分论，重在个人表现……”

“你少跟我‘我们我们’的！你他娘的又不是政府！”姑妈笑道，“不过你这话倒是不错。做外调的那两个同志也是那么说的。”说完，姑妈喜滋滋地去厨房准备晚饭去了。

吃饭的时候，姑妈嘱咐她，待会儿到楼下唐拐子的裁缝铺去量一下腰身，下午她从箱子里翻出几块布料来，要给佩佩做几件衣裳。

“这么急？你这个人呀，见了风就是雨的，现在才刚刚做外调，离正式调动还早着呢！哪里就耽误了你给她做衣裳！”

“话是这么说，还是早一点预备的好，佩佩你说是不是？”

姚佩佩说她这会儿头痛得厉害。而且她还要写一个入党申请书，是昨天杨福妹特意嘱咐的，明天一早就要交的。姑妈听说她要入党，又见侄女愁眉不展，心事重重，便没再坚持。姑父跷着二郎腿，手里拿着一份报纸，对佩佩道：

“怎么，佩佩要入党啦？”

姚佩佩苦笑了一下，叹了口气道：“哎，我哪有那么高的觉悟啊，哪有什么资格入党！还不是他们给逼的。”

姑父一听她这么说，当即脸色陡变，放下报纸，正色道：“新鲜！入党还有人逼你？”

姚佩佩便把杨福妹如何让她写入党申请书，她如何不愿意写，杨福妹如何跟她说，这是一项严肃的政治任务，而且明天一早就让她交上去等等细枝末节，说了一遍。姑父气得浑身乱抖，直着脖子喊道：“还有这样的事！入党是内心的一种纯洁自然的要求，怎么能强迫命令！我劝你不要写，不仅不要写，还要把这一情况及时地向上级党组织反映，这是严重的违背党章的行为！”

“放你娘的狗臭屁！”

姑父正说得得意，不料姑妈把桌子一拍，跳了起来：“人家领导让她入党，关你屁事！还不是指望她进步！你他娘的吃硬饭、拉硬屎，却不会说人话！这些年，入党申请书我看你至少写了十七八封了，可是顶个屌用！你别他娘的吃不到葡萄就说葡萄酸了！你要是早早入了党，那个副校长也不会给人家撸下来了。”

姑妈一旦骂起人来，便有一种回肠荡气之美。不知为什么，佩佩听了，觉得虽是满嘴脏话，心里却痛快无比！

姑父立刻吓得不敢吱声了。他把饭碗一推，抓起一只蒲扇，呼啦呼啦地乱扇一气，一个人下楼散步去了。

整整一个晚上，姚佩佩都坐在自己的梳妆台前，看着桌上的一叠信纸发愣。她的姑妈兴奋劲还没过，不时推门进来，跟她说话。一会儿问她入党申请书难不难写，一会儿又趴在她肩上柔声道：“佩佩，你到了省城，当了干部，会不会就不认我这个姑妈了？我以前对你狠了一点，言语上或许有个山高水低，可心里待你比嫡亲的女儿还要亲，我和你那老不死的姑父没能弄出一儿半女，日后就全指望你了……”说完照例又是抽泣。弄得姚佩佩只得放下笔，回过身来劝她。

到了九十点钟的时候，姑父还没回来。姑妈却笑嘻嘻地抱着一大摞材料往佩佩的梳妆台前一放，悄悄地对她说：“这都是我从你姑父的抽屉里翻出来的，你姑父什么事都不会做，就会写这个入党申请书，你找找看，有没有他写过的申请书，若是有，你就照抄一份就行啦，费那么大劲干什么！”

说完，就踮着脚出去了。她走到房门口，又回过头来，对佩佩嘱咐道：“要抄你就快点抄，你姑父一会儿恐怕就要散步回来了。”

姚佩佩心里只得苦笑。她摇了摇头，顺手拿过那堆材料，一页一页地往下翻，可翻了没几页，突然眼前一亮，暗自吃了一惊！这哪是什么入党申请书！一共六份材料，全是姑父写的悔过书！材料中写的是他和学校的一名化学女教师之间的腐化丑闻。她刚开始还不知道搞腐化是什么意思，可看了两页，脸就红了。

姑父在信中交代说，这名出身地主家庭的白骨精女教师，如何向自己进行猖狂进攻；自己如何坐怀不乱、威武不屈；对方又如何穷追猛打。这是一条隐藏在革命教师队伍中的资产阶级美女蛇，因为她长得像电影演员王丹凤，自己一时把持不住，竟做出了那样一件“禽兽不如”的勾当……

虽说是七月的夏日，可看完了这份材料，姚佩佩周身一阵冰凉。平常老实巴交、令人尊敬的姑父，竟然是这么一个人！尤其是事发之后，他竟然将全部的脏水都泼到那个长得像王丹凤的可怜女教师头上！佩佩心里突然就有一种说不出的厌恶之感。不知怎的，她又忽然想起汤碧云来，脑子里盘旋着“人心隔肚皮”这句俗话，看着窗外迷茫的夜色，一时悲从中来，泪流不止。

3

谭功达已经两个多星期没去县里上班了。他知道他眼下的任务就是做梦。

没日没夜的昏睡，很快让他对时间的感觉变得迟钝。夏日的夜晚皓月当空，露水浓重。蟋蟀和金铃子叫个不停。多少个晚上，他摇着扇子，躺在院中的竹椅上，看着天空中金粉一样的星斗，昏昏睡去，直到黎明啾鸣的鸟叫将他惊醒。

他忽然记起十多天前，也就是他被解除职务停职检查后的第二天，家中来了一位道士模样的算命先生。这个人牙齿漆黑、面色焦黄，看上去就像一个鸦片烟鬼。一进门就对他说：“你知道为什么在县长的位置上给人撸下来了吗？这屋子里有鬼，冯寡妇阴魂不散。”

随后他从怀里摸出一面小圆镜来，说是要替他降妖捉怪。那天中午，骤雨初歇，天空中同时出现了两道绚丽的彩虹。道士说，这样奇异的天象一百年才会出现一次。

“这么说，是吉兆喽？”谭功达厌恶而讥讽地问他道。

“倒也不尽然。两道彩虹分别是通往未来的跳板，左边那条是吉兆，右边的那一条，却也难说。”道士说。

谭功达又问他，将来自己会不会结婚。

道士想了想，道：“会的，会的。还会有孩子。是个男孩。”

"跟谁结婚？"

"那要看。现在，一切都很难说。因为毕竟，洗澡水还没有泼到你身上。同样的道理，时光可以倒流。苦楝树和紫云英花地的阴影，也可以重新被阳光驱散……你能不能先给钱？"

谭功达见他满口胡言乱语，也没怎么搭理他。他按了按自己的下腹部，问道：

"这几天，我的左肾老是疼。我是得过肾炎的，还开过刀。近来伤口隐隐作痛，会不会有什么问题？"

"身体不好，你应当去医院。"道士狡黠一笑，接着道，"不过，你的问题不在左边，而在右边。记住，永远是右边……"

"右边？右边是肝啊，我的肝可没什么毛病……"

那道士冷笑着，向他伸出一只瘦骨嶙峋的手来，暗示他先给钱。

谭功达终于失去了耐心，连推带骂，将他轰走了。

那道士倒也不生气，嘴里只是道："惨了，惨了！你惨了！你惨透了！用不了几天，洗澡水就要泼到你头上了……"

洗澡水？他娘的，哪来的洗澡水？

在他书房的桌上，摊着一张梅城规划图。这张图是他请一个刚刚分来的学美术的大学生绘制的：技法精湛，出神入化。图上不仅精确地标明了梅城县每一座村庄的具体位置，而且还画出了山峦、河流、湖泊、峡谷的大致形貌。这不是一张普通的地图，倘若稍加修饰，完全可以送去参加中国美术协会的年度画展。他画的是未来梅城春天的景象，甚至还用颜料点染出缤纷的鲜花、路上的行人和汽车。

"这是紫云英吗？"他指着画上的花丛问道。

“不，是桃花。”大学生说。

他还给这幅地图取了一个名字，叫做“桃源行春图”。谭功达问他能不能在图上画上一道长廊，将梅城县的每一个村庄都连接起来。

“为什么？”大学生吃惊地问道，“为什么要画长廊？”

“这样，全县的人不论走到哪里，既不用担心日晒，也挨不了雨淋。”

“人家都叫我疯子，原来县长您比我还要疯。”大学生笑着对他说，“不过，这是不可能的！”

“为什么不可能？”谭功达问他。

“没有为什么。”大学生神秘地扬了扬眉，“艺术，你不懂的！”

可惜的是，谭功达还没有来得及将这幅新地图拿到常委会上去讨论，就被免了职。到了晚上，地图上的山川、河流一起进入他的梦中，他甚至能听见潺潺的流水声，听到花朵在夜间绽放的声响。

一个星期前，县里派来了几个工人，扛着梯子，把他屋里的电话给拆走了，他与外界的联系就此中断。没过两天，又来了另一拨人，他们是一些木匠和泥瓦匠，手里拿着皮尺，一进门就指手画脚，把他家转了个遍，随后拉开皮尺量这量那，忙活了整整一个上午。谭功达问他们是干什么的，工头说：“这房子要大修了。”

谭功达忙问，是谁让他们来修房子的。

工头说：“你别紧张，这房子要拆，起码还得等一个月。是县委办公室让我们来的。”

“房子拆了，我住哪儿？”

“这个我们哪里管得了！”工头道。

由于心里记挂着沼气池的试验，谭功达还抽空去了一趟红旗养猪场。他特地起了个大早，从梅城县汽车站坐车到城郊的造甲村，然后步行五华里的山路，才赶到养猪场。一名饲养员告诉他，在这儿试验沼气的几个人早就卷铺盖离开了。用来试验的几个大池，也早已出了粪……

“你不是不当县长了吗？”饲养员不解地看着他，“还管这些鸟事做什么？”

这天晚上，谭功达在西津渡一家小饭馆中喝了点白酒，一直到店主人再三催促打烊，他才怏怏不乐地离开。他喝了太多的酒，被风一吹，酒食翻滚，涌向喉口。他忍了又忍，才没吐出来。

他走到家门口，隔着浓浓的雾水，忽然看见自家屋里竟然亮起了灯光。他深一脚浅一脚地往前走，心里明明记得一大早出门的时候是锁上门的，这会儿，家里怎么会亮灯呢？他再次摸了摸门上的铁锁，湿漉漉的，并未打开。这时候家中怎么会有灯光呢？

谭功达看见厨房中灯影幢幢，似有人影晃动。难道果然像道士所说，冯寡妇的冤魂不散？心中不免也有几分疑心。他打开院门，蹑手蹑脚地走到厨房边，正想探头朝里边看个究竟，冷不防闪出一个黑影来，哗地从里面泼出一盆水来，浇得他浑身透湿。谭功达怪叫了一声，把那人也吓得吱哇乱叫。

“怎么这么巧？”那人咯咯地笑了起来，“把洗澡水泼了你一脸。”

听起来是个女人的声音，谭功达在脸上胡乱地抹了几把，凑到厨房的灯光下，定睛一看，哪是什么冯寡妇的冤魂！原来是上次在老徐办公室见过的那个农妇张金芳。

她刚刚洗过澡，穿一条花短裤，上身只穿一件对襟小马夹，两个乳房鼓鼓囊囊，像是要把马甲撑破似的。她倚在门边，笑嘻嘻地看着谭功达，嘴里甜甜地道："谭县长，你不记得我了吗？"

"我已经不是什么县长了，你别乱叫！"谭功达的心里还在怦怦乱跳，"先不跟你说这个，我门关得好好的，你是怎么进来的？"

"那还用问？从篱笆缝里钻进来的呗。"张金芳拧了拧手里的毛巾，就过来替他擦了擦头上的水，她的乳房在他眼前晃个不停。她穿着一条红短裤，大腿又粗又白，身上有一股好闻的肥皂味儿。

她带来的那个五六岁的孩子，歪在灶堂里的柴火堆上，张着小嘴，已经睡熟了。这个女人洗了澡之后，自然有一种爽净与妩媚：口宽脸阔，细眉大眼，肤色红润，身材壮硕。谭功达不禁酒往上翻，血往上涌，心中摇摇欲醉。他在看她的时候，那女人也望着他，一直在妖娆地笑着。

"你怎么又找到这儿来了？不是说好了不来的吗？"谭功达扶住墙，只觉得眼前一阵眩晕。

"房子被冲了，地也被淹了，不找县里，你让我找谁去？"妇人仍是笑。

"县里不是在普济设了临时居民点吗？"

"那鬼地方也能住人？胡乱搭几个窝棚，把我们往里一塞，每天发几个馊馒头，就算完事啦？晚上连个帐子也没有，我那苦命的孩子，浑身上下，被咬得没有一块好肉。"张金芳道，"前天早上，县防疫站的人又来喷药，我一打听，才知道是防霍乱的，我胆子又小，一听说要闹霍乱，就连夜带着孩子，奔县上来了。到了县上，天已经快黑了，门都关了，传达室那老头认得我，死活不肯开门，我没办法，只能一路打听，找到您家来了。"

“有事请你到县里去说。再说，现在我已经不是县长了。”谭功达再次提醒她。

张金芳也不搭理他，从水缸里舀了水，把换下的衣服往脚盆里一泡，蹲下身子去洗她的衣服去了。谭功达怎么劝她离开，张金芳只装听不见，嘴里带着笑，不时拿眼睛偷偷地觑他。谭功达极力显出严肃威赫的样子，可他的嗓音根本不听使唤。再凶狠的话，一出口，全都变成了深沉低回的呢喃，就像清澈的水流漫过春天的草地，声音中带着柔情蜜意。

四周静谧无声，窗外的一轮弯月，泛着清冷的光。他忽然觉得那月亮开始转动。紧接着，整个厨房都像磨盘一样地转动起来，而且越转越快。他一个立脚不稳，向前趔趄了一下，扶着墙就要呕吐。张金芳见状赶紧过来，在身上揩了揩湿手，一把揽住他，又在他背上轻轻地敲着。

谭功达呕吐了半天，只沥出一些绿色的苦水来。张金芳的脸和谭功达挨得那么近，耳畔的发丝不时蹭着他的脸。她敲了半天，见他也吐不出什么来，便拽过他的一只胳膊，架在自己的肩上，搂着他的腰，扶着谭功达往卧室去了。

四十多年来，除了白小娴之外，谭功达还是第一次这么近地挨着一个女人。他浑身绵软无力，可他知道自己血液奔涌，像脱了缰的野马。她身上的汗味熏得他心旌摇荡。在沉沉的睡意中，他能够感觉到张金芳在脱他的鞋袜，解他衣服的扣子……他意识到女人用湿毛巾擦他的脖子、他的胸脯、腋窝……他能听见张金芳轻声地说：“真臭！你几天不洗澡了？”听见她用扇子在帐子里赶蚊子。随后金属帐钩当啷一响，一个甜蜜而污秽的声音在他耳朵边怂恿他：算了，这样多好！别管它那么多了，由它去吧！他在凉席上畅快地打了个滚，趴在床上，沉沉地睡去了。

到了后半夜，谭功达从一阵尖锐的头痛中醒了过来。帐子顶上浮着一层微暗的月光。他摸索着想要找到灯绳，却摸到了一个圆滚滚的脑袋上，心里就觉得不妙，酒也醒了大半。他又朝左边摸了摸，就摸到了那妇人的脸。

“你是不是要喝水？”

原来，张金芳并未睡着，正眨巴着她那明亮的大眼睛，轻声问他。

她一下就拽住了谭功达的胳膊，抱在怀里，任凭谭功达怎么用力，也抽不出来了。在这个富有经验的女人面前，谭功达就像一个不谙世事的孩子。她把他的手拽到罩衣的下沿，又贴着肌肤往上，滑向她的胸前……原来她的乳房这么大，都快堆到胳肢窝里了；原来她的身上这么软，这么滑，这么奇妙！张金芳浑身上下大汗淋漓，她平躺在凉席上，开始了沉重的喘息，嘴里喃喃道：“快，快……”她的喘息那么急促，胸脯起伏得那样厉害，面目那么狰狞、丑陋，牙齿咬得那么紧，吓得谭功达赶紧俯身问她：“张同志，你，你是不是哪儿不舒服？”

第二天早上，谭功达一觉醒来，觉得通体舒坦。他懒洋洋地躺在床上，什么心事也没有。在早晨凉爽的微风中，心里十分安逸。他从桌子上摸着了一包烟，叼起一根，正要点火，见自己全身赤裸，猛地就想起什么事来，嘴里叫了声“不好”，一骨碌从床上翻身坐起，吓得面无人色。

他要好好地想一想，昨晚的一切是怎么发生的。可脑子里一鳞半爪，什么头绪都没有，就像是做了一个又甜又黑的梦。他手忙脚乱地穿上衣服，赤着脚，满屋子找了个遍，怎么也没看见张金芳娘儿俩的身影。她和孩子都不见了。窗外的海棠树上一只梅鸟唧唧喳喳地叫个不停。

他走到院子里，看见院门大开，心里不由得一阵狂喜：难道他们走了不成？

当然不可能。

因为他很快就发现：他们随身带来的那个脏兮兮的大挎包就搁在井台上，张金芳昨晚换洗下的衣服在晾衣绳上被风吹得飘来荡去。他来到厨房，地扫得干干净净，水缸里的水都满了。他摸了摸锅灶，是热的，揭开锅，看见锅底蒸着一块面饼，还有一只鸡蛋。

他抓过面饼，刚吃了没两口，就听见院中似有人语响动。赶紧跑出门一看，见张金芳一手拎着一只芦花公鸡，一手抱着湿漉漉的水芹菜，那个孩子躲在她身后，两人正从门外进来。

"你醒啦？"张金芳笑道，"我做的饼子好不好吃？"

随后，她把那孩子往谭功达面前一推，道："腊宝，快，叫爸爸。"

那孩子怯怯地看了谭功达一眼，一转身又朝他娘跑过去，紧紧地抱着她的大腿。张金芳脸一沉，勃然变色："刚才在路上，我是怎么跟你说的！你是叫还是不叫？"说完顺手就给了那孩子一巴掌，腊宝嘴一张，哇哇大哭，眼泪鼻涕一起下来了。

张金芳也不搭理他，把那芦花大公鸡往地上死命一摔，那公鸡扑棱着翅膀，原地打转。张金芳一看那鸡还没死，就更火了，大步上前，一脚踩住那鸡的翅膀，把鸡的脑袋轻轻一拧，那公鸡吱的一声，脖子就耷拉下来，死了。

张金芳撸了撸袖子，对谭功达道："你吃完了饼，就去帮我烧锅开水，中午，我给你炖锅鸡汤喝。"说完，她用脚尖挑了一下地上的那把扫帚，那扫帚就自动地跑到她手里去了。她朝手心里噗噗吐了两口唾沫，搓了搓手，拉开架势，清扫起场院来。腊宝这时也不哭了，正用一根棍子蹲在院子里捅那公鸡的脑袋。

谭功达嘴里噎着一块饼，怎么也吞不下去，吓得目瞪口呆。

张金芳打扫完院落，又忙着去整理昨晚被他们踩坏的篱笆。谭功达深深地吸了一口气，走到她身边，蹲了下来，从地上抓过一根树枝，拨弄着地上的土块，一时不知怎么跟她开口。

"大嫂……"过了半天，他终于叫了她一声。

张金芳奇怪地转过头来，看着他，朗声笑道："你别大嫂、大嫂的，都是一家人了，叫得我心里怪别扭的。我是有名字的，你往后就叫我金芳好了。"

"金芳同志，我……"谭功达根本不敢去看她的脸，低着头道，"我想跟你说几句话。"

"说呗。"张金芳大声道。

她麻利地把倒塌的竹篱扶起来，再用草绳将它扎紧。谭功达拽了拽她的袖子，又朝篱笆外指了指，张金芳探头朝外面张望了一眼，果然看见篱外人影晃动，脚步杂沓。便拍了拍身上的灰土，站起身来，笑道："你这人，事情可真多！"

两人一前一后进了里屋。一进卧室，张金芳就把门给反锁上了。她走到床边，一屁股坐在床沿，把头上的方巾扯了下来，挪了挪身子，掸了掸床沿的灰土，对谭功达道："你也过来坐。"

谭功达没敢过去。他靠在床边的桌上，抖抖地点上一支烟，猛吸了起来。

“你不是要跟我说什么话吗？说吧。”金芳道。

香烟在谭功达指缝中抖动。奇怪，他怎么也控制不住它：“张金芳同志，你们打算什么时候走？”

“走？走到哪里去？”张金芳一脸坏笑地看着他。

“我是说，你们打算什么时候离开这儿？”

“我知道你要赶我走，是不是？”张金芳冷笑道，“不行啦！太晚啦！如今地也耕了，种子也下了，我已经是你的人了，你倒要赶我走，你这狗日的，良心都叫狗吃了！”

谭功达勉强地笑了一下，说，都怪他昨晚喝醉了酒，一时糊涂，才做出那样猪狗不如的事来。他愿意深刻检讨。他说，为了做出必要的补偿，他愿意将这么多年来积攒下来的全部工资都毫无保留地送给她，“只要……”

“只要我答应离开，对不对？”没等到谭功达把话说完，张金芳就咧开嘴笑了，“呆子，你可真是个呆子！做你娘的春秋大梦！鸡巴一拔，转脸就不认得人了？你就是送我一座金山，我也不会走的。再说了，既然我已经是你的人了，你的那些钱本来就是我的。”

谭功达听了她这一番话，才知道事情根本不像他预先想象的那么简单，脑袋嗡的一下就炸了。一个人呆在那儿，不知如何是好。

过了好一会儿，他又找出了另外一套说辞。

“张金芳同志，也许你还不知道，我如今已犯了严重的政治错误，”谭功达故意在“严重”两个字上加重了语气，“已经不再是县长了……”随后，他把自己如何被停职检查的事，从头到尾说了一遍。

张金芳不屑一顾地噘着嘴，笑道："你又编出这些瞎话来诓我！说你呆，倒也挺聪明的！你当我是三岁的孩子啊。"说完，她从床上跳下来，一摇一扭地走到谭功达身边，把脸贴在他的脸上，柔声道："你这个呆子！活了四十多年，我料你还没闻着过女人味！如今白送给你一个老婆，你也不要？别看我是乡下人，可当年青枝绿叶的时候，也算得上是十里八乡数一数二的美人哪！只可叹我家那死鬼没福消受，如今误打误撞落到你手里，也不知道你们老谭家修了几世几劫的福，你就别得了便宜还卖乖了。"

谭功达正要说什么，那张金芳早已将两片厚厚的嘴唇贴了上去，堵住了他的嘴，身体随之也变得软软的，似乎就要瘫倒，谭功达只得用手去捞住她。她又开始了喘息。她这一喘息，谭功达的心马上就乱了。那女人的身体软得像发过头的面团……两个人跌跌撞撞，挨到床边。仿佛是为了消弭一个小错误，就要去犯一个更大的错误，谭功达心一横，一不做二不休，将她压在了床上，一只手就要到她的腰间扯那腰带。张金芳见他正在兴头上，便假装用力去掰他的手，嘴里浪笑道："你还赶我走不赶？"

谭功达嘿嘿地笑了一声，嘴里说："不叫你走了。"

"你可想好了，不许反悔！"

谭功达说他已经想好了，绝不反悔。

张金芳又让他发誓，一遍比一遍刻毒。见谭功达无不应承，这才把手一松，由他去了。

不知过了多久，两个人都赤条条地躺在床上，累得像死狗一样。谭功达静静地吸着烟，极力地说服自己其实这样也挺好。这样也挺好，真的挺好！那张金芳把头枕在他的臂弯里，偷偷地笑。谭功达问她笑什么，她也不答话。半晌，张金芳用手拧了一下他的鼻子，悄声道：“你呀，果然是个呆子！”见谭功达愣愣地看着自己，就又接着道：

“这大水退了以后，县里让我们分批返乡，重建家园。可是县里、乡里也拨不出多少钱来，如何能盖得起新房子？我就想到来县上再闹它一闹，混几个钱，回去贴补贴补。可到了县委大院门口，天已经黑了，门房死活不让我进去，说干部们都下班了，让我第二天再来。我们娘儿俩，可怜，在大街上转悠了半天，也找不到个落脚的地方，身上又没带几个钱，就忽然想起你来。在路边随便找了个人打听了一下，还真的就问出了你家的地址。

“到了你家门口，一看大门紧锁，等了半天也不见你回来。正想着离开，还是我们家腊宝眼尖，一眼就看出你们家篱笆有个洞。我当时饿得头昏眼花，一看四周又没人，也就管不了许多了。本来我们也就想在你这儿讨碗水喝，对付着过一夜，运气好的话讨得几个钱，第二天就回去；如果运气不好，第二天就到县上去大闹一场。可一等到你喝醉酒回来，就见你两眼直勾勾地朝我身上看。我心里一动，心说这人都当了县长了，怎么还这么轻薄！我的心思就活动了。说实话，当时我有了这个心思，自己都吃了一惊。都说县长四十岁还没成家，可见是被憋坏了。我敢说，自打你进了厨房的那刻起，眼睛就没离开过我。我心里道：要是再激他一激，保不齐这事还真能成。结果呢，还真成了！”说完，抱着谭功达哈哈大笑。

谭功达一时无语，反正后悔都已经来不及了，心里就只剩下了这样一个念头：说不定这样倒也挺好的。

傍晚的时候，隔壁的老徐下班回来，给他送来一封信。老徐进屋的时候，看见他们三个人正亲亲热热地围着一个桌子吃饭，当即僵在那里，吓得话都说不利索了。

信是姚佩佩写给他的。写在一张日历的背面，很短，只有十几个字：

> 电话打不通。现有一事相商：我也打算从县里辞职，你的意见如何？

这天晚上，谭功达一夜未睡。张金芳频频地招他、惹他、逗他，他心里觉得腻腻的，没有碰她。小宝睡在他身边，静静地打着鼾。他一遍一遍默念着佩佩的名字，流出了悔恨的泪水。

佩佩。佩佩。

4

自从谭功达被解除职务之后，他那张大办公桌一直空着。姚佩佩不安地想到：如果钱大钧以新任代理县长的身份，搬到这里来办公，自己势必要与他朝夕相处，那可怎么办？她成天提心吊胆的，害怕钱大钧突然出现在她的办公室里，望着她似笑非笑。不过事情过去两三个星期了，她所担心的事一直没有发生。姚佩佩倒是在楼道里遇见过他一回。他不知为何受了伤，头上缠着一条白纱布，纱布上还隐隐地透出绛红的血迹。后来，她才听说，原来是叫谭功达用茶杯给砸的。

那天下午，钱大钧来办公室找谭功达谈话，没多久两个人就吵了起来。门房的老常说，那天下午，他正在院子里生煤炉，一听见楼上茶杯摔碎的声音，就知道大事不好。正想上楼看个究竟，忽见一只烟灰缸从窗口飞了出来。他跑到楼上，楼道里早已挤满了人。原来钱大钧和谭功达两人已经扭打到了楼道里。他看见钱大钧手按在额角上，指缝里往外滴着血；谭功达手里拿着一把长长的青石镇纸，发了疯似的乱挥。别看他四十大几的人了，可毕竟是行伍出身，发起飙来，三两个小伙子都拦他不住，一直追到二楼，最后才被人死死拦住了。谭功达还在那儿乱踢乱蹬，嘴里骂道："妈拉个巴子！当年你在挺进中队，干出了那档子丑事，我真后悔当初没一枪崩了你！"

钱大钧也不答话，在几个人的簇拥下，赶忙去医务室包扎去了。老常说，他和另外几个人扶着谭县长，把他劝到办公室去的时候，看见白庭禹书记站在四楼栏杆扶手边悠闲地抽着烟。不过，他什么话也没讲，人影子一晃，随后就不见了。

随着谭功达的解职，姚佩佩觉得自己在县机关也渐渐地被人们遗忘。没有任何人向她下达任何指令，也没有人打电话到她的办公室来。她日复一日坐在桌前，托着脑袋，看着窗外发愣。那封入党申请书她一直没写，杨福妹也不再催问。至于上调省里的事，也似乎没了音信。在这个寂静的夏日，她成天昏昏欲睡，心里像长了毛。渐渐地，多年来一直积压在心中的一个念头终于沉渣泛起。

她想到了辞职。

可一旦自己辞了职，又能到哪里去呢？姑父刚当上副校长的时候，姚佩佩倒是动过一点心思，想央求姑父介绍她到梅城中学去教语文。自己读过不少书，缺的只是教书的经验而已，中学教不了的话，去小学教孩子们识几个字还是绰绰有余。没想到姑父那边又出了事。另外，她一想起姑父那份悔过书，就觉得这个人也很不可靠。

她每次骑车回家，都要经过以前在那儿卖筹子的梅城浴室。每次路过那儿，她总要莫名其妙地往那儿看一眼。心里总有一种预感，说不定哪天又要回到这里卖筹子了。看着浴室那斑驳的灰泥大门，看着大门拱顶上那个早已褪了色的水泥五角星，她觉得既虚幻、又踏实。可是忽然有一天，澡堂里传来了隆隆的机杼之声，一群白衣白帽的女工从门里进进出出。原来澡堂早已废弃不用，那儿新建了一家纺织厂。

难道自己真的要到海岛上去隐居？她眼前又浮现出谭功达那张脸来。其实，他如果不把衬衫的领子弄得脏兮兮的，不把纽扣扣错，剪裁一身合适的衣服，把身上弄干净，倒也挺像个人的。一想到谭功达，她的心里就恨得直痒痒！这个人仿佛彻底从人间消失了似的，近一个月来她没再听到他任何的消息，连电话也没有打过一个。这个人真是呆得可以！当年，他和白小娴要好的时候，出于本能的嫉妒，姚佩佩常常有意无意地挖苦他，说来也奇怪，只要一张嘴，那些怪话就会从她嘴里源源不断地冒出来，可当自己好不容易恢复了平静，甚至已经强迫自己认真地考虑万一谭功达与白小娴结了婚，自己应该送什么礼物合适时，他倒反而说出一些不三不四的话来逗她，发誓赌咒要跟她两人到小岛上男耕女织。他的话说得那么决绝、那么露骨，害得姚佩佩睁着眼睛数着窗外的星星，一个晚上翻来覆去辗转难眠。可他说完了，也就忘了。第二天就像个没事人一样，就当什么事都没有发生。

谭功达离职那天，文件和碎纸片扔得满地都是，最后还得姚佩佩一个人替他收拾。在清理这些纸片的时候，她从地上捡到一个揉皱的白纸团，展开一看，却见上面写满了自己的名字。她数了数，一共有十三个“佩佩”，她认得出，那是谭功达的笔迹。在这张纸的下方，还列着几道奇怪的算式：

$$1961-1938=23$$

$$1938-1912=26$$

$$27-23=4$$

这样的数字等式，她见过不止一次了，不知道他在盘算什么。既然上面写满了自己的名字，说不定这张纸条真的与自己有关。或许她还能从这些奇怪的数字中勘查出自己一心想要知道的某些隐秘。她把这张纸条偷偷地藏在裤子口袋里，像做贼似的带回了家中，一个人坐在灯下，皱着眉头，细细地推究起来。

到了半夜，她都快把脑子想穿了，也不知道数字和等式分别代表什么意思。临睡前，她偶然看了一眼桌上摆着的台历，心中突然漫过一阵惊喜：一九六一是年份，今年就是一九六一年。一九三八是自己的出生年份，二十三岁是自己的年龄。会不会，他是在计算我的年纪？

第二个算式也不难理解。她很容易就联想到，一九一二年这个数字或许是谭功达的出生之年，因为他一直在说他是辛亥革命后的那一年出生的。那么二十六岁就代表两个人的年龄差。如果他担心两个人的年龄差得太大而背上沉重的心理负担（其实是完全不必要的），他对自己阴晴不定的暧昧态度倒可以得到合理的解释。不过白小娴的年龄也并不比我大，他怎么就不担心了呢？到底是怎么回事？假如能当面问问他就好了。

那么，第三个算式又说明什么问题呢？关键是 27 这个数字。她想了半天，也不知道它是从哪里来的。往后一连好几天，她把所有的这些数字放在一起加减乘除，可无论如何也得不出 27 这个答案。玩弄这个数字游戏，成了想象中她与谭功达维持联络的唯一途径。

她很多次试着给他家打电话，但每一次，电话里总是传来吹哨一般的嘀嘀声……她也曾想过直接去他家找他，可她不知道他家的确切地址——只是隐隐约约听说信访办的老徐就住在他家隔壁，当然，害羞和强烈的自尊心也不允许她这么做。

最后她决定给谭功达写封信，可以托老徐带去。这封信她写了差不多一整天。写了撕，撕了再写，纸篓很快就满了。她不能把信写得太露骨，因为这样一来，万一遭到对方的回绝，她只能是自取其辱——经过反复盘算，她认为这样的可能性是存在的。虽然谭功达曾当她面说过一些让她心跳气喘的疯话，可她无法了解他的真正态度。那张纸条上的数字除了表明他的忧虑之外，毕竟不能说明太多的问题。

当然，她也不能把信写得过于晦涩。那样一来，谭功达这个粗心人极有可能不把它当一回事，甚至看不出自己藏在里面的那点小心思……就这样，快到下班的时候，她总算把这封信写完了，它只有短短的一行。佩佩悲哀地想到，即便在两个有情人之间，非说不可的话，竟然如此之少：

电话打不通。现有一事相商：我打算从县上辞职，你的意见如何？

她觉得这封信不冷不热，不卑不亢，因而心中十分满意。它虽然外表貌似冷峻，字面不留任何痕迹，但实际上却暗藏着让对方帮她拿主意，进而让对方替自己做主的潜台词在里边。她的耳根有些发热，脸上很快就泛出一片潮红。经过仔细推敲，她又对这封信做了如下改动：

电话打不通。现有一事相商：我也打算从县上辞职，你的意见如何？

与上封信相比，它虽然只多了一个“也”字，但意思又往前推进了一层。这个“也”字，恰如其分地在谭功达的被解职与自己的主动辞职之间，建立了因果关系，巧妙地反映出自己对谭功达被解职一事的同情，含有追随对方的意图。甚至也能多多少少表现出两个人在命运上的共同性，以及自己打算与他共患难的决心。为了给这封信增加一点感情上的修饰，她把落款的“姚佩佩”三个字改成了“姚”，后来想想不满意，就改成了“佩佩”。最后，她又有些不要脸地将“佩佩”改成了单字的“佩”。当她把这封信誊抄一新，装入信封，封好口之后，不知不觉中已累得快要虚脱了。

在去信访办的路上，她不安地想到，如果那个傻瓜仍然看不出自己的心思来，那可怎么办呢？

第二天一上班，姚佩佩就在门边的地上看到了一个信封。大概是老徐从门缝中塞进来的。她把这封信抓在手里，有些不太敢看。由于没有封口，她心里就有一种不祥的预感。谭功达给她的回信是这样的：

> 姚佩佩同志：是否辞职完全由你自己决定。我没有任何意见。谭功达。

她怔怔地看着信笺上端“梅城县人民政府公函”几个红色的大字，简直不敢相信自己的眼睛。她气得浑身发抖，差一点咬破了自己的嘴唇。

谭功达用了“完全”和“任何”两个明确的字眼来拒绝她，使她不能抱有任何的侥幸。这表明，谭功达不仅看懂了她信里的潜台词，而且明确地予以拒绝。仿佛一个人不仅面目狰狞，而且还戴着厚厚的帽子（姚佩佩同志，而不是佩佩），穿着高高的靴子（谭功达，而不是她期待的功达，或达），浑身上下裹得严严实实。与之相比，自己的那封信，简直就有点赤身裸体了。她把那封信连同信封，都撕成了碎片，眼睛里噙满了泪水，心里满是委屈和羞耻，但更多的是仇恨！她甚至觉得自己所有的不幸都是他一手造成的！假如不是他在一个偶然的机会从梅城浴室发现了她，进而把她调进县机关工作，她也不至于在心底里藏着那么深的报恩的柔情，更不至于对一个四十多岁的糟老头子抱有什么幻想。谭功达就像旧小说里的一个书生，搭救了一只中了箭的狐狸，可又忽然把她抛下不管了。我真是自作自受，自作自受……

她骂完了谭功达，又开始骂自己。她发誓再也不理他了。谭功达虽然被解了职，可她心里还觉得不解恨，暗暗诅咒他，最好让他下地狱！

可是这样怨毒的情绪只维持了两个星期。到了七月末的最后一个星期五，她终于克服了自己的羞耻心、猜疑和怨恨，决定再给谭功达写一封信，做一番垂死挣扎。这一次她决定直接约他出来见面。为了不让自己因为期待他的回信而整夜失眠，她把写信的时间推迟到星期六的上午。这样，她的信发出之后，就下班了，对方若要拒绝她，也来不及通知。经过一番深思熟虑，见面的地点就定在她常常去的清真饭馆，因为梅城只有这一家清真馆，而且离县政府不远。他没有理由不知道那个地方。这封信是这样写的：

明天晚上六点，在清真饭馆见面。有要事相告。不见不散，切切。

不过这天晚上，姚佩佩还是一夜没有睡着。本来她已经想好了，要晚到半个小时，借此小小地惩罚他一下，可第二天当她赶到清真馆的时候，还是比预定的时间早了十分钟。这令人难熬的十分钟，她是在焦躁和狂乱中度过的。随着时间像流水一样无可挽回地从她指缝中流过，她的内心有一个疯狂的声音也在逐渐高涨。谭功达！你要再不来的话，我就要杀人啦！要杀人，要杀人！他妈的我要杀人啦！她的眼睛一刻不停地盯着窗外的那条林荫大道，一直等到七点一刻，还没见谭功达的人影。服务员怀里夹着菜单，已经是第二次走到她跟前，问她要吃点什么。她想都没想就大声答道：“对，我要杀人！”

“你说什么？”服务员吃惊地看着她。

佩佩不好意思地笑了起来，正要解释，她的身体突然一僵，眼泪差一点流了出来。因为有一双手轻轻搭在了她的肩头。救苦救难的菩萨，你终于来了！她回头一看，像是被人泼了一盆冷水。

原来是汤碧云。

“就你一个人，还是约了别的朋友？”汤碧云歪着脑袋，笑着问她。

姚佩佩慌忙道：“就就就，就我一个人，一个人。”

“那就一块儿吃吧。”汤碧云不客气地在她的对面坐了下来。

她拿出一包烟来，抖了抖，伸到姚佩佩的跟前。姚佩佩犹豫了一下，从中抽出一根，汤碧云替她点着了火。这时，邻桌坐着的一个老头忽然走了过来，对她们道：“姑娘，年纪轻轻就学着抽烟，不好。”老头话音刚落，汤碧云就把桌子一拍，腾地站起来，指着他的鼻子骂道：“管你妈屁事！滚你妈蛋！”

老头吓得一缩脖子：“好好好，算我没说，算我没说……”气得浑身乱抖地走了。

汤碧云脸色蜡黄，像秋天被寒霜打黯的树枝，无精打采。人也瘦了许多，脖子旁的两根锁骨使她的肩窝更深了。她的眼眶黑黑的，脸有点浮肿。两个人抽着烟，互相望着对方，仿佛都不愿意第一个挑起话头。

上次在会议室留下的不愉快，仿佛一根木刺卡在姚佩佩的喉咙里。在对方没有做出任何表示之前，姚佩佩没有理由原谅她。而且，她对汤碧云的这身装扮本能地就觉得不舒服。可她想到，说不定碧云心中也正是这么想的。在经过一段难堪的沉默之后，还是姚佩佩用脚在桌子底下踢了踢对方的鞋尖：

“哎，想什么呢？”她红着脸问道。

“想死。”汤碧云表情木然地说。很快，她就掏出手绢来揩泪了。

“又出了什么事？”姚佩佩抓过她的一只手来，捏了捏。

汤碧云说起她最近的一次自杀经历。就在半个多月前，用的是她父亲破篾的那把竹刀。她抬起手腕，将左手的手镯往后褪了褪，露出一条已结了痂的伤口，给佩佩看。

她说起钱大钧的那个疯老婆田小凤，有一天突然冲进钱大钧在甘露亭的房子，当着钱大钧的面，左右开弓打她的耳光，把她的脸都打肿了，还抱着她的脑袋往墙上撞。她骂她婊子、烂货、不要脸，把什么难听的话都骂遍了。可钱大钧仍站在那儿，悠闲地抽着烟，嘴角还带着笑……

她又说起两个月前的又一次堕胎。是在县人民医院，替她做人流的是一个男医生。医生悄悄地告诉她，经过这次手术，她可能永远也怀不上孩子了。

碧云旁若无人地说着，姚佩佩屡次提醒她小声一点，可碧云满不在乎。越说嗓门越大，唾沫星子飞溅到她脸上，像小雨似的。好在饭馆里没几个人，一名服务员远远地站着，手里拿个蝇拍打苍蝇。

过了一会儿，汤碧云又接着说，因为脑震荡，她在家里躺了半个多月。可病刚好，钱大钧又打电话将她叫去了。他严肃地提出与她分手，希望她不要再纠缠自己，就当他们之间什么事也没有发生过。钱大钧提出了他的交换条件：让她在县办公室副主任和县妇联主任两个职位中任选一个。

“你打算选哪个？”姚佩佩笑道。

“你说呢？”汤碧云也笑着问她，两人目光相遇，彼此心照不宣。不知为什么，姚佩佩觉得她的笑容没有了以前的那种纯净和明朗，像罩了一层雾似的。

“事情已经结束了，”汤碧云叹道，“我现在也不恨他。要说恨的话，只恨一个人。”

“你指的是我？”

“没错。”她这么说的时候，既像是认真的，又像是开玩笑，可佩佩听上去觉得十分刺耳。

她咬着嘴唇，惊愕地看着对方，过了半晌，不冷不热地说道：“你怪不到我头上！你是自作自受！”

汤碧云笑了笑，挖苦道：“我哪能跟你比？你现在多神气呀！多风光啊！又是入党啦，又是提干啦，还要往省里调！自己毫发无伤，却把别人支使得团团转！我要有你一半的本事，也不会落得今天这个下场。前些日子发大水，我在医院忙了整整三天都没合眼，腿肚子都累得转了筋，满嘴的牙床都肿了，还不是白干？可你呢，舒舒服服地在病床上躺了两天，还不是照样有人给你评先进！”

“照你这么说，是不是，要我和你一样倒了霉，甚至比你还要倒霉，你才会称心如意？”姚佩佩也提高了嗓门，泪水在她眼眶里直打转。

这句话像是戳到了碧云的痛处。她半天没吱声，眼泪把她脸上厚厚的脂粉弄得一团糟。她突然抓过佩佩的手，请求佩佩原谅自己。她说她都快疯了，没有一个晚上不是睁着眼睛等天亮。自从她自杀过一次之后，她妈妈将家里的刀和绳子都藏了起来，惟恐她再做出什么傻事来。碧云说，那天在会议室，故意不理她，是因为当天早上她接到了医院送来的化验单，她得了黄疸肝炎……

一听说碧云得了肝炎，姚佩佩正要夹菜的那双筷子像触了电似的赶紧收了回来，又生怕对方看出自己担心传染，脸一下就憋得通红。

汤碧云诡秘地笑了笑，什么话都没说，可姚佩佩还是满脸发烫。

为了修复两人之间受到损坏的微妙关系，两个人都极力地讨好对方，并严肃地做了自我批评。可这样一来，因为过于客气，气氛反而有点生疏。问题是，两个聪明人，就像两面镜子似的，都能从对方的脸上看到各自的内心。姚佩佩忽然觉得有点忧伤，为了对刚才那很不友好的举动做出适当的补偿，便硬着头皮对汤碧云道："你碗里剩下的面条还要吗？我还有点饿呢。"

说完，不顾一切地抢过那半碗面来，就要吃。汤碧云按住了她的手，轻声道："你要没吃饱可以再要一碗。这肝炎，可不是闹着玩儿的，会传染的。"

姚佩佩当然没有再要，汤碧云也相信她确实已经吃饱了。

临走时，两个人都抢着付账，弄得服务员不知所从。

汤碧云忽然想到一件什么事来，笑着对姚佩佩道："听说，你干爹要结婚了。"

姚佩佩正在算钱，也没顾上理她。等两人出了门，来到外面的林荫大道上，姚佩佩这才一把拽住她胳膊，眼睛里放出诧异的光来，道：

"你刚才说什么？"

“刚才？”汤碧云道，“我想想……噢，谭功达要结婚了。你猜猜看，新娘子会是谁？”

“结婚？他跟谁结婚？”

“不是让你猜吗？”

“是……白小娴吗？”姚佩佩咬牙切齿地道。

“什么白小娴！那都是老皇历了。让你猜一百次你恐怕也未必会猜得着。就在昨天，县里收到了谭功达的结婚申请。对象居然是一个叫花子，据说还带着一个拖油瓶，你能相信吗？”

说到这里，汤碧云哈哈大笑，眉飞色舞地把刚刚听来的新闻又跟姚佩佩原原本本地说了一遍。似乎只有在这一刻，她才能真正忘记自己的不幸。

5

这天傍晚，白小娴端着塑料盆，从浴室出来，一边梳着头，一边回宿舍。刚走到琴房边，忽见团长满头大汗地朝她跑来了。

“找了你半天，原来去洗澡了。”团长喘着气，对她说。

“你有什么事？”白小娴冷冷地道，仍旧梳着头，不仅没有停下来，反而走得更快了。

小娴还在为那年他无故开除舞蹈教师的事生气。团长只得跟着她往前走，侧着身子，对她笑道：“白书记刚刚来过一个电话，说有急事找你。”

“哪个白书记？”

“就是你叔叔。”矮胖、敦实的团长一路追着她，“让你马上去他家一趟。”

舞蹈教师王大进刚从鹤壁调来梅城工作，还没待满一个星期，谭功达一个电话，他就给不明不白地开除了。他是连夜离开梅城的，走前没有跟白小娴告别。第二天，白小娴四处找不到王大进，就去问团长要人。团长当然不能说是谭功达的授意，只得支支吾吾地拿一些不着边际的话来搪塞她。他的闪烁其词加重了白小娴的疑虑。凭着直觉，她认为这其中一定藏有某种不可告人的阴谋。为了查明事情的真相，当天下午，白小娴就不辞而别，只身一人坐上了前往鹤壁的长途汽车。

她把鹤壁所有的机关单位都找了个遍，最后还真的在地区舞蹈学校的集体宿舍里找到了王大进。当时，王大进正在宿舍楼的过道里生煤球炉子。他那黄脸婆的妻子，还有四个小孩，全都挤在一间十平方米左右的筒子楼里。房间里有两张双人床，其中的一张还缺了一条腿，直接搁在一堆码放整齐的蜂窝煤上。

当着老婆的面，王大进一脸尴尬。他一个劲儿地朝白小娴挤眼睛、丢眼色，假模假式地问她是哪里人、来找谁，白小娴死死地咬住嘴唇，脸色煞白。她不是不想回答他，而是根本忘了说话。可王大进的老婆有着一双天生的火眼金睛，已经看出了其中的名堂。她在屋里摔锅摔碗，为接下来歇斯底里的疯狂发作做铺垫。王大进赶忙丢下生了一半的火炉，回去想稳住她。白小娴就听见那女人尖叫道：

“你和这婊子要是没什么勾当，人家怎么会好端端地把你开除？你他娘的狗改不了吃屎，走到哪里都惹一身腥！”

屋里的几个小孩一起放声大哭。煤炉里的浓烟不断地冒出来，在楼道里起了一层黄雾。白小娴看见邻居的门开了，一个大胖子穿着一件汗背心，拿着一手扑克牌，咳嗽着把脑袋伸出来叫道：“王大进，你狗日的赶紧把炉子弄一弄，我们都给你呛死了！”

白小娴从鹤壁回来之后，人就像生了一场大病似的，成天懵懵懂懂。跟人说话眼珠子都不爱转一下，看到什么就怔怔地发呆，嘴里喃喃自语，可不知道她在说些什么。团长也慌了手脚，一连三次请她吃饭，白小娴都未予理会。

白小娴骑着自行车，往叔叔家赶。天已经黑下来了。虽说前天已是高秋，可是天气依旧闷热。街上到处都是乘凉的人，游手好闲的男人们摇着扇子、打着赤膊，坐在小板凳上，高声地说话。有的人家甚至把床都支在外面。白小娴想起很久没有去过叔叔家了，就在一个小摊前买了一些水果。

白庭禹家的门开着，昏暗的灯光照亮了门前的一排铸铁围栏。他听见屋里隐隐有人在说话，可进了屋，只见到婶子一个人。她刚刚洗完澡，正抬着胳膊往胳肢窝里抹花露水呢。婶婶说，她知道小娴要来，已经给她盛了一碗绿豆汤，在窗台上搁着呢，还没凉透。随后，又将桌上一片早切好的西瓜递给她：

“先吃瓜吧。”

小娴咬了一大口西瓜，嘟嘟囔囔道：“我叔呢？他这么急喊我来也不知有什么事？”她一说话，红红的西瓜水就从嘴角流了出来，只得用手接着。

“在屋里和人谈事呢。”婶子努了努嘴，笑道，“咱们先说会儿话。”

白小娴见叔叔书房的门关着，里边的说话声忽高忽低，可什么也听不清。婶婶问了问她在文工团的情况，又问了问家里的事，随后就从桌上抓过一把乱绒线来让小娴给绷着，一边说着闲话，一边把香烟盒揉成一个小球，绕起线团来。她在绕绒线的时候，膀子上的肉就跟着松松垮垮乱颤起来。小娴不由得想起，叔叔第一次带婶子从东北回家的时候，全国还没有解放，婶子头上还扎着羊角辫子，可现在只是一眨眼的工夫，就已经老成这个样子！想到自己有一天也会变成这个样子，心里就有些黯然神伤……

不多一会儿工夫，叔叔的房门打开了。风一吹，屋子里的烟雾就一团一团地涌了出来。等到烟雾散尽了之后，她看见屋里走出一个人来。是个大高个儿，穿着短袖衬衫，头发梳得油光，发型看上去有点像毛主席，手里托着一只大烟斗。

他一出门，就拿眼睛朝小娴身上看，随后笑道："你就是白小娴同志吧？"随后向她伸出手来。可小娴的手里正绷着绒线呢，那人只得把手半路缩了回去，抓了抓头皮。小娴朝他笑了笑，心里道：这么热的天，这人头上竟然还抹着油，难道他就不怕痒吗？

白庭禹紧接着也跟了出来，指着那人向小娴介绍说："这是钱县长！"

那人托着烟斗，莞尔一笑："钱大钧，钱大钧。"他回过头去对白庭禹说，"真是百闻不如一见哪。"

白庭禹道："我怎么记得你是见过她的？"

"嗨！那是在舞台上，又化了妆……"那个名叫钱大钧的人在叔叔耳边嘀咕了句什么，白庭禹忽然哈哈大笑。小娴猜到他们大概是在议论自己，微微红了脸。钱大钧又嫂子长嫂子短地跟婶婶搭讪了几句话，这才告辞离去。白庭禹也不远送，只是冲他摆了摆手。

他转过身来看了白小娴一眼，就问了问她最近在团里的情况，又问到家里的事。奇怪的是，他的客套竟然和婶子一字不差，就好像预先商量过似的。半天，才对小娴道："小娴，你到我屋里来一下。"

白小娴进了屋，刚坐下不一会儿，就见婶子手里拿着一只苹果走了进来，她一边削着苹果皮，一边对丈夫说："你们说你们的，别管我。"

"小娴哪，今年已经满二十了吧。"白庭禹靠在沙发上闭着眼睛，双手按压着两边的太阳穴。

"什么呀！二十三了。"小娴笑道。

"这个世界是复杂的……啊，要正确认识事物的本质，不是一朝一夕就可以完成的。得来它一番去粗取精、去伪存真、由此及彼、由表及里的科学改造功夫，稍一不慎哪，就会落入主观主义和经验主义。况且，啊，事物又是不断变化发展的，由量变到质变，在一定条件下产生飞跃。好事可以变成坏事，坏事呢，啊，也可以变成好事，马克思主义辩证唯物论，从来都……"

"老白呀，你有什么话就跟孩子直说吧，这么绕来绕去的，把我都给绕糊涂了。"婶婶笑着打断了他的话，把削好的苹果递给白小娴。白小娴刚吃了两片西瓜，肚子里撑得慌，就将苹果放在茶几上的果盘里。

"比方说，啊，"白庭禹道，"我们当初劝你和谭功达谈恋爱，啊，就是犯了主观主义的错误。事实表明，这个谭功达伪装得很巧妙！隐藏得很深！啊，骗过了广大人民群众雪亮的眼睛！在梅城，他是隐藏在我们革命队伍中的头号阶级敌人！别的且不论，他四十多岁了，还不成家，为什么？啊，就是为了以谈恋爱为名，不断玩弄我们无知女青年的感情，你和他交往多年，对于这一点应该最有发言权了。”

白小娴听叔叔说到“党内头号阶级敌人”这几个字，本能地吃了一惊。后又听叔叔说玩弄感情那一番话，心里就想，自己大概也被他列入了“无知女青年”的行列，心里就有些不开心。

她对白庭禹道：“谭县长出了什么事？”

“他已经不是什么县长了。”白庭禹脸上的笑容突然收敛，变得严肃起来，“他是个大叛徒！大流氓！大野心家！我们找你来，啊，就是为了重新核实那年春天发生的那件事。”

“什么事？”白小娴警觉地看着她的叔叔，似乎已经模模糊糊地意识到叔叔叫她来的用意。

“傻闺女！就是为了谭功达强奸你的那件事呀！”婶婶笑着对她说，“那天晚上，都快半夜了，你一个人满脸是血，跑到我家来敲门，雪还在下着……你想起来没有？”

白小娴点点头，急忙道：“那天晚上他是抱了我一下。我以为他要强奸我，可你们劝了我一个晚上，说那不叫强奸。”

“那就是强奸！”白庭禹斩钉截铁地说，“那不叫强奸，还有什么事可以算强奸呢？”

白小娴的脸一下就红到耳根，申辩道：“您亲口说的，那不叫强奸，那叫操之过急。您还说男女之间搂搂抱抱是感情必要的润滑剂，是革命同志之间一种十分常见的革命行为，为了革命事业后继有人所必需的前奏曲，您还说，即便是在马克思和他夫人燕妮之间也免不了会发生这样的事，您又说……”

“好了好了，”白庭禹摆摆手，示意她不要再说下去了，然后冷笑道，“小娴哪，你的记忆力还是很不错的嘛！的确，我承认说过这些话。可我当时并不了解太多的情况，事情被弄颠倒了，犯了主观主义的错误！可我们共产党人认识到错误是远远不够的，我们还要改正错误。我们今天找你来，就是为了把颠倒了的事情重新颠倒过来。”

“不管您怎么说，反正我不认为那是强奸，”白小娴交叉双臂，紧紧抱在胸前，嘴里嘟囔道，“他这个人，只是性子有点急。”

“什么叫强奸？强奸就是以性交为目的，违背妇女意志而采取的暴力行动。请问，他当时有没有违背你的意志？再请问，他有没有采取暴力行动？你的嘴都被他咬破了，”白庭禹气得从沙发上站了起来，“可你，还要为他辩护！”

婶子一看两人谈僵了，就赶紧插话说：“小娴，他玩弄你纯洁的感情，最后一脚踢开了你，你难道就不恨他吗？”

“恨他？我为什么要恨他？”白小娴赌气似的说，“我感激他还来不及呢。”

“你这孩子，好不知轻重！明明是他欺骗了你，怎么还要感激他呢？”婶子问。

“要不是谭县长当机立断，将那个狗屁王大进从文工团里开除，我早就落到那个流氓手里了……”

“谁是王大进？”白庭禹转过身来，不解地望着她。

白小娴就将自己如何被新来的舞蹈教练引诱，如何甩掉谭功达，谭功达又如何泄私愤把王大进开除，以及她后来如何去鹤壁找人的事原原本本地讲了一遍。白庭禹见她一说起来就没个完，只得打断了她的话，烦躁地说：“你就别提那个什么王大进了！时候不早了，我们还是来说正经事。”

“那么，你们到底想让我做什么呢？”白小娴鄙夷地笑了一声，忽然问道。

“这样，这样，”白庭禹重新在沙发上坐下，把一只手搭在侄女的肩上，道，“很简单，你只要写份材料，把谭功达如何强奸你的过程详详细细地写下来，签上字，就行了。不要害羞，对于要求上进的青年来说，害羞是一种怯懦的行为。”

“这个恐怕我做不到！”白小娴冷冰冰地说。

“你要不好意思，我看这样也成……”婶婶对白庭禹眨了眨眼睛，笑道，“我们来找人帮你写，你看看，签个字也就行了。”

“你们这是诬陷！就是打死我，我也不会答应的！”白小娴气得一下站起身来，“如果没有其他事，我就走了。”

白庭禹再次把小娴按在沙发上坐下，终于恼羞成怒，气得嗷嗷乱叫：“我现在不是以你叔叔的身份跟你说话！我是以梅城县县委书记的身份找你正式谈话！对，正式谈话！你写也得写，不写也得写！这不是讨价还价，不是请客吃饭，而是一项严肃的政治任务！”

“见你的鬼！”白小娴的牛脾气也上来了，她那清澈的大眼睛直直地盯着白庭禹，眼睛中燃烧着震惊和愤怒的火焰，低声而严厉地命令道，“把你那臭爪子从我肩上拿开！”

两个人都愤怒地逼视着对方。眼看僵持不下，最后还得婶子出来打圆场。她一把将白小娴搂在怀里，推到自己的卧室去了。

两个人坐在床头，任凭婶子如何费尽唇舌，白小娴始终不发一言。她的手上都是汗，脑子里乱哄哄的。最后，婶婶问她：“农夫和蛇的故事你听说过吗？”

小娴呆呆地点点头。

“谭功达就是那条毒蛇！虽然他现在被撤了职，进入了冬眠状态，可是你要把他掖在怀里，给他焐热了，他醒过来会对你怎么样？啊？”婶子向她启发道。

“不知道。”白小娴咬着嘴唇说，“我真的得走了。明天一早还得起来练功呢。”

“鲁迅先生的文章，你想必是读过的了？”婶子还是有点不甘心，仍然试图进一步启发她，“鲁迅先生有一句名言，叫做痛打落水狗！你想啊，这狗既然已经落了水，干吗还要痛打呢？这就是鲁迅先生的高明之处。一般来说，这狗是丧了家的，看上去还有点乏，又落了水，看上去挺可怜的不是？可你不把它打死，保不定什么时候，它就会蹿上岸来，对准你的小腿肚子，呱嗒就是一口，连皮带肉撕下来一大块！那时候你要后悔可就来不及喽！所以说，鲁迅先生以他丰富的革命斗争经验，不厌其烦地告诫我们，要痛打落水狗！谭功达就是这样一条落水狗！所以我们不能心慈手软！毛主席说了，党内斗争从来都是含糊不得的，不是你死，就是我活。要么不动手，一旦动起手来，就得让你的对手永远没有反攻倒算的机会。这是无数革命先烈用鲜血换来的沉痛教训。谭功达虽说下了台，可人还在，心不死！一有风吹草动，他必然要疯狂反扑，一旦他的阴谋得逞，反动势力就会卷土重来。我们就得重吃二遍苦，再受二茬罪。革命先烈用生命打下来的红色江山……”

“您说完了吗？”白小娴厌恶地瞪了她的婶子一眼。

“你别急，急什么？”婶子趴在她肩头，双手抚摸着她的肩胛，接着道，“都说你这闺女死心眼，脑子还真的有点不开窍！我们并不是为了个人才这么做的。你叔叔这个人，脾气不好，说话不注意方式，可他刚才有一句话说得很对，这是一项严肃的政治任务。什么叫严肃的政治任务？那就是说你理解了要执行，不理解也要执行！就说五七年反右吧，当时我在红星机械厂蹲点……蹲点，你懂不懂？就是在基层挂职。上面的指标下来了，要在厂里定一个右派。可厂长、书记都对我摇头，说他们厂‘恰好’没有右派。我就对他们严肃地说，如果事情真像你说的那样，你们厂没有右派的话，那你们厂长、书记就是右派。后来呢，嘿嘿，他们还真的想出一个办法来了。厂门口打铁的铺子里有一个大铁墩子，厂长让全体职工排着队去抱那铁墩子，每个人都试过了，谁都没能把那铁墩子抱起来。正在这时有个大胖子，外号叫‘鲁智深’的，上班迟到了，气喘吁吁地从门外跑进来，只见他把袖子一撸，朝手中吐了两口唾沫，嘴里叫了一声‘起！’，愣是用吃奶的力气把那铁墩子给抱起来了。最后，那个大胖子就被定为右派。这个例子生动地说明了这样一个事实，我们执行上面的政策，不能含糊。再说谭功达，当年你叔叔介绍你们谈朋友，我就很不赞成。这个人说话粗鲁、不修边幅、异想天开、妄自尊大，我打心眼里瞧不上他。可你直到现在还执迷不悟，不管自己的政治前途，一味替他辩护，我实在搞不懂，他究竟有哪一点好？嗯？”

白小娴听婶子絮絮叨叨，说了这么一大堆，就有些怀疑自己是不是在做梦。她怎么也没想到，从婶子的嘴里能说出这么一番无耻的话来！这个世界竟如此黑暗！眼前的这个女人竟比她的叔叔还要龌龊无耻！白小娴站起身来，对她的婶子一字一顿地回答道：

“至少要比白庭禹好得多！”

说完，拉开门，头也不回，一阵风似的跑了。

6

谭功达的结婚申请书很快就批下来了，县民政科通知他带上照片去办理登记。那些日子，谭功达和张金芳正忙着搬家。但张金芳还是抽空从供销社买了两块布料，替谭功达做了一件藏青色的咔叽布中山装，自己则做了一件劳动布褂子。谭功达在张金芳的催逼下去理发馆剃了个头，随后两人穿戴整齐，去“新时代照相馆”拍了一张结婚照，事情很快就办妥了。

大红烫金的结婚证书，就像是一张命运的判决书，谭功达的心里沉甸甸的。张金芳也高兴不起来——半个月前，她终于相信谭功达被撤了职。不过，一个寡妇带着一个孩子，能够在县城落脚生根，心里就觉得是个很大的安慰。她从集市上买来了油菜籽，把院子里的地都翻了一遍，种上鸡毛菜。她盘算着靠卖菜挣几个钱，贴补家用。等到青菜刚刚从地里钻出来，县里已经三番五次的派人来催他们搬家了。

分给他们的新房子在西津渡，张金芳预先去看过一次。正房只有一间，又小又破，奇怪的是还有一股难闻的血腥味。厨房其实只是一个狭窄的过道。本来，张金芳还存着一点心思，打算在结婚的时候办几桌像样的酒席，将乡下的亲朋故旧都请到城里来逛逛，好让他们看看自己的好日子。可现在的情形，其恶劣程度早已超出了她的预期。渐渐地，她开始有了一种被人欺骗的感觉，心里堆满了怨毒。嘴上虽然没有明说，可成天唉声叹气，愁眉不展，办喜酒的事再也不提了。

谭功达整天坐在书房里，要么趴在桌上看地图，要么翻看旧报纸，还用红笔写写画画的，天塌下来都不管。他既然已不当县长了，还在那儿又画又写的，不知道他搞什么名堂。开始张金芳倒还能隐忍，后来也就恶声恶气地支使他干这干那了。可不论是什么事，只要一到他手里，必然弄得一塌糊涂。到了晚上，张金芳静下心来细细一比较，还是觉得自己原先的那个丈夫好！他是个木匠，手又巧，脾气又柔顺，整天笑眯眯的。她想起来，就在替他入殓的时候，他躺在棺材里竟然也是笑眯眯的。

到了搬家的这一天，在收拾行李时，张金芳不知从哪里翻出一封信来。这封信没有拆开过，她就拿去给谭功达看。谭功达正在捆箱子，只溜了一眼信封上的字迹，赶忙丢下行李，一把从张金芳手里抢下信来，躲到书房里去了。他听见张金芳在背后冷笑道："你这是多此一举！我又不识字，哪里就能偷看了你的秘密？"

这封信是姚佩佩写来的。上面只有一行小字：

> 明天晚上六点，在清真饭馆见面。有要事相告。不见不散，切切。

从信件下方的日期来看，这封信写于一个多月前。大概老徐带信来的时候，是张金芳接的，她随手往什么地方一塞，随后就忘得一干二净。谭功达痴痴地望着窗外幽幽的蓝天，心中大有麦秀黍离之感。他的眼睛死死地盯着"切切"两个字，心里有一种难忍的刺痛。他徒劳地在脑子里搜索着那个清真馆的具体位置，就好像他刚刚收到这封信，而姚佩佩此刻正坐在清真馆的窗前，焦急地看着手表，等待着他的到来……

佩佩。佩佩。

按照县里的规定，老房子里原有的家具一律不能带走。这么多年来，谭功达也没添置过什么像样的物件，所以搬家一事倒也不像想象的那么可怕。张金芳不知从哪里雇来了一辆驴车。隔壁的老徐夫妇都赶来相送，他们站在院外说了会儿话，彼此都有些伤感。老徐在谭功达的肩上拍了拍，低声道："功达，若是依我，就不和他们硬顶。好汉不吃眼前亏，留得青山在，不怕没柴烧，只要写封检查，事情就过去了。"谭功达脸色铁青，什么话都没说。老徐的爱人趁人不注意，偷偷地在一旁擦眼泪。张金芳把院子里的鸡毛菜拔得一根不剩，装到一个大网兜里，车夫早已等得不耐烦了……

他们的新家在西津古渡一个名叫胭脂井的巷子里。那一带在解放前是妓女的集散地，一眼望去，阴湿的长街两边，都是低矮狭小的鸽笼一般的屋子。原先白色的洋灰墙如今早已爬上了一层黑霉斑。顺着巷子往里走不多远，就可以看见一个绒线铺、一家茶社，还有一个面馆。

谭功达的新家就在巷子的中段。这个房间原来是专门给妓女接客用的，所以设计得十分狭小。进门是一个阴暗的过道，泥地软软的，有些潮湿。过道尽头就是所谓的正房了，房间里有一扇北窗，虽然狭小了些，倒也敞亮。张金芳几天前就已经让木匠打了一张大床，搬了进去。可这张大床往里一摆，就几乎把房间占满了。三个人进了屋，几乎没有转身的余地。

张金芳说，她预先察看了这里的地形，窗子外面是一大块茅草地，她打算在北墙上开一个小门，然后自己动手在屋外搭一个灶披间，这样他们就可以在那儿生火做饭了。

“乱弹琴！”谭功达怒道，“连个书房都没有，叫我在哪儿看书?！”

“不用急，”张金芳安慰他道，“我们慢慢再想办法。”

这天晚上，一家三口在胭脂井的面馆里吃了饭，回到家中早早就躺下睡了。谭功达刚刚睡着一会儿，就感到自己的后背湿乎乎的，扭头一看，张金芳嘴里咬着被单，哭得浑身乱抖。谭功达一时也没有心思安慰她，因为他的心里也烦透了。黑暗中，他听得张金芳叹息道：

“功达，你说我这个人，怎么这么命苦？爹娘出死力，拼命跑码头、养蚕子、贩河豚、卖豆腐，累得吐了血，才好不容易攒了一笔钱，置了四十来亩地。可一解放，富农那顶帽子就稳稳当当落在了我爸爸的头上。顶着这个帽子，我也就挑不上好人家了，糊里糊涂嫁给了村里的小木匠。他们兄弟七八个，家里穷得叮当响。可没过几年消停日子，大坝上闹事，那死鬼偏偏要去看热闹，被人一推，脚底一滑，一头栽到悬崖底下，摔了个稀巴烂，留下我们孤儿寡母，不知巴结谁才好。原以为菩萨奶奶显了灵，让我遇见了你，做成了这个姻缘。可你又倒了这么大的霉……我走到哪里，那霉运就撵我到哪里，如今发配到这么一个肮脏的地方，你又没事做，往后这日子可怎么过呀！”

谭功达只得转过身来，用一些不着边际的话来安慰她。张金芳忽然止住了哭泣，用手推了推他：“你闻闻，房子里总有一股什么味？就像是肠子烂掉的味道……”

谭功达嗅了嗅，空气中果然有一种怪味：它裹挟在湿漉漉的雾气中，有点甜，又有点腥。

“会不会是那些婊子——”张金芳道。

“怎么会呢？早在十年前，她们就被抓去改造了。你别瞎想，早点睡吧。”

张金芳还在嘀嘀咕咕地说个不停。可她的声音越来越小，很快就搂着腊宝睡熟了。经过这么一番折腾，谭功达再也睡不踏实了。他的睡眠就像水面上漂浮着的冰层，又脆又薄。过了一会儿，一阵磨刀的声音把他吵醒了。他睁眼一看，四周黑漆漆的，可那刷刷的磨刀声弄得他心脏一阵阵抽搐。大晚上的怎么会有人磨刀呢？那磨刀声大约持续了两个小时之久。渐渐地，通过声音的变化，谭功达甚至能渐渐分辨出刀子的厚薄和形状了。天快亮的时候，那该死的声音总算停了下来。谭功达裹了裹被子，正要入睡，就听见一个妇人粗大的嗓门叫了起来：

“皮连生！皮连生！起来了！天都亮了，起来杀猪了！”

原来，隔壁住着个杀猪的。

第二天中午，县里的一个办事员，自称是小魏的，骑着自行车一路打听来到了胭脂井。他是来通知谭功达开会的。张金芳一听说县里派人请丈夫去开会，以为事情有了转机，笑盈盈地将小魏拽到家中，可又找不到个地方让人坐。小魏年纪不大，神色庄重严肃，始终绷着个脸。张金芳给他端了一杯茶，也找不到个地方放下来，尽管烫得她龇牙咧嘴，不断地换着手，可小魏假装没看见，始终没有伸手来接。他只说会议重要，不得缺席，随后转身就走了。

开会的地点仍在县委大楼的会议室。不知哪里来的这么多人，会场上十分拥挤。谭功达刚上楼，就看见两个清洁工苦于挤不进会场而急得团团转。几名工作人员手拉手，硬是在人群中开辟出一条狭长的通道来，谭功达才勉强通过。一进会场，他就感觉到热浪逼人，空气有点令人窒息。会场后面的人站在凳子上，呈阶梯状一层一层地叠了起来，连窗台上都坐满了人。

主席台前摆着一张木椅。由于一夜未睡，谭功达刚一落座，就不由得心跳加速，虚汗直冒。精心布置的会场，自有一派肃杀的气氛，使谭功达本能地意识到自己罪大恶极。

白庭禹宣布会议开始后，一位年轻的干部首先发言。他在列举了谭功达的“五大罪状”之后，把批判的重点放在了所谓的浮夸风和共产风上。他说谭功达不顾国家连续两年发生自然灾害这样一个严酷的事实，大兴土木，好大喜功，修造大坝，开凿运河，还异想天开地想出了一个“村村通公路、家家有沼气”的荒谬计划，导致梅城民穷财尽，路有饿殍，光是官塘一乡就饿死了六个人。还说谭功达甚至提出要在五年内实现共产主义，犯了右倾冒进的严重错误。他把偌大的梅城县当成他个人的桃花源，用十二万梅城人民的生命作抵押，来满足他个人的虚荣心。

“可他自己呢？”这位干部最后总结说，“一贯的思想反动，一贯的腐化堕落！平常住在宽敞的庭院中，花天酒地，生活糜烂！就在普济大坝坝毁人亡，兴隆、长旺两乡全被淹没的危急时刻，他却从梅城突然消失了。根据我们调查，他正和文工团的一名漂亮女演员打得火热……”

由于谭功达背对主席台，一时无法判断发言者到底是谁。发言者那金属般磁性而嘹亮的嗓音震得扩音器的话筒嗡嗡直叫。接下来发言的是刚刚升任副县长的杨福妹。她悲愤地回忆起自己与谭功达这个色狼在一起共事的屈辱经历。

她说，还是在她跟谭功达做秘书的时候，有一天快下班，谭功达忽然跑到杨福妹的跟前，两眼泛着绿光，问她哪儿不舒服，是不是生病了，杨福妹不好意思地回答说："我来那个了……"

谭功达马上追问道："那个是什么？"

"流血呗。"杨福妹告诉他。

谭功达又继续追问："那血又是从哪里流出来的呢？能不能让我看看？"

杨福妹说到这儿，会场上立刻爆发出一阵哄笑。杨福妹哽咽道："类似的例子不胜枚举，我那颗善良而纯洁的心灵，留下了永远无法愈合的巨大创伤。"接着，她又说起了另外一件事。

有一天，她因手头有一份重要的材料没有处理完，晚上就自动到办公室加班。快到十一点钟的时候，正准备下楼回家，突然看见谭功达和一个"长得很像林黛玉"的人正从门里出来，一时撞见了，十分尴尬。杨福妹虽然从来没有结过婚，她看见那个像林黛玉的姑娘，脸色潮红，娇喘微微，凭本能一眼就能判断出谭功达跟她一定在办公室里干过什么肮脏的勾当："至于说，到底是什么样的勾当呢？我就不便细说了。"

谭功达静静地听着，到了后来，他自己也忍不住笑了起来。杨福妹说的所谓的事实，倒也不能说不存在。可经她一说，都变了味。他的确曾和杨福妹讨论过关于女人月经的事。不过，那完全是出于无知，并没有别的意思。事实上，当时的情况是：

……谭功达问她，那血是从哪里流出来的？要不要紧？

杨福妹莞尔一笑，仰起脸，看了他半天，忽然把脖子一扭，娇滴滴地问道："老谭，你想不想看看？"说完，一把就抱住了谭功达的腰。谭功达吃她一抱，就知道大事不妙，吓得魂不附体！他知道杨福妹是单位里有名的老处女，谈了一溜儿对象，没一个成的。因她的长相颇有男人的威武，脖子上竟然还有突出的喉结，脾气性格十分古怪，男人见了她都躲得远远的。他的胳膊被杨福妹死死抱住，只得用力一抽，没想到却把她从椅子上拽了起来。杨福妹顺势一倒，就扑在了他的怀里，把脸埋在他的胸前，闭着眼睛道："抱紧我！抱紧我！让暴风雨来得更猛烈些吧！"

……正这样没头没脑地想着，会场上有个女青年突然把手举了起来，要求发言。这是谭功达没有料到的，就连主持会议的白庭禹也大感意外。白庭禹笑了笑，示意女青年到主席台上来发言。女青年道：

"原先我们一直听说谭县长，不，谭功达，是个花痴，我还不信。心里想，一个花痴怎么能当上县长呢？可后来发生的事不由我不信！有一天，我去找他签字，楼上楼下都找遍了就是不见他人影。最后，就在这间会议室里，我找到了他。他当时正在为什么事情生气，拿过表格看了看，就凶神恶煞地对我说：'签个屁！你去找白庭禹签吧！'随后就把表格往我怀里一塞，他的手指，不偏不倚，正好戳在了我的……我的……反正是戳到我的要害了！"

一般来说，在法院里，被告通常是背对着观众，面向审判席，而谭功达的位置恰好相反。因此，他还称不上是一个真正的罪犯或被告。这种特殊的安排，展览和恶作剧的意味十分明显。接下来的几个发言者所攻击的要害也大多与“风化”有关，可他们说来说去，似乎也只有一个白小娴！并没有什么实质性的内容。而且他们担心拔出萝卜带出泥，连白小娴的名字都不敢提！谭功达想到这一层，原来绷紧的神经反而松弛了下来。

会场的座席与主席台之间有一大块空地，由于会场拥挤不堪，许多人在地上铺了一层报纸或垫上一本书，席地而坐，呈圆弧形把谭功达围在中间。谭功达看见正前方的地上坐着一个十七八岁的少女。她抱着双腿，下巴颏子搁在膝盖上，正好奇地打量着自己。她那眼神既纯洁又迷离，还有一点倦怠和慵懒。她身上穿着一件碎花白衬衣，那衣料的材质说不上是棉、丝还是绸，看上去十分柔软。衬衫的领口边垂下两根绿色的丝线，十分显眼。她穿着一条海军蓝的军裤，裤脚与袜子之间露出一截雪白的小腿……谭功达觉得自己要将目光从她脸上移开，非得下一番巨大的决心不可。*在县里，我怎么从来都没见过这个人？她是新调来的吗？世上竟有这等的妙人！唉！就连白小娴、姚佩佩一流的人品，也还有所不及！*一想到这个如花女孩，会长大结婚，有自己的丈夫和孩子，并且走上了一条与自己全然无关的轨道，谭功达的心里不禁隐隐作痛……仔细察看她的眼神，分明又带着刻骨的仇恨和鄙夷，谭功达又不免觉得自惭形秽。

最后一个发言的，是文工团的团长。

他的结巴、停顿和吞吞吐吐，证明了这个人天良未泯。他指责谭功达常年纠缠文工团某演员（依旧不敢说出白小娴的名字），屡次以考察工作为名来团部与她厮混，强迫这名女演员与他谈恋爱。这名演员迫于他的淫威只得假装与他周旋。经过一段时间的交往，女演员终于认清了谭功达的反动嘴脸，以大无畏的革命气概坚决顶住了谭功达的猖狂进攻，白璧无瑕地回到了革命群众阵营，并与谭功达彻底划清了界限。

“不久之后，她与鹤璧地委派来我团的一个年轻有为的舞蹈教师，名叫王大进的，经过互帮互学，在火热的革命斗争中建立了深厚的革命感情，并确立了恋爱关系。谭功达得知此事之后，恼羞成怒，大发雷霆！歇斯底里地给我打来电话，让我把‘那狗娘养的王大进’立刻开除！我在这件事情上没有顶住压力，没有站稳立场，对不起党和人民多年的培养，我要做深刻检讨！王大进同志离开文工团之后，我团这名优秀的女演员精神受到极大刺激，留下了至今无法愈合的巨大创伤。她成天神思恍惚，疯疯癫癫，变得很不正常，至今还在家中疗养。我团的正常演出受到很大干扰……”

大会一直开到晚上五点钟才结束。谭功达在回家的路上，一直在想着白小娴发疯这件事。这是他和白小娴分手以来，第一次听到她的消息。他的心里闷得倒不过气来，盘算着要不要去夏庄看她一次。可一想到自己是个戴罪之身，再加上白小娴的母亲兄弟没有一个是好惹的，他这一去，天知道会闹出什么事来！他远远地看见张金芳手里捏着一把葱，站在门口，正朝巷子口张望。小腊宝似乎已经和邻居家的孩子混熟了，尖叫着在巷子里追逐嬉闹。

“怎么样？会开得怎么样？”张金芳眼巴巴地望着他，“他们有没有给你安排新的职务？”

“大概还要等一等。”谭功达皱着眉头支吾了一声，心事重重地进屋去了。

张金芳见他疲惫不堪，满脸倦容，也不敢再问。谭功达一进屋，就见过道里添置了一台崭新的煤球炉，烧得正旺。炉火映在对面的墙上，衬出了袅袅的烟影。炉子上的一只钢精锅，咕嘟咕嘟地冒着热气，清香扑鼻。

看见丈夫呆呆地望着火炉发愣，张金芳推了推他，低声说："原来隔壁住着个杀猪的！是姐弟俩。那做姐姐的，人很热络，也还和善。男的名叫皮连生，看上去有点凶，人倒挺大方。刚才他从外面杀猪回来，顺手就给了我一副猪小肠。现在差不多已经快炖烂了……"

7

汤碧云把谭功达结婚的消息告诉她，姚佩佩起先只觉得有点错愕，仿佛与自己没有什么关系似的。这就好比牙痛，刚开始发作的时候，只不过是牙根略微有点发酸而已。谭功达苦熬了这么多年，挑来挑去，最后居然跟一个乞丐结了婚！而且那乞丐还带着一个拖油瓶的孩子，怎么可能？

姚佩佩骑着自行车，沿着空无一人的街道往前骑，忽然发现自己越骑越快，好像正在参加自行车比赛似的。她路过西津渡东牌楼下，看见那儿聚着一堆人，正在观看露天电影。她捏住闸，一只脚跨在自行车上，看了一会儿。任凭她如何集中注意力，却怎么也搞不清电影到底讲了一个什么故事。那个扮演理发师的演员，名叫王丹凤，她倒是很熟悉。因为在姑父卧室的墙上就贴着她的大幅相片。大概他每天看着王丹凤的肖像入眠，才会抵抗不住那个化学女教师的进攻，被人家轻易俘获……姚佩佩看见全场的人都张着嘴在大笑，可她不知道他们为什么要笑。在她看来，电影情节没有一处是好笑的。

夜风凉凉的，吹到脸上，薄薄的皮肤像是沾了辣椒水一样，沙沙地痛。姚佩佩用手背轻轻一碰，才发觉自己原来一直在流泪，连脖子里都是黏糊糊的。一直到电影散场，牌楼下的人早已走光了，她还站在那儿。两个放映员正在大方桌上收拾放映机和胶片。随着那台发电机的哒哒声突然中止，挑在竹竿上的电灯也随之熄灭，四周一片漆黑。

姚佩佩推着自行车回到家中，她担心把姑妈他们吵醒，也不敢开灯洗漱。回到自己的房间，正要上床去睡，姑妈轻轻地推开了她的房门，把她那微微谢了顶的小脑袋伸了进来，问了一句："怎么回来得这么晚？"又把脑袋缩回去了。

不一会儿，姑妈手里拿着一块丝绸面料，轻手轻脚地走了进来，脸上笑嘻嘻的，把那块面料拿给佩佩看，压低了声音，道："多好的料子，这是真正的杭州双面绸。自打离开了静安寺，嫁到这个鬼不生蛋的地方来，还从未见过这么好的衣料。你摸摸，比那刚养出来的小孩屁股还要滑溜呢！"

都已经半夜三更的了，姑妈不知哪里来的兴致，翻出这么一块面料来，让她看。姚佩佩正在狐疑，姑妈就把那料子抖开，用下巴夹住一端，让它自然垂挂下来，对着大衣柜上的一面镜子扭着身子比划起来。

"佩佩，"姑妈转过身来笑道，"这块料子你穿显得老气了一点，送给我去做件旗袍怎么样？只怕如今的人不作兴穿旗袍了。要是做件衬衫呢，料子裁开了又可惜。”

姑妈这话说得实在蹊跷，这料子本来就是她的，她要是喜欢拿去做什么都成，干吗还非得让自己送给她？自从上次那两个外调的办事员登门之后，姑妈对自己的态度越发亲热得可怕，不论什么事，都来与自己商量。父母死了之后，她在无奈之下跟着姑妈来到梅城，按说寄人篱下，受人白眼就是本分。对于姚佩佩这样一个凡事总是爱往坏处瞎想的人来说，这种过分的亲密，让她心里背上了沉重的包袱和债务。就像是无端受人恩惠却又无以为报。况且，姑妈一心巴望着自己能去省城工作，光大门楣，这种亲热仿佛是预先交付的酬金，万一姑妈的期望落了空，自己拿什么来偿还？这样想来想去，又觉得自己似乎变成了一个人质，心里横竖都不是滋味。姑妈见佩佩面有忧戚，神情倦怠，料她累了，说了声：“时候不早了，你累了一天，也该早点睡了。”就带上门出去了。

姚佩佩觉得浑身又累又乏，连骨头都一阵阵酸痛，可往床上一躺，却没有丝毫睡意。她注视着桌子上谭功达送她的那只小泥人，不免胡思乱想起来。

那个小泥人像个小老头，望着她笑。往常，佩佩每次朝那儿看一眼，都觉得它憨态可掬，令人忍俊不禁。可今天细细一看，才猛然发现，原来它的笑容暗含着讽刺，似乎在嘲笑自己的处境。她伸手把那泥人抓过来，恨不得立刻将它扔在地上摔个粉碎！可犹豫了半天，还是有点舍不得。只得将它转了个身，仍旧放回桌上。可泥人的屁股是撅着的，似乎正在恶作剧般地脱下裤子，那嘲讽的意味反而更加令人刺心。她只得转过头来，不朝桌边看。可一闭上眼睛，那个没有见过面的乞丐和那个拖油瓶的孩子在她脑子里重重叠叠，也在向她挤眉弄眼。她把谭功达跟她说过的每一句要紧的话又在脑子里过了一遍。事情最终以这样一个出人意料的结果草草收场，怎么也觉得不甘心。她觉得枕巾上湿乎乎的，就把枕巾撸到一边，可枕芯也是湿的。

第二天，姚佩佩从床上醒来，发现自己又要迟到了。赶紧爬起来，匆匆洗了一下脸，早饭也没顾上吃，就急匆匆地赶去上班。姑父坐在客厅的藤椅上看报纸，见佩佩心急火燎地往外走，便笑道："佩佩，怎么，星期天也要加班吗？"

姚佩佩在脑袋上使劲拍了一下，把肩上的背包重新挂在门后，对姑父道："哦，我忘了今天是星期天。"

姑妈端着一碗稀饭从厨房里出来，对佩佩笑道："都快要成家的人了，还像个孩子似的，整天晕头晕脑的。"

佩佩听见姑妈的话中另有所指，从她手里接过碗筷，问道："成家？谁要成家了？"

姑妈诡秘地一笑，一句话没说，回厨房去了。

姚佩佩在餐桌上吃早饭，心里七上八下的。她看见桌子中央摆着一堆光鲜漂亮的礼品，便用筷子头拨了拨，一件件地数着看。有狮峰的龙井茶，有苏州的塘醴鱼罐头、广东潮州的鹅肝、西湖的莲藕、高邮的红油咸鸭蛋……还有两条牡丹烟、两瓶茅台酒，都是平常不太见到的稀罕之物。心里觉得有点奇怪，怎么会有人给家里送这么贵重的东西！佩佩似乎有一种不祥的预感，忽又记起姑妈刚才成家不成家的一番话来，便放下筷子，把碗一推，对姑妈道：

"咱们家来亲戚啦？这东西是谁送的？"

姑妈两腿夹着个白瓷盘，正坐在路槛边的亮处剥毛豆，笑道：

“我们不来问你，你倒问起我们来了。你这丫头，如今人大鬼也大，什么事情都包得严严实实。这么好的一桩亲事，难道还怕我们拦阻不成？”

佩佩见姑妈的话越说越离谱，一下就急了：“什么亲事不亲事，这礼到底是谁送的？”

姑妈看见佩佩面红耳赤，急得声音都打战，似乎是蒙在鼓里的样子，心里也觉得奇怪，便正色道：“这礼是一个姓金的人送的。难怪他有钱，名字也镀了金。东西还不止这些，丝绸和布料都叫我收到柜子里去了。”

听说是个姓金的，姚佩佩吓得勃然变色，急道：“他，他到咱家来过啦？”

“他本人倒是没来，东西是让一个女的拎上来的。我原先还以为她是个媒人，可见她长得那么年轻，打扮又入时，怎么看也不像。问她叫什么，她只说自己姓田，在家里坐了大半宿，快到十二点，这才走的。我问她对方的生辰八字，合还是不合，想帮你算算。那人出手这么大方阔绰，来头一定不小，只是不知道他在哪里发财，田同志只是笑，说她也不清楚。”

既然姑妈说来人姓田，想必就是钱大钧的夫人田小凤了。姚佩佩心里怦怦直跳，浑身像针扎似的火烧火燎，她啧啧地咂着嘴，一腔的怒火在心里乱撞，见姑妈张着嘴笑呵呵地看着自己，就突然冲着姑妈叫道：

“你们怎么能随便乱收人家的东西？”

她这一叫，自己也觉得刺耳。姑父吓得赶紧把手里的报纸移开，把眼镜往下一拉，从镜框的上方吃惊地盯着她看。

姑妈立刻就不高兴了。她那满是皱纹的脸，就像大晴天不知从哪儿飘来一片云，顷刻之间，天昏地暗：

“你这姑娘，说话好不知长短！听你这话的意思，倒是我们眼皮子浅，人犯贱，嘴巴犯馋，贪图这点便宜了？人家送了礼来，你又不在家，我们难道要像那疯子似的不分青红皂白，把那大包小包一股脑儿摔到人家脸上，你才称心如意？你不在外面跟人家私相授受、招蜂引蝶，人家怎么好端端地上你家来？弄得我们慌手慌脚，只怕坏了你的好事，腆着老脸陪着人家傻笑……”

姑妈的话越说越难听，嗓门越说越高，眉毛越拧越紧。佩佩这几天积压在心里的火怎么也压不住，便哭着跑回了自己的房间，随手一摔门，并未十分用力，可穿堂风一刮，砰的一声巨响，震得墙上的石灰扑簌簌地掉下来。姚佩佩知道大事不好，坐在床头，心里有几分发憷。她素来知道姑妈是个厉害的角色，一旦发作起来，不拼个你死我活、玉石俱焚，是不会罢休的。果然，佩佩听见咣咣当当一阵瓷盆响，姑妈早已窜到门边，隔着门跳脚骂道：

“你是哪门子的娇客！跟老娘摆哪门子的威风！说你一句你就跳！豆腐掉在灰堆里，打也打不得，吹也吹不得！白粥白饭，我管你吃、管你喝，没有功劳反倒有罪过了？你还没进省城，就先忘了做人的本分；若是祖上积了德，带你混个一官半职，眼中哪里还有我这个老婆子？如今傍上个姓金的，权当我这个家就是你的旅店，在外面出风头，有个不顺心就拿老娘来撒气！我虽没见过什么世面，可从小住在静安寺，什么金的、银的没见过？了不得了！封了娘娘了？莫非还要我跪下来给你磕头不成？”

一番话骂得姚佩佩大气不敢出，只是默默地坐在床沿流泪。昨天晚上还在为姑妈对自己过分亲热感到歉疚，可过了一夜，她立即就被打回了原形——就像是一场雪化了，脚底下依旧是一团烂泥。自己还是那个提着包裹来大爸爸巷投奔姑妈的孤儿。天下之大，竟没有自己的容身之处。她记起，一个春天的早晨，她背着书包走下了自己家的汉白玉台阶，母亲又把她叫了回去，紧紧地搂着她，泪水热乎乎地滴在她的脸上：儿啊，你放学回家，见不到妈妈，会不会害怕？不要害怕！妈妈的眼睛就算是闭上了，可仍然会看得见你的。你走到哪里，妈妈的眼睛就跟你到哪里……妈妈，现在，你的眼睛看见我了吗？

她听见屋外姑父正在低声地劝着姑妈，掐着嗓子赔着笑。可姑妈似乎正骂到兴头上，依旧在客厅里叫道："她是一个绝了户的孤儿，有什么好狂的？"

一听到"绝户"二字，姚佩佩忽然大放悲声，泪如雨下。妈妈。妈妈。我在叫你，你的佩佩在叫你，你听得见吗？那分明不是哭，而是撕心裂肺的尖叫……

这叫声把姑妈也镇住了，她的声音渐渐地低了下去。劝住了姑妈，姑父一拧门把手，拿了一块湿毛巾走了进来，同时向她眨了眨眼睛，低声道："你姑妈的脾气你又不是不知道，那个泼辣货，你跟她计较什么！"说完陪着佩佩在床边坐了一会儿。好不容易佩佩才止住哭泣，看着墙壁傻傻地呆坐了半天，这才齉着鼻子对姑父说：

"不管怎么样，这礼物总得给人家原封不动地退回去才好。不明不白地拿了人家这么多东西，以后的话都不好说了。"

姑父愣了半晌，红着脸道："往哪里送？那姓金的是托姓田的转送的，何况那姓田的我们也不认识。"说到这里，姑父把门掩了掩，顿了顿，又道："那高邮的咸鸭蛋，你姑妈早已送了一盒给肉联厂的老孙头了。那茅台酒，我也已拆了封，尝了一小口。再说了，人家送来的那些布料绸缎，你姑妈早已收拾妥当放在她箱子里去了。她这个人，你也知道，东西收进去容易，要叫她拿出来，那就比登天还难。她刚刚发了这么大的脾气，怎么好跟她开口？唉，那个姓金的到底是什么人，你们究竟是怎么认识的？"

姚佩佩本来不想说，见姑父问起，心里道：这事如果今天不说，烂在肚子里也没人知道。就把心一横，长长地吁了一口气，把金玉这个人的来历，自己如何见到他，如何出现误会，钱大钧又如何顺手牵羊，占了人家羊杂碎的便宜，从头至尾，详细地说了一遍。她原先以为姑父虽有寡人之疾，但总还是一个正直的人；在这个节骨眼上，也只有他能帮自己拿个主意了。

姑父听完了她的话，脸色变得十分暧昧，目光躲躲闪闪，半天才说：

"佩佩，你桌上的这个泥人，倒是蛮好玩的哩，一看就知道是无锡惠山的名产，好手艺，好手艺。你瞧这眼睛，再瞧瞧这张嘴，果然是好手艺！"

说完，站起来就要走。姚佩佩一把拽住了他："姑爹，你说我现在应该怎么办？"姚佩佩眼巴巴地看着他，眼睛里满是哀求的表情。

"啊，怎么办？怎么办呢？你说呢？我炉子上还炖着东西呢。你闻闻，这屋里是什么味道？什么东西被烧煳了？噢，不行，我得去厨房看看。"

8

姚佩佩很快就提交了辞职报告。她的辞职信写得十分沉痛、决绝。仿佛不仅是为了辞职，而是向整个世界告别。

“经过再三考虑，我认为自己不适合任何与人打交道的工作，甚至不配活在这个世界上。”姚佩佩写道，“不管尊敬的领导是否批准我的辞职，从今天下午两点钟算起，我将自动离职，并且不再承担任何因辞职而造成的损失……”她只花了不到一个小时就写好了辞职信。在装入信封之前，她又把“甚至不配活在这个世界上”一行字涂掉了。为了防止自己反悔，她决定立即动身，前往县委办公室，将它当面交给杨福妹。

这天上午，杨副县长恰好不在办公室，因此，省掉了一番不必要的盘诘、慰留等等口舌。姚佩佩将辞职信搁在杨福妹办公桌的玻璃板上，如释重负地长出了一口气。她去了一趟图书馆，将所借的书籍都还了，临出门，又把自己的借阅证撕成了碎片，扔在了门口的垃圾桶里。除了自己的化妆品和洗漱用具之外，姚佩佩从办公室唯一带走的东西，就是赵焕章送给她的那盆墨兰了。经她精心照料，墨兰长得十分茁壮，自有一番挺拔与妩媚。

姑妈见佩佩不到三点就回到家中，手里捧着一个花盆，倒也没当一回事。自从昨天两人大动肝火之后，她们还没有说过一句话。进门时佩佩还是叫了她一声“姑妈”，对方依旧不予理睬。

随后一连几天，姑妈看到姚佩佩不再去县里上班，心里就有些疑惑，可又碍着面子，不好亲自张口去问她，就这样一天天熬着。到了星期天，她再也熬不住了，就暗中怂恿姑父去探她口风。一听说姚佩佩从县里辞了职，姑妈心里也不由得吓了一哆嗦！心里想，这小蹄子跟我怄了口气，没想到竟会这样发狠，做出这样荒唐的举动来。心里纵有一万个不愿意，也只好在那张老脸上挤出些许笑容来，主动找佩佩谈心，给她赔不是。她骂自己是老不死的老糊涂，是吃狗屎长大的，求姚佩佩千万可怜可怜她的贫老无依，不要因为自己一时满嘴喷粪，而赌气断送自己锦绣前程……

好话说了一大堆，姚佩佩的心变硬了，丝毫不领情。她说自己的辞职与姑妈无关，如果姑妈实在容不下她这个吃闲饭的，也要看在她死去爹娘的份上发发慈悲，给她宽限几天。短则几天，长则几个星期，自己一旦找到事做，就会马上从这儿搬出去的。如果姑妈现在就让她走人，也没关系，明天一早，她自当净身出户。姑妈一听这话，想想自己也有满腹的委屈，自轻自贱换来的却是这么一篇不近人情的疯话，就知道佩佩这回是发了大愿、动了铁心，不由得哇哇大哭起来。佩佩倒也不去劝她，自己回到房中，把房门撞上，一头倒在床上昏昏睡去。

第二天上午，杨福妹亲自赶了过来，给她带了一网兜苹果。照例是一番规劝。她说，如果佩佩不愿意上调到省里，也可暂时不去，如果不愿意入党，也可暂时留在党外，如果她不愿再做秘书一职，县里的岗位与单位她可以任意挑选："你看这样行不行，听说，你和那个叫什么羊杂碎的最要好了，把你们俩调到一起怎么样？"

临走时，她还告诉佩佩，钱县长现在正忙得不可开交，过些日子等他得了空，会亲自找她谈话。她说姚佩佩是县机关难得一见的人才：文章写得好，办事也认真。优点是谦虚，缺点是太谦虚。杨福妹走了之后，一连两个星期，钱大钧却并未露面。姚佩佩便开始四处找事做。最后总算有一家棉纺厂答应要她，工资低得可怜，只有在机关时的一半，而且一个月倒有二十个夜班。她犹豫了好几天，也只得硬着头皮去报了到。

在这期间，她甚至还大着胆子，偷偷地去了一次谭功达的家。经过这么一番折腾，她的心反而平静了下来。她只想与谭功达见个面，当面问他几句话，至于问他什么话，想了半天又觉得无从说起。就像是喉咙里卡了一根刺，不把它拔出来，一刻都不得安宁。她来到冯寡妇的住处，那房子已经像被蝼蚁蛀空的庞然大物的骨架一般了。

几个木匠正在屋顶上换椽子。一个戴草帽的泥瓦工在院外拌洋灰，他告诉姚佩佩，这房子正在大修，谭功达早就不在这儿住了。姚佩佩便问他知不知道谭功达搬哪儿去了，那人想了半天道："听说是在一个叫做胭脂井的地方。"

姚佩佩知道胭脂井，当年她从梅城浴室辞了工，就流落在西津渡的胭脂井一带，在一家卖绒线的铺子里待了两个月。说起来，那地方离大爸爸巷倒也不太远，当中只隔着一条河和一个街心花园。

她终于没有去胭脂井找他。

这天下午，姚佩佩刚从棉纺厂下班回家，就看见汤碧云正坐在客厅里，看着她笑。天气已转凉了，外面下着雨。

"哟，纺织姑娘回来了！你怎么淋得像个落汤鸡似的？"碧云道。

佩佩笑道："好好的大晴天，半路上忽然下起雨来。原来是汤副主任！难得有空光临寒舍，蓬荜生辉，蓬荜生辉。"

她已经知道汤碧云升了县委办公室副主任。可一说"寒舍"二字，心里就有些落寞。因为连这房子也是人家的。"寒舍"二字虽是自谦，可也不能随便乱用。

“你要再这样开玩笑，我马上就走。”汤碧云假装生气地道。

她今天穿了一件深绿色的大翻领衬衣，外罩一件白色的网眼马甲，耳垂上还吊着一个假玛瑙坠子，人显得十分精神。

“纺织厂怎么样？累不累？”碧云问她。

“我哪儿能跟你比？不过是靠自己的力气吃饭罢了。”

姚佩佩随便说出的这句话，听上去也大有问题。她说自己靠力气吃饭，有些暗示对方仗势升官，就近乎骂人了。好在汤碧云没有往心里去。

今天是中秋节，碧云是专门来请佩佩吃饭的。她说在城西的桂花巷新开了一家馆子，平常是不对外的，那儿的螃蟹年糕做得很不错。她前几天刚去过，巷子里的桂花全都开了。

两个人坐在客厅里说了一会闲话，等到雨一停，姚佩佩便辞别姑妈，跟着汤碧云走了。临走前，姑妈硬是将一把油纸伞塞到佩佩的手里，笑道：“还是带把伞吧，看这天，雨一会儿还得下。”说完，很不自然地在姚佩佩的肩上拍了拍。

桂花巷的那个饭馆位于城西的一个小山坡上。姚佩佩凭窗远眺，可以看见梅城一带黑黑的旧城墙。雨后的夕阳绚丽无比，烙铁一般的火烧云，中间夹杂着翡翠般的浅绿，把西山衬托得如墨如黛。成群的暮鸦在远处的树林上空盘旋，嘎嘎地叫着，把树木的枝条都压弯了。

“怎么会有这么多的乌鸦？”姚佩佩问道。

汤碧云正在给她盛汤，似乎没有听见她说的话。到梅城这些年，姚佩佩还是第一次感觉到这个古城的苍凉与美丽。窗外的风景令人赏心悦目。大雨过后，空气清冽，微微有些寒意，那桂花的香气酽酽的，静静的，浮在院落和花木之间，引人遐思。姚佩佩支着下巴看着窗外，心里也是幽幽的，仿佛整个身体都被那浓烈的花香熏得浮了起来。

饭店虽然开张不久，却也并不干净。青砖地面上早已积了一层油垢，加上众多的客人从外面带进来的雨水和泥巴，姚佩佩还没有吃饭，早已没有了胃口。等到饭菜端上来，照例是油腻得让人反胃。特别是上汤的时候，服务员那有着黑色污垢的大拇指是整个地泡在汤里的。姚佩佩不知道汤碧云为什么会挑选这么一个地方。汤碧云看上去也有点心不在焉，她总是在回避自己的目光，而且也并没有显示出怎样的热情，仿佛脑子里同时在想着好几件令人烦心的事。

汤碧云没话找话说，极力想让气氛变得亲热一些。东一榔头，西一棒子，一会儿说："姚佩佩（她特意加了一个姚字），你以后不会恨我吧？"一会儿又说："姚佩佩，你一定从心眼里就瞧不起我，是不是这样？"弄得佩佩心里疑窦丛生。话题绕来绕去，最后又绕到了钱大钧身上。佩佩不动声色地听她说话，随便搭上一两句腔，不一会儿就腻烦了，她有点后悔跟她出来吃饭。

"你觉得金玉这个人到底怎么样？"

汤碧云既然提到了金玉，佩佩立刻多了一份提防。心里道，我猜得不错，原来她也是个说客，现在终于切入正题了。

姚佩佩冷冷地瞪了汤碧云一眼，脸上有些挂不住了："你要再提起这个人，我马上就走。"说完就把筷子往桌上一放，脸上充满了警觉。

"不提他，不提他。"汤碧云诡秘地笑了笑，可嘴里仍然说，

“我怎么觉得这个人还不错，就是脸上那个大痦子让人看了心里有点发毛。”

“你要觉得他好，你就嫁给他好了！反正你已经从钱大钧那儿脱了身，现在正闲得慌……”姚佩佩刻毒地挖苦道，仿佛一心要激怒她似的。没想到汤碧云大度地笑了笑，说：“你说这样的屁话，本来我应该生气的，可我并不生气！”

她拢了拢耳边的头发，又道：“你呢？你能好到哪里去？人家下了台你就巴巴地跟着辞职，可那姓谭的心急火燎早就等得不耐烦了，糊里糊涂落在了一个风流小寡妇的手里，你就是想当殉葬品都不够资格，何苦呢？”

姚佩佩从碧云的话中隐约听到了钱大钧的口吻，脸一红，急道：“我辞我的职，跟他有什么关系？”

“算了吧，你就别装了。”汤碧云夹了一块年糕放在佩佩的盘子里，柔声道，“你那点小心思，哪里能瞒得过我？我只是不忍心点破你罢了。不过有一点，佩佩，我不明白，那谭功达究竟有哪一点好，害得你整天五迷三道的？”

姚佩佩紧抿着嘴，将目光转向窗外，道：“大概是，只有跟他在一起，我才会觉得安全吧……我也说不清。”

汤碧云忽然道：“那么我呢？”

“你？”姚佩佩笑道，“你这个人心机太深！我怕你还来不及呢！我总觉得，说不定哪一天，就会被你卖了。”

刹那间，汤碧云的脸色一下就变得煞白。拿筷子的那只手不停地在发抖，夹了半天也没把那片香菇夹起来。姚佩佩见她情绪激动，略微有些疑心，可也没怎么往心里去。

过了一会儿，她推了推汤碧云，笑道："你这个人怎么回事，一句玩笑话也说不得？不管怎么说，我们姐妹一场，就算哪一天我真的被你卖了，也只能心甘情愿。毕竟是栽在自己最好的朋友手里，怨不得天。"

没想到她这一说，汤碧云的神色更显慌张，紫胀的嘴唇也哆嗦得厉害。她手忙脚乱地取出一支烟来，叼在嘴上，可怎么也点不着火。姚佩佩抓住她的胳膊，问她是不是哪儿不舒服，汤碧云猛吸了几口烟，才道：

"我饿了一天，刚才吃得急了一点，就有点心慌。佩佩——"

"嗯。"

"佩佩，你觉得我这个人真的有那么坏吗？"说完，眼睛里豆大的泪珠滚滚而出。佩佩见对方似乎动了真情，自己的双眼也有点潮湿，她就后悔刚才说那样的话。可又不知如何劝慰她，想了半天，就把她们第一次见面时说过的那句话重新说了一遍：

"好了好了，别难过了。你要是个男的，我就毫不犹豫地嫁给你。怎么样，这总可以了吧？"

她这一说，汤碧云哭得反而更厉害了。半晌，汤碧云抬起头来，眼睛红红的，问她道：

"你有没有听说过一个名叫花家舍的地方？"

"没听说过，怎么呢？"

"没什么。"汤碧云擦了擦眼泪，像是下了一个很大的决心似的，向服务员招了招手。

佩佩心里道：今天这个羊杂碎也不知怎么了，尽说一些半吊子的话。让人听上去摸不着头脑。

正想着，汤碧云又说，钱大钧在城郊的那座房子离这儿不远，她还有些东西留在那儿，她要去取回来，问姚佩佩愿不愿意跟她一起去：“那处房子，到了晚上有点阴森森的，屋后还有几座坟，有些怕人。”

姚佩佩想了想道：“要是碰上钱大钧这个鬼可怎么办？”

“他不在，去省里开会了。”汤碧云道，“你要是不愿意去，就算了。”

佩佩抬头看了看树梢上那一轮铜盆似的圆月，笑道：“我也是个胆小的人，要是遇上鬼，你可别指望我来救你。今晚的月色这么好，我就陪你去走走呗。”

说完两个人挽着胳膊出了饭店，沿着幽深的巷子往前走。她们来到巷子尽头的一簇桂花树前，汤碧云又站住了。她从桂花树上揪下一些桂花来，用手帕包着，说是带回去泡茶。

“佩佩，”汤碧云忽然转过身来，望着她的脸，“算了，时候不早了，你还是先回去吧，不用陪我了。”

“你怎么这么婆婆妈妈的，”佩佩道，“走吧，哪里来的这么多废话！那房子里有没有养狗？”

汤碧云摇了摇头，笑道：“是你自己要去的，待会儿要是遇上鬼，你可别怪我。”

9

这是一处小巧精致的乡间庭院，坐落于甘露亭旁的深林之中。

东侧的小院门并未上锁，用手轻轻一推，门就开了。庭院虽小但十分清幽，四周砌有高墙。墙面的几处花窗，姿态不一，透出一些古意。一棵槐树亭亭如盖，枝条探出院外，树冠泻下圈圈月光，清风一吹，不觉令人神清气爽，百虑皆忘。墙角种有芭蕉和燕竹，枝蔓分披；地面遍铺蜀锦碎石，在槐树浓密的阴影中，斑驳成趣。园子多时未经打扫收拾，长满了杂草和野生的芦柴，却又不免让人动了黍离之思。在花园和天井之间有檐廊相接，左右廊柱挂有一副楹联，白漆斑驳破碎，但字迹宛然可辨，原先主人的闲情逸趣，从联语一望而知：

安闲莫管稻粱谋

沽酒不辞风雪路

姚佩佩一进园子，就东瞅西看，随处闲逛。即便自己在上海的院落，与之相比，也不免多了几分俗气，嘴里不禁赞叹道："想不到在梅城，竟还有这么一处雅致的宅院。"

汤碧云见佩佩喜欢这个园子，也有几分得意，笑道："你要是喜欢，不妨就多看两眼。过两天等大钧回来了，我这把钥匙一交出去，再想来恐怕也不行了。"说完，开了屋门，就先进去了。

天井的格局更为幽僻。只是时花异草皆已荒芜，叠石高台遍织蛛网。灌园的工具，诸如钉耙、铲子、木桶之类都杂乱地堆放在墙角。姚佩佩在天井中驻足良久，忽然看见汤碧云在楼上向她招手。沿着水井旁的楼梯躬身而上，走到楼上，姚佩佩看见房间的门都上了锁，只有东侧的一间开着门。汤碧云正在那儿烫壶沏茶。

这个房间大概就是钱大钧和羊杂碎的幽会之所了。一进门，那张雕花罗汉床十分显眼，南窗下有一张小方桌，几把藤椅。凭窗而坐，可以眺望远处的山景和村庄。窗玻璃的冰裂纹一看就是明清旧物，就连汤碧云用来替她泡茶的杯子也画有童叟相戏之图，似乎也很有些来历。汤碧云说，这个地方远离城区，还没有通电，只能点上美孚灯照明了。佩佩笑道："今晚的月色这么好，点上油灯实在有点重复。"汤碧云一听她这么说，果然就站起身，要吹灯，佩佩又把她拉住了，"既然点上了，何必吹它？再说有了这点亮光，我们的胆子也更壮一些。"然后，碧云坐在姚佩佩的对面，托着脑袋对她说：

"怎么样，这地方不错吧？"

佩佩见羊杂碎将他人的院宅向自己炫耀，全然不顾自己已经被扫地出门的事实，再看她脸上天真烂漫，一心盼着自己夸赞几句，心头忽然一动，不禁有些悲凉。夜空静谧，了无纤尘，银河泻影，月华静好。佩佩恍惚间简直有不知今夕何夕之感。我的眼皮为什么抬不起来了？我的头为什么这么沉？她喝着加了桂花的茶，把手搭在窗台上，心里忽然想到：若是躲在这样一处园子里，一个人过一世，读它一辈子的春秋三传、四史妙文，倒也不枉来人世一遭……

羊杂碎忽然有了一个大胆的建议。她拉住佩佩的手，道："反正钱大钧也不在，不妨我们就在这里住一夜，明天一早离开，怎么样？"这个提议立刻遭到了姚佩佩的坚决拒绝。她沉下脸道："这地方再好也是人家的。杭州再美，毕竟不是东京汴梁！只消看一眼就可以了，我们赖在这儿，到底也没什么意思。你赶快去收拾收拾东西，我们一会儿就走。再说，明天一早我还要去厂里上班呢。"

可碧云坐在那儿一动没动，那笑容那眼神越来越诡异。

“佩佩……”汤碧云轻轻地叫了一声，泪水又止不住地从脸上淌下来了。姚佩佩一看她流泪，心中凛然一震，忙问道：“羊杂碎，说实话，你今天到底怎么了？我怎么老觉得有什么地方不对劲？”汤碧云掏出手绢来擦脸，嘴里含混不清地道：“佩佩，你可不要怪我。”

佩佩的脸色一下就变了。她似乎预感到了什么不同寻常的事即将发生，猛然记起来，刚才进门的时候，她明明看见大门上落了锁，可仅仅这一眨眼的工夫，羊杂碎竟然给自己沏好了茶，那么这开水是从哪儿来的呢？想到这儿，佩佩不由得汗毛倒竖，她觉得自己的胆都快碎裂了，恐惧从脚底沁出来，顺着她的裤管往上爬，顷刻就漫遍了她的全身。

姚佩佩从桌边站了起来，指着汤碧云叫道：“羊杂碎，你，你在害我……”话没说完，就感到眼前的房子、月亮、窗户都裹在一个巨大的漩涡里，飞快地转动起来。而汤碧云那张暧昧的脸，竟然分出了许多重影，在她眼前分分合合，层层叠叠，似乎有一屋子的人在望着自己……她感到头脑昏沉，胀痛欲裂，腿脚却不听使唤，怎么也挪不开步子。她瘫坐在藤椅上，把桌上的茶杯猛地一推，一头栽倒在桌子上，沉沉睡去。脑子里最后残剩的一点幽微的光亮，旋即熄灭。她知道茶杯翻了，茶水在桌面上漫过她的手指，热热的。她听见茶杯在桌子上骨碌碌滚动着，最后啪的一声，摔在地上碎了。她知道，她那不切实际的梦想，她那脆弱得像冰块一样的心，她那深藏不露的骄傲和矜持，像花一样盛开在她的心底里的所有女人的秘密，都碎了。

姚佩佩从罗汉床上醒过来，首先看到的就是一轮皎洁的圆月，不过，它眼看着就要被房檐遮住了。鳞片般的云朵看上去很不真实，就像是天空突然皲裂，一圈圈银灰色的裂纹玲珑剔透。很快，她就闻到了一股烟味，可她的身体像是被什么东西绑住了一样，丝毫动弹不得。她觉得脑子里有一把锥子在搅着她的神经……她抬起右手，在床上胡乱摸了一下，就摸到了一条毛茸茸的大腿。于是，姚佩佩开始了她有生以来最为剧烈的尖叫。

“不要叫，不要叫！”一个苍老的声音在她耳畔说。

他将佩佩的脑袋扳过来，让她看着自己。姚佩佩看到他嘴角的那颗大痦子，立刻就不敢叫了。她哆哆嗦嗦地战栗着，身子一缩，那人顺势一揽，就把她搂在了怀里。

你不知道，我有多爱你！乖乖，我的小乖乖，我的心肝！自从我第一次见到你，我的心就碎了！你还记得吗？就是在会议室的那次，你最后一个进来。找不到座位，就站在那儿，望着主席台，望着我。我当时就想，要是能把你身上的那件蓝色的列宁装全部脱掉，你会是什么样子？啊，你是一颗樱桃！刚刚长熟，那么圆，那么滑，那么红，还沾着露水。那么请问，我怎么办？唯一的办法，我的小宝宝，就是把你一口吞下去，连皮带肉，一口把你吞下去。现在你就在我的肚子里。在这儿，你摸摸，姚佩菊同志……你的身体那么丰饶，比我无数次梦中见到的还要好上一万倍。亲爱的姚佩菊同志，现在我可以负责任地向你宣布，我爱你！经过慎重考虑，我同样认为，你嫁给我是合适的。请相信，它是纯洁的，亲爱的姚佩菊同志，你现在唯一应该做的事，就是接受它……

金玉的双手紧紧地箍着她。姚佩佩蜷缩在他怀里，有相当长的一段时间，像个婴儿般温顺。她的身体像一团松松的棉花，使不上什么力气。没办法，真是没办法。金玉俯身蹭了蹭她的脸、她的眼睛。他的头伏在她胸脯上，嘴里像是含着一颗糖，喃喃低语道：

“姚佩佩同志，现在我要发动二次革命，杀他一个回马枪，您不会反对吧？我想让你见识见识什么是真正的魂飞魄散……”

姚佩佩使劲地抓他、掐他、拧他、抠他，她所有的挣扎，却像和对方撒娇般绵软无力。金玉把她的两只手一起捉住，捏在一起，压在她脑后。佩佩就向他吐唾沫。可金玉不仅不生气，反而伸出舌头来舔。她的腰像一张拉满的弓，一次次高高地耸起来，迎向他。不行，不能这样！我的所有挣扎，在对方的眼中，不过是迎合和急不可待！那声音，听上去，就像是给墙基打夯。而那片薄薄的、易碎的膜，就是我一生的缩影：其中除了耻辱，什么也没有……

当金玉发出沉重的鼾声时，姚佩佩试了两次，终于能从床上坐起来了。金玉本能地用手来抓她，可佩佩轻轻一掰，他的手就松开了。

她的衣服和裤子在地上被扔得东一件西一件，鞋也不知被踢到什么地方去了。她摸索着在地上找衣服和鞋，手指被什么锋利的东西划了一下，她的手破了，可她并不觉得怎么疼痛。随后，她在内衣下面摸到了那个凉凉的东西，拿过来，凑在月光下一看，原来是一只摔碎的玻璃杯的底托。这块底托沉甸甸的，四周有一圈锐利的玻璃锋刃。她轻轻地将它搁在桌上，很快就穿好了衣服，可并没有马上离开。

她呆呆地依窗而坐。似乎正在极力回忆这一切是怎么发生的。可她的眼睛一刻也没有离开过桌上的那块底托。她又回过头去，看了看那张罗汉床。金玉嘴里噗噗地吐着气，鼾声如雷。我要是把这个东西往他脸上一按，就像盖上一枚邮戳似的，他的脸会变成什么样子？月亮已经看不见了，可楼上楼下依然很亮，风吹动着树枝，下雨似的簌簌作响，像是在战栗，又像是叹息。她闻到了一股特别的香味，它不是来自桌上那尚未用完的锯末般的桂花，而是园子深处蔷薇似有若无的香气。

她简直没法摆脱那个疯狂的念头。她想到了赶紧离开这儿，可她脑子里有两个小男孩在打架：一个红衣红裤，怂恿她尽快下手；一个白帽白袍，劝她放弃。她口渴难忍，看见了桌上有只茶杯。她无法判断里边是否放了安眠药。奇怪的是，安眠药也有自己的意志，事实证明，它完全能够胜任裁判一职：当姚佩佩悲愤地想到，钱大钧是如何去县医院和药剂师密谋，又用了怎样的办法劝说汤碧云向自己的姐妹下手……她觉得没有必要再这样纠缠下去了，她已经做出了决定。

她把那块茶杯的底托拿在手里。还好，它很适合把握！她蹑手蹑脚走到床边，深吸了一口气。

佩佩，你知道你在干什么吗？

我知道。

非得这么做吗？

对，非得这么做不可！

她不再犹豫，将茶杯底托的锋口朝下，对着床上那张衰老、松弛、肮脏的脸认真地比划了半天，然后，左手握住茶托，右手压在左手的手背上，用尽全身力气按了下去……她还没有来得及看清楚正在发生的事，她的身体被金玉双手一推，飞了起来，她的脑袋撞在了对面的墙上。同一时间，金玉也已滚落在地。她看见金玉的两个眼窝里一起往外渗血。他弯着腰，脑袋转向左边，然后又转向右边，像是在找什么东西，嘴里嗷嗷乱叫。看不见了！我的眼睛看不见了！佩佩从来没有听过这么恐怖的咆哮声。她爬到门边，拧开了房门的把手，赤着脚，发疯似的朝楼下跑去。

在楼梯的拐角处，金玉追上了她，在身后拦腰把她抱住了。两个人从楼梯上滚下来，一直滚到墙角的井台边。姚佩佩从地上站起来，正要往门外跑，发现金玉死死地抱住了她的一条腿。她感到自己的脚踝上都是血，湿乎乎的。她在月光下一眼就看到了井盖上压着的那块大石头，旁边还有一只铁皮吊桶。她想都没想就把那块大石头抱了起来，对着金玉的脑袋砸了下去，那声音听上去空洞而沉闷。她的嘴里一二三四地数着。当她数到第九下的时候，金玉的手松开了。他的身体一翻，仰面躺在井台边，不再动弹了。

姚佩佩在敞开的庄稼地里跳跃着，像一只善于奔跑的羚羊。结了籽的油菜秆抽打着她的脸，而稻田的淤泥常常让她的脚拔不出来。她在稻田和苜蓿地里奔跑了很久，可仍然找不到来时的公路。她疑心自己跑错了方向，又掉头往回狂奔。最后，在一条淙淙流淌的沟渠边，她看到了一个凉亭。它坐落在一片绿油油的甘薯地里。谁会在甘薯地里建这么一个亭子？自己会不会在做梦？要是有人轻轻地推我一把，说，你醒醒，你醒醒，我也许就会不费吹灰之力回到原来的世界中。

她看见匾额上隐约有“甘露亭”三个字。她知道，在镇江有一个甘露寺，那是传说中刘备招亲的地方，可眼前这座亭子又是哪个朝代的遗迹呢？她在凉亭里坐了一会儿，这才想到把满是血迹的外套脱了下来，随手将它扔在地上，然后去水渠里洗了洗手。要是能有支烟该多好！她的裤脚上也有血，可让淤泥一糊已经看不出来了。像一个真正的旅游者好不容易发现了一处古迹似的，佩佩认真地把亭子转了个遍。沟底里映出天空的云朵和明月。要是我把头从沟里钻进去，说不定就进入了另一个世界。她意识到，等天一亮，她跑不了多远就会给人逮住的。她应该在天亮之前逃得远远的……或许，该找个地方先躲一躲？去哪儿呢？她很快就想到了开吉普车的小王……

姚佩佩回到自己的家中，天已经快亮了。她觉得自己太累了，苦胆都快吐出来了。还好，姑妈还没有起床，她可以从容地洗澡、换衣服，收拾随身要带走的东西。她还吸了两支烟。她从床底下把那个大旅行包翻了出来。当年，她正是提着这个包，跌跌撞撞地跟着姑妈到梅城来的，包上还有妈妈亲手用绒线绣的一个"菊"字。她用鸡毛掸子胡乱地掸了掸灰尘，开始往包里塞东西：两本书、半包人生产牌香烟、一瓶驱蚊油、一把木梳、几身换洗的衣服、一面小圆镜、一瓶雪花膏……很快，那旅行包就被她塞得鼓鼓囊囊的了。她拎着挎包走到门外，正准备去脸盆架上取牙缸，看见姑妈正对着墙上的镜子在梳头。

"今天你怎么起得这么早？"姑妈道，"晚上你是几点回来的？"

姚佩佩啊、啊地哼哼了几句，侧着身子走到过道的尽头，取下牙缸，用一条干毛巾包好，放进旅行包里。姑妈见她神不守舍的样子，又见她手里拎着大旅行包，觉得有点奇怪："佩佩，你要出差去吗？"

"出差？对，对，出差。"姚佩佩道，"我要出去几天，姑妈，您能不能，借我点钱？”

“这是什么话！都是一家人，还有什么借不借的？你要多少？”姑妈嘴里这么说，可眼睛死死地盯着佩佩，眼见得是起了疑心。姑妈是个精明绝顶的人，如果时间一长，保不准就会给她看出破绽。

“你有多少？”姚佩佩尽量克制自己的心跳，灰灰地笑了一下。

姑妈说，她只有六七十块。“隔壁的阿牛娶亲时，刚从我手里借去了一百五十元，还没还回来。如果不够，我就去向人匀一点……”

“够了，够了。您快去拿来！我要赶五点钟的早班车，时间来不及了。”

姑妈诧异道：“你说五点钟？现在都已经五点半了！”

糟糕，说漏嘴了！

姑妈一转身进屋去了，半天没出来。姚佩佩听见姑妈正和姑父小声商量着什么。她瞥了一眼墙上的挂钟，本能地预感到一分钟都不能耽搁了，心里一急，终于没敢等姑妈从屋里取钱出来，便提起旅行包，轻手轻脚走到门口，拉开门，叮叮咚咚地下了楼。

10

大街上还没什么人。

清风裹着阵阵炊烟和煤渣的气息扑面而来。她的目光越过运河上的拱桥，看见彩霞满天，一轮红日喷薄而出。水站的老虎灶炉火通红，冒着一团团的水汽。旁边，有一个清洁工正在扫地。

她一口气跑到巷子口，这才意识到了这样一个悲哀的事实：她不知道自己该往哪儿去。车站广场的大钟敲着六点，她听见《东方红》悠扬的乐声远远地传来。这个曲子，她不知道听过多少遍了，可在这个清晨，它竟然是那么的优美！代表了这个城市的深稳和安宁……

大约十分钟之后，她来到了车站广场边的一个小食摊前。她在那里要了一碗馄饨，将口袋里的钱数了两遍，同时，心里盘算着逃亡的第一个目的地。她不得不接受的女逃犯的身份让她眼泪又流出来了。过了一会儿，一个围着白围裙的女人把馄饨端来了，她却一点胃口都没有。她不由得转过身来朝车站的售票窗口张望。

那儿排起了两条长队。两名纠察队员戴着红袖章正在逐个盘查买票的人群。不会吧，怎么这么快？行将落网的恐惧使她不敢朝那儿多看一眼。正在这时，她忽然听见身边有个人瓮声瓮气地道：

“你的馄饨都凉了。”

佩佩一侧身，看见小摊上还坐着一个人。那人身穿蓝色的工作服，衣服上沾满了黑色的机油，也许是小时候得过天花什么的，满脸坑坑洼洼，正在那儿吃油条。佩佩的心里倦倦的，没心思搭理他。

“喂，你的馄饨都凉了！”那人又道。

“我不想吃。”佩佩不耐烦地道。

“真的不想吃？”那人道，“你要是不想吃的话，我替你吃了吧，这么好的东西浪费了也真是可惜。”

“随便你。”佩佩冷冷地道。她再次转过身去，眼睛仍然盯着售票处的窗口。

那人吃完饭站起身来，抹了抹嘴，看了姚佩佩一眼，道：“你去哪儿？”

姚佩佩心想，这个人无端吃掉了自己的馄饨，还挺啰唆的！便胡乱地说出了一个地名："去界牌呀。"

那人呵呵地笑了起来："也不能白吃你的东西。如果你还没买票，又不嫌臭的话，我捎你一段怎么样？这样你可以省下车票钱。"

原来他是一名卡车司机，正要运一车生猪去鹤壁。他说，他的车虽然不经过界牌，不过可以把她带到丁卯镇："如果抄近路的话，从丁卯到界牌也用不了半小时。"

见他这么说，佩佩心里道：我去界牌那个鬼地方干吗呢？可转念一想，还是先逃出梅城要紧，她抬头朝公路边望了望，果然看见路边停着一辆大卡车，车厢围着一层铁栏杆，一群大白猪在里边挤来挤去，哼哼直叫。

"那就难为你了。"佩佩赶紧站起身来，对他笑了笑。

那人倒也和善，一拍胸脯道："敝人名叫周树人，你就叫我老周好了。"

说完，就从她手里抢过旅行包来，大步流星地走了。姚佩佩一听到"周树人"三个字，心里顿时轻松了许多。由鲁迅先生亲自护送自己出逃，就算是给他们逮住了，一枪崩了，也算是值了。

老周已经把驾驶室的门打开了，佩佩的一只脚踩上踏板，周树人在身后将她轻轻一托，她就上了车。

一路上猪粪臭味扑鼻，可她一点儿也不觉得难受，心里反而有一种奇怪的安宁。那周树人长得高大粗壮，也给她以稳重踏实的感觉。她眯上眼睛，让秋日艳阳一照，心里稍一放松，就觉得困倦一阵阵袭来。

"你要是想睡，就好好睡一觉，反正到丁卯还早着呢。"

周树人从背后拽出一条脏兮兮的毛毯递给她。姚佩佩把毛毯盖在身上，闻着毯子上的烟味和汗臭很快就进入了梦乡。她觉得自己刚睡了一会儿，周树人一个急刹车，她就醒了过来。汽车被堵住了，排起了长龙，她在恍惚中看见了梅城县医院的大门。原来开了半天还没有出城呢。

“好像是出了什么大事。”周树人神情严肃地对她道，“怎么来了这么多公安局的人。”姚佩佩一听见公安局三个字，顿时吓得睡意全无。她探出头去朝外面一望，果然看见公安局的人在县医院门前设了一个临时哨卡，正在那儿盘查过路车辆。

到了这个时候，姚佩佩才开始有足够的勇气来回忆一下昨天晚上到底发生了什么事。

那么大的石头在他的脑袋上砸了九下。

如果让时间倒流，重新回到昨晚的中秋之夜，而命运允许她重新做一次选择，她会毫不犹豫地选择嫁给金玉。毫不犹豫。她会把所有的屈辱都吞到肚子里，像条狗一样侍奉他，做他的奴隶。我可以跪下来舔他的脚。他让我做什么，我就做什么，我甚至还会尝试着爱上他，替他生儿育女。与现在的处境相比没有什么是不可忍受的。她怕死，真的怕死。

不一会儿，几个公安局的人已经朝他们走过来了。她看见周树人已经下了车，高举着双手正在接受公安局的盘问。与此同时，另一名警察朝她快步走了过来。他的脖子上挂着一枚哨子，怀里夹着红绿两色的三角旗，姚佩佩和他一照面就觉得这个人面熟，可一时又想不起来在哪里见过。那人面色凶狠地盯着她，从牙缝中挤出一句话来：“我们正在奉命抓捕一名重要的案犯，请出示你的证件。”

“你们不要查了……”

姚佩佩在顷刻之间就失去了控制，尖叫着向他怒吼道：“你们不要查了。我就是你们要抓的那个罪犯。”

那人经她这一叫，也吓了一哆嗦。他用旗杆挑开通往车厢的帆布朝里边张望，他的整个身体都压在了她的肚子上，嘴里的热气带着洋葱的味道喷在她的脖子里，半天才道：“你刚才说什么？”

“我就是你们要抓的罪犯。”姚佩佩哆嗦着，怪异地笑了笑，“我杀了人，真的，不骗你。我用石头在他脑袋上砸了九下。血衣就扔在甘露亭外的番薯地里……”

大盖帽不耐烦地打断了她的话，怒道：“配合公安部门的工作是每一个公民应尽的义务，你有什么可抱怨的？你再这样胡说八道，干扰我们的正常工作，我当真就把你抓起来。”说完嘭地一摔车门，走到一边抽烟去了。

11

高麻子来梅城开三级干部大会，就住在西津渡的朝阳旅社。每天散会之后，他都要买上一些吃食，带上一瓶酒，到胭脂井来找谭功达聊天。张金芳已经在房子后面搭了一个临时厨房。墙身由土积泥砖砌成，顶棚铺上塑料薄膜和稻草，以遮风挡雨。塑料薄膜既不透气，也不吸水，经热气一蒸，顶棚上就缀满了晶莹透亮的小水珠。

谭功达笑着对高麻子道：“这是真正的蒸馏水，若是把它们收集起来，可以送到医院当注射液用。”

这天晚上，张金芳吃完饭，带着孩子早早上床睡了。两个人坐在小马扎上，在地上铺了一块油毡布，摆上两盆猪头肉和花生米，围着炉子喝酒闲聊。谭功达压低了声音问他，能不能收留他回普济做一个真正的农民。这些天，他被圈在这个传说中的烟花之地，都快憋出病来了。

“假如你认为合适的话，我明天就给县里打报告，告老还乡。不过——”谭功达略微迟疑了一下，夹了一粒花生米放入口中，接着道，“金芳不愿意回乡，她说就是在城里做个饿死鬼，也不能再回乡下了。”

高麻子沉吟了半晌，安慰他道：“要回普济，这容易。我马上就可以替你们安排。你在普济的房子已经变成了村里的仓库，要把它腾出来，需要一段时间。另外，我劝你再等等，事情或许还没有绝望到这个地步。”

谭功达又问他，最近的三级干部会都有哪些议题，讨论些什么样的问题？高麻子怕说多了让他受刺激，只拣一些无关紧要的话对他略略说了说，一味劝他喝酒。谭功达忽然想起一件什么事来，红红的脸上有些兴奋。他诡秘地对高麻子笑了笑，道：

“我给你看样东西。”

说着，就把墙角那个公文包拿了过来，从里面取出一叠厚厚的信纸来，递给了高麻子：“我昨天刚刚写完，你能不能把它拿到会议上去讨论讨论？”

高麻子接过那叠信纸一看，原来是一份关于在梅城兴修下水道工程的建议书。他只是粗粗一翻，并未细看，随手就将它扔在了炉边的一摞蜂窝煤饼上。

“你是哪里冒出来的这些怪念头？”高麻子笑道，“你都落到这步田地了，还琢磨这些不着边儿的事干什么？”

谭功达见高麻子将自己熬了六七个通宵才写好的报告随手一扔，实在心疼，立刻就有些不高兴了，耐着性子道：“这可不是什么怪念头！而是基于现实的迫切需要……”

他解释说，自从搬到胭脂井来以后，“突然发现”这里的每户居民都要定时倒马桶，由运送粪便的大车统一拉走。每天早上七八点钟，家家户户都把马桶拎到马路上来倒。妇女们一边高声谈笑，一边刷着马桶，很不文明。何况运粪的铁皮车密封性太差，一路走，一路洒，弄得整条街臭气熏天。“太落后了！这样的状况一天也不能继续下去了！在苏联的高加索地区，五十年代初就建立了完备的下水道系统，家家户户都用上了抽水马桶，莫斯科和列宁格勒就更不用说了……”

高麻子不耐烦地打断了他的话，揶揄道：“你原先住在冯寡妇的老屋时，难道就没有倒过马桶？”

“没有，没有。我从来就不用那玩意儿！”

“那你怎么拉屎撒尿？”

“我让人在屋子后面的竹林里挖了一个茅缸。”谭功达孩子似的看着他，笑道。

“你如今是戴罪之身，忽然搞出这么一个不伦不类的报告，谁会理你？”

“你就说是你写的。”

“我可没你那么爱做梦。简直是异想天开！”高麻子多喝了几杯酒，声音也渐渐地高了起来，把那不该说的话也一起说了出来，“我有一句话，说了你可能不爱听，你猜猜看，当我听说你被撤职之后，第一个反应是什么？你永远猜不到！我是长长地松了一口气。我有点暗自庆幸。坦率地说，我觉得你早就该下台了。你看看，好好的一个梅城县，被你折腾成了什么样子？！我也知道钱大钧、白庭禹都不是什么好东西，蝇营狗苟，利欲熏心，但总还是现实主义者吧？由他们来掌管梅城县，至少还不像你那么离谱……”

张金芳并未睡熟。高麻子的一番话，她躺在隔壁听得清清楚楚。这么刺耳的话，她料想丈夫经受不住，便拼命地咳嗽，提醒谭功达克制。可是已经晚了一步，谭功达涨红的脸，憋了半天，终于由红变紫，由紫变黑，最后变成了铁青色。末了，他咬牙切齿地挤出一句话来，道：“时候不早了，你该走了。”

“你是在下逐客令吗？”高麻子讪讪地笑着，可脸色也变了。

“你要是这么想，也可以。”谭功达冷冷地说了一句，随即站起身来。

“你这是什么意思？”高麻子梗着脖子道，“我好心好意来陪你喝酒……”

“可我并没有请你来！”谭功达叫道。

第二天晚上，高麻子未再登门。傍晚时分，张金芳愁容满面，朝巷子口望了又望，直到夜阑人静，月上树梢，这才把门关了，对谭功达叹道：“如今我们就只剩下了这么一个朋友，可昨天你把他也得罪了。”

到了第三天的中午，高麻子又乐颠颠地跑来了。他手里大包小包，拎了一大堆东西，一进门就嫂子长嫂子短的，就当是什么事都没有发生过。谭功达躲闪不及，可又不知道说什么好，僵在一边。

高麻子给腊宝买了一袋大白兔奶糖，给张金芳买了一段劳动布裤料，还有一网兜皱巴巴的国光苹果。张金芳喜笑颜开，有些夸张地对高麻子道："你昨晚怎么没来？你大哥等了你一宿，觉都没睡安稳。"

谭功达把头扭向一边，仍然在为前天的事生气。

高麻子见状，便嬉皮笑脸地对张金芳道："这话你可说错了，我叫你嫂子，那是出于尊敬，可论年龄，我比老谭还大一岁，他该叫我大哥才是！功达，你说对不对？"

谭功达见高麻子腆着脸与他缓颊，不接话也过于不近情理，便硬着头皮道："要是没我这个大哥，嫂子又从何而来？"

他这一说，三个人都笑了。张金芳松了一口气，正要去里屋倒水沏茶，高麻子忽然说道："不忙不忙，我是来辞行的，要去车站赶四点半的车回普济，和功达说几句话就走。"

张金芳道："怎么忽然要走？三级干部会不是要开到十七号才结束吗？"

"咳，县里都乱成一锅粥了，会议也只好提前结束了。"

"出什么事了？"谭功达问道。

高麻子看了看张金芳，这才对谭功达说："功达，原先跟你的那个女秘书，叫什么名字来着？"

"姚佩佩。"

"对，姚佩佩。"高麻子道，"她杀人了。"

谭功达见高麻子突然问起姚佩佩，又说到杀人二字，吓得脸色煞白，两腿都有些发软。他一把拽住高麻子的手，惊道："老高，你是说佩佩？姚佩佩？她杀人了？"

高麻子静静地点了点头。

“怎么可能？你不会听错吧？她那么一个胆子像针鼻似的人，平常见到个蟑螂都要吓得晕过去，她会去杀人？”

“千真万确。我开始也不太相信，但这个消息是白庭禹在大会上宣布的，怎么会有错？现在外面大街上到处都是公安和联防队员，梅城通往外面的路口都设了哨卡。”

“这么说，她还没有被捉住？”

“时间早晚而已。”高麻子叹了口气，一只手搭在谭功达的肩上，使劲捏了捏，道，“她一个女孩子家，能跑得了多远？功达，我这就得走，不然就赶不上班车了。”

谭功达怔怔地看着他，只觉得脸颊发热，四肢麻木，脑子里一片空白。张金芳斜着眼睛看着丈夫，脸上浮着一缕冷笑。

送完高麻子回来，张金芳见谭功达仍然傻傻地坐在床边，手里捏着一个拨浪鼓，便拿起扫帚柄，捅了捅他：“嘿，你傻啦？”

她推了推他，摸了摸他的脸，像火一样烫。他的眼睛直勾勾地盯着对面墙壁上颤动的阳光，目光呆滞。

“那小婊子杀了人，与你有什么相干？你发什么呆？”张金芳道，“就是株连九族，这一刀也砍不到你身上，你慌什么慌？老实说，你原先跟那小婊子是不是有一腿？”

差不多两个星期之后，谭功达在街上散步的时候，看见巷子口的灰砖墙上，贴了一张通缉令。这张通缉令是由鹤壁市公安局正式签发的，他一眼就认出了姚佩佩的照片，心里像是被刀子剜了一下，一阵钝钝的痛。那张照片又小又模糊，不过他还是很容易回忆起那张既骄傲又羞涩的脸，能够分辨出她脖子上深绿色的围巾。照片上的姚佩佩比现在要年轻许多，扎着羊角辫，嘴唇微微上翘，虽然稚气未脱，却带着几分忧戚，像是为什么事情而生气。

那时，省委金秘书长的追悼会已经开过了。悼词经过精心的修饰，仍然疑点重重，不能自圆其说。姚佩佩的逃亡，传言中赤身裸体的尸身，与悼词中“与歹徒搏斗，壮烈牺牲”一类的字眼，不难让人勾勒出整个事件的来龙去脉。姚佩佩在那个中秋之夜所遭受的种种屈辱，也不难想象。当然，谭功达也不难发现自己的罪孽。他想起七八年前，那个除夕前的傍晚，天上一阵一阵地下着雪，他和白庭禹去梅城浴室洗澡，他好不容易挤到窗口，将钱递给她，姚佩佩刷地一下从他手里抓过钱去……她那尖尖的指甲从谭功达的手背上划过，印痕却留在了心里……

谭功达每次经过巷子口的时候，总要忍不住停下来，朝那通缉令看上一两眼。他觉得姚佩佩就在那儿。

到了晚上，照片上的那个形象伴随着日渐丰满的月亮，一起来到他的梦中。

十一月的秋水冲刷着灰砖的墙面，将那张告示刮得不知去向，墙面上只留下了一个残存的白框，她仍然在那儿，在雨中注视着自己。

到了十二月底，呼啸的北风和肆虐的暴风雪让那处白框也发霉变黑，可她还在那儿。

她那略带讥讽的、悲伤的脸，她那碎碎的笑容，从未改变。

元旦刚过，谭功达收到了一封由信访办老徐转来的挂号信。信是聂老虎从鹤壁寄来的，他在信中问谭功达，是不是愿意换个环境，离开梅城这个是非之地。他已经正式向省委打了报告：“我的初步设想，打算任命你为地级巡视员，找一个清静的地方待几年，对农村的实际状况做些调查研究，以便以后重新出来工作。这样一来，也可以恢复（至少恢复一部分）你的工资待遇，不至于穷愁潦倒，就此一蹶不振……”

当天晚上，谭功达把这封信的内容跟张金芳说了一遍。那时候的张金芳已经怀了四五个月的身孕，肚子渐渐大起来了。由于从九月份起就停发了工资，张金芳已经好久不愿意和他说一句话了。他原以为妻子一听到他新的任命，必然会欢天喜地起来，可奇怪的是，张金芳听了，咬着嘴唇，一声不吭，好半天才淡淡地说了句：“这样也好。”

到了第二年的三月份，春草返绿，雨水淅淅沥沥地下个不停，他的任命终于下来了，是去邻县的花家舍人民公社当巡视员。副县长杨福妹专门找他谈了话。这一新的任命到了她的口中，就变成了“去农村接受监督改造”。经过半年多的赋闲和磨炼，谭功达已不复当年的鲁莽和急躁，对杨福妹的故意曲解没有表示任何异议，匆匆忙忙准备了行李，到了五月末，就到几十华里之外的花家舍履新去了。

临走前，他和张金芳的孩子已经出生了。那时，家家户户都在忙着包粽子，过端午节，谭功达就给儿子取名谭端午。

第四章　阳光下的紫云英

1

五月末的一天清晨，谭功达搭乘第一班长途汽车离开梅城，前往六十华里外的窦庄镇。窦庄与花家舍之间的公路尚未通车，他必须在窦庄换船，改由水路前往花家舍人民公社。

汽车打着前灯，以驱散漫天的浓雾，一路喘息着，摇摇晃晃向前行驶。谭功达拿着一顶新草帽，头发被露水弄得一绺一绺的。他将脑袋伸出窗外，可他什么也看不清。他只能通过潮湿的水汽中浮动的气味和声音，来分辨旷野中的风景：成熟的蚕豆、大麦，结籽的油菜、薄荷，以及村庄中升起的炊烟……大雾把一切都隔开了。这辆叮当作响、锈迹斑斑的老爷车在黑暗中正将他带往一个完全陌生的地方。这种感觉多少有点像做梦。事实上，他真的很快就做起梦来。

除了县委办公室出具的正式公函之外，他身上还带着一封由聂竹风写给花家舍人民公社书记郭从年的亲笔信。这封信封了口，不能拆看，老虎嘱咐他亲手将这封信交给郭从年。在此前的一封来信中，聂竹风以较大的篇幅介绍了郭从年其人。

一九四九年，郭从年的部队在攻打泸州城的时候，聂竹风曾救过他一命。这人原是三十八军的一名副师长，作为林彪手下赫赫有名的十八悍将之一，参加过两次四平会战，从东北的嫩江一直打到海南岛。“此人善权谋，性格怪僻，其人其事常有出人意表者。由于战功显赫，对我江南新四军不屑一顾（这当然是十分错误的），平常最不爱听‘新四军’三个字。所以你在与他打交道时，须十二分小心。为了工作方便之计，最好不要泄露自己的身份……”聂老虎还说，自己曾救过他一命，竟也被他引为奇耻大辱。这个人很喜欢搞恶作剧，他的对手们，不管是国民党军，还是日本人，大部分都是在笑声中死去的，即便是在最严酷的战斗中也是如此。十年前，他拒绝了林彪要他进入空军的命令，只身一人回到花家舍，做起了“山大王”。一九五三年，他曾奉命重新应征入伍，赶赴朝鲜，可他还没有抵达平壤，停战协定就签字了……

汽车抵达窦庄时，谭功达仍然张着嘴，靠在车窗上酣睡。满身油污的司机手里握着一把大扳手，走到他跟前，拿扳手在椅子的靠背上笃笃笃敲了几下，他才猛地惊醒过来。原来，车上就只剩下他一个人了。

时间已经是中午了。炽烈的阳光晒得玻璃发烫。除了大杨树上阵阵的蝉鸣之外，他听不见任何声音。不过他还是赶紧点了点头，抹了一下满嘴的口涎，抓起公文包，从车上下来。

当他四下张望，向人打听渡口的方位时，依然残睡未醒，恍恍惚惚。太阳明晃晃的，天空澄澈如洗。一个在汽车站前卖凉茶的妇女坐在树荫下，一边用扇子驱赶着苍蝇和飞虫，一边朝旁边的巷子指了指，对谭功达道：“你听见锣鼓声了吗？”

谭功达静心一听，远处果然有锣鼓声隐隐传来。

这位妇人即便是抿着嘴，两颗大门牙依然暴露在外：“你出了这个巷子，往东一拐，就可以看见渡口的船了。不过要快一点，共青团秧歌队的锣鼓一停，船就要开了。”

谭功达出于感激，连喝了她两杯茶，刚想离开，大暴牙妇女又把他叫住了。她上上下下地打量了谭功达好一阵子，这才似笑非笑地说：“那条船有两条跳板。你上船的时候，最好走左边的那一条。”

“为什么？”谭功达一愣，满脸疑虑地看着她。

那女人诡谲一笑，未再说话。

谭功达走进了一条覆满霉苔的阴暗的巷子。听到锣鼓声渐渐平息，不由得加快了步子。跑到巷子口，他看见不远处的树林边有一片狭窄的河湾，水面上长满了茂密的芦苇。一批身背腰鼓、穿红挂绿的秧歌队员正在上船。他们排着队，在走上跳板的时候，仍然在打着腰鼓。

其实，时间完全来得及。谭功达在火辣辣的阳光下，以百米冲刺的速度赶到渡口边，上了船，在船舱的一个角落里大口大口地泛着酸水，而排队上船的共青团员仍有一小半还留在岸上。船舱里弥漫着脂粉和机油的气味。竹制的顶棚筛出细碎的阳光，像铜钱一样，随着船身的摇摆在船舱里跳动不已。舵工赤着脚，敞着胸，黝黑结实，在船头船尾走来走去。那些秧歌队员进了船舱也不消停，你推我一把，我推你一把，唧唧喳喳地嬉戏打闹。

谭功达拿起草帽，扇了扇风，正想找个地方坐下来，忽听得哎哟一声尖叫，人群中出现一阵骚动。他扒住船帮往外一看，原来，最后一名秧歌队员在上船时脚底打滑，连人带鼓坠入了河中。好在河水不深，那个胖乎乎的小姑娘在芦苇丛中胡乱地扑腾了几下，呛了几口水，不一会儿就被人救起，浑身上下都是泥浆。那姑娘脸色苍白，浑身发抖，又是哭又是笑。

这个有惊无险的意外并不算什么，相反给接下来的旅程增添了小小的乐趣。秧歌队员们不时拿她打趣，那姑娘很快也恢复如常，跟着大伙一块咿咿呀呀地唱起歌来。

只有谭功达一个人缩在船舱的角落里呆呆地看着河水发愣。那个卖凉茶的妇女，为什么要嘱咐我走左边的跳板？而女秧歌队员正因为走了右边的跳板而落水，难道仅仅是巧合？谭功达虽说从来都不迷信，可这会儿心里倒有些疑神疑鬼。自己从黑暗中的梅城启程，在弥天大雾中直接切入了阳光明媚的窦庄渡口，这使他多少有了一种这样的感觉：在窦庄与梅城之间，隔开的也许并不是六七十华里的路程，而是一个完整的世界。

他懒懒地看着水面上绿色的浮萍和露出尖顶的荷叶。此刻，正在内心折磨着他的，还有另一个驱之不去的念头。早在六十多年前，他的母亲遭到土匪绑架，被人押往花家舍的途中，很难说不是走了同一条水路！很难说自己不是走在母亲的老路上！在这一刻，命运终于向他敞开了一个秘密：他与母亲的命运奇妙地重叠在一起。所不同的是，船舱里多了一群秧歌队员；船已由帆船改为柴油机动船——它噗噗地冒着黑烟，油烟和热风吹到了他的脸上。妈妈。妈妈。他默默地呼唤着她，眼前出现了母亲花一般姣好的面容，她永远都是十九岁！永远都那么漂亮、多愁善感。他的眼泪止不住流了出来。

妈妈，妈妈，如果上天真的有灵，你就让鱼儿跃出水面，好叫我知道你就在我的身边。

水上游着的鸭群没有回答。

隔年荷花的残根败叶没有回答。

流水中倒映着的寂寞的天空没有回答。

没有鱼儿跃出水面。

从水面突然出现的是一块块浮标，固定在长满菖蒲的湖水中，把它们拼在一起，一个个数过去，就是一幅完整的标语：

花家舍欢迎您

船靠岸边，谭功达看见河滩的沙地上站着一位身材高挑的女青年。她的上身穿着一件白色的棉布衬衫，下身是草绿色的军裤，腰束一根褐色的武装带，两根羊角辫，垂挂于肩窝的两侧，脚蹬解放鞋，看上去利利索索，又透出一股飒爽的英气。她是受公社指派来接人的。由于全船的乘客中除了披红挂绿的秧歌队演员外，只有谭功达一个人，他们很容易就搭上了话。

这个女孩看上去没有什么心计，甚至还有点孩子气般的天真烂漫。也许是天生的声带狭窄，说起话来莺声燕语，而且一见面就冲着他笑个不停。她问他是不是上级派来的巡视员谭同志，谭功达点点头。随后谭功达问她怎么称呼，女孩笑了笑道："你就叫我小韶好了，韶山的韶。"

她胸前别着一枚红色的小徽章，眉眼有几分长得像白小娴，又有几分像姚佩佩。只是不像小娴那么矜持，也全无姚佩佩的阴郁和忧戚。这时，谭功达的心头立刻泛出一丝落寞和忧伤，仿佛每看到一个漂亮的女孩，都会在心里埋下哀伤的种子……那枚徽章的小别针会不会扎到她肉里去？在胡思乱想之际，目光就渐渐地变得飘忽起来，一动不动地看着小韶，发了呆……

小韶被他盯得浑身不自在，脸上微微泛出红晕，赶紧从他手里抢过公文包来，轻声道：

"怎么了，您？"

谭功达这才回过神来，自知失礼，一时颇为尴尬。忽见她的嘴唇上涂了一圈黑紫色的东西，一时分不清是女孩的化妆品，还是涂了紫药水，便煞有介事地问道：

"我刚才在看你的嘴……你搽了什么东西？"

小韶咯咯地笑了起来，露出了一排雪白的牙齿。

"什么呀，"小韶用手朝远处的桑林指了指，"刚才我来的路上，吃了太多的桑葚，你要不要吃？"

谭功达也笑了起来。两人说着话，沿着被太阳晒得滚烫的沙地，朝村子里走，不一会儿就走进了桑园。桑园中，有一条给行人踩得发白的道路，高大的桑树枝繁叶肥，虽说光线比外面要暗一些，但林间密不透风，反而更加闷热。谭功达隐隐感觉到，桑林间有人戴着袖套在摘桑叶，可他只能看见这些人的腿和手，看不见他们的脸。

正走着，小韶忽然想起了一件什么事，将公文包往谭功达的怀里一塞，说了句"你等我一下，我去去就来"，随后一猫腰，就消失在桑林中不见了。谭功达苦笑了一下，心里道：这丫头，大概是要为我摘一些桑葚来尝尝。没想到，小韶从桑树林中再次现身的时候，满脸都是汗珠，可手里却并没有他想象中的桑葚，谭功达道：

"我还以为你是去帮我摘桑果了呢。"

小韶笑道："想吃桑葚，你自己摘不就行了？这儿遍地都是。"

“那你刚才干什么去了？”

他们两人挨得很近，谭功达甚至能看清她脸上细细的小绒毛和脖子里的汗珠。

“嗨，您这个人！怎么老爱刨根问底呀？”小韶把谭功达的脑袋一扳，凑在他耳畔，轻轻地道，“撒尿。”

这孩子，和姚佩佩一样，似乎也有个爱动手动脚的习惯。

花家舍的招待所坐落在湖心的一个小岛上，与村庄隔着一箭之地。一条新修的栈桥将小岛与村落连接在一起。谭功达跟在小韶的身后，走上栈桥，他吃惊地发现，桥栏上那些剥了皮的柳树竟然又长出了新的枝叶。过去，他在灯下阅读母亲的传记时，曾无数次地想象过这个岛屿。*每个人的心都是一个被围困的岛屿，孤立无援。*他不知道这是母亲的原话，还是传记作者的牵强附会。而眼前这个湖心弹丸之地，比想象中的要小了很多。一排白墙砖房，建在高大的榆树和泡桐之中，四周簇拥着一大片紫云英的花地。只不过到了五月末，花已经有些开败了，零零星星的。可远远一望，在一朵朵浮云的映衬下，依然可以看出一片淡紫。

两个人一上小岛，小韶就扯开嗓门，冲着那片房舍大喊大叫起来：

“八斤，八斤，驼子八斤……”

不一会儿的工夫，从房屋的拐角处走出一个精瘦精瘦的驼背小老头来。他手里拎着一只木桶，腰间围着一条脏兮兮的布裙，腰带上别着一杆白铜烟袋锅。他一看见谭功达，赶紧放下木桶，快步迎上前来，他撩起围裙，擦了擦满手的谷糠，握住谭功达的手，一边使劲儿地摇，一边咧开厚厚的嘴唇，露出满嘴的黄牙："啊，欢迎，欢迎！"

"这位就是八斤同志，"小韶抬袖擦了擦脸上的汗，对谭功达介绍说，"以后就由他来负责照顾您啦！"随后她又在八斤的驼背上重重地拍了一下，把老头拍得直咳嗽，说："八斤，人，我给你带来了。我的任务就算完成了，我还得赶回去排练呢。"

八斤憨厚地笑了笑，点点头，道："小韶，今晚演什么呀？"

"白毛女。"

"白毛女白毛女，又是白毛女。一天到晚都是白毛女。"驼背八斤絮絮叨叨，"你们就不能换个戏演一演？"

小韶懒得搭理他，一转身，就蹦蹦跳跳地上了栈桥，渐渐走远了。

"小韶是演员吗？"望着她的背影，谭功达对八斤道。

"那可不！"八斤自豪地说，"花家舍的姑娘，什么都拿得起、放得下。穿起行头能演戏，脱下戏装能种地，要是扛起枪呢，还能打他娘的苏修美帝……"

过了半晌，八斤接着又道："小韶这孩子，别的事样样都好，可有一样不好……可惜了。"八斤话到嘴边，没有说下去。

谭功达初来乍到，也不便多问。

2

隔着水光潋滟的湖面，谭功达可以看到整个花家舍。他甚至能听见学校里孩子们的诵课之声，还有脚踏风琴那单调悠长的曲调。

这个村庄实际上是修建在一处平缓的山坡上。谭功达惊愕地发现，村子里每一个住户的房子都是一样的：一律的粉墙黛瓦，一式的木门花窗，家家户户的门前都有一个竹篱围成的庭院，篱笆上爬满了藤蔓植物，远远望去，有些像忍冬，又有些像蔷薇。连庭院的大小和格局都一模一样。一条砖木结构的风雨长廊沿着山坡往上延伸，通往山顶的一座高大的烟囱。这条长廊将花家舍分成东西两个部分，无数条更为狭窄的小游廊向两边延展，通往公社的各个机构和各家各户。长廊的柱子被漆成了红色，覆以灰褐色的瓦，远远看上去就像一条黑红肥壮的大蜈蚣。

村庄的修建依照严格的对称原则，建筑物的位置和数量都进行了细致的摹画与测算。一条盘山公路在村庄上方的山腰上横贯而过。公路上戴着草帽的农人来来往往，影影绰绰，不时还可以看见一辆辆满载麦秸秆的手扶拖拉机，突突地驰过。公路上方就是一畦一畦的梯田，重重叠叠，黄绿相杂，堆锦铺绣一般。

八斤是向阳旅社的管理员，除了负责照料谭功达的一日三餐之外，还得抽空去喂养两只大肥猪。旅社食堂的残羹剩饭倒掉可惜，八斤就养了两头猪，当然，它们属于公社的资产。八斤的话不多，而且不论何时，总赤着脚，成天忙于旅社的清洁、做饭、喂猪和出粪。难得有空闲下来，他就抱着那只印有“人民公社好”字样的大白瓷缸，一边抠着脚丫子上的老皮，一边坐在楼下的会客室喝茶。有时，他的手里还拿着一本书。

会客室的墙上挂满了客人们送来的一面面锦旗，不是“四海一家”，就是“宾至如归”。桌子上方有一幅名为《柿子红了》的旧画张，画的是延安时期毛泽东，手里拿着一本书，正在窑洞的门前仰望蓝天。画面一角的柿子树果实累累，透出一派浓浓的秋意，领袖神情坚毅，若有所思……

每当谭功达与他照面，八斤便会不自觉地满脸堆起笑容，以表示对客人的友善。他虽说和善、憨厚，倒也并不使人感到亲近。事实上他们很少交谈。即便谭功达特意找他聊天，八斤通常也是表情复杂，欲言又止。

尽管来到花家舍的第二天，谭功达就带着介绍信和公函去公社的办公室报了到，可一连十多天，他没有得到过任何公社方面的指令。他似乎被人遗忘了。没有人给他安排任何正式和非正式的工作。他日复一日，躺在旅社二楼的铁床上，听着岸边的浪涛和鱼儿的唼喋之声，渐渐地感到了倦怠，心里也像是长了一层霉。

这座小岛风景绮丽，阳光灿烂。但谭功达怎么都有一种被封闭在一个黑匣子里的恐惧和忧虑。他所碰见的每个人，都不苟言笑，神情呆板，如履薄冰。就算是问路，村民们的目光也显得躲躲闪闪。作为农业生产方面的先进样板，从全国各地来的参观者络绎不绝。每天清晨，机帆船和长途汽车载来了无数的参观者，可奇怪的是，除了自己之外，并没有任何一个人到岛上的向阳旅馆来住宿。

为了排遣难挨的寂寞，一天晚上，谭功达竟然来到了村子中央的一个打谷场上，去观看歌舞剧《白毛女》的演出。他盼望着在那里碰见小韶。可一场突如其来的大雨迫使演出取消，打谷场上一片泥泞，连一个人影也看不见。

为什么这里的人总显得郁郁不欢？

有一次吃晚饭时，他向八斤提出了这个问题。后者照例莞尔一笑，不予回答。正当他不安地联想到，这个岛上的每一个居民都被下达了禁语令时，八斤却在一天深夜突然造访了他在二楼的卧室，一口气和他聊了三个小时。

每天下午，村子里的几个老人都会拿着扁担、草绳和镰刀，到岛上来收割紫云英。他们一律戴着草帽，手臂上戴着同样的袖套，甚至他们藏在宽宽帽檐下的脸，都是同样的表情。他们把紫云英的藤蔓齐根割下来，运到附近的一个草凼里去沤肥。在阳光下，他们整齐地排成一行，依照统一的节奏，挥舞着镰刀，动作的整齐划一程度仿佛经过了预先的排练。到处都是被阳光晒瘪的紫云英那热烘烘的气息，青蛙和蝈蝈满地乱跳。若是突然遇到暴雨，老农们也会涌到旅社的房檐下来暂避。他们总是静静地站在雨幕之中，对于谭功达这个外地人，也没有任何好奇心，连看都不看他一眼。

这天下午，谭功达从床上午睡醒来，脸颊上印着竹席的压痕，再次前往位于半山腰附近的公社党委办公室。如果他的运气好一点的话，说不定就能碰到郭从年本人。可接待他的仍然是上次那个办事员小徐。隔了十来天，小徐已经把谭功达给忘了。他手忙脚乱地在桌上堆积如山的文件中找了半天，才找到了那张梅城县委办公室的介绍信：

“噢噢，您是从梅城来的巡视员同志。”小徐一脸歉疚地朝他笑了笑，“我们这里每天都有数不清的公文要处理，还有从全国各地慕名而来的参观者，事情一多，我就给搞糊涂了。您说，您有什么事？”

说完，他手里飞快地转动着一支红铅笔，一脸诚恳地看着他。谭功达表示他来花家舍已经一个多星期了，可是公社方面却没有给他分配任何工作，再这么憋下去，恐怕自己的骨头都会生了锈。

“工作？什么工作？”办事员小徐望着他笑，“在介绍信上，您的职务不是巡视员吗？还需要什么工作呢？”

“您的意思是……”

“到处转转，好好看看！这就是您的工作。要不要我们给您安排一个向导？”

“这倒不需要，”谭功达道，“我的意思是，我不能成天在村里瞎转悠，能不能给我一个具体的工作？比如说——”

“不可能。”办事员斩钉截铁地回答说，“您刚从梅城来，对于花家舍人民公社的行事规则不太了解。啊，不太了解。您初来乍到，可以慢慢学。您懂我意思吗？事实上我们不会向您——地委领导指派的巡视员同志，安排什么工作，也不会向任何人分派工作。首先，工作是一种巨大的荣誉。在花家舍，并不是每个人都有资格享受这种荣誉。比如村子里的那些土匪出身的反革命分子，我们就剥夺他们的工作权利。您懂我意思吗？从另一方面来说，工作的主动性，也就是马克思所说的主观能动性，是指导我们事业的真正灵魂。”

看到谭功达一脸迷惑不解的样子，办事员进而解释道：

“好比在一个家庭里，你不会每天向父母要求，替自己安排工作，对不对？你看见屋里的地上脏了，会自觉地拿起笤帚来扫地；你看见水缸里的水没了，自然就会去井边打水；若是房子漏了雨，你当然也会找个工匠来修缮。您懂我意思吗？在花家舍社会主义大家庭中，情况也是如此。我们从不向任何人分派任何工作，而是由每一个人自己决定去做什么，以及怎么做。在这方面，每一个公社社员都享有完全的自由。地里的麦子黄了，他们就会去收割；秧田里的水干了，他们就会去灌溉；瓜地里长满了杂草，他们就会去锄地；春蚕快要吐丝了，他们就会去准备蚕宝宝产茧的草龙，诸如此类。你懂我意思吗？没有行政命令。没有规章制度。甚至没有领导。从理论上来说，每个公社社员都是常春藤上的一朵小花，公社的命运就是我们每个人的命运……”

“可是，这么一来，不就什么都乱了吗？”谭功达好奇地问道。不知什么时候，他已经掏出一个小本本，正在往上记着什么。“比如说，去割麦的人太多造成误工，而去灌溉或锄草的人又太少了……你们又如何进行协调呢？”

“不需要协调。”办事员耐心地向他解释道，“您知道，每一个局部都是整体的一个部分。要解决局部的问题，就必须着眼于整体。每一个社员看上去都在做着十分具体的工作，既琐碎又无趣，但假如将每一个具体工作与花家舍人民公社未来的美好蓝图联系在一起，情况就完全不一样了。您懂我意思吗？假如一个万里长城的建造者，每个人心中都有一个长城，他们当然知道如何去铺设每一块砖。因此，花家舍的社员并不是被动地去应付上级指派给他们的任务，而是依照花家舍未来可能的样子来忘我地工作。这样一来，每个人在长期的生产实践中，就会自然而然地培养出一种奇妙而伟大的直觉，您懂我的意思吗？这种直觉会引导他们去完成各自的使命。事实上，既不会造成误工，也不会窝工。每个工作领域所需要的劳动力一个也不会多，一个也不会少。”

“我还是不太明白。”谭功达坦率地看着办事员，神色相当迷茫。

“当然，开始的时候的确需要一些严格的训练，我们有社员培训部，还有农民夜校，他们负责具体的培训。”

“可是，”谭功达打断了他的话，提出了另一个问题，“可是，你们又是如何进行分配的呢？”

“我们目前所采取的是按劳计酬，民主评分制度，”小徐道，“每个生产队和生产小组在收工前都会进行一次民主评议，由每位社员来陈述自己一天的工作，并申请自己应得的工分，最后再由记工员登记在册。每一位公社社员都有资格对他进行质询，并有权检查他的劳动成果。您懂我意思吗？社员本人也可以做出相应的答辩。所以，虚报成绩多领工分的事情在花家舍还从未发生过。”

“你们会派监督员吗？”

“每一个社员都是监督员。当然，要做到公平和诚实，公社社员应该有很高的道德感和集体荣誉感。关于这方面的情况，你可以去向‘道德自律委员会’咨询。”

“假如……”

“好了，时间不早了。我们四点钟还得去会议室接待一个从古巴来的友好访问团，”小徐站起来，看了看表，开始收拾桌上的文件，看样子是准备离开了，“您是上级派来的巡视员，花家舍的具体情况不应由我在这里啰唆向您和盘托出。您懂我意思吗？您应当自己去调查研究，自己去看，然后，得出自己的结论。”

临走前，谭功达无意中提到，能否安排他与花家舍公社的郭从年书记见一面，因为他有一封重要的信件要当面交给他。

小徐的神色显得有点异样，他颇为惊骇地看着对方，那眼神似乎在提醒谭功达：他所提出来的是一个十分无礼而非分的要求。

“不可能。完全不可能。”小徐肯定地回答说，“郭书记有很严重的病，常年闭门不出。他很少到公社来办公。如果您有什么信件要转给他，我可以替您效劳。”

谭功达从党委办公室出来，顺着山势，由风雨长廊拾级而下，返回湖心小岛。天空忽然下起雨来，雨点打在长廊两侧的树木和菉竹丛中，打在池塘的睡莲上，飒飒声连成了一片。谭功达置身于风雨长廊之中，享受着长廊的保护，他长长地吸了一口气，心里感到一种从未有过的恬静。举目四望，周遭看不到一个人。长廊的屋顶之下布满了密密麻麻的箭牌。有的箭牌上写明了各家各户的编号：大小不一，颜色各异；有的则指向两侧分列的公社机构。他随便看了一下，就有公共食堂、剧场、保育院、缫丝五厂、医务所、小学、中学、人民调解委员会、邮电所、供销总社、缫丝三厂、种子站、农机站、敬老院、农民夜校、101、移风易俗办公室……

谭功达往前走了不到一百米，竟然看到了两所缫丝厂的指示牌，他联想到花家舍随处可见的桑园，不难推测出蚕丝业在花家舍经济布局中，占有何等重要的位置。而101这个数字，并未写明任何机构，看上去多少有点神秘。按照谭功达多年的工作经验，这似乎是一个需要保密的单位。

长廊的拱顶上画有俗艳的油画和水彩画。尽管每隔一段都会出现一幅毛泽东的草书书法，但谭功达很快发现，这些画并不是普通的装饰画，而是有着十分明显的科普功能。比如说，在题有“喜看稻菽千重浪，遍地英雄下夕烟”的油画中，画的竟然是沼气池的生产工艺图。这毫无疑问地表明，在花家舍，沼气的使用已经十分普遍。而在紧接着出现的一幅画作中，则同时描绘了电的功能和危险，并形象地指明，一个人在不慎触电之后，所应采取的急救程序。当然这些画作经过了大胆的艺术抽象，如果不仔细欣赏，很难看出它隐含的意义。

谭功达看见檐廊下还有一条扁长的木盒，透过蚂蚁蛀蚀的外壳，隐约可以窥见里面绿色和黄色的电线。这个发现也帮助谭功达解开了一个疑团：到了晚上，花家舍家家户户灯火通明，而全村却看不到一根电线杆。

雨下得正急。谭功达沿着台阶走到风雨长廊的尽头，望着烟雨迷蒙的湖面。湖心小岛和向阳旅馆被水烟遮住了。他正想在长廊里找个地方坐下来，等待雨停，在不经意中忽然看见自己的身边有一个大石臼——那本是农民用来舂米用的，石臼里搁着两顶斗篷，三把雨伞。尽管阴雨凄风，光线暗淡，可谭功达还是看见了石臼外壁上用红漆写成的字迹：

便民雨具，用后归还。

真是太奇妙了！花家舍的建造者们居然想到了湖心小岛与长廊之间没有遮蔽，事先在这里备下了雨具！这么一个很小的枝节，花家舍的人都考虑得如此周全，谭功达不禁对这个陌生之地肃然起敬。他随手从石臼中取出一把雨伞，撑开它。伞骨伞柄都是新的，他立即闻到了一股清香的桐油味。听着伞面上淅淅刷刷的雨声，谭功达沿着栈桥往向阳旅馆走去，心中仍然赞叹不已：这或许是世界上最美好的地方，甚至比他所梦见的共产主义未来还要好！与这里相比，梅城简直不值一提。一想到自己作为一县之长，竟然把那个地方弄得一团糟，自己还灰溜溜地下了台，心中不免感到深深的刺痛。同时，也有一种难以驱除的自惭形秽。

向阳旅馆早早地亮起了灯。驼背八斤坐在厨房的桌边，一边调着收音机，一边叭哒叭哒地抽着旱烟。收音机里正在播送着一则新闻：外交部就印度军队侵入中国西藏西部地区向印度政府提出强烈抗议……看见谭功达进来，八斤就调低了收音机的音量，忙着去灶上给他盛饭。

“小韶下午来过了。”八斤佝偻着背，笑着对他道，“她一直等你到四点半，像是有什么话要对你说，后来眼看着天要下雨，这才走的。”

谭功达从他手里接过碗筷，正要吃，又听见八斤嘴里衔着烟袋杆，嘟嘟囔囔道：“她给你捎来了一封信。噢，对了，假如你要给家里或随便什么人写信的话，只要把信封粘好，放在门外燕子窝旁边的木头信箱里就可以了。不需要贴邮票，邮局每天都会派人来取的。”

随后，八斤就剧烈地咳嗽起来，把一口痰吐在厨房的地上，用脚擦去。一想到八斤总是光着脚，谭功达不由得一阵恶心。这个人无论在什么时候，身上都有一股猪粪味。

谭功达吃着饭，把那封信一把抓过来，扇了扇鼻前的热风，而后仍旧放在桌子上。他实在太饿了，并不急于拆看。可他无意间瞥了一眼信封上那娟秀的字迹，顿时就吓得面无人色。一口饭噎在嗓子里，他觉得自己的呼吸都要停止了。

他偷偷地觑了八斤一眼。他正在那儿专心地摆弄那台收音机，收音机边上还有一本打开的书。由于雷雨的关系，收音机的电波受到干扰，里面传出一片嗞嗞啦啦的蜂鸣声，几乎把播音员的声音完全遮盖住了。但谭功达依然能够听见自己的心脏怦怦的撞击声。

原来是她！天哪，一定是她！

这么说，隔了八个多月，她竟然没有被公安局捉住？佩佩。佩佩。

谭功达的眼前忽然出现了这样一幅画面：蓬头垢面、衣衫褴褛的姚佩佩正在瓢泼大雨中狂奔，她像一只兔子似的跳跃着，更像一个跨栏运动员，借着黑夜的掩护，逃向不知名的深山密林中。大批的公安队员手里牵着警犬，在她身后紧紧追赶，窗外的闪电似乎照亮了她那惊恐的、满是污垢的脸。佩佩。佩佩。

当时，谭功达的本能反应就是赶紧将这封信藏在自己的衣服口袋里。可经验和理智提醒他，绝对不能这么做。他装出一副若无其事的样子，随手将信件远远地一推，似乎那是一封无关紧要的来信。可他怎么也无法克制自己急促的呼吸，无法克制双手的战栗。牙床在碗边不时磕碰着，突如其来的咳嗽把嘴里的米粒喷得到处都是。他感到自己的脸上有热泪滚落。只有在这个时候，他才第一次真切地看到了自己的内心；看到自己想尽一切办法把她从头脑里驱除的无奈；看到他的所有的颓唐和挣扎：他是多么地想她！

驼背八斤正好奇地注视着谭功达，他把手里的书放下，宽厚的嘴唇再一次咧开，笑着问道："谭同志，你是被米饭噎着了？你应当吃得慢一点，咽不下不要硬咽，喝口水就会好的。"

他把自己的那只白瓷缸朝他递过来，谭功达猛灌了几口凉茶，心里才稍稍安定了一些。

他慢慢地吃着饭，心里渐渐地感到了一种深稳的喜悦。甚至当他吃完了饭，也没有急于上楼，而是坐在厨房里与八斤聊天。

"你看的是什么书？"谭功达忽然问道。

“《天方夜谭》。”

“什么？”

“阿拉伯的民间故事，”八斤解释道，“谭同志，你平常喜欢看书吗？”

就这样，他们在厨房里静静地说着闲话，那杆烟袋锅在两个人的手里递来递去。他并不急于回房去看信，就像是一个很久没有吸过烟的烟鬼，开始吸第一口烟的时候，却故意迟迟不去点火。最后，连八斤都开始哈欠连天。他收拾完了碗筷，看见谭功达高挽着裤腿，双脚踩在脚盆的边沿，似乎谈兴正浓，只得对他笑了笑：

“谭同志，你的脚晾干了没有？早点回屋去歇歇吧。”

3

起风了。到了晚上，到处都是坟堆，四周空无一人。我现在是在靠近安徽边界的一个林场里给你写信。卞忠礼回家照顾老婆生孩子去了，要到今年秋末再来。这儿全是松树。卞忠礼说我可以一直在这个农场住下去，可他留下的干粮却只能支持到明天。恐怕还是得走。我不知道要往哪里去，东边，西边，南边还是北边。我不敢肯定这封信能落到你的手中。晚上雨下得真大，我忽然想到给你写封信。也不知为什么，总是有点不甘心。真的不甘心就这样死了。我已经觉得厌倦了，说不定明天一觉醒来，就会给他们捉住。自从去年的中秋逃离梅城至今，已经过了七个多月。在这七个多月中，我只洗过三次澡。要是你在大街上遇见我——这当然是不可能的，你一定会认不出来。可就是这样，卞忠礼昨晚还想对我动手动脚，两个人僵持到后半夜，他就放弃了。毛主席说，希望往往就在于再坚持一下的努力之中。其实他若是再坚持一下，我多半会屈服的。

我随身带来的钱早已用完了，怎么办？我每晚几乎都做着同样的梦。我梦见自己被人五花大绑，押上刑场，押上公判台，而你却站在台下微笑。你为什么要笑？然后，囚车就把我带到一个废弃的打靶场上，是打靶场。因为我记得四周的红墙边矗立着一排胸环靶，地上的草已经枯了。一个身背钢枪的行刑队员像鬼一样，悄悄地来到我的身后，在我的腿弯里踹了一脚，我当时就跪了下来。四周静极了，我听见他从皮套里掏手枪，掏了几次都没有掏出来。我在想，他要是一直掏不出来，是不是意味着我可以逃过一死？冷冷的枪管已经顶在我脑袋上了，我回过头来对他说，请等一下。他把口罩往下一拉，问我，你还有什么话要说？我说报告，我要撒尿！那个人古怪地笑了一下，说，待会儿枪声一响，你自然就会小便失禁的。他刚说完，枪就响了。真的，我像一只牲口似的，大小便失禁。又过来几个人提起我的两只脚，倒拖着走。我能感觉到那是秋天，因为草已经枯了。他们把我拖到囚车边，把我整个抬离地面，然后嘭的一声扔到车上。直到那时，我觉得自己还活着，因为我仰面躺在车上，双脚还在抽搐。那样子虽然不好看，好在你不在现场。我长长地松了一口气，我这么难看地死了，可你却并不在现场。随后我就真的死了。

我真的怕死，把这个死想上一万遍，告诉自己不要害怕，还是没有用，我还是怕死。我在电影中看到女共产党员被反动派抓了去，历经种种酷刑的折磨，还坚持高呼革命口号，简直让人觉得不可思议。若是换作了我，哪怕只要朝装满辣椒水的罐子或是老虎凳什么的看上一眼，恐怕也会吓得当场招供。像我这样一个人，意志薄弱，百无一用，根本就不该出生，根本就不配活在这个世界上。我的生命就像是那一片女人最珍贵的薄薄的膜，其中只有耻辱。

不过我现在不恨任何人。不恨钱大钧。不恨白庭禹。不恨金玉。不恨汤碧云。甚至，也不恨白小娴。有一次，我看见你办公桌的玻璃板底下压着一张白小娴的照片。趁着中午没人的时候，我就把它拿了出来，暗暗地用曲别针在她左眼扎了一个窟窿。我这个人够坏的吧？要说恨的话，真正恨的只有一个人。

云泥两隐，无奈纸尽。五月十五日。

这封信分作两页，密密麻麻地写在两张香烟包装纸的反面。一张是“大生产”，一张是“光荣”牌。信上没写抬头，而落款的“云泥两隐”是旧时候通信时常用的一句套话，意思是知名不具。“泥”字不过是写信人的自称，“云”字则指的是收件人，无非是自谦。但在谭功达看来，这个落款暗示了两人云泥霄壤的不同处境，多多少少也含有讥讽之意，这是姚佩佩的一贯作风。

这封信看上去没写完，但谭功达从字里行间猜测，姚佩佩最恨的人恐怕正是自己。不知为什么，想到这一层，他在令人揪心的痛苦中竟然也感到了一丝喜悦。可她在“不恨白小娴”这句话前面用了“甚至”二字，多少有点让人费解，从中不难看出女孩子那蛮不讲理的曲折心思。这么一想，他就觉得此刻佩佩似乎就坐在他的对面，正调皮地看着他。

他打开钱包，从里面翻出白小娴的那张相片来。那是一张白小娴的练功照，她梳着马尾辫，穿着短裤，一条腿搭在练功房的栏杆上，阳光从玻璃顶上泻下来，她的皮肤白得很不真实。他很快就在白小娴左眼的眼眶处发现了一个小白点，果然是曲别针留下的痕迹……

写信的日期是五月十五号，可邮戳上的日期则是五月三十号，由此可以推断出，这封信隔了整整十五天才寄出。也许是林场附近找不到邮局，或者佩佩对是否要寄出这封信感到犹豫不决。对一个在逃的疑犯来说，写信对自己行踪和藏身地暴露的危险不言而喻。而对于姚佩佩这样一个聪明绝顶的人来说，她当然不会想不到这一层。邮戳上标明她投寄的地点是“莲塘镇邮电所”，谭功达的身边没有带地图，所以他很难确定“莲塘”的具体位置。不过从信件的内容来看，这个地方应该靠近安徽边界，反正离开梅城已经相当的远了。想到这里，他的心里稍微踏实了一点。

谭功达坐在桌前的灯下，久未动弹，双腿不由得一阵发麻。外面的雨早已停了，蝉声复鸣，青蛙聒噪。他又抓过这封信来，从头至尾又细细读了一遍。收信的地址是梅城县人民政府，佩佩不知道自己已经到了花家舍。他看见信封上的原址被圆珠笔划去了，下面出现了一行“花家舍人民公社查转”的字样。很显然，这字迹出自信访办的老徐之手。因为在这行小字的旁边，还有一个用圆珠笔圈着的大大的“徐”字。仔细研究信封上的字迹，谭功达差不多用了一个小时，这看起来并非无关紧要。老徐在信访办兼管收发，这至少可以说明，除了邮局的工作人员之外，老徐是唯一的经手人。也就是说，这封信在到达谭功达手里的时候，基本上是安全的。

不过，谭功达自身的危险性也显而易见地存在。将一个公开通缉的杀人犯的来信隐匿不报，本身就是一桩不可饶恕的罪行。按照谭功达在梅城县长达十多年的工作经历，依照他对我国现行司法制度的了解，我们的专政机关对于这一类罪行的惩罚通常是极为严厉的，甚至有可能超过凶犯本人。如果这封信落到了公安人员的手中，或者说姚佩佩一旦被捕，受不了刑讯逼供（关于这一点，她自己在信中已经说得再明白不过了），从而招出给他写信的细节，那后果将不堪设想。而且姚佩佩的被捕，只是早晚的事。也就是说，谭功达本人潜在的危险随时都会兑现。说不定，公安人员已经掌握了她藏匿地的可靠线索，正在赶赴莲塘的途中……

恐惧的念头从一开始就存在，甚至当他在楼下第一眼看到这个信封的时候，巨大的惊恐就随之出现。不过，在当时，这种恐惧感被暂时遮蔽住了。现在，他却不得不去面对这个严峻的问题。谭功达的忧虑显然还不止于此。对姚佩佩的忠诚必然意味着对国家机器的背叛，意味着对十八岁就投入其中的这个组织以及全部信念的背叛，意味着对无产阶级专政的公然挑衅，意味着与自己的过去彻底诀别……当然，最安全的做法，就是把这封信立即交出去。

这个念头只是在他脑子里闪了一下，也带给他深深的羞辱和自责。姚佩佩完全不考虑自己的死活，冒着暴露自己的行踪的危险，甚至明知这封信不一定能够寄到自己的手里，却依然决定给自己写信，相形之下，自己是多么的自私、怯懦、肮脏！除了自责之外，他的心里多少还有点歉疚，正是自己把姚佩佩从梅城浴室搭救出来的愚蠢动机，永远地改变了她的命运。他一次次地重复着记忆中的这个关节点，让时间停留在一九五三年那个大雪纷飞的夜晚。谭功达双手相扣，垫于头下，和衣躺在床上，呆呆地看着帐子，在嗡嗡的蚊子声中，一夜没有合眼。他的太阳穴像一个小兽，一刻不停地跳动着，隐隐作痛，而脑子已经完全乱了……

花家舍出早工的钟声当当地响过之后，他终于从床上满头大汗地坐了起来。他决定烧掉那封信。

他从门背后找来一只簸箕——还好，簸箕是用铁皮做的，把佩佩的来信连同信封都点着了火，付之一炬。在火光中，他意识到自己就此与逃亡途中的姚佩佩建立了共犯关系，因此感到既激动又伤心。信胆上的齿轮、麦穗和拖拉机图案在火焰的吞噬中痛苦地扭曲着，最后，所有的纸张都变成了深黑色，变成了又薄又脆的灰烬。有一种说法，秘密信件即使被烧成了灰烬，可一旦到了公安部门的技术专家手里，他们甚至有办法能让信件的内容完全复原。这当然是无稽之谈。谭功达笑了一下，兀自拍了拍自己的脑袋。你太多虑了！不过他还是把灰烬一点点地放在手掌里搓碎，直到它完全变成了一堆细细的粉末，每一粒纸屑绝对无法承受一个字的重量，这才站起身来，打开了那扇朝北的窗户。

窗下有一丛茂密的金银花。黄色和白色的花朵散发着馥郁的香气。在金银花藤的边上，有一个蓄满雨水的低湿的小水坑。他将簸箕伸出窗外，小心翼翼地倒下去。那些纸屑的细末纷纷扬扬，无声地落在水面上，风一吹，几道涟漪过后，什么痕迹都没有了。

这天早晨，谭功达下楼时，在楼梯口碰到了八斤。他正蹲在地上，在一只大木盆里用刀剁着胡萝卜："谭同志，你，好像有开着电灯睡觉的习惯，是不是？”

他停下手里的薄刀，望着谭功达。

谭功达愣了一下，随后抱歉地笑了笑，说自己躺在帐子里看书，看着看着就睡着了，忘了关灯。

“这样不好。”八斤的脸上还挂着笑，可表情却相当严肃，“眼下正是夏忙季节，工农业生产用电都很吃紧。在花家舍，虽说用电不花钱，可我们还要时时不忘节约。您想想，一度电虽然不算什么，假如我们每人每天节约一度电，花家舍公社一共有一千六百八十多人，一年按三百六十天计算，那一年下来就是六七四十二，进四，六八四十八，加四进五，六六三十六，咦，我怎么算不过来了呢，你来帮我算算……”

他扳着手指头算了半天，也没算出个头绪。可谭功达早已经离开那里了。

这天上午，谭功达去了一趟村里的新华书店，从那里买了一张中华人民共和国行政区划图和一本厚厚的地图册，又在隔壁的供销社买了一盒图钉。他将这幅巨大的地图用图钉钉在墙上，对照着地图册，很快从墙上的地图上找到了莲塘的大致位置。它位于朔望之南，旧铺与马坝之间。他用铅笔在地图上画了一个五角星，同时也产生了一个小小的疑问：她怎么会想起来跑到那里去的？

从此以后，每日观看这张地图，揣测姚佩佩逃亡的潜在方位，想象她途中的所有经历，成了谭功达每日必做的功课。这多少也抵消了他在花家舍无事可干的寂寞，当然，他的心里也有一种和佩佩分享秘密的喜悦。当他夜半惊起，披着外衣，站在地图前，借着手电的光亮，想象佩佩的行踪时，看上去俨然就像一个正在指挥属下突围的将军。可惜的是，由于不能给佩佩回信，他无法对自己唯一的士兵发出任何指令。

大约七八天之后，他就收到了姚佩佩的第二封来信。不过，信件的内容却使他大为失望，只有短短的两行，她写在一张汇款单的反面：

青鸟不传云外信

丁香暗结雨中愁

看来，这也许是她在经过某一家邮局时临时写成的。谭功达虽然不懂诗，可细细玩味这两句诗中的意思，竟然也感到愁肠百结。前一句似乎是写她仰望天空的青鸟，感叹自己收不到回信的忧伤。青鸟到底是一种什么鸟？会不会就是大雁？而从后一句来看，她所在的地方，当时正在下雨。丁香花的花期已过，用在这里有点不太恰当。不过，他还是很喜欢“暗结”这两个字。

从邮戳上看，她已经抵达莲塘以北叉河以南的吕良。

“怎么能往东跑呢？傻瓜！应该往西走！进入了安徽省，混迹于来来往往的乞讨者大军，就会安全得多！”他对着地图小声嘀咕着，似乎远在数百里之外的姚佩佩能够听见他说的话。

4

原来小韶在《白毛女》中并不是扮演喜儿的主要演员。她只是一个不起眼的小角色，出场两次，前后加起来只有六句台词。因此戏演了不到一半，她就从舞台上下来了。花家舍的观众即便在看戏时也保持着良好的秩序。他们表情木然，自带小板凳，在堆满麦秸的打谷场上坐得整整齐齐。尽管他们一年到头始终反复观看同一场戏，但却永远像第一次一样看得津津有味。他们不时为演员的表演而鼓掌，为人物的不幸命运而唏嘘流泪。

因谭功达是唯一一个站着看戏的人，小韶尚未来得及卸妆，一下就找到了他。

“怎么样，我演得还不错吧？”

“好，好，”谭功达笑着敷衍道，“好极了！咱们找个地方说说话怎么样？”

“可戏还没完呢。”

“我已经看过了。”

“是正式谈话呢，还是随便聊聊？”小韶汗津津地望着谭功达，眼睫毛上亮晶晶的，像是涂了一层银粉。

“当然是随便聊聊，”谭功达拽了拽她的袖子，“你穿着这么厚的戏装，不觉得热吗？”

小韶嘿嘿一笑，随后麻利地脱下戏装，露出了里边的白色圆领衫。袖口还滚了一道红边。

“咱们去哪儿？”

“去你家怎么样？”

“不行。”小韶的脸色立刻黯淡了下来，“我家不太方便，何况……家里还有一个疯子。”

谭功达偶然瞥见近旁坐着一个白发苍苍的老太太，摇着蒲扇，充满警觉地朝这边瞪了一眼。眼神中满是怨毒和鄙视，令人不寒而栗！幸好小韶正忙着脱衣服，没有看见。

“那我们就在村中随便走走怎么样？”

小韶轻轻地拽了拽他的胳膊，她的手也是潮潮的。她不安地朝广场的四周看了看，然后低声说：“你跟我来。”

他们很快就离开了打谷场，沿着长廊的石阶朝湖边走去。

“你刚才说你们家有一个疯子？这是怎么回事？”

“是我哥哥。”小韶长长地叹了口气，“他原本是公社篮球队的队长，篮板好，球又投得准，可是去年国庆节以后，他就忽然发了疯。”

“怎么发的疯？”谭功达和她并排走在一起，轻声问道。

“唉，都怪那场篮球赛！去年国庆前，从河南来了一个参观团，随团还带来了一个篮球队，队员全部是由聋哑人组成的，与我们公社打了一场比赛。因为他们是远道而来的客人，又都是残疾人，公社就规定我们必须输三球以上。可我哥哥一上场，打着打着就把这茬儿给忘了，最后竟然赢了人家八分，这当然是一个十分严重的政治错误。比赛结束后，我哥哥垂头丧气地回到家中，饭也没吃，倒头就睡。一连几天都没有说过一句话。到了后来，就这么慢慢疯掉了。”

“一定是哪位领导严厉地批评了他，对不对？”

“没有，根本没有。”小韶转过来，静静地看着他，“事实上没有任何人批评他，也没有给他任何处分。甚至，他还是篮球队的队长。因为并没有任何人出来宣布他被解除了职务。可是，再有篮球比赛的时候，领队就不安排他上场了，有的时候也不通知他。在这件事情上，公社方面没有任何不当。人家没让他写检查，没有公开批评，就连一句轻轻的责备都没有。要怪就只能怪我哥哥一时冲动。事实上哥哥发病之后，公社方面还专门派人带了礼物上门探望，后来又把他安排进了只有劳动模范才有资格享受的疗养院。因为哥哥发起疯来见人就打，见东西就砸，公社还派了两位练摔跤的小伙子专门看护他。所有的医疗都是免费的；他丧失了劳动力，但口粮一斤不少。再后来，我哥哥把两个看护中的一个摔得双腿骨折，另一个下巴脱了臼，公社才通知我母亲，建议将他送到省里的精神病院做电疗。可我母亲没有同意，公社也尊重我母亲的意见，就让母亲把他领回去了。”

“我还是有点不太明白，”谭功达皱了皱眉，又问道，“既然没有任何人惩罚他，他怎么会为此发了疯？想必其中另有隐情吧。”

“这正是事情的关键，”小韶说，“也是花家舍最大的奥秘所在。你若是在我们这里住久了，就会悟出其中的道理。”

说话间两个人来到了风雨长廊的尽头，已经听得见湖水拍向岸边的轻柔的沙沙声。两个人沿着河滩下被月光照得蓝幽幽的水线，向前走了百十来米，就看见两棵高大的垂杨树荫下面，停放着七八艘小船。船只被微风吹得挤成了一堆，轻轻地磕碰着。此刻，他们离打谷场已经很远了，可在寂静的晚上，舞台上演员的道白依然能够听得十分清晰。

“你怎么知道这儿有船？”

小韶冲他嘻嘻一笑，麻利地脱下鞋子，扔在树下，吧嗒吧嗒地跳到水中，拽过一只小舢板来，道：“怎么不知道？我今天在湖里采了一天的莲子，到现在胳膊还痛得举不起来呢。”

等谭功达上了船，小韶用木桨将舢板轻轻一顶，然后顺势一跃，就跳到船上来，在船的左右两侧划起水来。那小船在岸边打了几个转，就开始静静地向湖心驶去。到处都是齐人高的荷叶，像小伞一样密密匝匝地挤在水面上。荷花有的已开得盛大，有的含苞未放。原来，在田田的荷叶中间，有一条隐秘的狭窄水道，被荷叶遮盖，仅容船身通过，若是站在岸上，根本看不出来。

荷叶下面的水是青黑青黑的，散发着纯纯的香气。一进入这条水道，谭功达立刻就感觉到一阵透人心脾的清凉，光线也随之变得幽暗。在黑暗中他们彼此看不见对方的脸。船通过时，不时有倒伏的荷叶刮过船帮。水流的声音晶莹剔透，他能够听见鱼儿在离船不远的水面聚成一堆，发出一片唧唧喳喳的声响。

小韶停了桨，抱膝而坐，让船在水面上荡着，将下巴顶在膝盖上，一动不动地看着水里的月亮。她说，有时候，她一个人也会划船到这儿来，躺在舢板上，仰面看着天上的月亮和星星，可以想想自己的心事，也可以让心静一静。荷花像天幕一般，把她与这个世界隔开了。

“你小小年纪，哪有什么心事？”谭功达笑道。他顺势在船的另一头躺下来，枕着双手，看着湛蓝的夜空。小韶没有直接回答他的话，而是喃喃自语道：

“这片水域原来是有一个名字的，叫做芙蓉浦。只是现在没人这么叫了，而且——”

她停了一下，顺手摘下一大片荷叶，顶在头上，像只小鸟似的晃着脑袋：“你如果晚来一年，也许只要七八个月，很可能就见不到这片湖水了，见到的也许就是一片稻田。”

她说公社已经制定了向湖区要粮的三年计划，到了今年冬天农闲时，就要开工填湖造田了。公社已经开过三次动员会，具体的土方数目已经计算出来，分配到了每个生产队和生产小组。青年突击队也已经成立。她还说，她现在每天晚上都会划船到这里来，坐上两个时辰，仿佛是在跟一个什么要好的朋友告别似的。

“要填掉这么大的一个湖，那得需要多少土？”

“从山上挖呗！”小韶嘟囔道。

躺在船上，透过细长的茎秆和肥大的荷叶，他的目光久久地停留在花家舍上空那片璀璨的灯光中。真是太美了！世界上也许找不到第二个比这更美的地方！他自己曾经有过的所有梦想，在这里竟然都变成了现实。那灯光在清澈的天空下，犹如一堆碎金，明明灭灭；又像水晶的珠帘，平铺在黑黢黢的山坳里，闪烁不定。可一想到这片湖水很快将不复存在，除了沧海变桑田的自豪之外，也有一点莫名其妙的怅然若失。他觉得人过中年，对什么事情都会变得多愁善感起来，常常会为一点小事，陷入无名的哀戚和想入非非之中。

“你若是有什么话想跟我说，就说吧。这儿是花家舍最安全的地方。我们离开岸边已经很远了，你只要不大声喊叫，根本不会有别的人听见。”小韶压低了嗓门，对他道。

她的声音中有一多半是呼出来的气，反而增添了四周的幽静。他甚至能够听到荷叶在晚间生长的声音。其实，我什么话都不想说了，就想这样和你静静地坐一坐……

“我看不见得。”谭功达的声音有点异样。

“怎么不见得？就连党的成立大会都是在湖上召开的呢。”小韶天真地扑闪着两只大眼睛，瞅着他，“你是说，到了这儿，还不安全？”

“你想到的，别人也会想到。”谭功达半开玩笑地对她道，“按照我的经验，最安全的地方往往最危险，反过来说也一样。说不定此刻，就在我们身边不远的地方，有许多条这样的小船，有许多个秘密正在被轻轻地说出来……”

小韶听他这样说，就有些疑心，慌忙伸长了脖子，警觉地朝四周张望。

“我是在跟你逗着玩呢，”谭功达看着她那惊慌失措的样子，实在有点于心不忍，便抓住一朵荷花向她摇了摇，笑道，“喂，你的胆子怎么这么小？”

小韶浅浅地笑了一下，可整个人还是显得心事重重。她将胳膊伸出船外，拨弄着船侧的水，忽然道：“哎，你想不想吃莲子？”

没等谭功达回答，她就已经侧过身，拨开荷叶，寻找莲蓬去了。谭功达看见自己的近旁有一根莲蓬露在水面上，便俯下身子去摘，忽听得小韶尖叫了一声，大声道：“不要碰！”可已经来不及了。原来那莲藕有点怪，身上长满了硬硬的毛刺，谭功达顺手一捞，手上便有一阵钻心的疼痛，他不断地甩着手，嘴里咝咝地吸着气，小韶早已旁若无人地哈哈大笑起来。笑了半天才说：

“那不是什么莲蓬，那是狗头籽，活该！谁叫你刚才吓我来着？”随后，仍吃吃地笑。

“狗头籽是什么？”

“那是长在湖里的另一种植物。样子跟荷花差不多，但叶子软塌塌的伏在水面上，不像荷叶那样高出水面。它结的籽也有点像莲蓬。这东西长得像狗头一样，我们这里的人都叫它狗头籽。样子是难看了点，果实是一样能吃的。只是身上长满了硬刺，十分锋利，只要轻轻一碰，保准你会被扎出十多个血孔出来。怎么样，你的手破了吗？疼不疼？”

“那它浑身是刺，你们又如何去吃它的籽？”

“很简单！等到它熟了的时候，我们把镰刀绑在长长的竹竿上，在水里一捞，它就断了，在水面上漂着。我们就把它拿到舂米的钵臼中去舂。它的籽有豌豆那么大，硬得不得了，简直是包了一层铁！可却比菱角有味。”

小韶从身上掏出一块手绢，递给他。谭功达闻到手绢上有一股淡淡的香味，有点像栀子花，又有点像木樨，可他右手的每一个手指都被狗头籽上的芒刺扎出了血，他不知道要去包扎哪一个，只是把手绢捏在手里。

“有一件事我一直不太明白，”谭功达说，“我来到花家舍的这一个多月，一连去了五次公社，可每一次都没有遇见郭从年书记。我也曾通过办事员小徐正式提出与他见面，可每次都遭到小徐的搪塞和拒绝，郭从年似乎在故意躲着我。”

“你这个人太多心了。在我们花家舍人看起来，这事一点不奇怪，”小韶喃喃道，“他不可能见你。”

“为什么？”

“不为什么。”小韶略略迟疑了一下，继续道，“因为在花家舍，几乎没有人真正见到过他。”

“什么叫‘真正见到过他’？难道他会隐身术？”

“我的意思是说，你即便见到了他，也不一定认得出来。比如说，公社里有那么多的机关，那么多间办公室，那么多的大小官员和办事员，我是说，也许你早已和他见过面、握过手。”

“你也没有见过他吗？”谭功达笑道。

“我不敢肯定。”小韶呆呆地看着黝黑发亮的湖水，把一条腿吊在船外，轻轻地踢打着水面碎碎的波光，“刚解放那一年，他到花家舍来工作，我毕竟只有七八岁。”

“那么大人呢？大人一定见过他，对不对？一定会有欢迎仪式之类的场合……”

“我们这个村庄里的人，都比较健忘。三天前的事情他们都完全有可能记不清了，何况十年？不过王海霞据说不久前见过他。王海霞就是在《白毛女》里扮演喜儿的演员。受到郭书记的亲自接见，对花家舍的任何人来说，都是莫大的荣耀。海霞说，郭书记的头发像舞台上的喜儿一样，是银白色的，披挂在肩头，这是由于他深居简出、缺乏阳光的缘故。他的皮肤仍然像婴儿那样细嫩，而富有弹性。她还说，郭书记在接见她和几个劳动模范的时候，是坐在一只轮椅里，他把那只软绵绵的手递给海霞，对她说：‘干得好，小姑娘！’可我认为王海霞是在吹牛，因为有谣传说……”

就在这时，谭功达看见远远的岸边，手电的光亮一闪，出现了几个说话的人影。由于距离太远，他听不清他们说什么。

“赶紧把头低下！”小韶小声地朝他喊，“是村里的巡逻队。”

谭功达本能地一低头，就感到那两束手电的光亮从他头顶上掠过去了。

“大概我刚才的一阵狂笑引起了他们的注意。”小韶低声对他说。还好，巡逻队员用手电在湖面上乱晃了几下，很快就离开了，四周又恢复了寂静。

“有谣传说，郭从年在三年前就已经得肺结核去世了。公社方面出于某种特殊的考虑，隐瞒了他的死讯，秘不发丧。”

“什么考虑？”

“在公社社员中引起不必要的恐慌和混乱。最起码，对社员们的生产积极性，是一个沉重的打击。因为郭从年毕竟是花家舍的设计师和缔造者。尽管谣言在村子里沸沸扬扬，我们从来都不相信它是真的。这是站不住脚的。你想想看，假如他真的去世了，县里或地委当然会立即给我们派一个新的书记来。这事可不是闹着玩的！更何况，每年的元旦之夜，郭从年还要向公社的全体社员发表一年一度的新年献词，他的声音通过村里的有线广播传遍千家万户。他的声音那么饱满、那么有力，一点也不像生病的样子。他依然生活在广大群众之间，天天和我们在一起。可是他具体躲在什么地方，也许，也许只有 101 知道。”

小韶将一只莲蓬递给谭功达。看他不敢伸手来接，就笑了起来，“傻瓜，这是真莲蓬，不会扎手的。”

“谁是 101？”谭功达掰开莲蓬，从里面抠出一枚莲子，放入嘴中——它的味道有点涩，但也有点甜。小韶刹那间变得脸色惨白，目光迷乱，似乎有些后悔刚才说漏了嘴。

“101 不是一个人，它是一个组织……嗨，我怎么跟你说呢？时候不早了，我们该回去了。明天一早我还得去山上打靶呢。”

“是军事训练吗？”

“是公社基干民兵的例行训练。”小韶说。

她已拿过木桨，转过身去划水了。他们顺着原路返回，船很快就到了岸边。小韶先跳到岸上，拉了谭功达一把。他的手里还紧紧地捏着那枚手绢，犹豫着要不要将手绢还给她。

他们沿着沙滩往前走，小韶似乎突然变得心事满腹的，两个人都没有说话。《白毛女》的演出早已散场，现在的打谷场上黑咕隆咚的，空无一人。他们走到通往向阳旅社的栈桥边，谭功达停下脚步，向她告别。

“你们家住在什么地方？”他顺便问了一句。

小韶朝山上指了指：“你有没有注意到快到山顶的位置，有一个大烟囱？”

“对，那是有一个大烟囱。”

“我家就住在烟囱底下，是公社分配的房子。”

“公社怎么分配房子？是按照人口，劳动力，还是贡献大小……”

“抓阄。”小韶干脆地答道。

“最后一个问题，”谭功达笑了笑，“那个烟囱是干什么用的？我到了这里这么些天，怎么从来没见它冒过烟呢？”

小韶再次咯咯地笑了起来，她的牙齿那么白，那么细。她的笑声引发了村中的几声狗叫。

“不冒烟就对了，要是每天冒烟，那还了得。”

“为什么？”谭功达一脸迷惑地看着她。

“那是公社的殡仪馆。”

5

在黄昏的落日中，到达了银集。已经是秋天了，树上的叶子都黄了。这里人烟稠密，市镇却很破败。每一堵墙上都有红漆刷成的标语，不时可以看见佩戴臂章的人在街上走过。他们看我的眼神怪怪的，虽然还没有人前来询问，却似乎对我的来历大为疑惑。心里不免疑神疑鬼，因此不敢在市镇上落脚。

镇子往东约三四华里，有一个大水库。这个水库比没有完工的普济水库还要大得多。一眼望去碧波浩渺，似乎看不到它的边际。我在水库大坝泄洪闸一侧的涵洞里过夜。洞口有一丛野蔷薇。我的身上还剩下八角钱，这八角钱还是前天我在一个砖窑厂搬了一天的土坯换来的。大概是出了太多的汗，我现在有点发烧，浑身骨头痛。我只有把脸贴在长满苔藓的洞壁上，才会感到清凉。如果水坝突然放水，我就会像一只蚂蚁顷刻之间被冲得无影无踪。要是这样倒好了。

人在病中很容易变得十分虚弱，有时候想想，还不如把自己交出去算了。这样的挣扎对我来说毫无意义。可我心里总觉得有点不甘心，却不知道为什么不甘心。也许是为了活着再见到你，可见到你又能如何？这是一个十分愚蠢的念头，可我丢不掉它。躺在涵洞里，我就会傻傻地想，要是此刻你在我身边，该有多好！哪怕什么话都不说。

我是一个孤儿，在这个世界上并没有亲人。我的父亲在一九五〇年以反革命罪被逮捕，随后被枪决。我母亲在得到消息的当天就用一根绳子把自己吊死在梁上，那天晚上，你知道，那天晚上就我一个人。母亲的尸体被弄走了。可地上有一只绣花鞋，还有一摊尿迹。那只绣着蝴蝶的绣花鞋也是湿漉漉的。我抱着那只鞋子，想到母亲临死前还在撒尿，就感到难为情。

为了怕凶恶的邻居来责骂，我甚至不敢哭。好在后半夜下起大雨来，我的哭声再大，也不会有人听见了。

这儿很安静，从涵洞的洞口望出去，可以看到繁星满天的夜空，以及大坝之下大片的滩涂。很多当地人正提着蟹灯在捉螃蟹。那天晚上，我是在啼哭中睡着的，似乎一觉醒来就踏上了前往梅城的旅途。我的姑妈雇了一辆牛车，天还没亮就出发了。在车上，我偷偷地、一刻不停地打量她的脸。可整整一天，姑妈铁青着脸，一句话都不跟我说。车到了戚墅的时候，我忽然想起姨妈对我的一番告诫。出于对别人收养了你的感恩，我决定改口叫她妈妈。我那么不要脸地希望讨她的好，打算出卖一下自己可怜的母亲！我拉了拉姑妈的袖子，用全部的羞耻堆积起来的勇气，叫了她一声妈妈。我的姑妈正在打盹，被我一叫就吓醒了。她朝我转过身来，先是吃惊地看着我，随后就给了我一个耳光，脸色变得十分狰狞："你这个没人要的烂货，你刚才叫我什么，谁是你妈妈？那个不要脸的烂婊子，在上海滩人见人插的舞女婊子！怎么不把你这个小婊子一起给吊死？留在世上害人！我究竟是倒了哪辈子的霉，摊上你这个东西，叫我妈妈，呸！你也配！"

后来，从姑父的口中，我才知道，姑妈那么憎恶我，也不是完全没有缘由的。她赶到上海去分绝户家私时，晚到了一步，家里值钱的东西早已被我那些各路亲戚哄抢一空。就连我那个正在上中学的小舅舅，据说也抢到了父亲留下的几盒古巴雪茄。姑妈什么都没捞着，只捞着了一个负担，这个负担就是我。其实我的姑妈并不坏，除了贪财、小心眼、脾气暴躁之外，并不怎么坏。事实上她完全可以像我的那些亲戚一样，一走了之，让我自生自灭。可不管怎么说，姑妈在车上对我说过的那些话，我永远不会忘记，也永远不会原谅她。到了姑妈家，我唯一的想法就是尽快逃走。假如那天晚上你没有去梅城浴室洗澡，没有去西津渡的绒线铺把我搭救出来，我那时就已经开始逃亡了。

我不喜欢多管闲事的人。当钱大钧在绒线铺子里找到我，将我带到县上去的时候，我对你一点都不感激，相反只是厌恶！当我知道你竟然还是个县长，更是如此。我觉得，这世上做官的人，都是坏人，没有例外。我的爹娘就是死在你们这些当官的手里。这世上的坏事有一多半，都是你们这些当官的干出来的。

可是，有那么一天，我想大概是我在县里正式上班后的第三天……中午的时候，我去盥洗室洗手绢，洗着洗着就想起了自己的心事。县机关的每个人，脸上都带着明显的嘲讽。我什么都不懂，什么事都做不对，随后，一个人就无声地哭泣了起来。那块手绢早已被我洗得纤维毕现了。其实我不是想洗手绢，只是想找个没人的地方哭一场。可是你却一声不吭地走了进来，站在我的身后。当时我一点都没有察觉，你把手放在我的肩上，两只手都放在我的肩上，一句话也没有说。我知道是你，不由得扭过头来看你的那只手。好大的一只手！我从来没有看见过这么大的手！你一句话没说就走了。可到了晚上，我躺在钱大钧家的床上，又想起它来。它真的就像我爸爸的手。

你知道，爸爸被捕的前一天，拉着我的手，去马路对面的美吉奥餐厅吃冰淇淋。多年来，我记得的就是他的手。也许他当时已经知道了自己被判决的命运，他的手捏得我非常的痛，我说爸爸呀，你把我的手捏得太紧了！可爸爸突然转过身来，满脸都是泪水。他蹲下身子，一动不动地看着我。即便是蹲下身子，他还是比我要高很多。我看见他原先黝黑发亮的皮鞋好久没有擦了，而且一只鞋的鞋带已经松了，可他没有发觉。

坐在美吉奥餐厅的面包房里，坐在漂亮的松枝和彩带搭成的巨大的拱门里，我很快就把那份冰淇淋吃完了，爸爸呆呆地看着我，笑了一下，说："小菊，你想不想再吃一份？"我赶紧点点头。爸爸就朝面包房的侍者勾了勾手，又买了两份。一份在面包店里吃完，一份带回家。我现在早已忘了冰淇淋是什么滋味了，可我还记得爸爸的手。它是那么大，那么温暖！

你恐怕也记不得了，我到县里上班的第一个周末，正碰上单位聚餐。钱大钧多喝了几杯酒，就起哄说让我叫你一声干爹。我原以为你一定会发火的，可你并没有发火。我记得你当时没有点头，也没有表示反对，只是端着酒杯看着我笑。我当时想，要是我真的叫一声这个人爸爸，他大概也不会十分的生气吧。这个小小的秘密被我藏着掖着，多少年来也没有叫出口，渐渐地它真的就成了一个秘密。直到有一天，这个秘密被另外一个更加疯狂的秘密所取代……

唉，真是异想天开！开始的时候，我并没有察觉。可当我意识到它的存在，自己也吓了一跳，这个秘密就像一块糖，含在嘴里，时间一长，它自己就化了。你还记得几年前那个下着大雨的下午吗？雨到下班时还没有停，我们都没有带伞，被大雨困在了办公室里，窗户玻璃上的泄水像一张哭泣的脸，我们有好一阵子找不到话说。后来你忽然问我，将来有什么理想，有什么打算，我开玩笑地回答说，我想逃到一个荒无人烟的小岛上去隐居，你抽着烟——那包烟还是我抽剩下的，两毛五分钱一包的大生产。你抽着烟，笑着问我："你又没有犯罪，干吗要逃呢？"我当时想都没想，就反问道："你怎么知道我没有犯罪？你怎么知道我将来就不会犯罪？"现在想起来，这句话真是一语成谶！我常常一觉醒来还会梦见这个傍晚，梦见我用一种未卜先知的口吻断然对你说："你怎么知道我将来不会犯罪？"后来天就黑下来了。办公室里没有什么人。我当时心里真的就盼望着这场雨不要停，永远不要停！一直湖天海地地下下去。假如那场雨一直下个不停，你会怎么办？我们会不会在办公室过夜？

我现在闭上眼睛，就能记起那雨的味道、雨刚下时尘土的味道、香烟的焦煳味，还有桌上那盆墨兰残存的香气……还记得你跟我说过的话吗？你让我什么时候去小岛隐居前，跟你说一声，你说要跟我一块去。你还说……唉，还提这些事情干什么？你当然可以辩解说，你当时在开玩笑，随便说着玩的。你大概是看着我傻，忽然变出个主意来捉弄我一下，然后心里偷偷地笑，是不是这样？那些话，每一句话，每一个词，现在都在黑暗中闪着亮光，就像水库下面的捕蟹灯，闪闪烁烁。那些话你说过之后，就抛到了九霄云外，只有我这样的傻瓜才会拿它当了真，从那些离开嘴就消失得无影无踪的字句中去寻找什么凭信……十月十七日以上的部分是半个多月前写的。昨天我已经被一辆装石头的解放牌大卡车带到了一百多公里外的临泽。这个地方正在筑路。工地上到处都是蚂蚁一样的筑路大军，他们从四面八方赶过来，简直乱成了一锅粥。带我来的卡车司机把我介绍给工地的一个负责人，我就很轻易地混入了筑路者的队伍之中，并得到了一份工作。据说，这条公路将来要作为打仗时飞机的备降跑道，因此路基筑得又宽又厚。我的工作是砸石头。别人先将从采石场运来的大石头用打铁的大榔头将它砸碎，我们这些老弱病残再将这些石头敲成铺路的石子。晚上，我们二十多个工人挤在一个窝棚里，除了三四个女的之外，其余的全是男的。彼此之间都不认得。我刚敲了一天石头，两个手的虎口就被震裂了，秋风一吹，沙沙地疼，连笔都握不住。

我睡觉的地方原先是一块玉米地。床头长着一棵瘦弱的玉米，四周围着塑料布。可有电灯，我可以坐在床铺上给你写信。这个地方前不着村后不巴店，不知道哪儿才有邮局。到了十一月，天气一天比一天凉了。成群的大雁向南飞去，嘎嘎地叫着，叫得人的心都揪起来了。不过，我还真的有点喜欢这个地方。深秋的时候，天很蓝，白云很厚，到处都是成熟的玉米。在工地上干活的人，彼此之间都不知道对方的来历，也没人打听，在奔命的路上，我还是第一次感到这么安心。尽管指挥部的高音喇叭天天都在广播，说要抢在十二月底之前通车，可我希望这条路永远也修不完。这样，我就可以在这里合法地一直住到死。

刚才，那个带我来临泽的卡车司机又来了。他说他来看看我，一猫腰就进了工棚，直奔我的床前。他用满是油污的手递给我一根甘蔗。我笑着对他说："我这儿没有刀，这甘蔗怎么吃呢？"他也笑了笑，说："那好办。"一把把甘蔗拿过去，用牙齿将皮一片片地撕下来，然后再递给我。吃甘蔗的时候，我顺便问他这附近有没有邮局。他说："你是不是要寄信？这样吧，你把信交给我，我在去采石场的路上，帮你寄掉。"他还开玩笑地说，如果路不远，他甚至可以开车直接把信送过去。我到底没敢把信交给他。他的眉眼、身材、说话的语气，怎么看都有点像我们县上的司机小王。

对了，那天晚上，我杀人之后，先是跑到了甘露亭附近的一大片甘薯地里，把沾上血的衣服脱掉，在水渠边坐了半天。我本能地想找个地方躲一躲，或是找个人商量一下，想来想去就想到了小王。有一年元旦，我们一帮人去过他的单人宿舍包饺子，我知道他住哪儿。我一路狂奔着，找到了他的家，浑身发抖地敲了门。他穿着红背心花短裤，起来开了门，揉了揉眼睛，一看到我，顿时来了精神，嬉皮笑脸地对我又拉又扯，满嘴疯话。他一边让我钻到他的被子里去暖和暖和，一边问我出了什么事，怎么披头散发的，看上去像个女鬼。当时天快要亮了，我没有时间跟他磨嘴皮子，就直截了当地告诉他，我杀了人，能不能在他那儿先躲一躲。他还以为我在开玩笑，可当他从上到下又把我细细地打量一遍之后，他的笑容就像冷猪油一般在嘴唇上凝结住了。他的小眼珠也不会动了。他穿着短裤背心，坐在床上发抖，就像打摆子似的，那张铁丝床被他抖得当当作响。

经我这一吓，他又开始乱用成语了。他是个小胖子，我第一次知道他的胸脯上居然有那么多的肥膘，像个女人似的。那肥膘也一嘟噜一嘟噜地在颤抖，嘴里狗屁不通地嘀咕道："难以费解，难以费解，简直令人难以费解！"

接下来，他基本上像个傻子。我说什么，他就重复什么，就像是个回音壁似的。我说，你大概不会去报案吧？他就说，报案！报案！我说，你能不能先去打盆水，让我洗一洗？他就说，打盆水！打盆水！我说，你有什么干净的平常不穿的旧衣服，让我对付着穿一下。他说，旧衣服！啊，旧衣服！我当时真的给他气急了，冲着他大叫起来："你他妈的别抖了！"他说，"噢，不抖不抖。你刚才说什么？"我当时有一个预感，要是我再在他那里多待几分钟，等这小子回过神来，我八成就走不脱了。他一定会下楼报案的。我就故意问他："你总不至于会逼我去自首吧？"小王说："自首自首，理应自首。桑榆已逝，东隅未晚。坦白从宽，抗拒从严。抗美援朝，保家卫国……"简直令人哭笑不得。

从小王家出来，我看见天边的树梢上空，曙河已开，天眼看就要亮了。我哭着，在空荡荡的马路上横冲直撞。心里忽然想到，要是我刚才跑到你家去，你会怎么对待我？我完全不敢想下去了。直到现在，我有时仍不免会这样想，当我的这些信落到你的手里，你会不会把它交给公安局去请功，让全副武装的公安人员来抓我？会不会？你被免了职，正需要立功赎罪的机会，以便东山再起。要是真的这样的话，我也认了，死在你的手里，我也心甘情愿。一个没有任何留恋的世界，我即便活

到一百岁，又有什么用？佩。十月三十一日

…………

6

花家舍虽有几分云遮雾罩般的神秘，可在谭功达看来，这里的一切都是好的。他很难想象一个长期生活在这里的人，还会有什么烦恼。谭功达在这里待的时间越久，对花家舍的钦佩与留恋也越来越深。看起来，那个三十八军出身的郭从年简直就是天才！只可惜这个人躲着不肯见人。一开始，谭功达还抱着一丝侥幸心理，四处打听他的行踪。后来，一个放学回家的儿童团员告诉他，在花家舍，每个人都是郭从年。仔细一想，这话还挺耐人寻味的。

在谭功达的强烈要求下，他终于获得了正式的劳动许可——他被编入第七生产大队第二生产小组。当然，这不过是一个名义上的劳动组织，具体从事什么工作，是十分自由而随机的。几个月来，他学会了给桑蚕打草龙；乘着小船，去池塘里夹塘泥；培植浮萍和水花生；维修公社缫丝场的蒸汽锅，割稻、犁地、扬麦，样样在行。甚至，他还报名参加了田间地头巡回文艺表演队，学会了在当地颇为流行的文艺表演形式——三句半。那首三句半，是用来讴歌花家舍一个名叫春雨的女赤脚医生的，题目叫做“赤脚医生向阳花”。他负责说最后的半句，并敲锣。

可是，他的夜晚是愁苦和哀戚的。看着墙上那张地图，想象姚佩佩的行踪所铺展的泥泞而崎岖的道路，有时他整夜整夜地无法入眠。那是一个完全不同的现实，那是一条被种种阳光下的事物所遮盖住的幽僻的道路——我们每天都走在这条道路上，却浑然不觉。他一度异想天开地打算从花家舍消失，赶往几百公里外的临泽，与姚佩佩见上一面。他甚至幻想着与她一起流亡，从此踏上那条用求乞铺成的不归路。当然，他也只是想想罢了。随之而来的是一连串疯狂的反悔、自责、羞愧和恐惧，以及种种难以名状的自我折磨。为了驱散夜晚濒临崩溃的疯狂和分裂，白天他更加卖力地干活。由于表现优异，有一天，花家舍的有线广播员竟然播出了一篇赞扬他的通讯稿，那是用快板书的形式完成的，标题就叫做“夸一夸我们的巡视员”。清晨或黄昏，当谭功达扛着一把铁锹，在田间地头瞎转悠的时候，远远一望，简直就是花家舍土生土长的庄稼汉。

这天上午，谭功达和几个包着白头巾的老太太正在打谷场上用连枷打黄豆，看见驼背八斤像个金龟子似的，通过栈桥朝这边走来。他走得很快。八斤好不容易爬到打谷场上，汗流浃背，喘息未定，可他居然还能以金鸡独立的方式，用烟袋锅敲击鞋底，把烟屎敲落，看得谭功达目瞪口呆。

“你们家来人了，快回吧。”八斤照例咧开厚厚的嘴唇，露齿一笑。

听说家里来了人，谭功达浑身打了个冷战，怔怔地看着八斤出神。他早已忘了自己在梅城还有一个家！忘了张金芳！忘了拖油瓶的腊宝！忘了临走前才出生的那个襁褓中的婴儿……他跟在八斤的身后，一直走到干涸的湖边，才想起那孩子名叫端午。他是端午节时出生的。

张金芳带着两个孩子正在厨房里坐着吃饭，身边的桌子上摆着一个大大的花布包裹。腊宝似乎突然就长高了，粗布上衣改做而成的裤子已经吊在身上，露出了一大截小腿。他张着嘴，嘴里塞满了白米饭，正用陌生的眼光打量着自己。张金芳的眼睛被西风吹得红红的，也不看他，抱着孩子，把嚼烂的饭吐在汤匙里，再喂给手中的端午。

谭功达朝母子俩走过去，拨开军大衣的衣领，用手指弹了弹孩子圆嘟嘟的小脸。那孩子一下就笑了。张金芳用胳膊捅了捅他，满脸不高兴地说："哎哎哎，你先去洗个手好不好？满手的尘土，小心迷了孩子的眼睛。"谭功达赶紧掸了掸身上的灰土，走到屋角的水缸边，舀水洗手，却听见张金芳在背后冷笑了一声，道：

"嗬！你一个人在这过得挺美的嘛，怪不得半年多了也不给家里写个信，白花花的米饭不说，还有甲鱼汤喝。"

八斤听张金芳这么说，赶紧嘿嘿地笑了两声，解释道："白米饭倒是不假。这个甲鱼汤并不是每天都有的。你这回来，正赶上我们这儿围湖造田，湖底的水抽干了，鱼多得吃不完，吃得我和老谭都腻烦了，眼睛鼻子里边都是鱼。"

随后他指了指地上的一只脸盆，又道："我今天早晨在湖底转了转，不一会儿的工夫，就捉了这么一大盆泥鳅。晚上我给你们烤泥鳅吃。"说完，仍是笑眯眯地走了。

谭功达并不急着吃饭，而是从上衣口袋里夹出一支瘪塌塌的烟来，用手捏了捏，点上火。半年多没见面，他和张金芳一时不知说什么好。张金芳的神色看上去也不太对，眼泡都肿了，不像是给风吹的。腊宝吃完了饭，就蹲在地上，去拨弄那盆子泥鳅去了。

"你怎么忽然就来了？"谭功达讪讪地说。

张金芳把眼睛一瞪，不耐烦地道：“我不来，都霜降了，你哪来的衣服过冬呀？”

谭功达没有吱声。他的心里忽然掠过一丝不安：霜降一过，就该立冬了。也不知道姚佩佩身上有冬衣没有？问题是，他现在也不能肯定佩佩还在不在临泽筑路。

“大半年了，成天盼星星盼月亮，却没见你寄一分钱回来。就是这次来花家舍的旅费，都还是连生给掏的。”张金芳微微侧过身来，嘴里数落着。

“我的工资要到年底才发，你又不是不知道！”谭功达说，“你说的那个连生是谁？”

“就是我们家隔壁的皮连生呀，他是个杀猪的，你忘啦？”

张金芳告诉他，梅城说不定很快就要撤县建市了。“你若是下次回来，说不定连家门都找不到了。听说，鹤壁地委的各个机关都要搬到梅城来。眼下那些大官们正集中在梅城开会呢。听说我们住的西津渡胭脂巷一带，都要搬迁，只是不知要搬到哪里去。”

张金芳的一席话，谭功达似信非信：“这是邻居间一般的谣传呢，还是有正式的红头文件贴出来？”

“这个我就不知道了。是听皮连生说的。他成天在外面杀猪，东奔西走的，消息灵通得很。”

“那原来的梅城县怎么办？”

“听说要变成普济县。据说县机关仍然设在梅城。领导班子也要大换血，到处都是挖土车。道路要加宽，大楼要修建，江边还要建一个全省最大的发电厂。如今的梅城，整个一个乱啊……我对皮连生说，要是地委和县委在同一座城里办公，上嘴唇和下嘴唇碰到一起，难免不打架。可皮连生说，那是不要紧的，你没见过北京有一个党中央，还有一个北京市吗？”

又是皮连生。

谭功达听张金芳张口闭口不离皮连生，眼前就忽然浮现出那个长得五大三粗的杀猪的壮汉来。不过，他的形象多少有点模糊。他只记得这个人每天挑着一个杀猪用的通条，早出晚归。各种尖刀、薄刀、挠钩和刮刨缀在肩上通条的一端，走起路来叮叮当当。看来，这个皮连生不仅擅长杀猪，对时下的新闻和各种小道消息，也颇为热衷。他不由得转过身去，朝妻子看了一眼。张金芳的脸不知怎么一下就红了。

过了一会儿，谭功达问她，过年怎么办：是自己回家过年，还是她带着孩子到花家舍来？

张金芳道：“你不用回去，我也不来。”

说完，又抬起手来，擦了擦眼睛。谭功达心里一愣，正想说什么，就看见驼背八斤不知从哪里拽出一张钢丝床来，满脑门都是汗。

他把钢丝床拖到了厨房里，对谭功达道：“晚上你们四个人睡一张床太挤了，我就给你们找了一个行军床来，可以给孩子睡。另外，我已经替你请了假，今天你就安安心心待在旅社里，陪陪老婆孩子，下午就别出工了。”随后，他去水缸边打了一桶水，用抹布仔仔细细地擦起床来。张金芳见状，赶紧将孩子塞给谭功达，自己过去帮忙。她比以前更胖了，谭功达看见她的脚背鼓鼓囊囊的，似乎随时都要将布鞋的搭袢崩飞。

到了晚上，腊宝累了一天，早早趴在钢丝床上睡着了。张金芳和谭功达带着端午盘腿坐在大床上说话。两个人各有各的心思，东一句，西一句，怎么也说不到一块去。驼背八斤特意给他们送来的满满一碗红菱角，在难堪的沉默中，他们连动都没动一下。

“这房子里，怎么有一股焦煳味？”张金芳抱怨道。说着就从床上跳下来，浑身的肉一阵乱晃，到处闻闻嗅嗅，“是有味！是灰烬的味道，你是不是在房间里烧过什么东西？”

谭功达的心里更乱了。他看见窗外掉光了叶子的金银花丛中，藏着一个又大又圆的月亮。即便是在晚上，花家舍的村民们都在围湖造田的工地上挑灯夜战，他不时可以听到唧唧喳喳的说话声，间或还能听到一两声喊号子的声音。到了这会儿，佩佩也该睡了吧。不知道她是不是也在看着这轮秋月。张金芳依旧坐在他身边，问他在看什么，怎么连一句话也懒得说。谭功达想了想，只得开启金口，喃喃道：

“睡吧。”

随后他就拉灭了床头的电灯。到了后半夜，谭功达觉得自己的后背湿漉漉的，原来是张金芳一个人在悄声地啼哭。谭功达迷迷糊糊地睁开了眼睛，月光似乎更亮了。他捏了捏张金芳那布满老茧的粗大的手，忽听得张金芳啜泣道：“老谭，你不会恨我吧？”

“恨你？”谭功达还没完全睡醒，声音有点大，“我干吗要恨你？”

“要是我告诉你……”她哭得更厉害了。谭功达见她撩开帐子，擤了一把鼻涕，并将它抹在床沿上，接着道，“要是我做了什么对不起你的事呢？”

谭功达深深地吸了口气，然后转过身来，小声道：

“是不是那个皮连生？”

“咦，你怎么会知道？”张金芳满脸狐疑地望着他。在月光下，她那宽宽的脸庞就像一面镜子，谭功达从中照见了自己的冷漠。如果说，他原先对张金芳多少还有点歉疚，现在连这点歉疚都跑没影了。嗯，我猜得不错，他们还真的有事！我早就料到她与杀猪的皮连生之间有什么事！

张金芳抽抽嗒嗒地说，怪就怪那天中午，她煮汤用的铝锅坏了。铝锅上的木柄螺丝松了，把手整个掉了下来。她就到隔壁去借起子……

"皮连生那狗日的，那天恰好没有出去杀猪，他姐姐那天也恰巧没在家。他躺在一张旧竹床上，听收音机呢。我一看那鬼，心里就是一吓，扭头正要走，皮连生就从椅子上坐了起来，一脸坏笑地问：'大嫂有什么事吗？'我告诉他铝锅的螺丝松了，手柄掉了下来，我想借把起子，把，把，把手柄装上去。那鬼东西，眼睛里就生出精光来，把短裤往下一拉，笑着说：'大嫂，我这里倒有一个长柄，要不我现在就替你装上？'那畜牲，那畜牲一把拽住我，往竹床上一按，那床就塌了。我一抬头，看见头顶的大梁上用铁钩吊着一只猪头，那猪头还不时地往我脸上滴着血水呢……"

谭功达静静地听着，半天都没有说话。整整一个下午，他脑子里曾出现过这个情景的无数画面，可是当它从张金芳的嘴里说出来，毕竟还是有点不太一样。

张金芳用胳膊碰了碰他，"哎，你，你怎么一点，一点都不生气？"

"不生气。我不生气。"

他想找出一两句话来安慰她，想了半天只是无力地摸了摸她浑圆的背，忽然冒出一句："你，你当时是不是很难受？"

谁知他这一说，张金芳哭得更厉害了：

“要是难受就好了……”

张金芳忽然紧紧地抱着他，完全不担心吵醒孩子和楼下的八斤，把头埋在他怀里，号啕大哭。谭功达被张金芳哭得心烦意乱，便拽了拽被头，蒙住了自己的脸。好在不是佩佩！那个把佩佩带到临泽的卡车司机为什么对她那么好？还给她送甘蔗！而且用嘴替她剥去了甘蔗的皮……他会不会就是另一个皮连生？而佩佩对那司机，似乎也颇有好感。闭上眼睛，他满脑子都是姚佩佩的身影。他仿佛看见她躺在临时搭建在玉米地里的工棚里，斜靠在床铺上，一边吃甘蔗，一边对皮连生式的司机傻笑。那笑容既暧昧，又危险！谭功达的心一点一点地沉下去，再也睡不着了。

张金芳第二天就带着孩子离开了花家舍。谭功达一直将他们送到桑园边的渡口。桑树的叶子都落尽了，几个公社社员戴着手套，在给桑树剪枝。船刚刚离开岸边，张金芳止不住又哭了。她一手搂着腊宝，一手抱着小端午，三个人都怔怔地看着他。冷不防船一加速，她差一点没站稳，在船头打了一个趔趄。远远地，他听见张金芳用尽全身的力气朝他喊道：

“谭功达，谭功达，我会给你带好孩子的。”

她不叫他老谭，也不叫他功达。听她话里的意思，好像有一点诀别的味道。谭功达知道，她恐怕一回到梅城，就要搬过去和那姐弟俩同住了，说不定（更有可能）他们早就在一起过了。谭功达久久地站在岸边，心里空落落的。当他再次抬起头来，搜索他们母子三人的身影时，那船已经开得远了，湖面上只有一个小黑点。很快，那个小黑点也融入了芦苇的枯枝败叶之中，不见了。

张金芳走后没两天，从梅城来了两个身穿灰色制服的办事员，他们自称是县民政科的人民调解员。他们给他带来了一份张金芳请人代写并按了手印的《离婚申请书》。谭功达接过申请书，看也不看，就要签字，调解员严肃地阻止了他："我们这次来，并不是要你签字赞成离婚。恰恰相反，我们此行的目的，是为了挽救你的婚姻！"

"没有什么好挽救的，调解员同志，不需要你们费心，我完全同意。"谭功达很不耐烦地说。

"你这话就不对了，婚姻和家庭是我们这个社会最小也是最重要的结缔组织。它的和谐与幸福关系到社会的安定、党和国家的安危，岂能视同儿戏！即便你认为夫妻感情实际上已经完全破裂，我们也要认真地履行每一道调解程序。在梅城，妇联的同志们也会同时去做张金芳同志的思想工作。总而言之，在是否离婚这件事情上，我们希望你采取一种严肃而负责任的态度。我们今天就先谈到这儿，三个月之后，我们还会再来的。"

"如果三个月之后我们仍然坚持要离婚呢？"

"六个月后还会有第三次。一直到你们决定不离婚，撤回离婚申请为止。整个过程要长达三四年，到那个时候，你们如果还要离婚的话，我们就会视具体情形，启动另外的程序……"

7

除夕的前一天，到了下午，风向偏东，天空昏黄，忽然下起雪来。大片大片的雪花伴着飕飕的冷风狂飞乱舞起来。大雪一直下到第二天早上。谭功达从床上醒来，看见艳阳高照，朝北窗户外的屋檐下已经挂上了一排冰凌，湖底整个都被积雪覆盖住了。

工地上的一面面红旗在阳光下显得格外鲜艳，谭功达看见湖底中有七八个人正在挑土，他记得昨天下午公社就宣布放了假，今天怎么还会有人在那儿上工呢？花家舍的方向隐隐有鼓声传来，不过他听不太真切。谭功达懒懒地躺在床上，抽着烟，忽然听得楼下有人叫他。

是小韶。很快，他就在唧唧喳喳的鸟鸣声中辨出了她的笑声。谭功达穿好衣服，刚走到楼梯口，就听见驼背八斤嘴里哼哼唧唧地说道："左边左边，上边，再下来一点，还要往下，对了，使劲……"

到了楼下一看，谭功达不由得笑了：原来小韶在替八斤挠痒。他看见八斤双手扶着墙角，弯着身子，大概是小韶挠着了痒处，舒服得龇牙咧嘴的。

小韶今天穿了一件新棉衣，布底是白色的，却印有绿色和暗红色的花点，脖子上却围了一条大红的围巾，脸色被风吹得红彤彤的。看见谭功达下了楼，八斤就开玩笑地对他道："小韶这孩子，哪里是为了给我挠痒痒，她分明是对我的驼背感到好奇，忍不住要去摸摸它到底是什么样子的。"说完，露出了一口大黄牙。

小韶一听，忽然就变了脸，假装生气地把手抽出来，在他背上捶了一拳，道："死八斤！你别得了便宜还卖乖！谁稀罕你背上那瘤子？摸上去就像是个圆圆的秃头脑袋，滑溜溜的，让人心里难受死了，呸！"

一老一少在门前斗着嘴，说笑一通。谭功达已经刷完牙，洗了脸。小韶要带他去参加公社的迎新茶话会，时间定在了上午十点。由于担心迟到，八斤催促他们赶紧走，“饭就不必吃了，团拜会上自然有点心、水果，可以充饥。”

谭功达跟着小韶从向阳旅社里出来，踩着吱吱直叫的冻雪，朝公社走去。刚刚上了栈桥，小韶忽然转过身来，伸出一只手，在阳光下正反面看了看，对谭功达道：

“这个死八斤，死驼子！你看看我这只手。”

她说，她早上来通知他开会，看见八斤像头牛似的，后背顶在墙上蹭痒痒，小韶就开玩笑地问他是不是背上痒，要不要替他抓抓，“本来是开句玩笑，谁知那臭八斤一撅屁股，真的要我替他抓痒！这驼子，一年到头也不洗个澡，浑身都是油泥。抓完痒，我的五个手指缝里都填得满满的。回去得找把小刷子，好好刷它一刷。”

栈桥上积了一层厚厚的淤雪，让太阳一晒，又软又松，踩上去脚底有些打滑。小韶看见谭功达双腿打晃，趺趺撞撞，就赶紧回过头来，搀住了他的一只胳膊。这个自然的举动立即遭来了众多猜疑和质询的目光。他看见正在湖底干活的那一伙人，都不约而同地停下手里的活，笼着袖子，朝他们张望。

“公社不是放假了吗？怎么还有人干活？”谭功达的嗓音有些发颤。他的手碰到了小韶那柔软光滑的棉袄上，布面凉凉的。同时他也闻到了她身上淡淡的脂粉香，“他们一定是公社的积极分子，对不对？”

“当然不对。”小韶笑道，“他们是‘黑五类’。按照公社的规定，他们在节假日期间必须全体出工，接受社员们的监督改造。”

谭功达点点头。

一阵咚咚的锣鼓声把他的目光吸引到小学的操场上。那儿出现了一堆扭秧歌的人群，锣鼓喧天，彩带飞扬。几个年轻人踩着高跷，行走在积雪覆盖的池塘边。谭功达还真的替他们捏着把汗，担心他们会从高跷上摔下来。

“那是公社的秧歌队。就是与你同船来到花家舍的那伙人，他们正在送喜报。”

“什么人有资格得到喜报？”

“劳动模范，先进生产者，一百岁以上的老人，当然还有军烈属。”

“那些戴红袖章的又是什么人？”谭功达指了指风雨长廊里坐着的一群人，问道。

“是移风易俗办公室的。他们正在例行巡查，大概是走得累了，在廊下歇歇脚。”

说话间，他们已经从栈桥上下来。长廊上的积雪早已被人扫得干干净净，有的地方还洒了炉渣。谭功达隐隐闻到空气中有一股肉香味，同时他也听到不知从什么地方传来的笃笃笃的剁案板的声音。小韶介绍说，那是公社食堂的厨子正在忙着晚上的年夜饭。按照花家舍的惯例，全体社员晚上要聚在一起包饺子，集体过年，“我刚才专门去了一次食堂，让管理员廖明辉去调整了座位表，把你调到了我们的桌子上。”

“干吗要去调整座位表？”

小韶调皮地做了个鬼脸，笑道：“在你见到郭从年之前，你暂时归我管。”

小韶的这句话让他心里很受用。多么好的姑娘啊！成天乐呵呵的。似乎还不知道烦恼为何物！她的无忧无虑与村子里那些目光呆滞的社员形成了多么鲜明的对照！他们走到打谷场的附近，谭功达不禁再次停下了脚步。他看见有十几个解放军战士正双手握拳，拳心向上抵在腰间，沿着打谷场在跑步。鲜艳的帽徽领章在阳光下闪闪发亮。

“怎么，你们公社竟然还有驻军？”谭功达转过身来问她。

“哪儿呀，为了庆祝今年的大丰收，公社专门从部队请来了这批客人，晚上要进行焰火表演。”小韶再次呵呵地笑了起来，“像你这样东瞅西看，一步一停，我们永远都到不了公社。”

他们抵达公社的会议室，迟到了足足十五分钟。茶话会早就开始了。会议桌是椭圆形的，正襟危坐的与会者里外围了三层。小韶拉着他坐在靠门的两个空位上，桌上满满地堆着瓜子、花生、糕点和糖果。小韶知道他没有吃早饭，刚一坐下，就揪下一只香蕉，剥了皮，送到他手中。谭功达接过香蕉，正要吃，忽然看见所有的与会者都表情严肃，不苟言笑。他们手执同样的红铅笔，在会议材料上写写画画。谭功达满脸羞惭地将香蕉放下，也学着他们的样子，拿起一支铅笔来，绷着脸，像模像样地在材料上画起线来。

正在发言的是一个三四十岁的中年人，风纪扣扣得严严的，头发梳向后脑，上衣的口袋里别着好几支钢笔，中山装外面还披着一件灰黑色的旧呢子大衣。这人说起话来不疾不徐，喜欢重复自己每句话的最后三个字，一看就是个来头不小的干部。他正在做工作报告。每当他提高嗓门的时候，台下的听众就予以配合，爆发出一阵暴风雨般的掌声。谭功达正要通过他的发言内容来辨别他的身份，小韶将一页会议记录纸悄悄地推给了谭功达。谭功达一看，见上面写有这样一句话：

怎么不吃了？我保证香蕉里并没有下毒。

这个不经意的举动立刻在他心里荡起了一层波澜。他再次想起了姚佩佩。每次开会，佩佩都要通过写纸条来与邻座交谈，还不时地会心一笑。谭功达坐在台上，看得一清二楚。每次看到她这么做，心里都有一股无名火起。他曾多次严厉批评过她，可佩佩依然我行我素，简直拿她一点办法也没有。没想到，今天他和小韶居然也干起了这种把戏！时间又回去了。没办法，真的没办法！任何一件事都在暗中指向她。他把纸条拽过来，在下面写了这样一句话：

正在发言的这个人，会不会就是郭从年？

而小韶的回答很快就传递到他的手上：

不是。

接下来发言的是一位白发长者。由于他获得的掌声超过了两分钟之久，再加上他长髯飘飘，气度不凡，掌声一停，谭功达赶紧在纸上写下了这样几个字：

这个人是不是？

这一次小韶的回答则要详细得多：

> 也不是。此人名叫甫向高，是中心小学的校长。你朝窗口的方向看，那里有一个座位是空着的，挨着取暖用的火炉。

谭功达使劲地侧了侧身体，从一个戴鸭舌帽的高个子身边看过去，果然发现里边有一个座位空着。很明显，这个位置是为一位特别的人预留的，很有可能就是郭从年。因为他的椅子比别人要大许多，带着宽大的扶手和颈垫，座位前还放着一簇盛开着腊梅的花丛。三只扩音器的话筒并排放着，每只话筒上一律蒙着红绸布。这个人并未到场，可他的桌前照例放着白瓷茶杯、铅笔和一叠会议材料。郭从年虽然没有到会，但谭功达却隐约感觉到他依然在场：坐椅和摆设就像一双无声的眼睛，正在扫视整个会场，这个并不在场的人物依然在听取每一个部门的负责人所做的报告。既然郭从年始终作为一个神秘的象征人物，在指挥着花家舍的一切，这样的布置显然另有一番深意。

随后，谭功达观察到了一个令他十分震惊的举动：穿梭于与会者之间的女服务员（她们穿戴统一的服装，戴着白手套，挂着统一的服务标志），每隔十几分钟就要去那个空位上更换一次茶杯中的茶水。既然郭从年并未出席今天的茶话会，她们为什么还要给他更换茶水呢？这是不是有点太过分了？谭功达百思不得其解。

好不容易挨到会议结束，在公社大院外刺目的阳光下，他立即向小韶提出了这样一个问题。

“那是因为郭从年随时都会出现。”小韶说，“他到底会不会来，谁也说不准。”

“那么，以前有没有出现过类似的情况，会议开到一半，郭从年突然从门外走了进来……”

“那倒从来没有过。”小韶压低了声音，对他说，“不过，谁也不能保证，下一次会议他就不会来。这个人有点孩子似的淘气，喜欢恶作剧，有时候甚至有点喜怒无常。没人知道他的脑子里会突然出现什么怪念头。有一回，半夜两点钟，他通过秘书召集公社的全体干部召开紧急会议。可当与会者顶着刺骨的寒风全部到齐之后，他又让另一个秘书出来传话，说会议临时取消。”

谭功达还想说什么，可小韶正惦记着晚上的文娱表演，她要去公社文化站参加彩排。于是，两个人就在大院外匆匆分了手。

可是到了晚上，在公社食堂的临时舞台上，谭功达并没有看到小韶上台表演节目。她独自一人坐在桌边，望着满桌热气腾腾的菜肴，显得闷闷不乐。因谭功达与她的座位之间还隔着三个人，又不便探问，只得朝她挤眉弄眼，想逗她一笑。可小韶理也不理他，装作没有看见。

正在这时，谭功达右侧的一个掉光了牙齿的老者突然端起酒杯，颤巍巍地站起来，向他敬酒。谭功达忙不迭地扶了他一把，自己也站了起来，不免与他攀谈几句，互道寒温。等到他重新坐下，忽然发现小韶已经不见了踪影。尽管满桌的人跟着一个个向他敬酒，一位年轻的少妇还不时地往他碗里夹菜，可谭功达心里仍然不是滋味。在勉强喝了几杯闷酒之后，虽说年夜饭才刚刚开始，谭功达推说身体不舒服，辞别了众人，道过了新年祝福，一个人出了食堂，踏着冻雪，往向阳旅社走去。他不知道小韶遇到了什么不开心的事。她的眉头皱得那么紧，眼睛亮闪闪的，似有泪光闪烁。心里觉得有点放心不下，却也无可奈何。

驼背八斤没有去食堂吃年夜饭。他养的老母猪恰巧在前天夜里生出了一窝小猪，说不定此刻他正在照顾那些小猪仔呢！

厨房和会客厅里漆黑一片，可是八斤的卧室却亮着灯。灯光透过纸糊的窗格照亮了西窗下的一把扫帚和两只粪桶。他远远地看到屋里人影晃动，并且传来了高声谈笑的声音。也许他的家人正在陪他一起过年吧。可奇怪的是，当谭功达走到窗下，屋里的谈笑忽然停止了，只有收音机里正在播送的八点钟的新闻提要：蒙古部长会议主席泽登巴尔访问中国；《红旗》杂志发表社论《列宁主义和现代修正主义》……

谭功达回到楼上自己的房间，开了灯，暗暗吃了一惊。在他的桌上，搁着一只精致的水果篮，篮子里装满了红彤彤的国光苹果，还有一袋炒熟的花生、一小袋水果糖。这大概是公社特地给他准备的新年礼物。篮子旁边搁着一条牡丹牌香烟。即便在梅城当县长的时候，谭功达也很少能够抽到牡丹烟。有一年，钱大钧不知从哪里替他搞来了一包牡丹烟过年，他也只是在抽了一整包又苦又辣的“光荣牌”之后，才取出一支“牡丹”染染嘴。仅此一点，就可以看出花家舍的经济实力和富裕程度。

篮子里一包核桃仁的下面，有一个没有封口的信封，谭功达打开它，发现里面是一封写给他本人的新年贺信。在这封信的开头，照例是一段毛主席语录：

我们都是来自五湖四海，为了一个共同的革命目标，走到一起来了。

他觉得这段语录并非是随手抄录的，写信人经过了精心的挑选，用在给他的贺年信中，显得特别贴切。接下来，写信人代表公社，感谢他九个月来远离家乡，为花家舍人民公社的建设所付出的辛劳；感谢他为花家舍一千六百多位百姓所带来的深厚的阶级情谊；期待他继续当好人民的巡视员，对花家舍多多批评指教；为花家舍前无古人的伟大事业继续贡献自己的力量。虽说都是一些套话，可是在这个特别的夜晚——尤其是信件是用蘸水的钢笔写成的，并非冷冰冰的印刷品，还是让谭功达感到了一丝温暖。在这封信件的末尾，出现了这样一行小字：

亲爱的巡视员同志，通过与您的朝夕相处，我们发现您常咳嗽，烟抽得很凶。尽管抽烟不算是一种坏习惯，可抽多了毕竟对身体不利，能不能请您少抽一点呢？

这封信的字迹遒劲有力，有好几处使用了繁体，似乎是出自一个年长的文书之手。而从信件末尾的语调来看，又透出一股女性的细致入微的体贴。他想象着写信人的容貌（当然不可能是小韶），谭功达的心中涨满了感激的潮水。他忽然悟到，郭从年常年闭门不出看似古怪的行为，其实是很有远见的。他感觉到，给他写信的并不是一个具体的个人，而是他朝思暮想试图在梅城建立的人民公社时，泪水差一点夺眶而出。没有人能真正看得见公社，而公社却无处不在。他来到花家舍的这段日子，出于某种见不得人的强烈的嫉妒心，也是出于自己在梅城失败的愤恨，他似乎一心要找出花家舍现有体制中的种种弊端，以自我安慰，可不幸的是，到目前为止，他所有的努力几乎都失败了。

午夜时，谭功达被嗵嗵的礼炮声惊醒的时候，发现自己躺在床上，没有脱鞋，双脚都被冻僵了。他头痛欲裂，焦渴难忍，伸手抓过桌上的热水瓶摇了摇，早已空了。礼花炮弹一朵朵冲向阴晦的天空，把花家舍照得如同白昼。在天空绽放的伞形礼花播撒出纷纷下坠的流星，还能听到噼噼啪啪的爆炸声。借着礼花的光亮，他能看见打谷场上孩子们兴奋而迷惑的脸。

谭功达打开门，看见楼下隐隐约约还亮着灯光。驼背八斤似乎还没有睡。他抓起茶杯，从楼上下来，打算到八斤那儿讨点开水来泡茶。

驼背八斤的门虚掩着。门缝中泻出的一缕灯光折射在楼梯口的一只大花猫上。谭功达轻轻地推开门，发现里面空无一人。第一次进入驼背八斤的卧室，就碰见主人不在，谭功达的心里有一点忐忑不安。屋子里凌乱不堪，堆满了杂物，一张木桌摆在屋子中央，四面都有条凳，满地都是烟蒂。桌子上摆满了茶杯，谭功达数了数，一共七个，似乎是来拜年的客人所用的。有几只茶杯还冒着热气，说明客人刚刚离去不久。驼背八斤这会儿也许是去送客了，也有可能到屋外观看礼花表演去了。

那张单人床倒是被收拾得非常整齐，一尘不染，只是枕套有点脏，油腻腻的。谭功达抓过水瓶，正要倒水，无意中看见床上的枕边搁着一本打开的书。他想起八斤一有空闲几乎是手不释卷的样子，不免就有几分好奇，他将茶杯放下，坐在床头，抓过书来，细细翻看。

这本书的出版年代想必十分久远，随手一翻，书页就像散了架似的，露出了里边的根根丝线。封面和开头的几页都已散失，只是从磨得起了皮的书脊上还能看清“天方夜谭”这几个字。这个邋里邋遢的驼背老头，居然对这种书还能读得津津有味，这本身就有点近乎天方夜谭了。谭功达笑了笑，摇了摇头。这老头，真的还挺有意思的。在夹着一枚书签（那是用纸扇的扇骨做成的）的第三百六十八页，驼背八斤在书中的这样一句话旁边画了一道竖杠：

无论如何，你千万不能打开那扇门，千万不能。

谭功达看见书页的两边和页边的空白处写满了密密的批注，那些字迹十分潦草，简直就像大夫开出的药方似的，难以辨认。主人不在的时候，随便翻看人家的东西，是不太礼貌的行为，更何况八斤随时都有可能推门进来……想到这儿，谭功达慌乱地合上书，仍按原来的样子在枕边放好，随后就离开了他的卧室，带上门，上楼去了。

花家舍的礼炮已经放完了，空气中还有一股淡淡的硫磺味。漆黑一团的花家舍此刻已经是一片死寂。他似乎听小韶说过，出于安全考虑和移风易俗的需要，花家舍严格禁止私人燃放鞭炮。

他在桌边坐了会儿，忽然想起自己刚才上楼时把茶杯忘在八斤的卧室了，就打算下楼去取。他刚刚打开门，就看见驼背八斤正站在门外的黑暗中，向他无声地微笑。

“谭同志，你把茶杯忘在我那儿了。是不是吃年夜饭时喝多了？”八斤把他那只有尼龙护套的玻璃杯递给谭功达，“我自作主张在你的杯子里放了几朵金银花，这东西最能解酒，不知道合不合你的口味？”

8

中午离开小纪的时候，天还好好的，可不一会儿就落起雪来。东北风刮得也紧，扯帛裂絮，很快路上就是白茫茫的一片了。我真后悔从小纪离开，一个人在雪地里走着，四周看不到一个人。不知过了多久，天就黑下来了。我在一个埋死人的坟堆里迷了路，又冷又饿，两眼冒着金星，像有无数萤火虫在眼前飞来飞去。渐渐地，我就没有力气往前走了，坐在坟堆中，一个人哭了起来。可到了后来，就连哭的力气也没有了。难道我今天晚上就要死在荒郊野外？像条野狗似的，冻死在这个乱葬冈上吗？哭了半天，还得强撑着站起来往前走。路上黑洞洞的，并不见一座村舍。大雪把一切都抹平了。

我也不知道自己走了多久，终于看见远远的地方有一丝微弱的光透出来，疑心是座村庄，心里有了盼头，就深一脚浅一脚地朝那灯光走去，可是你往前走，那灯也往前走，仿佛永远走不到跟前。好不容易到了近处一看，哪里是什么村庄，原来是运河中停着的一只小船！借着那片微弱的灯光，我才知道雪下得有多大。

我朝船家喊了几声，可是张开嘴，嗓子是哑的，发不出什么声音来。最后只得朝那条船胡乱地挥手。正好船家的一个姑娘到河里来打水，那姑娘站在船头，端详了我半天，这才把船摇到岸边，放下了跳板。到了船上，仿佛是担心她会拒绝我向她借宿，我蛮横无理地对她说：

“无论如何，我都要在这里住一宿。”

那姑娘穿着一件红色的绒线衣，眼神有点发飘，对我笑道：“那就住下呗。”

她扶着我，揭开厚帘，进了船舱。舱里生着炭火，暖融融的。很长一段时间，我只是双手抱着肩膀，坐在炉子边发抖。奇怪的是，那个姑娘也像我一样，一刻不停地簌簌发抖，而且抖得比我还厉害。我就问她：“你是在取笑我吗？我发抖是因为冷，你在那儿乱抖做什么？”

那姑娘笑了笑，平静地对我说：“我有病。不论是什么时候，我都会发抖的。”

我问她得了什么病，她只是摇头叹气。这姑娘不怎么爱说话，对我的来历没有任何好奇心，也不问我是谁，从哪里来，到哪里去，怎么会落到这步田地。她像对待自己的家人一样，给我热了饭，然后坐在一边，抖抖索索地看着我吃。我发现她的绒线衣袖口都磨破了，挂下一绺线头来。她的右耳边还长了一块赘肉。这是一个心地纯良的姑娘。

现在，我躺在被窝里给你写信。我和那位姑娘抵足而眠，船舱里很暖和，只是被子有点潮。四周静极了。我没有问她的名字。小油灯的火苗扑哧哧地闪着，可雪片落到运河里、船上，全没有一点声响。

姚佩佩的来信给他一种奇怪的感觉，她在信中描述过的那个船家姑娘，自己似乎在哪儿见过，可到底在哪儿，他却怎么也想不起来了。也许是错觉，也许是在梦中。他觉得自己的记性就像一盘点完的蚊香，看上去还完好如初，可实际上早已成了一团灰烬。

这封信写于大雪飘飞的冬天，可到他手中的时候已经是三月底了。这封信在途中走了整整一个月。现在早已开了春，天气也渐渐地暖和了。或许是邮局在春节期间因员工放假而造成信件积压，也有可能是信访办的老徐回家过年，未能及时收转……另外，给他送来这封信的并不是小韶，而是一个十七八岁的小男孩。

这个男孩长得白白嫩嫩的，有些害羞。谭功达对他说，以前都是小韶给他送信来，这回怎么换人了。那男孩腼腆地笑了笑，没有多说话。谭功达又问他最近有没有见到小韶，小男孩想了想，字斟句酌地说道："以前邮局不知道我们村来了一位巡视员，不知道您的住址，现在知道了，就用不着麻烦小韶了。"这孩子别看人小，说起话来滴水不漏，无懈可击。可谭功达还是为小韶感到担心。他曾特地去看了一次《白毛女》的演出，原来小韶所饰演的那个角色也已经换了人。

六天之后，谭功达一连收到了姚佩佩的两封信，信是从丁沟邮局发出的，一看到邮戳上"丁沟"两个字，谭功达心里吓了一跳。

我现在是在公路边的一个蜂房里给你写信。谭功达躺在床上，只看了这一句，就从床上跳了起来，用铅笔在地图上找到丁沟的位置，在那儿画了一个五角星。像是久违了似的，他终于看见了她的踪迹。**天哪，你居然在这儿！**我现在是在公路边一个废弃不用的油毡房里给你写信，白天出去乞讨，晚上仍到这里落脚。我不知道自己如今来到了什么地方，也懒得去管它。反正只要有路，往前走就是了，管它走到哪里？糊涂，糊涂！你可真糊涂！你他妈的是找死啊！你现在的位置是在丁沟，丁沟你知不知道？你要是再往前走，用不了三四天，就到了梅城了。太危险了，赶紧掉头往北走，或者往西，不能再往南走了！怎么绕了一大圈，又回来了呢？昨天，在乞讨的路上，经过一个集市，市场上有一个旧书摊，看到一本书，想到可能对你有用，打算替你买下来，可凑上所有的钱，只够得上书价的一半。最后，那卖书的也不耐烦了，按半价三毛七分钱卖给了我。你现在是不是恢复工作了？或者仍在赋闲？念念。佩佩。三月六日。谭功达赶紧拆开另一个信封，把那本书抽出来一看，原来是《沼气的构造与使用》。即便到了穷途末路，佩佩仍然严格地遵守通信条例，将信件和印刷品分开来寄，这让谭功达在敬佩之余，也深感痛惜。佩佩，佩佩，假如时光真的可以倒转……

看着这封信，谭功达站在地图前，嘴里不停地嘟嘟囔囔，就好像他说的每一句话佩佩都能听见。

丁沟这个地方，谭功达再熟悉不过了。那是有名的俗称“锅底”的地形：遍地水泽，港汊纵横。二十多年前，他还在打游击的时候，曾在那儿驻扎过七个月。他记得有一天傍晚，他率领十七八个游击队员，从丁沟的芦苇荡突围。他们以急行军的速度，只用了一个晚上的时间，就到了梅城脚下。如果姚佩佩沿着公路继续往南走，用不了多久，就能抵达三河镇，而三河镇与梅城差不多可以隔江相望了……

考虑到全县境内到处都张贴着捉拿她的通缉令，说不定她一进入梅城县境，就会立刻被人认出来。佩佩呀佩佩，你这是怎么搞的么！你这是自投罗网呀！

在接下来的每一天、每一个小时中，谭功达都是在焦躁不安中度过的。窗前的那丛金银花已经长出了新枝，而通往花家舍的那条栈桥，也早已拆除。为了方便施工，填湖的农民在湖底新筑了一条临时道路，现在路上已经长满了青草。

由于整夜整夜的失眠，他成天神思恍惚。一天他在湖里挑土时，突然歪在一处土堆旁睡着了。直到后半夜，驼背八斤打着手电筒，才把他从工地上找了回来。从那以后，谭功达一连三天没有出工，人也开始渐渐地变得颓唐起来。他很久没有刮过脸了。除了一日三餐，也很少下楼。有时在厨房里碰到八斤，也不跟他说话。与此同时，他感到自己的身体也在霏霏春雨中迅速衰老。有一天早上，他偶然照了一下镜子，发现自己两鬓的头发连同胡子几乎都全白了，人也瘦得几乎脱了形。他的牙床肿得老高，嘴里像是衔着一枚鸡蛋，眼眶里却沁出了怕人的绿光。

公社方面似乎很快就觉察到了他的这一反常举动，特地派了一个干事，带着女赤脚医生春雨上门为他治病。当凉凉的听诊器划过他胸前的肌肤时，他甚至有些疑心这个戴着口罩的赤脚医生就是姚佩佩本人。

姚佩佩几乎是无处不在的。当他坐在黑暗中，透过窗户，看着天上那大而模糊的月亮时，他没有理由不相信，佩佩也在同一时刻仰望苍天；一只从窗外飞进来的蜜蜂，使他立刻联想到此刻佩佩正住在公路边一处破旧的蜂房里——他听到了佩佩那沉重而哀怨的叹息；床上的枕芯窸窸窣窣，像是她没完没了的呢喃低语，最后汇入了屋顶上沙沙的雨声。佩佩，你要是知道我现在是怎么想的，那该多好！他一刻不停地想象着佩佩正在遭受着的一切：她在逃亡途中所经过的山川和河流；她所经历的风霜雨雪、晨昏朝夕；她脸上的泪水……他甚至能够像精灵一样钻入她的体内，躲藏在她灵魂的深处，捕捉到她在每一个瞬间所展现的微妙心理变化、她的战栗和恐惧。

渐渐地，谭功达觉得自己的命运与姚佩佩奇妙地合二为一。身影、梦魇，甚至就连呼吸的节奏都合二为一。仿佛此刻正在逃亡的是谭功达本人。佩佩，我又一次梦见了你！我看见你还是十六七岁时的样子，扎着羊角辫，穿着红红的新嫁衣，站在一条满是灰尘的大路上。那天刚好没有风，云层压得很低，而桃花全都开了……

他们声气相契，灵犀相通。十五天之后，姚佩佩的来信多少证明了他的这种感觉。

奇怪，我怎么忽然听得懂这里的人说话了。这个地方叫白茆，靠近三河镇。白茆村的人所说的每一句方言我居然都能听得懂。废话，三河镇离梅城这么近，你在这儿工作了这么多年，怎么会听不懂这里的乡音呢？三河镇这个地方，你怎么会不知道？信访办的老徐就是三河镇的人哪！一个到山上来进香的老太太对我说："闺女，这不奇怪。这证明你上辈子就是我们村的人。"我在村外山上的一座大庙里栖身。这所庙宇屋顶坍塌，柱廊朽坏，到处都长满了齐腰深的茅草。我想起了小时候读过的那首《黍离》：知我者谓我心忧，不知我者谓我何求？

庙里的佛像和罗汉都被人敲碎了，可是还是有人半夜三更偷偷地到庙里来进香。他们偶尔也会带来一些供品。刚开始见到供品，我还傻乎乎的心里暗暗高兴，可随便拿起一个馒头往嘴里一咬，却发现根本不是白面馒头，而是用木头做的。大概是这一带粮食十分稀缺。大雄宝殿里有很多的老鼠，不过月亮却很好。还有泉水从山上滴到石洞里，十分幽寂。

昨天晚上，我做了一个梦。梦见自己站在一条大路的中间。那路上的尘土又细又软，且极厚，这大概就是古人诗句中常说的“香尘”了。放眼一望，路的两边都远得没有尽头。南风在那里横吹着。道路旁边隐约有一个村庄，村里的桃花全开了，红红的一片。我从来没有见过这么多的桃花，艳得有些怕人，太绚丽了，像是有无数的孩子扯着嗓门在喊叫。天上的白云也是闲闲的，压得很低，仿佛伸手可触。

我站在大路中间，不知道该往哪边走。忽然看见一辆吉普车卷起烟尘，呼啸而来，到了近前，吱的一声就停住了。从车上跳下一个人来，正是司机小王。小王看了我一眼，懒洋洋地道：“你还愣着干什么？还不快上车？”

我看见还有一个人，坐在吉普车上，正在打开一张报纸。因报纸遮住了脸，我不能断定那个人是不是你。

我对小王说：“你要带我上哪里去？”

小王一脸坏笑地对我说：“快上车吧，人家在车上已经等急了。听见教堂的钟声了吗？婚礼马上就要开始了。”

可是，我仍然站在马路中间左看右看。似乎想要看清楚，那个被报纸挡住脸的人到底是不是你。很快，我就从一块大青石上醒了过来。一个人哭了半天。天光已经大亮了，一群光屁股的孩子正在断垣残壁之中用石头敲着庙里的那口大钟。

谭功达读完了这封信，出了一身大汗，眼睛里噙满了泪水。奇怪！她做的梦和我一模一样！是我梦见了她的梦，还是相反？可是，他暂时还顾不上伤感和胡思乱想，他很快就找到了三河的位置，并留下了一个五角星。

此刻，谭功达看见那块巴掌大的地图上的一个区域已经被铅笔画满了大大小小的五角星，假如用铅笔把这些地方连在一起，就可以看见一个完整的“姚佩佩逃亡图”。

她信中似乎也提到，她逃出梅城的第一站是界牌，而她的第一封信是从莲塘发出的。接下来是吕良、银集、临泽、小纪……等到把所有的五角星连起来以后，谭功达吓得呆住了。原来，姚佩佩并没有逃出多远。实际上她是围着高邮湖绕了一个大圈子，眼下似乎又回到了出发地。姚佩佩在完全懵懂无知的状态下随处游走，这并不奇怪；因为她本来就是这么一个懵懵懂懂的人。奇怪的是，她的足迹印在地图上，画了一个奇怪的圆圈。谭功达相信，即便是他用学生画图用的圆规，也不可能画得比它更圆，简直不可思议！

难道冥冥之中，真的有神灵在给她指路？如果真的是这样，她最终的目的地又是在哪里？谭功达一口接着一口地吸着烟，整整一个下午都在看着这个奇怪的圆圈。他知道，这个圆圈并未最终完成。假如冥冥之中姚佩佩的目的地就是梅城的话，那么在梅城与三河之间，只隔着一个地方，那就是普济。

她只要一到达普济，几乎可以断定，她会立即被人认出，并扭送公安机关。普济大大小小的乡干部，没有一个不认识她。当然，如果佩佩要到达普济，她还必须首先渡过长江。目前她有两个地点可供选择：一个是长洲；另一个，是七八华里外的叉港。

整整十四年前，时间也是初春，谭功达作为渡江战役指挥部先遣队的一名指挥官，正和他的参谋们趴在一张地图前，守着一盏马灯，通宵未眠。他和部下们为将渡江的地点选择在长洲还是叉港而争论不休、反复推演……

谭功达希望姚佩佩选择从长洲渡江。因为只要是白天，她不可能看不见近在咫尺的普济大坝。佩佩两次到过普济，见过那个大坝。他希望通过这个大坝，能使姚佩佩判断出自己所在的位置，意识到自己已经到了何等危险的地带，从而迷途知返。这时，谭功达有些暗自庆幸。那座造了一半就停工的大坝，在这个迫在眉睫的关头，也并非全然无用。假如它此刻真的像自己所盼望的那样，能给予姚佩佩必要的提醒，废物利用，那么当初无数个不眠之夜的呕心沥血就不能算白费。想到这里，在焦虑不安之中，心里仍有一份侥幸。

在此后的一个星期中，佩佩没有信来。

接下来的一个星期，还是没有。

窗外的金银花开了又谢，谢了又开。

天气阴晴不定，云聚云散，而雨照例是淅淅沥沥下个不停。随着来信的中断，姚佩佩被捕的可能性也在一点一点地增加。说不定就在此刻，她正在春天开阔的棉花地里遭到围捕，犹如一只丧家之犬，在旷野上进行徒劳的折返跑，而警民协同的包围圈正在缩小……说不定姚佩佩正在被押赴梅城第二模范监狱的途中：她被五花大绑，带着对这个世界的憎恶和恐惧，看着铁丝网外面连绵的春雨……我是一个孤儿，在这个世界上并没有亲人。说不定，审判她的公判大会已经结束（也很可能没有任何审判），通往刑场的道路就像一杆秤，正好可以称出残剩呼吸的重量……

这些悲惨的画面深深地印在他的脑海中，日复一日，把他原本十分粗壮的神经磨得极为脆弱。就像露水中的蜘蛛网，又纤细，又明亮。不行，不能再这样耽搁下去了，现在唯一可行的办法，就是立即动身，赶往长洲。既然姚佩佩的藏身地点被确定在三河与普济之间的三角地带，凭着他对那一块环境和地形的熟悉程度，也许能够很快找到她。就算找不到，那也并不是最坏的结果，这至少可以说明姚佩佩早已坐船沿江而下，在波涛汹涌的大江之上，如泥牛入海，不见了踪影。

半夜里他刚刚在床上熟睡了一会儿，听见窗外隐隐有人在啼哭。一轮弯月挂在中天，清风撩拨着窗帘，侧耳谛听，四周又寂然无声。谭功达披了一件衣服，蹑手蹑脚地下了楼，绕过向阳旅社的山墙，来到了自己卧室外的窗下。

在葳蕤的金银花枝旁边，有一个方形的水坑，大约是花家舍村民用来沤肥的草凼。每一次看见佩佩的来信，他都会将它放在簸箕中烧掉，将灰烬搓成粉末，从窗口倒入这片水凼之中。令他震惊的是，这片水凼如今突然长出了一大片茂密的芦苇。这片芦苇或许是得到了灰烬的滋养，长得特别稠密。夜风轻轻一吹，芦苇的叶子就簌簌作响，仿佛是姚佩佩正在低声向他倾诉幽怨。谭功达蹲下身子，他的手指轻轻地拂过缀满露珠的芦叶，就像是在触摸一张挂满泪水的脸。他相信，这就是佩佩的脸。

他决定明天天一亮，就到公社去请假，然后立即动身，赶往长洲。

第二天早上，谭功达从楼上下来吃饭，看见驼背八斤手里拿着一把油纸伞，似乎正要出门的样子。不知什么时候，外面又下雨了。

驼背八斤看了谭功达一眼，笑了起来："谭同志，你的头发也该理一理了。村里有家理发馆，就在诊所的边上，也是免费的。"

说完，正待要走，又想起了什么事，他转过身来对谭功达道："今天晚上没事呗？我们好好喝几杯，聊聊天怎么样？顺便也算是给你饯行。"

"饯行？"谭功达吃了一惊，木然地看着他，"可是我并没有说过要离开这里啊。"

"你会离开的。"驼背八斤朝他笑了笑，撑开雨伞，走了。

9

"你看这样好不好，我们来订一个君子协定。"驼背八斤手里托着一只暗红色的紫砂酒碗，盘腿坐在床上，身上披着一条墨绿色的军用毛毯，用手抠了抠眼角的眼屎，"对于花家舍，你如有任何疑问，我都会尽我所能，保证你得到圆满的解答。反过来说，假如我也有一些特别的问题需要向你请教，也请你知无不言、言无不尽。"

驼背八斤已经微微有点醉意了，眯缝着眼睛，朝他奇怪地眨了眨，看上去就像一个托钵僧。还没等谭功达说话，他又接着道："现在你心里或许就有一个疑问：我只不过是一个旅社的管理员，凭什么给你那样的许诺和保证？你是不是觉得我完全不具备这样的资格？为了打消你的顾虑，我也许现在就应该告诉你，我就是郭从年。另外，你明天一早就要离开花家舍了，我不想让你带着那么大的遗憾离去。"

在此前的谈话中，谭功达一直在试图猜测驼背八斤的真实身份，在听他这么说的同时，他心里已经有了答案，因此并不怎么惊悚。他重新打量着眼前这个衰老的驼背，迫不及待地提出了他的第一个问题。

“你怎么知道我明天就要离开这里？”

“这个问题，我打算卖个关子，留到最后再回答你。不要着急。”郭从年微微一笑，顺手把那本床头的《天方夜谭》拿了起来，“好奇心和急躁是我们每个人的通病，就像这本书中的那个倒霉的王子一样。十二年来我一直在反复阅读同一本书。这听上去有点滑稽，对不对？可我不得不说，这本书给了我太多的启发，也带给我愉快和担忧。你急于想知道答案，但答案本身总是要大大地超过你的预计。我的意思是说，我要告诉你的，甚至比你想知道的还要多得多……”

这番话不免给谭功达这样一个印象，他的一切都在郭从年的掌握之中，而自己对对方却一无所知。他故意卖关子也让谭功达感到恼怒，但他还是压住了心头的火气，吞吞吐吐地提起了小韶。

他抱怨说，自从三十晚上的那顿年夜饭之后，就再也没有机会见到她了，“就好像她在一夜之间突然从花家舍消失了……”

“她并没有消失。”郭从年欠了欠身，将烟袋锅在床脚上敲了敲，“她目前正在公社一个专门的学习班学习。”

“她是不是很快就要提干了？”

“你猜错了。”郭从年道，“那是一个专门为落后分子设立的学习班。”

“这么说她一定是犯了什么错误？”

“没有什么错误。”郭从年迟疑了一下，又道，“至少到目前为止，我们还没有掌握任何她犯错的证据。”

“那你们凭什么去惩罚她？”

“不是惩罚，你误会了。在花家舍，没有惩罚，我们从来不去惩罚任何人——当然，地富反坏右除外，而是让每个人学会自我惩罚。每个人都是自己的镜子。小韶的哥哥就是一个例子，他是篮球队的队长，后来发了疯，这件事小韶大概已经跟你说了，我就不作补充了。我知道，你和小韶去年七月三日的深夜曾经在芙蓉浦月下泛舟，谈到很晚……当然，这并没有什么不妥。在花家舍，这是被允许的。”

“这事你们也知道？”谭功达冷不防打了个激灵，似乎有点不敢相信自己的耳朵。

“当然，当然。”郭从年平静地看着他，似乎有些得意，“你晓得，在花家舍，一切都是透明的。”

“我不明白，既然小韶没有犯什么错，你们为什么送她去学习班？”

“种种迹象表明，她即将犯错。所以我们必须提前挽救她。古时候的中国人看待一件事，从来都是从‘机’上来判断的。大风起于青萍之末，这个‘末’就是‘机’。等到这个‘机’变成了‘势’，呼啸的西北风已不可阻挡，就像我们经常说的‘大势已去’。”

“你不觉得自己的话有点自相矛盾吗？”谭功达冷笑道，他抖抖地从烟盒中取烟，可烟盒早已空了，“你刚才说，公社不惩罚任何人，可你们仅凭着一点莫须有的主观臆断，就把小韶给关了起来。”

“你打开右手的抽屉，里边有烟。”郭从年微笑着提醒他，“我们送她进学习班，是因为根据 101 的报告，小韶已经出现了明显的自杀迹象。”

“自杀？”

“的确如此，自从今年开春以后，她曾有两次自杀未遂。我们不得不对她采取断然措施。不过请放心，小韶这姑娘从本质上来说，是好的。只是言行举止略微有点……怎么说呢？有点轻浮。她爱笑，而笑起来又是那么的妩媚！当然了，待人热情、笑脸相迎是可以的，有时甚至还是必须的，但她对所有的男人都媚笑，就很容易造成误会，容易让人产生不良企图。她笑起来就像是用一把刀子割你的肉似的……用不了多久她就会出来的，到时候你看到的小韶，将是一个举止端庄、得体、不苟言笑的新人。”

谭功达完全不敢相信从学习班出来之后的小韶究竟会是什么样子。他似乎可以感觉到，在自己心里很深的地方，有一朵娇艳的花正在一点一点地枯萎。

他来到花家舍，已近一年。他看到一切都是好的，有着最合理最完善的制度，人人丰衣足食。可即使在这样一个地方，竟然还会有人选择自杀！小韶的脸上永远带着孩子气的笑，她笑着笑着就想到了自杀。她的笑容被裹挟在一团一团的雾气之中，从窗户里涌进来，似乎在悄悄地提醒谭功达：你所看到的花家舍，也许不过是一个皮毛……他的心一下就乱了。佩佩即将被捕的预感也一直搅得他心烦意乱。他听着窗外嘈杂的蛙鸣，强打精神，给郭从年斟了一杯酒，然后立即提出了他的下一个问题。

“为什么花家舍人人脸上都显得心事满腹，闷闷不乐？”

“他们在思考。”郭从年张开嘴，从牙缝中抠了半天，扯出了一条小肉筋，然后用手指轻轻地弹到床下，“他们无时无刻不在思考，一个人在动脑筋的时候，总是要皱个眉头什么的，这就不免给外人以心事重重的印象……”

“那么，他们在思考什么呢？”谭功达打断了他的话，语调中隐约含着讽刺。

“界限。”

“什么界限？”

“政治上的，道德上的，一般待人接物的礼仪上的，所有的界限。简单地来说，什么事可以做，什么事不可以做，诸如此类。就像古人说的‘战战兢兢，如履薄冰’。花家舍并不是我郭从年一个人的，它属于居住在这里的每一个人。他们应当学会思考，学会自我约束——他们想要一个什么样的社会，如何去达成这个愿望，从而真正学会当家做主。这也就是我选择隐居在这个小岛上的原因。我已经多年不问村里的事了，对于花家舍来说，我是可有可无的。事实上我只不过是一个饲养员，或者一个旅社管理员而已。”

“可是——”

“你不要着急，我的话还没有说完。”郭从年挥手制止了他的提问，接着道，“我们在花家舍，实行了最好的制度，但坦率地说，这个制度目前还不够完善，还有很多显而易见的缺陷。比方说，为了让百姓们学会自我监督，我们在公社的每一个交通要道，包括广场、学校和邮局，都设立了铁匦，也就是信箱，每个人都可以检举揭发他人的过失、错误，乃至罪行。检举人可以署名，也可以匿名。这个制度我记得好像是唐朝的武则天发明的，当然喽，我们对它做了一些改进。如果你有幸读到这些信件，我相信你对人性的所有知识和概念，将会在顷刻之间土崩瓦解。人，不是别的什么东西，他们是最为凶残的动物。他们只会做一件事，就是互相撕咬。这些信件将人性的阴暗、自私、凶残、卑鄙、无耻，全部暴露在光天化日之下。这些信件大部分是村民、邻居、朋友之间的相互告发，但也有外甥告发舅舅、妻子告发丈夫、孩子告发父母，甚至还有自己告发自己的。所检举的内容，从邻里争端、一般性偷窃、通奸，到呼喊反革命口号、恶毒攻击社会主义制度等等等等，可以说是无奇不有，无所不包。

“我记得有这样一封检举信，是一个刚过门三天的新媳妇写的。她说她公公每次在经过她身边的时候，总要莫名其妙地多看她几眼，因而这个媳妇怀疑公公对她存有不轨的企图。我们把那老头找来一问，他当场就跪了下来，立刻承认自己企图扒灰，自己打起自己的耳光来。哈哈哈，铁匦制度试行不到一个月，效果是明显的。至少社员平常那种浮浪的举止、肮脏的言谈，忽然都不见了踪影。每个人的脸都变得纯洁而严肃。有迹象表明，我的社员们已经学会了思考。”

“可是，至少有一个人置身于群众的监督之外。这个人就是你，对不对？”谭功达说，“你们实行的这个制度，与真正的独裁，有什么区别？”

“你的指责不是没有一点道理。”郭从年答道，“设立铁匦，是不得已而为之。这不是我们的最终目标。刚才我已经说过了，我们的最终目标，是让每个人自己监督自己。至于你刚才提到独裁，兄弟，不客气地说，你有点夸张，甚至还有点不怀好意。你晓得，目前正在进行的围湖造田工程，我是不赞成的。那么好的一方湖面，可以泛舟，可以养鱼，到了夏天，满湖的荷花和狗头籽，清风一吹，整个村子都能闻到荷叶香。可群众要求多围耕地，多种水稻，多交公粮的愿望，难道错了吗？没有错。那么多的请愿书，雪片似的飞到公社的办公桌上。什么青年突击队，什么铁姑娘突击队，以及广大人民群众，他们正在日益高涨的大干社会主义的热情，你能够视而不见、置之不理吗？因此，尽管我内心一千个不愿意一万个不愿意，我还是立刻就在他们送来的报告上签了字，请问，这里边哪有你说的什么独裁？”

“谁是 101 ？”

“谁都有可能是。说实话，我也不知道他们到底有多少人。村子里有一首歌，这里的每个人都会唱，歌名叫做“101 就在你身边”。每一扇窗户背后，都有一双充满警惕的眼睛。去年七月三号，你与小韶月夜荡舟，人不知鬼不觉，对不对？可第二天，我就收到了检举信。我数了数，竟然有十二封之多。”

谭功达的脸一下就红了。看着郭从年满面笑容的脸，有点不寒而栗。窗外紫云英花地里的青蛙忽然不叫了。除了不远处什么地方一两声布谷鸟的鸣叫，四周一片沉寂。

“那么……”谭功达显得有些踌躇，似乎在掂量着这个问题到底该不该问，“你觉得花家舍的这种制度能够维持多久？”

郭从年的眼神陡然显得有些飘忽。他的静默尽管时间很短，也多少让谭功达感到了他内心的一丝不耐烦。这个问题不经意地触到了郭从年心底的伤痛，那张生动而神采奕奕的脸随之变得灰暗，布满了难以言说的悲伤的阴影。天气并不很冷，可他还是裹着毛毯，身体微微有些痉挛。过了半晌，他朝桌边凑了凑，重新取过烟袋锅，用略带沙哑的嗓音，对谭功达说：

“老弟，花家舍的制度能够存在多久，不是由我一个人说了算的，也不是随便哪一个人（他用手指了指屋顶）能够做主的。它是由基本的人性的原则决定的。”

“什么是‘人性的原则’？”

“好奇心的原则。”郭从年以一种忧心忡忡的语调说道，“我在花家舍工作了十二年，这个地方是我一手设计、建立起来的。我所受到的赞誉和攻击一样多。上级领导包括兄弟县的同志们三番五次地批评我，说我搞的不是真正的社会主义，而是带有封建会道门性质的神秘主义。这些压力我都可以置之不理。可是，你拿人的欲望和好奇心有什么办法呢？

“我曾跟你说过，我十二年来反复地阅读同一本书，这就是《天方夜谭》。也有人把它翻译成《一千零一夜》。我说这本书给了我很大的乐趣，这不假，但它也让我感到害怕。这本书集中地反映了阿拉伯人民的无比高超的智慧，也表现出他们对人性了解的深度。书中的故事名目繁多，千奇百怪，可所有的故事实际上都是同一个故事，或者说，都有一个完全相同的结局。王子也好，公主也好，或者是商人、哈里发、水手也好，他们每个人都会受到相同的告诫，那就是：有一扇门，无论如何是不能打开的。譬如说，一个宫殿有十三道门，其中有十二道你可以打开，随便出入。在这十二个房间里有的是黄金珠宝，珍珠玛瑙，可以说天地间的一切这里都应有尽有。任何一个人的任何的愿望，都可以实现和满足。这就有点像现在的花家舍。也就是说，第十三道门对人来说是毫无用处的。

“可是，在《天方夜谭》的故事中，每一个人尽管都受到严厉的警告，但最后却无一例外地都打开了那扇门。无一例外，你懂吗？恰恰就是这一点，让我感到伤心和绝望。人的欲望和好奇心是永远不会餍足的，从根本上来说，也是无法约束的。有的时候，我在想，即便共产主义实现了，人的所有愿望都能满足，我们的好奇心仍然会受到煎熬。有时，我夜半醒来，就会对自己说：郭从年啊郭从年，你他娘的是在沙上筑城啊！你他娘的筑的这个城原来是海市蜃楼啊！它和我刚刚做过的一个桃花梦到底有多大的区别？

“我预感到，我的事业，兄弟，我也许应该说，我们的事业，将会失败。短则二十年，长则四十年，花家舍人民公社会在一夜之间灰飞烟灭。什么痕迹都不会留下来。可以说，这么多年来，我没有一天不是在忧虑中度过的。因为我知道，那扇被神祇上了符咒的门最终还是要被打开，所罗门瓶子里的魔鬼，也会像《水浒传》里面的天罡地煞，纷纷出笼。三四十年后的社会，所有的界限都将被拆除；即便是最为肮脏、卑下的行为都会畅行无阻。举例来说，一个人可能会因为五音不全而成为全民偶像，而两个男人要结婚，也会被视为理所当然。世界将按一个全新的程序来运转，它所依据的就是欲念的规则……对于这一切，你能够想象吗？”

郭从年蜷缩在床角，头靠在墙上，就像一个烟鬼的鸦片瘾犯了一样。谭功达看着这个瘦小干瘪的驼背小老头，似乎很难把他与想象中三十八军副师长的形象联系在一起。郭从年悲哀地笑了笑，接着道：“我背上还有两枚弹片，是在四平战役时留下的。大夫说，弹片的位置太靠近心脏，所以一直没有取出来……”

“那么，我们为什么不能在花家舍建立一个更好的制度。比如说，对人的欲望和好奇心适当地加以控制，不多也不少。”过了好一会儿，谭功达问道，“不过，我的这个想法是不是太幼稚了？”

“的确幼稚。幼稚得可笑！不过，我很高兴听到你说‘我们’，这表明你已经融入了花家舍的社会主义大家庭。人是个什么东西？欲望又是个什么东西？除非世界末日来临，人的欲望是不会有节制的。要么太少，要么太滥；要么匮乏，要么过剩；要么死于营养不良，要么死于过度肥胖。兄弟，你所说的不多也不少的状况，人类历史上还从来没有出现过呢。我们总是从一个极端，跳到另一个极端，毫无办法。所以，我们必须进行严格的控制，我们宁要不公正，不要无秩序；宁要正而不足，不要邪而有余。

“我给你讲个故事吧。去年，差不多在你到达花家舍的同时，我们接待了一个国外来的作家代表团。代表团中有一个成员，是个严正而友好的日本人，名字叫做小津健四郎的。他在这里待了三四天，然后就对我说，花家舍的制度极有可能是人类历史上最好的制度。也是在这个小屋里，外面也下着小雨，我们谈了一个通宵。临走前，他几乎是流着眼泪对我说，本来，他对这个世界已经完全绝望了，可是，来到花家舍的这几天，他忽然觉得人类隐约有了希望。他和夫人商量后，做出了一个重大的决定：他们打算生一个孩子。听他这么说，我这样一个不爱激动的人竟然也流下了眼泪。你想想看，因为来到了花家舍，他才决定要生一个孩子！为什么？因为人类有了希望。这对于我们是多么大的荣耀！他郑重其事地问我，能不能给他尚未出世的孩子取个名字。我想了想，就对他说，这个孩子是因着希望而生的，不妨就叫他光吧。他们离开花家舍已经有一年了，那个孩子，那个叫光的孩子现在大概也已经来到了这个世界上……”

在说这个故事的时候，郭从年的眼睛里的确有泪光闪烁，而故事也一度因哽噎而中断。在不知不觉中，窗外的天空已经露出了鱼肚白，凉爽的晨风中布满了五彩斑斓的朝霞。翠绿、石青、烙铁红的朝霞！谭功达看了看表，看样子已经打算告辞了。

“最后一个问题，为什么你们要把殡仪馆建在村中最醒目的位置，让每个人一抬头就能看到它巨大的烟囱……”

“天都快亮了，你问了这么多的问题，”郭从年再次打断了谭功达的话，摇了摇头，长叹一声，“可真正应该问的，却连边还没碰到呢。假如它果然是你的最后一个问题，你至少也应该问一问，为什么最近一个多月来，你忽然收不到姚佩佩的信了。”

也许是受到了巨大的惊吓，谭功达的脸上反而暂时没有什么吃惊的表情。他兀自抖动着双腿，张大了嘴。他说的是佩佩？我没有听错吗？他的身体就像一片不断坠落的树叶，顷刻之间就失去了全部的重量。而郭从年却像个顽皮的孩子似的，歪过头来，笑嘻嘻地观察着他的脸色。

“你刚才说，姚佩佩……”谭功达压低了声音说道。

郭从年点了点头。

“你怎么知道她……”

“在花家舍，有一条不成文的规定，凡是寄达或寄出的信件，无一例外地会受到严格的检查，无一例外。因此，当你在卧室的地图前寻找她的踪迹的时候，101也在一个更大的地图前忙着确定她的准确位置。姚佩佩写给你的每一封信，101都会重抄一份存档。我敢担保，就连誊抄的字迹，都与原件一模一样。”

“她被捕了吗？”谭功达的那双腿再也不抖了，他几乎是从椅子上弹了起来，窜到床边，睁着血红的眼睛望着他。

“目前还没有，”郭从年笑道，“你不用紧张。本来我们应该早就捉到她了。101在接到她第二封信的时候，已专门派人去梅城查阅了她的档案，并同时向周边的四个县市发出了缉捕通告。可是，兄弟县市的那些公安人员，那些酒囊饭袋，竟然让一个杀人犯、一个公开通缉张榜捉拿的要犯，在眼皮底下一次次溜掉！我们这边看着也是干着急，有劲也使不上。她要是逃到花家舍来，我可以以生命担保，她绝对逃不出五百米，就会落网的。”

“那么，她现在在哪儿？”

“种种迹象表明，她此刻已经到达普济。你甚至还可以相信，她就藏在你们家那个空着的院子里。这是101在综合各方面的情报后得出的可靠结论。不过，我已经要求他们暂时压一压，不要将这一最新的情况向地、县公安局通报。如果你今天凌晨坐五点一刻的船离开，在她被捕之前，说不定能够赶上与她见最后一面。兄弟，你知道我这么做，要承受多么大的政治和法律风险？”

“可你，你为什么，为什么要这么做？”谭功达几乎已经无法说出一个完整的句子。

郭从年没有直接回答他的问题，而是说起了另外一件事，“你的那个老上级，那条老狗，叫聂什么来着？”

“聂竹风。”

“对，聂竹风，”郭从年说，“那个王八蛋，在泸州城外，曾救过我一命。当我在战区医院的临时帐篷里醒过来的时候，聂竹风神气活现地来看我，这王八蛋笑着对我说，怎么样，不服不行吧？你欠我一条命，将来打算怎么报答我呢？我可不愿意欠这个狗日的什么人情，就随口道，你可以要求我为你做一件事，只要是我能够做到的，但只限一件。不论在什么时候，不论是什么事，我都会无条件地去做。这听上去像不像《天方夜谭》里的情节？

“你记不记得你来到花家舍时，曾托小徐转给我一封他的亲笔信？可你知道，这封信直到前天下午才到了我的手中。聂竹风终于提出了他的要求，让我尽一切可能照顾你。我之所以冒这么大的风险，违反我一贯做人和做事的原则，这就是唯一的原因。至于你和姚之间到底发生了什么事，一个县长和他的女秘书之间到底有多少见不得人的龌龊勾当，我一概不问。不过，我还要提醒你的是，101有着他们自己的一套系统，有着他们自己的上级机关，甚至有他们自己的意志和思维习惯。即便是我的命令，他们有时候也会当耳旁风的。所以，虽然他们表面上答应了我的要求，但很难保证不会自行其是，采取突然行动。因此，能不能见到你的那个可爱的姚秘书——至少从她的信里，她还是显得挺可爱的，还需要一点点运气。”

等到谭功达匆匆忙忙收拾完了行李，再一次出现在楼下的时候，郭从年已经等在门外，与他握手道别。天边的旭日已经冲破了云层，照得天地一片橙红。郭从年趿着鞋子，扶住门框，脸色灰灰地对他说：

“老弟，你刚才问过我，花家舍为什么会把殡仪馆建在村里最醒目的地方？这个问题，我不想告诉你答案。就算是我送给你的礼物，你自己去思考吧。”

10

绕过江堤那片低湿的藕塘，穿过一片茂密的棉花地和数不清的蜂箱，我忽然看见了那条涧边的煤屑公路。一切都是那么的似曾相识！河水黝黑清澈，流得很急，河中长满了芦荻和菖蒲，成群的白鹭涉水而飞。河涧的另一边是一片一眼望不到边际的紫云英花地。那细碎繁茂的紫色花朵盖住了田埂、沟渠、丘壑，把亮汪汪的水塘挤成了一条缝。天空又蓝又高，一棵孤零零的大楝树矗立在花地中。我知道自己来到了什么地方。一看到那蜿蜒起伏的煤屑公路，看到那棵大楝树，我的眼泪马上就流了出来。也许一切都是命运的安排，是冥冥中的命运把我带到了这个地方。我知道自己来到了什么地方。

中午的时候，四周阒寂无人。我可以坐在公路边的一个水泥排水管上大声地哭泣，没有人会听得见。

谭功达从花家舍上船的时候是五点一刻，可他抵达窦庄镇的时候已经差不多九点了，他从汽车站的售票窗口买了一张中午十二点的汽车票，这已经是从窦庄开往梅城最早的一个班次了。

他不知道如何打发剩下的这三个多小时。考虑到在梅城换车时肯定也要耗掉不少时间，当他回到普济，说不定天早就黑了。谭功达看似平静，可心里一直在怦怦狂跳，他火急火燎地在站前广场的小贩和货摊中乱闯了一通，最后靠在一棵大柳树上呼哧呼哧地喘气。

离他不远的地方有一个肥胖的妇人，正坐在树荫下卖凉茶。谭功达朝她看了一眼，马上想起来，一年前，他从窦庄搭船前往花家舍的时候，曾向她打听过渡口的方向。当时，妇人不知道是哪里来的神通，竟然预见到右侧的跳板会出事，提醒他要从左边的跳板上船……

想到这里，谭功达的好奇心又来了，他走到她的茶水摊跟前，对她喊道："大嫂——"

那妇人似乎正在打盹，被他一叫，吓了一跳。

"大嫂，你还认得我吗？"

那妇人定睛端详了他一番，用手里的扇子驱赶着茶杯上嗡嗡乱飞的苍蝇，露出了那两颗大暴牙："不认得。不认得。客官是……"

"去年这个时候，我来向你打听渡口在哪儿，多承你指点。你还让我上船时要走左边的跳板。"

"想起来了，你这么说我倒有点想起来了，"妇人抿着嘴，可那暴牙还露在外面，"我说呢，也不怪我眼拙！一个生人，隔了一年，谁还能一下子认得出你来？"

"你怎么知道右边的跳板要出事？"

"呆子！"妇人大笑起来。她刚才还客气地叫谭功达"客官"，一眨眼的工夫，又叫起他"呆子"来了，"你这人是不是有点疑神疑鬼？实话告诉你说，那天早上，我就是坐那条船来的。有一条跳板是新做的，刚刚刷的桐油，还没有干透，我下船的时候，不小心滑了一下，差点跌到湖里去。因此好心提醒你。这事我早已忘了，多亏你还记得。"

原来是这么回事，谭功达有点不好意思起来，这当中哪有什么神通？他从小矮桌上端起一杯茶，喝了，仍觉得不解渴，又喝了一杯。

“你是要搭车去梅城吗？”妇人问他。

“不是的，”谭功达道，“我有急事赶往普济，在梅城换车。可这儿去梅城的车要在十二点才开呢，想想真急人。”

“呆子呆子，真是个呆子！”那妇人将那破扇子在小矮桌上一拍，嘴里“呆子呆子”地嘀咕了一通，随后比划道，“你既是要去普济，又何必要在梅城换车呢？今天我索性再给你指一条路，好人做到底。你不如坐九点五十的车去官塘，那儿离普济就很近了，如果是抄近路，用不了一个小时就到了。”

经她这么一比划，谭功达觉得果然有理，便放下茶杯，抹了抹嘴，转身就走。因他忘了付茶钱，那妇人急于要叫住他，可谭功达竟头也不回地走了，她只得苦笑着摇了摇头。

九点五十分，发往官塘的班车徐徐离开了窦庄汽车站。谭功达站在车厢里，手里死死地捏着那张薄薄的车票，被拥挤的人群挤得东倒西歪，可谭功达还是长长地吐了一口气，心里涌出一股狂喜的潮水。佩佩。佩佩。他在心里默念着她的名字，仿佛世上所有的难题都已解决；所有的烦恼都烟消云散；仿佛他们此刻已经见了面，佩佩就像以前那样歪着头，朝他漾漾一笑。

我不知道应不应该在普济停下，还是绕过它继续往前走。白天时根本不敢进村，我担心会有人把我认出来，我在村外革命烈士陵园的围墙边坐了一个晚上，又想到了用紫云英花瓣来占卜。

天快亮的时候，我就看见一个男人朝我走过来了，第一眼我就把他认了出来。很显然，他也认出了我。他快步朝我走来，四下张望，同时竖起食指，放在嘴边，摇了摇头，示意我不要说话。我看见竹篱后面一个早起的妇女正用镰刀刮去锅底的烟炱，而在不远处的一个茅缸上，一个老头正在那出恭。他走到我跟前，奇怪地朝我挤了挤眼睛，然后大声说："你是卖木梳的吗？"

我愣了一下，马上就反应过来，回他道："是啊，木梳，羊角梳，篦子，什么都有。"

"那你快把木梳拿出来，让我来瞧瞧啊。"他掀开我挎着的篮子上的破布，假模假式地朝里边看了看，其实里边除了一只讨饭用的碗之外，什么都没有。

"嗬，还有这么多的针线！我老婆要看看你的针线，你跟我来吧。"随后他就把我带到了他家里。等到进了屋，拴上房门，他整个人都像是瘫了似的，靠在门上大口喘气。他说，他已经透过窗户瞅了我好一阵子，"我不敢相信是你！可越看越像，你居然还活着！"

大嫂刚好去娘家走亲戚了。他就替我热了一碗隔夜的麦粥，让我吃了。我把当年为什么要杀人，以及从梅城逃亡之后一年来的事原原本本地讲给他听。他坐在桌边，抽着烟。等我说完了，他又问我道："接下来你打算怎么办？"

我说我马上就要离开这里。他又问我要走到哪里去。我说，我也不知道。走到哪儿算哪儿。要么让他们捉了去；要么，哪一天走不动了，随便找个什么地方一躺，头一歪，就拉倒了。他一连抽了好几根烟，眉毛都拧在一块，脸色非常难看。最后，他忽然站起身来，对我说："你待在这屋里，一动不要动。我出去一下，很快就回来。"

到了中午时，他才回来。他轻描淡写地对我说："佩佩，我看你哪儿也不用去了，就在普济住下吧。"我慌忙说："这可不行，我不能连累……"我话没说完，他就把眼睛一瞪，道："我已经决定了，这是我的地盘，我说了算！"

我就问他到底打算把我往哪儿藏，他笑了笑说："就藏在你上回来住过的老谭家的阁楼上。那幢房子已经成了村里的仓库，很久没人住过了。阁楼在院子的后面，比较隐蔽，我打算让孟四婶去做仓库的保管员，搬过去跟你一起住。你放心，她是我干娘，吃斋念佛，无儿无女，人是靠得住的。她搬过去住，一来可以遮人耳目，二来对你也可以有个照应。我刚才就是去跟她商量这事，她起先还不同意，说这样太冒险了。可经不住我软磨硬泡，最后她向我提出一个条件。她说万一出了事，万一你暴露了，所有的责任都由她一人来承担，就说是她自作主张把你留下的。她说她已经六十三岁了，早就该死了。"他说孟四婶正在收拾房子，等到半夜无人的时候，再把我接过去。

谭功达抵达官塘镇，高音喇叭里，电台播音员正在播报十二点。他为抄近路还是继续沿着公路走犹豫不决。天空乌云翻腾，一阵闷雷滚过，大风吹得路边的油菜花纷飞，满地都是。一旦下起雨来，田间的羊肠小道将会变得非常泥泞，还是公路好走一点。可是，当他沿着公路往前走了三四里地，太阳忽然从云层中又钻了出来，天空又放晴了。

公路上很少过往的车辆，而且看不到什么行人。当他翻过一条大阪，走下斜坡的时候，远远地就看见前面的三岔路口停着一辆中型吉普车。一个司机模样的人，正把卸下的轮胎往车上搬。谭功达走到近前，从车上跳下两个彪形大汉，其中一个满脸络腮胡子，说起话来带着浓浓的鼻音：

“老乡，麻烦您问一下，我们这会儿要赶往普济，该走哪条路？”

谭功达不假思索地用手朝左边一指。络腮胡子用手在腰上的枪套上拍了一下，客气地向他道了谢，就回到车里去了。可那个年轻人却笑嘻嘻地对谭功达道：“老乡，你身上有没有带烟？”

谭功达在身上胡乱拍了一通，终于从上衣的口袋里拍出一包烟来，递给他，那人从中取出一支，仍将烟盒还给他。

“你们这会儿去普济，有什么公干？”

年轻人回头朝吉普车看了一眼，压低了声音道：“我们是鹤壁市的便衣，要去普济拿一个杀人的要犯。听说还是个女的。”年轻人转过身去，正要走，突然就停住了，脸上的笑容也不见了，而是一脸疑惑地盯着谭功达看。

“老乡，你怎么了？你的腿，我是说你的腿，怎么抖得这么厉害？”

正在这时，吉普车上的喇叭滴滴滴地叫了起来。年轻人一边往后退，一边仍死死地盯着他看。最后，他终于上了车，随着轰鸣的引擎声，吉普车卷起一溜长长的烟尘，在通往普济的公路上消失不见了。

昨天夜里，他悄悄地溜过来看我。一听说我曾给你偷偷地寄过一封信，气得当场就把茶杯摔碎了。他掐着嗓子把我的祖宗八代都骂了个遍。后来，孟四婶过来劝他，他连带着又把干娘给数落了一通："你也是个老糊涂！她年轻不懂事，你怎么也拿捏不出个分寸来？还跑到镇上的邮局替她寄什么信！"

孟四婶被他骂得哭了起来。最后，他又气汹汹地对我道："你他娘的不要命不要紧，明天就给老子滚蛋！有多远，滚多远！这件事我连自己老婆都没敢透露半句口风，你却要给他写信！他是个什么人？嗯？你给他当了这么多年的秘书，又不是他妈的不知道！全世界就他娘的他一个人最讲原则你知道吗？他是会六亲不认的……"

我跟他说，实际上早在一年前，我就已经开始给你写信了。你要是告发我，也不会等到现在。他这才稍稍宽了心。他又问我在信里都写了些什么，我说什么也没写，只写了一行小字，告诉他我人在普济。信封上的寄件人用的是孟四婶的名字。他呆呆地看着我，看了半天，突然用手摸了摸我的头发，柔声地问道："你这孩子真是太傻了！你……你是不是想让他给你写封回信？是不是这样？"

我的眼泪一下子就涌出来了。

他也开始抬起袖子擦泪。过了一会儿，又找出些话来安慰我。可我看得出，他的心已经全乱了，出门的时候，居然在门槛上绊了一下，摔了一跤。

这天晚上，我一宿没睡，我倒不是挨了骂心里难受，也不是怕给人家抓了去吃枪子，我在想，你到底会不会把我给出卖了？不想倒便罢了，细细一想，还真没什么把握。不管怎么说，普济这个地方还是住不得！为了不连累更多的人，我打算找个机会，悄悄地溜掉。这封信我也不打算寄给你。只是一个人在阁楼里闷着无聊，写着玩罢了。也许明天就把它烧了。

门前的池塘边站满了人，池塘里倒映出一堆白云，野蔷薇和三五成群、交头接耳的妇女的影子。那些人一看到谭功达，全都不说话了。谭功达没有理会众人的目光，失魂落魄地朝家中走去。

此刻，他的脑子里只盘算着这样两个念头：第一，姚佩佩已经不在了。她不在了，不在了，不在了……

第二，佩佩一定会认为是自己出卖了她。她一定会这么想！她只能这么想！谭功达将没有任何机会对此加以澄清。她在这个世上仅有的一点安慰也没有了。她将在忧愁、恐惧、仇恨和彻底的孤绝中死去。

我是一个孤儿，在这个世界上并没有亲人。

天井里到处堆满了印有骷髅图案的农药瓶子。空气中有一股刺鼻的药粉味。这房子不知在什么时候已经变成了一座仓库：储存种子的稻屯，生了锈的犁铧、牛轭杂乱地堆得满院都是。而通往后院的长廊上还搁着一个救火用的水龙。他要从那儿经过，就必须侧过身子。

谭功达来到后院，看见大树下有一只小板凳，旁边有一个白色的搪瓷盆和一堆豆荚。也许佩佩是在剥豆子的时候突然被捕的，搪瓷盆里剥好的毛豆撒了一地……

阁楼的卧室整洁完好，进一步证实了谭功达的判断：那些鲁莽的公安人员抓住她时的兴奋是显而易见的，他们甚至没有顾得上去搜查她的房间，就连桌面上压在头箍下的那封摊开的信，都没有带走。那是一枚红色的头箍。在窗户和床架之间有一条晾衣绳，上面挂着她的一双袜子。谭功达用手捏了捏，还有些潮湿。

那封信没有写完。显然是因为圆珠笔的墨油用完了，这封信的字迹越来越淡，到了最后，他看见在信件的空白处，有几道圆珠笔尖留下的深深的划痕。

这封信我也不打算寄给你。只是一个人在阁楼里闷着无聊，写着玩罢了。也许明天就把它烧了。唉，想起七年前，第一次来普济的情景，仿佛就在昨天。那时，普济水库的大坝工地出了事，我和你一起下乡，还有白庭禹和司机小王。吉普车开到官塘镇的三岔路口，发动机突然熄火了。那是我第一次看见紫云英。哦，紫云英！我问坐在前排的白庭禹，那是什么花，白副县长说，不清楚。我又问小王，小王没有理我，他已经把吉普车的盖板掀开了，我看见一团一团的热气从引擎里冒出来，遮住了他的脸。我又转过身来问你，可你早已靠在灯芯绒的软垫上睡着了，身上有一张摊开的地图。那是一张梅城区域规划图。我一路上看见你在地图上写写画画，还以为你是替十二万梅城人民规划未来的远景呢。

我悄悄地把地图拿过来一看，当时就吓傻了，因为在地图边的空白处，你用红铅笔密密麻麻地写满了我的名字。我的心一下就乱了。就像在考试前预先偷看了答案，一波一波的疑问和惊喜，像海浪一样朝我打过来，从我的心里，从我的嗓子里，涌出来：难道说——我不敢往下想，也不敢看你的脸。小王正在修车。白庭禹副县长站在路边抽烟。车上就我们两个人。静静的。我一个人呆呆地看着窗外，傻傻地想了半天，最后眼泪又止不住地流下来了。

就在这个时候，我又看见了远处那片紫云英花地。哦，紫云英！我看见花地中矗立着一棵孤零零的大楝树。恰好，一片浮云的阴影遮住了这棵树。我心里忽然一动，就把眼睛闭上了。心里想，现在我把眼睛闭上，我在心里默默地数十下。如果这事真的能成，等我数到十下的时候，睁开眼睛，就让这片阴影从大楝树上移走吧。可我闭上了眼睛，就再也不敢睁开了。足足等了七八分钟之久，当我睁开眼睛一看，天哪！那片阴影还在那儿……

它还在那儿。一动不动。而在别的地方，村庄、小河、山坡上，到处都沐浴着灿烂的阳光。苦楝树下那片可怜的小小的紫色花朵，仿佛就是我，永远都在阴影中，永远。它在微风中不安地翕动，若有所思，似火欲燃……

11

姚佩佩归案后的第二天，谭功达和高麻子以包庇罪和反革命罪同时被捕。九个月之后，姚佩佩在一个细雨蒙蒙的清晨被押往军分区的靶场，执行枪决。当时，省医学院在梅城设立了第三分院。姚佩佩的遗体因无亲属认领，最后被扔到一辆小卡车上，运到医学院的解剖室，进行教学观摩。最后，她的一只肾被取了出来，浸泡在福尔马林的溶液中，制成了医用标本，陈列在解剖室外的玻璃橱柜中。

谭功达在梅城第二模范监狱一直被关到一九七六年。十多年来，他一直在持续不断地给中央和地方各级政府写信，并附上了一幅幅只有他自己能够看得懂的“梅城规划草图”。到了这年的九十月间，他因肝腹水死去。在弥留之际，他听到了监狱外的鞭炮声响了一夜。

“谁在放鞭炮？”他嘀咕了一句。

在朦胧中，他看见姚佩佩悄无声息地从门外走了进来，坐在他的床铺边，看着他，漾漾地笑。

“谁在放鞭炮？”他又大声地问了一句。

“全城的人都在庆祝。”佩佩摸了摸他的额头，低声道。

她的手软绵绵的，凉阴阴的。

“庆祝？庆祝什么？为什么要庆祝？”

“因为，共产主义已经实现了。”佩佩笑着对他说。

“可我怎么什么也看不见？”

“你不用看。你闭上眼睛，我来说给你听。这个社会呀，没有死刑……”

没有死刑
没有监狱
没有恐惧
没有贪污腐化
遍地都是紫云英的花朵，它们永不凋谢
长江不再泛滥，连江水都是甜的

日记和私人信件不再受到检查
没有肝硬化，也没有肝腹水
没有与生俱来的罪恶和永无休止的耻辱
没有蛮横愚蠢的官员，也没有战战兢兢的百姓
如果你决定和什么人结婚，再也不会有年龄的限制

“这么说，什么烦恼都不会有了？”
“对，什么烦恼都不会有了。”

图书在版编目（CIP）数据

江南. 第二部, 山河入梦 / 格非著. — 北京 : 北京十月文艺出版社, 2023.1(2025.12 重印)
ISBN 978-7-5302-1908-9

Ⅰ. ①江… Ⅱ. ①格… Ⅲ. ①长篇小说－中国－当代 Ⅳ. ①I247.5

中国版本图书馆 CIP 数据核字（2018）第 284396 号

江南 第二部 山河入梦
JIANGNAN DIERBU SHANHE RUMENG
格非 著

出　版　北 京 出 版 集 团
　　　　北京十月文艺出版社
地　址　北京北三环中路 6 号
邮　编　100120
网　址　www.bph.com.cn
发　行　新经典发行有限公司
　　　　电话 010-68423599
经　销　新华书店
印　刷　山东京沪印刷科技有限公司
版　次　2023 年 1 月第 1 版
印　次　2025 年 12 月第 7 次印刷
开　本　850 毫米 ×1168 毫米　1/32
印　张　13
字　数　290 千字
书　号　ISBN 978-7-5302-1908-9
定　价　59.00 元
如有印装质量问题, 由本社负责调换。
质量监督电话　010-58572393